JN135171

投資ストラクチャーの税務

INVESTMENT STRUCTURE

Cross-border Investment Vehicles Taxation

［十一訂版］

クロスボーダー投資と匿名組合／任意組合

十一訂版はしがき

初版本から2021年の十訂版にいたるまで，多くの方々からご購読をいただいたこと，著者一同ここに厚くお礼を申し上げます。

今回の十一訂版では，本書の記載の特徴である国際税務に関して，2021年以降，今までに多くの税法等の改正があり，それらを修正及び加筆する機会をいただきました。

具体的には，国際最低課税額を定めるグローバル・ミニマム課税の導入やCFC税制の改定，また投信法上の利益概念の改正などについて投資ストラクチャーに与える影響の観点から解説を行いました。さらに，令和4年・5年度税制改正の内容に加えて，令和6年度税制改正大綱の関連項目についても追記しました。同時に，本書の特色である事業目的別ストラクチャーのケーススタディについても関連部分の内容の刷新や追加を行いました。

本改訂では，引き続き，投資ストラクチャーに関する最新の税務上の取り扱いを網羅することができたと思います。読者の皆様が投資ストラクチャーを検討する際の一助になれば幸いです。

最後に本改訂にあたり，ご協力いただいた株式会社税務経理協会の吉冨智子様はじめ関係者の皆様にここにあらためてお礼を申し上げます。

2023年12月

公認会計士・税理士　鬼頭朱実
税理士　箱田晶子
公認会計士・税理士　藤本幸彦

十訂版はしがき

初版本から2018年の九訂版にいたるまで，多くの方々からご購読をいただいたこと，著者一同ここに厚くお礼を申し上げます。

今回の改訂では，本書の記載の特徴である国際税務に関して，2018年以降今までに多くの税法の改正などがあり，それらを修正及び加筆する機会をいただきました。

具体的には，CFC税制（タックスヘイブン税制）や過大支払利子税制，投資法人等の投資Vehicleに係る二重課税の調整（ファンドに係る外税控除）などに関して行われた税制改正の内容，BEPS防止措置実施条約（MLI）によって改定された条約や新規に締結された条約，PE課税に関連して金融庁が行った独立代理人に係る参考事例集やQ&AのUPDATE，さらにキャリード・インタレスト課税の明確化をはじめとした令和3年度税制改正で導入された国際金融都市関連税制も含めて改訂しました。本書の特色である事業目的別スキームのケーススタディについても関連部分の内容の刷新や追加を行いました。

本改訂では，引き続き，投資ストラクチャーに関する最新の税務上の取り扱いを網羅することができたと思います。読者の皆様が投資ストラクチャーを検討する際の一助になれば幸いです。

最後に本改訂にあたり，ご協力いただいた株式会社税務経理協会の小林規明様，吉冨智子様はじめ関係者の皆様並びにPwC税理士法人の関係者の方々にここにあらためてお礼を申し上げます。

2021年5月

PwC税理士法人
公認会計士・税理士　鬼頭朱実
税理士　箱田晶子

公認会計士・税理士　藤本幸彦

九訂版はしがき

初版本から2016年の八訂版にいたるまで，多くの方々からご購読をいただいたこと，著者一同ここに厚くお礼を申し上げます。

今回の改訂では，本書の記載に関して，2016年以降今までの税法の改正点などについて修正及び加筆する機会をいただきました。

具体的には，BEPSプロジェクト最終報告書の内容を受けて採択されたBEPS防止措置実施条約の内容や恒久的施設の概念の国内税法改正について，ファンド組成の観点から解説を行いました。また，昨今のアウトバウンド投資ストラクチャーを念頭に，30年ぶりに改正されたタックス・ヘイブン税制（現CFC税制）や，ファンドに係る外税控除の税制改正内容について説明を加えています。

本改訂では，引き続き，投資ストラクチャーに関する最新の税務上の取扱いを網羅することができたと思います。読者の皆様が投資ストラクチャーを検討する際の一助になれば幸いです。

最後に本改訂にあたり，ご協力いただいた株式会社税務経理協会の小林規明様，鬼頭沙奈江様はじめ関係者の皆様並びにPwC税理士法人の関係者の方々にここにあらためてお礼を申し上げます。

2018年9月

PwC税理士法人
公認会計士・税理士　鬼頭朱実
税理士　箱田晶子

公認会計士・税理士　藤本幸彦

八訂版はしがき

初版本から2013年の七訂版にいたるまで，多くの方々からご購読をいただいたこと，著者一同ここに厚くお礼を申し上げます。

今回の改訂では，本書の記載に関して，2013年以降今までの税法の改正点などについて修正及び加筆する機会をいただきました。

具体的には，税制改正や判例の動向について，投資法人（Jリート）の海外投資や税務と会計の処理の不一致に関する2015年度の税制改正，LLCやLPSについての判決を受けて海外事業体についての解説の追加を行いました。また，最近の動向を踏まえて，再生エネルギーへの投資やアウトバウンドの投資などに関する記載を特に充実するように努力しました。それらに伴い，本書の特色である事業目的別スキームのケーススタディについても関連事例の内容の刷新や追加を行いました。

本改訂では，引き続き，投資ストラクチャーに関する最新の税務上の取扱いを網羅することができたと思います。読者の皆様が投資ストラクチャーを検討する際の一助になれば幸いです。

最後に本改訂にあたり，ご協力いただいた株式会社税務経理協会の小林規明様はじめ関係者の皆様並びにPwC税理士法人の関係者の方々にここにあらためてお礼を申し上げます。

2016年1月

PwC税理士法人
公認会計士・税理士　鬼頭朱実
税理士　箱田晶子

公認会計士・税理士　藤本幸彦

七訂版はしがき

初版本から2010年の六訂版にいたるまで，多くの方々からご購読をいただいたこと，著者一同ここに厚くお礼を申し上げます。

今回の改訂では，本書の記載に関して，2011年以降2013年までの税法の改正点について修正及び加筆する機会をいただきました。

具体的には，特に2013年度の税制改正により，金融所得課税の一体化を進める観点から，公社債等および株式等に係る，2016年1月1日以後の所得に対する課税が大きく見直されたことが挙げられます。また，2013年10月24日の政府税制調査会第1回国際課税ディスカッショングループ資料に基づき，帰属主義・AOA（Authorized OECD Approach）導入により予想される影響についても記載させていただきました。

本改訂版では，引き続き，投資ストラクチャーに関する最新の税務上の取扱いを網羅することができたと思います。昨今アベノミクス下で活況を取り戻しつつあるマーケットにおいて，読者の皆様が投資ストラクチャーを検討する際の一助になれば幸いです。

最後に本改訂にあたり，ご協力いただいた株式会社税務経理協会の小林規明様はじめ関係者の皆様並び当税理士法人の関係者の方々にここにあらためてお礼を申し上げます。

2013年11月

税理士法人プライスウォーターハウスクーパース　金融部

公認会計士・税理士　藤本　幸彦

公認会計士・税理士　鬼頭　朱実

税理士　箱田　晶子

六訂版はしがき

初版本から2009年の五訂版にいたるまで，多くの方々からご購読をいただいたこと，著者一同ここに厚くお礼を申し上げます。

今回の改訂では，本書の記載に関して，2010年の税法の改正点について修正および加筆する機会をいただきました。

具体的には，非居住者の公社債利子等非課税制度の導入，タックスヘイブン税制の改正などが挙げられます。

本改訂版では，引き続き，投資ストラクチャーに関する最新の税務上の取り扱いを網羅することができたと思います。読者の皆様が投資ストラクチャーを検討される際の一助になれば幸いです。

最後に本改訂にあたり，ご協力いただいた株式会社税務経理協会の堀井裕一様はじめ関係者の皆様ならびに当税理士法人の関係者の方々にここにあらためてお礼を申し上げます。

2010年4月

税理士法人プライスウォーターハウスクーパース　金融部
公認会計士・税理士　藤本　幸彦
公認会計士・税理士　鬼頭　朱実
税理士　箱田　晶子

五訂版はしがき

初版本から2008年の四訂版にいたるまで，多くの方々からご購読をいただいたこと，著者一同ここに厚くお礼を申し上げます。

今回の改訂では，本書の記載に関して，2009年の税法の改正点について修正および加筆する機会をいただきました。

具体的には，組合型ファンドのPE課税の特例措置や事業譲渡類似課税の特例措置などが挙げられます。

本改訂版では，引き続き，投資ストラクチャーに関する最新の税務上の取り扱いを網羅することができたと思います。読者の皆様が投資ストラクチャーを検討される際の一助になれば幸いです。

最後に本改訂にあたり，ご協力いただいた株式会社税務経理協会の堀井裕一様はじめ関係者の皆様ならびに当税理士法人の関係者の方々にここにあらためてお礼を申し上げます。

2009年10月

税理士法人プライスウォーターハウスクーパース　金融部

公認会計士・税理士　藤本　幸彦

公認会計士・税理士　鬼頭　朱実

税理士　箱田　晶子

四訂版はしがき

初版本から2006年の三訂版にいたるまで，多くの方々からご購読をいただいたこと，著者一同ここに厚くお礼を申し上げます。

今回の改訂では，本書の記載に関して，2007年および2008年の税法の改正点について修正および加筆する機会をいただきました。

具体的には，2007年税制改正については匿名組合の国内の投資家に対する利益分配に係る源泉税の取り扱いなど，2008年税制改正については日本の恒久的施設（PE）に係る独立代理人条項の創設などが挙げられます。

本改訂版では，引き続き，投資ストラクチャーに関する最新の税務上の取り扱いを網羅することに努めました。読者の皆様が投資ストラクチャーを検討される際の一助になれば幸いです。

最後に本改訂にあたり，ご協力いただいた株式会社税務経理協会の堀井裕一様はじめ関係者の皆様ならびに当税理士法人の関係者の方々にここにあらためてお礼を申し上げます。

2008年8月

税理士法人プライスウォーターハウスクーパース　金融部

公認会計士・税理士　藤本　幸彦

公認会計士・税理士　鬼頭　朱実

税理士　箱田　晶子

三訂版はしがき

初版本ならびに昨年の改訂版については，多くの方々からご購読をいただいた旨ご連絡を受けましたこと，著者一同ここにお礼を申し上げます。

今年は組合関連の新たな通達の公表があったり，また，新会社法が5月より施行されたことに伴い，税法が一部改正されたりと，本書の記載に関係するものが多くありました。

組合関連の通達に関しては，特に不動産およびプライベート・エクイティに係るファンドへの投資に関して影響がある点を考慮して，第3章　組合型ストラクチャーを中心に解説を加えました。

新会社法に伴う税法改正関連に関しては資本等に係る取扱いが変わるなど本書に関係する箇所は当該記載を変更しました。

本改訂版が引き続き，読者の皆様が投資ストラクチャーを検討される際の一助になれば幸いです。

最後に本改訂にあたり，ご協力いただいた株式会社税務経理協会の堀井裕一様はじめ関係者の皆様ならびに当税理士法人の関係者の方々にここにあらためてお礼を申し上げます。

2006年7月

税理士法人　プライスウォーターハウスクーパース　金融部
公認会計士・税理士　藤本　幸彦
公認会計士・税理士　鬼頭　朱実

改訂版はしがき

昨年の初版本については，多くの方々からご購読をいただいた旨ご連絡を受けましたこと，著者一同ここにお礼を申し上げます。

ご存知のように今年の税法の改正に関しては，本書の記載に関係するものが比較的多くありました。

具体的には，不動産，不良債権およびプライベート・エクイティに係るファンドへの投資に関して，任意組合などからの海外への分配に対する新たな源泉徴収制度の創設，いわゆる不動産化体株式や事業譲渡類似株式に係る税務上の取り扱いやタックス・ヘイブン税制に係る改正などが挙げられます。

本改訂版では，このような今年の税法改正に係る主要な論点を各章で網羅するとともに，初版ではふれられなかった日本版 LLP 等の概要の説明を加えました。読者の皆様が投資ストラクチャーを検討される際の一助になれば幸いです。

最後に本改訂にあたり，ご協力いただいた，株式会社税務経理協会の堀井裕一様はじめ関係者の皆様ならびに当税理士法人の関係者の方々にここにあらためてお礼を申し上げます。

2005 年 5 月

プライスウォーターハウスクーパース
税理士法人　中央青山　金融部
公認会計士・税理士　藤本　幸彦
公認会計士・税理士　鬼頭　朱実

まえがき

株式等の有価証券や不動産の投資のためにファンドを組成して複数の投資家を募る場合，そのストラクチャーをどのようにするかはその投資をビジネスとして成功させるためにもっとも重要なことのひとつです。その投資ストラクチャーに関する税務は，法律，会計とともに，慎重な検討を要する事項であり，特にクロスボーダーの投資ストラクチャーに係る税務は専門的な知識を必要とする分野です。本書は，そのような投資ストラクチャーの税務について，私どもが日々実務の中で行ってきたコンサルティングの経験をもとになるべくわかりやすく，多面的にかつ網羅的に説明することを目的として書かれたものです。

本書の内容については，投資ストラクチャーの税務に関する解説を特徴とし，第1部において会社型，信託型，匿名組合，任意組合などのストラクチャーに関する基本的な論点の解説を行うとともに特に外国のパートナーシップやリミテッド・ライアビリティー・カンパニー（LLC）などの海外 Vehicle についても現状可能な限りの解説を行いました。第2部においてはインバウンド，アウトバウンド等のクロスボーダーの事業投資について具体的な方法に係る解説を加えました。第3部では事業目的別スキームのケーススタディとして，想定できる具体的な仕訳と税務上の取扱いならびに実務上の留意点を解説しました。

投資ストラクチャーの税務実務上，その取扱いが必ずしもすべて明らかにされているわけではありません。論点によっては，複数の説がある中で，私どもの信じるところを中心に解説している場合がありますので，その点をご理解の上，一読していただければ幸いです。また，具体的な取引に関しては，関与されている税理士等の専門家に確認されるよう，お願いいたします。

本書に関連する税法改正事項に関しては，原則として本年3月までに行われた税法改正で明らかにされた範囲に限定して本書に記載しました。また，新日米租税条約が本年7月1日より施行されますが，その取扱いについても一部記載することができました。

本書の読者層としては，会社の経理，財務，税務を担当されている方，公認会計士，税理士，弁護士等の専門家の方を念頭におきました。投資のストラクチャリングを行う際の一助となれば，幸いです。解説に不十分な点もあろうかと思いますが，今後いろいろな機会を通じてご指導いただけることをお願いいたします。

最後に本書の完成に至るまで，長い間ご助力をいただいた株式会社税務経理協会の堀井裕一様はじめ関係者の皆様ならびに本書作成をサポートしてくれた当事務所のスタッフの方にここにあらためてお礼を申し上げます。

2004年6月

プライスウォーターハウスクーパース
税理士法人　中央青山　金融部
公認会計士・税理士　藤本　幸彦
公認会計士・税理士　鬼頭　朱実

目　　次

第１部　投資ストラクチャー

第2部　クロスボーダー事業投資

第3部　事業目的別ストラクチャーのケーススタディ

参考資料

第1部

投資ストラクチャー

第１章　会社型投資ストラクチャー

会社型投資ストラクチャーにおいては，日本の法人を投資 Vehicle として行われるストラクチャーを説明いたします。会社型といえば，株式会社や合同会社等を使ったストラクチャーも考えられますが，ここでは資産流動化法における特定目的会社と投信法における投資法人に関する税務上の取扱いを述べたいと思います。

なお，外国投資法人については，「第４章　海外投資 Vehicle」において説明いたします。

I　特定目的会社

「資産の流動化に関する法律」（以下，この章において「資産流動化法」）は，特定目的会社制度と特定目的信託制度に大別できます。ここでは，資産流動化法の概要を述べた後，特定目的会社制度に係る税務上の取扱いを説明することとします。特定目的信託制度に係る税務上の取扱いは，次の「第2章　信託型投資ストラクチャー」で説明します。

1　資産流動化法の概要

以下では，特定目的会社に関する資産流動化法の概要を述べます。

①　特定目的会社の位置付け

特定目的会社は，法人とすると規定されており（資産流動化法第13条），その事業としてする行為およびその事業のためにする行為は，商行為とする旨が規定されています（資産流動化法第14条）。

また，商業登記や権利能力について，会社法の規定が準用されています。

②　届　　出

特定目的会社は，資産流動化に係る業務を行うときは，あらかじめ内閣総理大臣に届け出なければならないとされています。届出にあたっては，定款や資産流動化計画の添付が必要とされています。

③　特定目的会社の設立に係る資本金

特定目的会社の資本金は，特定資本金および優先資本金とされています。

④　特 定 資 産

原則として財産権一般が対象とされています。ただし，任意組合，匿名組合の出資持分については取得してはならないこととされています（一定の例外あり）。

⑤　資産対応証券

特定目的会社は，特定資産を取得するために次の資産対応証券を発行します。

- 優先出資証券
- 特定社債
- 転換特定社債
- 新優先出資引受権付特定社債
- 特定短期社債
- 特定約束手形

上記の特定短期社債は，特定社債のうち，次に掲げるすべての要件を満たすものとされています。

- 各特定社債の金額が１億円を下回らないこと
- 元本の償還について，募集特定社債（第122条第１項に規定する募集特定社債をいう）の総額の払込みのあった日から１年未満の日とする確定期限の定めがあり，かつ，分割払いの定めがないこと
- 利息の支払制限を，元本の償還期限と同じ日とする旨の定めがあること
- 担保附社債信託法の規定により担保が付されるものでないこと

⑥　特定借入れ

特定目的会社は，一定の要件の下，資金の借入れ（特定借入れ）を行うことができます。

2　特定目的会社制度に係る税務上の取扱い

資産の流動化を促進するため，特定目的会社に対しては，さまざまな税負担の軽減措置が図られる一方で，特定目的会社の事業目的の特殊性および当該税負担の軽減措置がとられていること等から，一般の事業会社で認められている税務上の優遇措置の一部が特定目的会社には適用されません。

（１）　法人税法上の取扱い

①　支払配当の損金算入

下記（ａ）の要件を満たす特定目的会社が優先出資社員等に対して支払う利益の配当で（ｂ）の要件を満たす事業年度に係るものは，当該事業年度の特定目的会社の課税所得の計算上，損益の額に算入することが認められます。

（ａ）　特定目的会社に関する要件（以下の要件のすべてを満たすこと）

（ア）　資産流動化法第８条第１項の特定目的会社名簿に登載されているものであること

（イ）　次のいずれかに該当すること

①　特定目的会社の発行（当該発行に係る金融商品取引法第２条第３項に規定する有価証券の募集が，同項に規定する取得勧誘であって，同項第1号に掲げる場合に該当するもの（いわゆる公募）に限る）した特定社債の発行価額の総額が１億円以上であること

②　特定目的会社の発行した特定社債が機関投資家*その他これに類するものとして政令*で定めるもののみによって保有することが見込まれているものであること

*機関投資家とは，金融商品取引法第２条第９項に規定する金融商品取引業者（同法第28条第１項に規定する第１種金融商品取引業のうち同条第８項に規定する有価証券関連業に該当するものまたは同条第４項に規定する投資運用業を行う者に限る）その他の財務省令で

定めるものをいいます（以下において同様）。

*政令では，金融商品取引法第2条第3項第1号に規定する適格機関投資家である特定目的会社のうち，特定資産が原資産を不動産等とする特定目的会社が発行する特定社債等のみであるもの（特定債権流動化特定目的会社），とされています。

③　特定目的会社の発行した優先出資が50人以上の者によって引き受けられたものであること

④　特定目的会社の発行した優先出資が，機関投資家のみによって引き受けられたものであること

（ウ）　その発行をした優先出資および基準特定出資に係るそれぞれの募集が主として国内において行われるものとして政令で定めるもの*に該当するものであること

*政令では，資産流動化計画においてその発行する優先出資または基準特定出資の発行価額の総額のうちに国内において募集または割当てもしくは募集される優先出資または基準特定出資の発行価額の占める割合がそれぞれ100分の50を超える旨（二種類以上の優先出資を発行する場合はそれぞれの種類ごとに100分の50を超える旨）の記載または記録があること，と定められています。

（エ）　その他政令で定める要件*

*政令では，特定目的会社の営業年度等が1年を超えないものとする，と定められています。

（b）　事業年度に関する要件（以下の要件のすべてを満たすこと）

（ア）　資産流動化法第195条第1項に規定する資産の流動化に係る業務およびその附帯業務を同条に規定する資産流動化計画に従って行っていること

（イ）　資産流動化法第195条第1項に規定する他の業務を営んでいる事実がないこと

（ウ）　資産流動化法第200条第1項に規定する特定資産を信託財産として信託していることまたは当該特定資産（同条第2項各号に掲げる資産に限る）の管理および処分に係る業務を他の者に委託していること

（エ）　当該事業年度終了の時において法人税法第2条第10号に規定する同族会社に該当するもの（上記(a)(イ)①または②に該当するものを除く）でないこと

（オ）　当該事業年度に係る利益の配当の支払額が当該事業年度の配当可能利益の金額として政令で定める金額（特定目的会社が特定社債を発行している場合には，政令で定める金額を控除した金額）の100分の90に相当する金額を超えていること

（カ）　資産流動化法第195条第2項に規定する無限責任社員となっていないこと

（キ）　その他政令で定める要件*

*政令では，特定目的会社が資産流動化計画に記載された特定資産以外の資産を保有していないこと，および，特定目的会社が特定借入れを行っている場合には，その特定借入れが機関投資家または特定債権流動化特定目的会社からのものであり，かつ，当該特定目的会社に対して資産流動化法第2条第6項に規定する特定出資をした者からのものではないこと（租税特別措置法第67条の14第1項第2号ト，同法施行令第39条の32の2第8項）とされています。

〈支払配当損金算入要件に係る留意点〉

●特定社債の発行に係る留意点

資産対応証券の発行に係る要件は，主として(a)(イ)と(a)(ウ)で規定されています。

(a)(イ)②，③，④の要件は，特定社債が機関投資家または特定債権流動化特定目的会社により保有することが見込まれること，優先出資が機関

投資家のみによって引き受けられたこと，または優先出資が 50 人以上の者によって引き受けられたことを要求しています。(a)(イ)①は特定社債が公募かつ１億円以上で発行されることを要求しています。平成 22 年度税制改正により(a)(イ)②の要件は「特定社債が機関投資家等（略）により引き受けられたこと」から「特定社債が（以下略）により保有することが見込まれること」に変更されました。これにより(a)(イ)②において，特定社債が機関投資家等によって単に引き受けられるだけでなく，保有されることが見込まれる必要があります。

また，(a)(ウ)において，その発行をした優先出資および基準特定出資に係るそれぞれの募集が主として国内において行われるものとして政令で定めるものに該当することが要求されていますので，優先出資または基準特定出資のいずれかの募集が 50% 以上海外において行われている場合等は，支払配当の損金算入が認められないことになります。基準特定出資とは，特定出資のうち特定社員があらかじめ利益の配当または残余財産の分配を受ける権利を放棄するもの以外をいいます。

この(a)(ウ)では，平成 22 年度税制改正前は「特定社債および優先出資」について国内 50% 超募集要件を定めていましたが，税制改正により国内 50% 超募集要件の対象から特定社債が外される一方，基準特定出資が加えられるという変更がなされました。これにより，特定社債は 100% 海外投資家が保有したとしても導管性要件を満たすことになります（ただし，(a)(イ)②の要件に注意)。さらに平成 23 年度税制改正により，二種類以上の優先出資を発行する場合は，それぞれの種類ごとに国内 50% 超募集要件を満たす必要があります。

なお，税務上の機関投資家は金融商品取引法上の適格機関投資家の概念より狭い概念となっています。

●同族会社要件

同族会社要件は，(b)(エ)で規定されていますが，(a)(イ)①または②

の要件を満たしているものは除外されています。したがって，特定社債を公募かつ1億円以上発行している場合または特定社債を機関投資家のみに保有することが見込まれる場合においては，同族会社要件を満たす必要はないことになります。

同族会社とは

同族会社とは，会社の株主等の3人以下ならびにこれらと特殊の関係のある個人および法人が，その会社の発行済株式または出資の総数または総額の50%超の数または金額の株式または出資の金額を有する場合その他政令で定める場合におけるその会社をいいます（法人税法第2条第10号）。

同族会社については，会社のオーナーの個人的な意思によって法人税を不当に回避したり，配当を抑制することで出資者の所得税の負担が繰り延べられることがありえます。

そこで，法人税法は，法人税の負担を不当に回避するような同族会社の行為計算を否認することとしています。また，特定同族会社（被支配会社を除く1株主グループで判定）の各事業年度の留保金額が留保控除額を超える場合には，その超える部分の留保金額に対し，法人税が課されます（なお，資本（出資）金額が1億円以下のもの（ただし，大法人による完全支配関係がある法人を除く）については，留保金課税は適用されません）。

●借入れに関する要件

上記（b）（キ）において，特定目的会社が特定借入れを行っている場合には，その特定借入れが機関投資家または特定債権流動化特定目的会社からのものであり，かつ，当該特定目的会社に対して特定出資をした者からのものではないことが要求されています。したがって，特定借入れを行う際には，支払配当の損金算入規定の適用上，特定出資をしていない機関投資家または特定債権流動化特定目的会社からのものである必要があります。

●法人税について

特定目的会社が上記の要件を満たし，支払配当額の損金算入が認められたとしても，特定目的会社が非課税法人とされていないことから，配当されなかった内部留保金部分は通常の法人税率で法人税が課されます。特定目的会社には，下記④で記すように中小法人に対する法人税の軽減税率の適用がありませんので，大法人と同様，所得金額にかかわらず通常の法人税率が適用されることになります。

●損金に算入される金額について

特定目的会社が配当可能利益の金額として政令で定める金額の90％以下の配当を行った場合，支払配当額を損金の額に算入することは認められません。平成21年税制改正前は，「配当可能所得の金額として政令で定める金額」が課税所得を基礎として規定されていたため，課税所得と会計上の利益に差異がある場合，90％超配当要件を満たしているかどうかに留意が必要でした。

平成21年税制改正後はこの要件が「配当可能利益の金額として政令で定める金額」と会計上の利益を基礎として規定されることとなりました。しかしながら「配当可能利益の金額として政令で定める金額」は税引前当期純利益に一定の調整を加えて計算されるため，税務調整項目があり課税が発生する場合は，引き続き90％超配当要件を満たしているかどうかに注意が必要です。

なお，減損損失の70％は配当可能利益の計算上，控除されますので減損損失が会計上計上されることにより90％超配当要件が満たされなくなるリスクは緩和されています。

また，損金算入できる金額は支払配当の損金算入前の課税所得とされていますので，当該課税所得以上の金額を分配したとしても，当該超える部分の金額は損金には算入されません。特定目的会社には，投資法人のような税会不一致の対応措置（一時差異等調整引当額や一時差異等調整積立金等）の措置はありませんので，会計税務の処理の差異が生じると特定目的会社で課税が生じることになるため，税会不一致が生じないよう当初の会計・税務処理法の選定に留意が必要です。

●損金算入にかかる手続

支払配当額を損金算入するにあたっては，損金の額に算入される金額の損金算入に関する申告の記載および損金に算入される支払配当額の計算に関する明細書の法人税の申告書への添付があり，かつ，特定目的会社が上記(a)(イ)および(ウ)の要件を満たしていることを明らかにする書類を保存していることが必要です（租税特別措置法第67条の14第6項)。

②　欠損金の繰越控除制限

一般の法人（中小法人を除く）の青色欠損金の控除限度額は，欠損金額控除前の所得の金額の一定割合とされています。しかし，特定目的会社が上記①（a）の要件を満たす場合は，所得の金額の100％まで欠損金額の控除を行うことができます。

③　受取配当等および外国子会社から受ける配当等の益金不算入の不適用

特定目的会社が内国法人から配当等を受け取っても，受取配当等の益金不算入（法人税法第23条）の規定を適用することはできません。受取配当等の益金不算入の規定は，配当等を受け取った法人段階での二重課税を排除するために設けられたものですが，特定目的会社においては，支払配当の損金算入が認められることで，二重課税の問題が回避されているからです。

同様に，外国子会社から受ける配当等の益金不算入の規定の適用もありません。

④　中小法人に対する法人税の軽減税率の不適用

特定目的会社の資本金が１億円以下であっても，法人税法第66条第２項の軽減税率の適用はありません。

⑤　特定同族会社に対する留保金特別課税の適用

内国法人である特定同族会社が一定の限度額を超えて各事業年度の所得を留保した場合には，各事業年度の所得の金額に対する法人税のほかに，その限度額を超えて留保した所得等の金額に対し特別税額が課されます（なお，資本金額が１億円以下で大法人による完全支配関係がないものについては，留保金課税は適用されません）。特定目的会社についても，この特定同族会社に対する留保金特別課税の規定が適用されます。

なお，通常法人の場合，資本金の額が１億円以下の場合は上記留保金課税の適用がありませんが，特定目的会社にはこの適用除外の規定はありません。

⑥　外国税額控除

特定目的会社が外国法人税を納付している場合は，その外国法人税額は特定目的会社の利益の配当に対する所得税および復興特別所得税の額を限度として当該所得税および復興特別所得税の額から控除されます。なお，平成30年度税制改正（2020年１月施行）により，控除される外国法人税額は外貨建資産への運用割合（外貨建資産割合）を限度とすること等の措置が講じられています（Ⅱ投資法人⑦外国税額控除を参照）。なお，特定目的会社の導管性判定における「90％超配当要件」は会計上の税引前金額を基礎として計算されますが，計上項目についての明示は特段なされていないことから，外国法人税の会計上の計上項目については留意が必要です。

一般の外国税額控除の規定は適用されません。

⑦　貸倒引当金の損金不算入

貸倒引当金繰入額の損金算入ができる法人は，中小法人，銀行・保険会社および一定の金銭債権を有する法人に限定されています。特定目的会社は中小法人の範囲から除かれていることから，原則として貸倒引当金繰入額の全額が損金不算入となります。

⑧　交際費等の損金不算入

特定目的会社は資本金の金額にかかわらず，交際費等は全額損金不算入となります。これは，特定目的会社の事業目的が，証券の発行および元利金の支払，特定資産の取得，管理および処分等に限定されているためと考えられます。

なお，一定の飲食費は交際費等の範囲から除かれます。

⑨　土 地 重 課

特定目的会社が土地の譲渡等をした場合には原則として通常の法人税のほかに土地の譲渡利益額の5% の追加的な課税が行われます。しかし，当該特定目的会社が上記①（ｂ）の要件（（オ）の 90% 超の配当要件を除く）を満たす事業年度については上記の追加的な課税はありません。

また，特定目的会社が短期所有に係る土地の譲渡等をした場合には，通常の法人税のほかに，土地の譲渡利益額の 10% の追加的な課税が行われます。

なお，上記の租税特別措置法上のいわゆる土地重課は 2026 年 3 月 31 日まで適用が停止されています。

⑩　過少資本税制

特定目的会社は，いわゆる過少資本税制（租税特別措置法第 66 条の 5（国外支配株主等に係る負債の利子等の課税の特例））について，特別な措置がないため，特定目的会社も通常どおり規制対象となります。

特定目的会社が国外支配株主等に負債の利子等を支払う場合において，当該事業年度の国外支配株主等に対する負債の平均残高が国外支配株主等の純資産に対する持分の額の３倍を超えるときは，支払った負債利子等のうち，その超える部分に対応する支払利子等は損金の額に算入されません。海外の者が特定借入れや特定社債を保有している場合には注意する必要があります。

⑪　過大支払利子損金不算入制度

過少資本税制に加えて，平成24年度税制改正において過大支払利子損金不算入制度（租税特別措置法第66条の５の２（対象純支払利子に係る課税の特例））が導入されましたが，特定目的会社についても通常どおり規制対象となります。

なお，過大支払利子損金不算入制度は令和元年度税制改正により大幅に変更され，国外関連者等に対する支払利子のみならず，第三者に対する支払利子（ただし利子の支払を受ける者において日本の課税対象所得に含まれる利子等を除く）も対象とされたほか，損金不算入額は調整対象金額の20%（従前50%）を超えた金額とされました。

特定目的会社の対象純支払利子等の額が調整所得金額（当期の所得金額に，対象純支払利子等，減価償却費，税等について加減算する等の調整を行った金額）の20%を超える場合には，その超える部分の金額は，当期の損金の額に算入されません。本制度の適用により損金不算入とされた金額は，翌期以降７年間繰越し，翌期以降の対象純支払利子等の額と調整所得金額の20%に相当する金額との差額を限度として，損金に算入することができます。なお，令和６年度税制改正大綱では2022年４月１日から2025年３月31日までの間に開始した事業年度に係る超過利子額の繰越期間は10年に延長されることが示されています（詳細については第４章Ⅰ．外国投資法人１(９)参照）。

⑫　CFC税制（タックス・ヘイブン税制）

特定目的会社についても普通法人と同様，いわゆるCFC税制（タックス・ヘイブン税制）の適用があります。したがって，特定目的会社がCFC税制の対象となる外国子会社等に投資をしている場合，その所得のうち特定目的会社の持分割合に対応する部分の金額は特定目的会社の所得に合算されます。

なお，CFC税制は平成29年度税制改正により大幅に変更され，投資対象の外国子会社等がいわゆるペーパーカンパニーに該当する場合，租税負担割合が30％未満(注)であると適用の可能性があります。詳細については第４章Ｉ外国投資法人(７)を参照ください。

（注）内国法人の2024年４月１日以後に開始する事業年度については27％未満

⑬　運用財産等に係る利子等の課税の特例

特定目的会社のうち，特定資産が主として有価証券であるものとして政令で定めるものがその資産として運用している一定の有価証券につき国内において支払を受ける利子等や配当等に所得税および地方税の利子割の源泉徴収を行わないこととされています。

（２）　その他の税金

①　特定目的会社設立時

会社の設立登記に係る登録免許税に関して，特定目的会社の設立登記に係る登録免許税は，本店の所在地においてする登記については，一律３万円とされています。

②　不動産取得時

（ａ）　登録免許税

特定目的会社が資産流動化計画に基づき特定資産を取得した場合には，当該特定資産の取得に伴う不動産の所有権移転の登記に係る登録免許税は，取得後１年以内に登記を受けるものに限り，一定の条件のもとで税率は2025年３月31日までは1,000分の13とされています。

（ｂ）　不動産取得税

特定目的会社が，資産流動化計画に基づき特定資産たる不動産を取得した場合に，当該不動産の取得に対して課される不動産取得税の課税標準については，取得が2025年３月31日までの間に行われたときに限り，当該不動産の価額から当該不動産の価額の５分の３に相当する額を一定の条件のもとで控除することが認められます。

（ｃ）　特別土地保有税

特別土地保有税については，当分の間，新たな課税は行われません。

3　特定目的会社の投資家に対する課税

特定目的会社に係る投資家の税務上の取扱いは，以下に記すとおりです。

（1）　出　　　資

法人が特定目的会社を設立するために適格現物出資により資産および負債の移転を行った場合，帳簿価額による譲渡をしたものとして所得計算をすることはできません。

（2）　優先出資等に係る受取配当金および特定社債に係る利息

①　特定目的会社の投資家が日本の居住者または内国法人である場合

特定目的会社から支払われた特定出資および優先出資に係る配当金および特定社債（転換特定社債，新優先出資引受権付特定社債を含む，以下特に断らない限り同じ）に係る利息は所得税または法人税の課税対象となります。配当金について支払時に20%，利息について支払時に20%（法人の場合15%）の源泉税が課されます。なお，令和４年度税制改正により，2023年10月１日以降に支払いを受けるべき一定の子会社等からの配当等については，源泉税が課されないこととされました。

①　完全子法人株式等に係る配当等

②　配当等の支払いに係る基準日において名義人として保有する直接保有割合が３分の１超である場合の配当等

配当金については居住者および内国法人は所得税または法人税の税額を計算

居住者の特定社債に係る課税上の取扱い概要		
	特定公社債等（注1）	一般公社債等（注2）
利子所得等	原則20%（所得税15%，地方税5%） 申告分離課税 源泉徴収が行われた利子等は申告不要も可	20%（所得税15%，地方税5%）源泉分離課税（注3）
譲渡所得等	20%（所得税15%，地方税5%）申告分離課税	20%（所得税15%，地方税5%）申告分離課税
償還，一部解約等	同上 償還金等は特定公社債等の譲渡所得等に係る収入金額とみなされる	同上 償還金等は，原則として一般公社債等の譲渡所得等に係る収入金額とみなされる（注3）
損益通算および損失の繰越控除	特定公社債等の利子所得等および譲渡所得等と上場株式等の配当所得等および譲渡所得等との損益通算可能 3年間の損失繰越控除可能	—
特定口座での取扱い	可能	—

（※）上記に加え，復興特別所得税（所得税の額×2.1%）が課されます。以下同様。

（注1）特定公社債等とは，特定公社債(*)，公募公社債投資信託の受益権，証券投資信託以外の公募投資信託の受益権および特定目的信託の社債的受益権で公募のものをいいます。

＊特定公社債には，国債および地方債（外国のものを含む），政府関係機関債，公募公社債，上場公社債，9月以内（外国法人は12月以内）に有価証券報告書等を提出している法人が発行する社債のほか，2015年12月31日以前に発行された公社債（同族会社が発行したものを除く）等が含まれます。

（注2）一般公社債等とは特定公社債以外の公社債および私募公社債投資信託の受益権，証券投資信託以外の私募投資信託の受益権および特定目的信託の社債的受益権で私募のものをいいます。

（注3）ただし，同族会社が発行した社債の利子または社債の償還金でその同族会社の株主である一定の個人等や株主である法人と特殊の関係のある一定の個人等が支払を受けるものは，総合課税となります。

するにあたって，支払った源泉税を納付すべき所得税または法人税から原則として控除することができます。

なお，特定出資および優先出資が金融商品取引所に上場されている場合には，源泉税率の軽減等の上場株式等に係る特例の適用が考えられますが，ここでは金融商品取引所への上場等はなされていないことを前提とします（以下，本章において同じ）。また，2013年1月1日から2037年12月31日まで，所得税の2.1%に相当する復興特別所得税が課されます（以下，本章において同じ）。

特定目的会社から受け取る配当金については，受取配当等の益金不算入または配当控除の適用を受けることはできません。

特定社債の利息については，居住者は20%（所得税15%，地方税5%）の源泉税が徴収されます。社債については2016年1月1日以後課税関係が変更となり，特定社債が上場または公募等の特定公社債の要件を満たす場合，申告分離課税（所得税15%，地方税5%）が適用されます。特定公社債の要件を満たさない場合（一般公社債に該当）は源泉税で課税関係が終了します（前頁の表参考）。内国法人は，原則として15%（所得税）が源泉徴収されますが，法人税の税額を計算するにあたって，支払った源泉税を納付すべき法人税から控除することができます。投資家が一定の金融機関等である場合は，一定の条件の下，特定社債の利息に係る源泉税が免除されます。

なお，特定社債が割引債の場合，居住者が受け取る割引債の償還差益については譲渡所得等として20%（所得税15%，地方税5%）の申告分離課税とされます。また，従前の発行時の18%源泉徴収に代えて，償還時に償還金額にみなし割引率を乗じて計算した金額に対して20%（所得税15%，地方税5%）の源泉徴収がなされます（一定のものを除く）。

②　特定目的会社の投資家が非居住者または外国法人である場合

特定目的会社から日本の非居住者または外国法人へ支払われる特定出資および優先出資にかかる配当金には，支払時に所得税20%の源泉徴収がされますが，日本の非居住者または外国法人が日本に恒久的施設を有していなければ，所得税（源泉税を除く）または法人税は課されず，源泉税を支払うのみで課税関係が終了します。ただし，日本の非居住者または外国法人に対する源泉税は，租税条約により軽減される場合があります。

特定目的会社から非居住者または外国法人に支払われる特定社債の利息は原則として支払時に所得税15％の源泉徴収がされますが，非居住者債券所得非課税制度により，一定の要件を満たす振替社債については，非居住者または外国法人である投資家について利子に係る源泉税が免除されます（詳細については以下(４)を参照してください)。

また，特定目的会社が国外にて特定社債を発行する場合，民間国外債として非居住者または外国法人である投資家については，一定の手続により，利子に係る源泉税が免除されます（詳細については以下(５)を参照ください)。

(３)　優先出資証券および特定社債の譲渡

①　特定目的会社の投資家が日本の居住者または内国法人である場合

内国法人が特定目的会社の優先出資証券および特定社債を譲渡した場合，譲渡損益につき法人税および地方税の課税対象とされます。

居住者が優先出資証券および特定社債を譲渡した場合，譲渡益に対し原則として20％の申告分離課税（所得税15％および地方税5％）の対象となります。譲渡損失が発生したときは，上場，非上場の区分ごとに株式等に係る譲渡所得等の範囲内で損益通算することができますが，その他の所得区分との損益通算をすることはできません。

所有する資産が主として土地等である法人が発行する株式を譲渡した場合，いわゆる土地重課（法人投資家）や土地等に係る短期譲渡所得課税（個人投資家）の特例の対象とされます。特定目的会社に対する出資持分を譲渡しても下記租税特別措置法第67条の14第１項第１号ロ(１)もしくは(２)または(３)もしくは(４)に掲げるもので，同族会社に該当しないものについては，土地重課や土地等に係る短期譲渡所得課税の特例の対象とされません。

なお，租税特別措置法上のいわゆる土地重課は2026年３月31日まで適用が停止されています。

（租税特別措置法第67条の14第1項第1号ロ）
次のいずれかに該当すること
（1）　特定目的会社の発行（当該発行に係る金融商品取引法第2条第3項に規定する有価証券の募集が，同項に規定する取得勧誘であって同項第1号に掲げる場合に該当するもの（いわゆる公募）に限る）した特定社債の発行総額が1億円以上であること
（2）　特定目的会社の発行した特定社債が機関投資家その他これに類するものとして政令で定めるもののみによって保有することが見込まれているものであること
（3）　特定目的会社の発行した優先出資が50人以上の者によって引き受けられたものであること
（4）　特定目的会社の発行した優先出資が，機関投資家のみによって引き受けられたものであること

②　特定目的会社の投資家が非居住者または外国法人である場合

日本に恒久的施設を有しない非居住者または外国法人が優先出資証券および特定社債を譲渡したときは，原則として所得税および法人税は課されません。

なお，一定の割合以上の内国法人への株式等の出資持分を有する非居住者または外国法人が一定数以上の出資持分の譲渡を行う場合（下記，「法人税，所得税の課税対象となる株式等の譲渡」，「事業譲渡類似の株式等の譲渡」および「不動産化体株式等の譲渡益課税」参照），所得税および法人税の課税対象となります。特定目的会社の優先出資や特定出資についても一定以上の譲渡を行う場合，譲渡所得は原則として所得税および法人税の課税対象となります。

●法人税，所得税の課税対象となる株式等の譲渡
日本に恒久的施設を有しない外国法人，非居住者による内国法人の株式

等の譲渡には原則として日本の課税は行われません。しかしながら，以下の株式等の譲渡は法人税，所得税の課税対象とされます。

①　買い集めた同一銘柄の内国法人の株式等を売却することによる所得

②　内国法人の特殊関係株主等である外国法人，非居住者が行うその内国法人の株式等の譲渡による所得→「事業譲渡類似の株式等の譲渡」参照

③　国内にある不動産等の割合が資産総額の50％以上である法人（不動産関連法人）が発行する一定の株式等を譲渡した場合の所得→「不動産化体株式等の譲渡益課税」参照。

なお，50％以上の判定は，時価によるものとされており，保有する不動産関連法人の株式，不動産関連受益権も加えて判定されます。

また，50％の判定時期は，株式等の譲渡の日前365日以内のいずれかの時とされています。

④　株式方式のゴルフ会員権の譲渡による所得

●事業譲渡類似の株式等の譲渡

内国法人の特殊関係株主等である外国法人，非居住者が内国法人の株式等を以下の条件のもとで譲渡した場合，その譲渡所得に対し法人税，所得税が課されます。

①　株式等の譲渡があった事業年度終了の日以前3年以内のいずれかのときに，特殊関係株主等*がその内国法人の発行済株式または出資の総数または総額の25％以上を所有していたこと

＊特殊関係株主等

内国法人の株主，およびその株主と一定の関係にある個人（例えば，その株主の親族），その株主が50％超の資本を有する会社，民法組合等の他の組合員（一定の場合には除外規定あり）などをいいます。

②　株式等の譲渡があった事業年度において，特殊関係株主等がその内国法人の発行済株式または出資の総数または総額の5％以上を譲渡し

たこと

このような場合に法人税，所得税が課されるのは，特殊関係株主等による株式等の譲渡が実質的には事業を譲渡したのと同じと考えることができるからです。なお，資本の払戻し等も株式の譲渡等に含まれます。

●不動産化体株式等の譲渡益課税

上場株式等については，発行済株式等の総数または総額の5％超，非上場株式等については2％超を特殊関係株主等が保有する場合，特殊関係株主等たる外国法人，非居住者の不動産化体株式等の譲渡による所得には法人税，所得税が課されます。なお，特殊関係株主等の範囲には民法組合等の他の組合員が含まれます。

（４）　振替社債

日本国内で発行される振替社債等の利子について，非居住者または外国法人および一定の要件を満たす外国投資信託が利子の支払を受ける場合，海外の口座管理機関を通じて一定の事項を記載した書類（非課税適用申告書）を税務署長に提出したときは，その支払を受ける利子に所得税は課されません。なお，非課税適用申告書は５年ごとに提出する必要があります。

また，非居住者または外国法人が支払を受ける振替社債等（2010年６月１日以後に取得されたもの）の償還差益（取得価額と償還価額の差額）についても日本の法人税・所得税は課税されません。

特定目的会社の発行する特定社債等についても，振替社債等として発行される限りにおいて，本非課税措置を受けることができます。

ただし，本非課税措置は，振替社債等の発行者の政令で定める特殊関係者（発行者との間に発行済株式等の50％超の保有関係がある者）が支払を受ける利子および償還差益については適用されません。また，利子の額が社債発行者およびその特殊関係者の利益の額等に連動するものについても非課税の対象外とされます。

本規定の適用を受ける特定目的会社は特殊関係者である非居住者，外国法人の氏名，名称および住所等を記載した書類を毎期税務署長に提出する必要があります。

（5）　民間国外債

民間国外債とは，内国法人が国外において発行した債券で，その利子の支払が国外で行われるものをいいます。民間国外債のうち一定の要件を満たすものは「特定民間国外債」といいます。

民間国外債の範囲には，外国法人が国外で発行する債券の利子のうち，当該利子の全部または一部が当該外国法人の国内において行う事業に帰せられる場合における当該債券の利子も含まれています。

2010年4月1日以後に発行される民間国外債については，(1) 社債の発行者の特殊関係者（発行者との間に発行済株式等の50%超の保有関係がある者）が支払を受ける利子，また，(2) 利子の額が社債発行者またはその特殊関係者の利益の額等に連動するものについて，非課税の対象外とされます。発行者は特殊関係者である非居住者，外国法人の氏名，名称および住所等を記載した書類を毎期税務署長に提出する必要があります。

①　民間国外債の取扱い

民間国外債につき居住者または内国法人が支払を受けるべき利子は，その支払の際，原則として所得税15%の源泉税が課されます。ただし，非居住者または外国法人もしくは内国法人である一定の金融機関が民間国外債の利子の支払を受ける場合，一定の事項を記載した申告書（以下，「非課税適用申告書」）を提出したときは，その支払を受ける利子に所得税は課されません。

非課税適用申告書の記載事項は次のとおりです。

（a）　支払を受けるべき利子について租税特別措置法第6条第4項の規定の適用を受けようとする旨

（b）　支払を受ける者の氏名等および国外にある住所等

（c）　非課税の適用を受けようとする民間国外債の名称

（d）　非課税の適用を受けようとする民間国外債の利子の支払期および利子の金額

（e）　その他参考となる事項

非課税申告書を提出する者は，その提出をしようとする際，その者が非居住者または外国法人に該当することを証する書類を利子の支払者または支払の取扱者に提示しなければなりません。

2010年4月1日以後に発行される民間国外債については，(1) 社債の発行者の特殊関係者（発行者との間に発行済株式等の50% 超の保有関係がある者）が支払を受ける利子，また (2) 利子の額が社債発行者またはその特殊関係者の利益の額等に連動するものについては，非課税の対象外とされます。

②　特定民間国外債の取扱い

特定民間国外債をその支払の取扱者に一定の方法により保管の委託をし，その利子の支払を受ける場合において，「保管支払取扱者」がその利子の交付を受けるときまでに利子の受取人に関する情報（利子受領者情報）を利子の支払者に対して通知し，当該利子の支払者が「利子受領者確認書」を作成して税務署に提出したときは，非居住者または外国法人は非課税適用申告書を提出したものとみなされ，当該利子につき所得税が非課税となります。

当該適用を受けようとする非居住者または外国法人は，特定民間国外債の保管の委託をする際に，自己の氏名等を告知し，一定の書類によりその確認を受けなければいけないこととされています。なお，既に他の特定民間国外債につき上記の確認を受けている場合等には，新たに上記の告知をすることは要しません。

保管支払取扱者による利子受領者情報の通知は，原則として利子の支払者から利子の交付を受けるつど，行わなければなりません。

また，保管支払取扱者がその保管の委託を受けている特定民間国外債の利子の受領者がすべて非居住者または外国法人である旨の利子受領者情報を通知した場合に，その通知後の利払に係る利子の受領者がすべて非居住者または外国法人であるときは，利子の支払者の承認を得ている場合に限り，当該利子に係る利子受領者情報の通知を省略することができます。

この場合，利子の交付を受ける日の前日までに利子受領者情報の通知が保管支払取扱者からなかったときは，当該利子の支払を受けるべきものがすべて非居住者または外国法人である旨の利子受領者情報の通知があったものとみなされます。

特定民間国外債とは，以下の要件を満たしている民間国外債をいいます。

（ⅰ）民間国外債の発行する者が締結する引受契約等に，当該民間国外債の引受け等を行う者は，当該民間国外債を居住者，内国法人（国内金融機関等を除く）ならびに当該民間国外債の発行者の特殊関係者である非居住者および外国法人（一定の引受契約等を締結する者を除く）に対して当該引受契約等に基づく募集または売出し，募集または売出しの取扱いその他これらに準ずるものにより取得させ，または売り付けてはならない旨の定めがあること

（ⅱ）民間国外債の券面およびその発行に係る目論見書（券面が発行されていない場合は目論見書）に，居住者，内国法人または当該民間国外債の発行者の特殊関係者である非居住者もしくは外国法人が当該民間国外債の利子の支払を受ける場合（国内金融機関等が非課税適用申告書を提出している場合および公共法人等が国内における支払の取扱者を通じて支払を受ける場合を除く）には，当該民間国外債の利子について所得税が課される旨の記載があること

③　居住者または内国法人である投資家が民間国外債を取得する場合の利子に係る源泉税の取扱い

居住者に対して支払われる民間国外債の利子については，日本における支払の取扱者を通じて受け取る場合には当該支払の取扱者により20％の税率（所得税15％および地方税5％）にて，直接受け取る場合には利子の支払者によ

り 15% の税率にて源泉徴収が行われます。

内国法人に対して支払われる民間国外債の利子については 15%（所得税）の税率にて源泉徴収が行われます。なお，内国法人が一定の金融機関等または公共法人等の場合，支払を受けるべき国外公社債等の利子等につき一定の事項を記載した申告書を支払の取扱者を経由して税務署長に提出したときは，源泉徴収は免除されます。

法人投資家は，源泉徴収された所得税に関しては，所得税額控除の手続をとることにより，法人税額から控除する（または還付を受ける）ことができます。

④　非居住者または外国法人である投資家が民間国外債を取得する場合の利子に係る源泉税の取扱い

上記で述べたとおり，日本に恒久的施設を有さない非居住者および外国法人が，民間国外債の利子の支払を受ける場合，非課税適用申告書を提出し，または保管支払取扱者に一定の方法で告知の上，保管の委託をしたときは，その支払を受ける利子に所得税は課されません。ただし，2010 年 4 月 1 日以後に発行される民間国外債で（1）社債の発行者の特殊関係者が利子の支払を受ける場合，または（2）利子の額が社債発行者等の利益の額等に連動するものについてはこの措置の適用はなく，利子については所得税 15% の源泉徴収がなされます。

特定目的会社の投資家に係る主な課税関係

	居住者等				非居住者等（注1）			
	特定目的会社からの利子，配当		特定目的会社の発行証券の譲渡益		特定目的会社からの利子，配当		特定目的会社の発行証券の譲渡益	
	所得区分	課税関係	所得区分	課税関係	所得区分	課税関係	所得区分	課税関係
法人								
特定社債の投資家	―	15％の源泉税 法人税の計算上益金算入（注7）	―	源泉税なし 法人税の計算上益金算入	―	15％または0％の源泉税（注3）	―	課税なし
優先出資の投資家	―	20％の源泉税 法人税の計算上益金算入（注7）	―	源泉税なし 法人税の計算上益金算入	―	20％の源泉税（注3）	―	一定の場合法人税課税あり（注8）
個人								
特定社債の投資家	利子所得	20％（注2）の源泉分離課税	株式等に係る譲渡所得等	20％（注6）の申告分離課税	利子所得	15％または0％の源泉税（注3）	―	課税なし
優先出資の投資家	配当所得	20％の源泉税 総合課税（注5）	株式等に係る譲渡所得等	20％（注6）の申告分離課税	配当所得	20％の源泉税（注3）	―	一定の場合所得税課税あり（注8）

※上記に加え，復興特別所得税（所得税の額×2.1％）が課されます。
(注1) 投資家が日本に恒久的施設を有していないことを前提とします。
(注2) 所得税15％，地方税5％。なお，この表内の注記のない源泉税は所得税のみを表示しています。
(注3) 源泉税のみで課税関係が終了します。特定社債が振替社債または民間国外債の場合，一定の要件の下で課税はありません。
(注4) 特定公社債に該当する場合は20％（所得税15％，地方税5％）の申告分離課税
(注5) 源泉税は所得税の計算上税額控除することができますが，配当控除の規定の適用はありません。
少額配当の申告不要制度の適用はあります。
(注6) 所得税15％，地方税5％。
(注7) 源泉税は法人税の計算上税額控除することができますが，受取配当等の益金不算入の規定の適用はありません。
(注8) 事業譲渡類似または不動産化体株式の譲渡に該当する場合は課税されます。

＊ 資産が主として土地等であり，土地等の譲渡に類するものとして政令で定めるものに該当する場合，優先出資証券の譲渡につき土地等に係る短期譲渡所得課税および土地重課の適用可能性があります。
＊ 租税条約の適用については考慮していません。
＊ 転換特定社債および新優先出資引受権付特定社債についてはとくに明記のない場合は特定社債に含まれるものとします。
＊ 発行証券等は非上場であることを前提としています。

Ⅱ　投資法人

投資信託及び投資法人に関する法律（以下，「投信法」）により，多数の投資家から集めた資金を有価証券だけでなく，不動産を含めた多種の資産に投資・運用する投資 Vehicle を組成することが可能です。投信法上の投資 Vehicle には会社型および信託型の二形態がありますが，このうち会社型のものを投資法人として説明します。

現在は，主として不動産に投資する投信法第２条第 12 項に規定される投資法人が日本版 REIT として多数組成されています。ここでは，上場されているクローズド・エンド型不動産投資法人を中心に説明します。

1　投信法の概要

投信法では，有価証券だけでなく原則として財産権一般が運用対象資産とされています。以下では，税務上重要となる投資法人に関する主な点を中心に，投信法の概要を述べます。

①　投資法人の位置付け

投資法人は，法人とすると規定されており，資産の運用以外の行為を営業とすることはできません。

②　届出制

投資法人の設立企画人は，投資法人の設立にあたってあらかじめ内閣総理大臣に届け出なければならないとされています。設立の届出には，規約等の添付が必要とされています。

③　設立時の出資総額

投資法人の設立時の出資総額は，設立時に発行する投資口の発行価額総額とされており，1億円を下回ってはならないとされています。

④　特定資産

有価証券，不動産その他の資産で投資を容易にすることが必要であるものとして政令で定めるものが特定資産として規定されています。有価証券だけでなく不動産を始め多種の資産が対象とされています。匿名組合や投資事業有限責任組合の出資持分についても取得可能です。2014年の改正により再生可能エネルギー発電設備や公共施設等運営権も特定資産に加えられています。

⑤　発行証券

投資法人は，投資口および投資法人債の発行が可能です。投資口とは，均等の割合的単位に細分化された投資法人（投信法に基づき設立されたもの）の社員の地位をいうと規定されており，株式会社の株式に対応するものといえます。投資法人債は投信法の規定により投資法人が行う割当てにより発生する当該投資法人を債務者とする金銭債権であって，第139条の3（募集投資法人債に関する事項の決定）第1項各号に掲げる事項についての定めに従い償還されるものをいい，株式会社の社債に該当するものといえます。

⑥　借入れ

投資法人は，特定資産を取得するために必要な資金の借入れを行うことができます。

2　投資法人の税務

投信法に基づき設定された投資法人は法人税法上の法人に該当します。投資法人は，投信法に基づいて設立された社団として法人格を有しており，法人税法においても法人税の課税対象となります。

しかしながら，投資法人は資産運用以外の行為を営業とすることを許されておらず，また，登録投資法人は実際の資産の運用は投資信託委託業者に，資産の管理は資産管理会社に委託しなければいけないなど，いわゆる法人としての機能は制限されており，実質的には運用資産の集合体であるといえます。

（１）　法人税課税

［クローズド・エンド型投資法人］

投資法人は，投信法に基づいて設立された社団として法人格を有しています。法人税法上，内国法人は法人税を納める義務があります。投資法人は内国法人に該当するため，通常の内国法人と同様に法人税の納税義務があります。移転価格税制，CFC 税制（タックス・ヘイブン税制），過少資本税制等の取扱いの適用もあります。

また，投資法人にかかる法人税法の規定の適用については投資口は株式とみなす旨が定められています。

しかしながら，投資法人は実質的には運用資産の集合体である点を考慮して，税法上，投信法第２条第 12 項に規定される投資法人については，その運用資産の集合体としての実質的側面を考慮して以下の特別な措置が設けられています。

①　支払配当の損金算入

一定の要件を満たす投資法人が支払う利益の配当等については課税所得の計算上，損金算入が認められています。一定の要件を満たす利益の配当等とは，下記 A に掲げるすべての要件を満たす投資法人が行う金銭の分配のうち利益および一時差異等調整引当額の増加額からなる部分の金額（みなし配当を含みます）で，下記 B に掲げる要件を満たす事業年度にかかるものをいいます。

なお，損金算入が認められる利益の配当等の額は，当該事業年度の所得の金額として政令で定める金額を限度とします。

この措置は，適用を受けようとする事業年度の確定申告書に損金算入に関する申告の記載およびその損金の額に算入される金額の計算に関する明細書の添付があり，かつ，下記Ａロおよびハに掲げる要件を満たしていることを明らかにする書類を保存している場合に限り適用されます。

Ａ　次に掲げるすべての要件（投資法人に関する要件）

イ　投信法第 187 条の登録を受けているものであること

ロ　次のいずれかに該当するものであること

（１）　その設立に際して発行（公募にかぎる）をした投資口の発行価額の総額が１億円以上であるもの

（２）　当該事業年度終了の時において，その発行済投資口が 50 人以上の者によって所有されているものまたは機関投資家*のみによって所有されているもの

*機関投資家とは，金融商品取引法第２条第９項に規定する金融商品取引業者のうち同法第 28 条第１項に規定する第１種金融商品取引業のうち同条第８項に規定する有価証券関連業に該当するものまたは同条第４項に規定する投資運用業を行う者，その他の財務省令で定めるものをいい，金融商品取引法上の適格機関投資家の概念より狭いものとなっています（以下において同様）。

ハ　その発行をした投資口にかかる募集が主として国内において行われるものとして政令*で定めるものに該当するものであること

*租税特別措置法施行令第 39 条の 32 の 3 第 3 項

政令では，投資法人の規約において，その発行する投資口の発行価額の総額のうちに国内において募集される投資口の発行価額の占める割合が 100 分の 50 超である旨の記載または記録があるものと規定されています。

ニ　その他政令*で定める要件

*租税特別措置法施行令第39条の32の3第4項

政令では，投資法人の会計期間が1年を超えないことと規定されています。

B　次に掲げるすべての要件（事業年度に関する要件）

イ　投信法第63条の規定に違反している事実がないこと

ロ　その資産の運用にかかる業務を投信法第198条第1項に規定する資産運用会社に委託していること

ハ　その資産の保管にかかる業務を投信法第208条第1項に規定する資産保管会社に委託していること

ニ　当該事業年度終了の時において法人税法第2条第10号に規定する同族会社のうち政令*で定めるものに該当していないこと

*租税特別措置法施行令第39条の32の3第5項

政令では，投資主の一人およびこれと特殊の関係のある者が発行済投資口の総数または一定の議決権の総数の50%超を有する場合における当該投資法人をいうとされています。

ホ　当該事業年度にかかる配当等の額の支払額が当該事業年度の配当可能利益の金額として政令で定める金額の100分の90に相当する金額を超えていること

ヘ　他の法人(注)の株式もしくは出資を有している場合または匿名組合契約等に基づく出資をしている場合には，次に掲げる割合のいずれもが100分の50以上でないこと

（１）　当該投資法人が有している他の法人の株式または出資の数または金額（当該匿名組合契約等に基づいて出資を受けている者の事業であって，当該匿名組合契約等の目的である事業に係る財産である当該他の法人の株式または出資の数または金額のう

ち，当該投資法人の当該匿名組合契約等に基づく出資の金額に対応する部分の数または金額として政令で定めるところにより計算した数又は金額を含む）が当該他の法人の発行済株式または出資（当該他の法人が有する自己の株式又は出資を除く）の総数または総額のうちに占める割合

（2）　当該投資法人の当該匿名組合契約等に基づく出資の金額が当該金額および当該匿名組合契約等に基づいて出資を受けている者の当該匿名組合契約等とその目的である事業を同じくする他の匿名組合契約等に基づいて受けている出資の金額の合計額のうちに占める割合

（注）他の法人から，投資法人に代わって専ら投信法第193条第1項第3号から第5号までに掲げる取引（国外において行われるものに限る）を行うことを目的とするものとして財務省令で定める法人が除かれます。

ト　当該事業年度終了の時において有する特定資産のうち有価証券，不動産その他の政令*で定める資産の帳簿価額として政令で定める金額がその時において有する資産の総額として政令で定める金額の2分の1に相当する金額を超えていること

***租税特別措置法施行令第39条の32の3第10項**

政令で定める資産は，投信法第3条第1号から第10号までに掲げる資産（同条第1号に掲げる資産のうち匿名組合契約等に基づく権利及び同条第8号に掲げる資産にあっては，主として対象資産（同条第1号に掲げる資産のうち匿名組合契約等に基づく権利以外のものおよび同条第2号から第7号までに掲げる資産をいう。）に対する投資として運用することを約する契約に係るものに限る。）とし，帳簿価額として政令で定める金額は，事業年度の確定した決算に基づく貸借対照表に計上されている同号トの政令で定める資産の帳簿価額の合計額とし，総額として政令で定める金額は，当該貸借対照表に計上されている総資産の帳簿価額の合計額とする。

チ　その他政令*で定める要件

*租税特別措置法施行令第39条の32の3第11項

政令では，機関投資家以外の者から投資法人が借入れを行っていないこと，とされています。

②　税会不一致とその対応

平成27年度税制改正前は，損金の額に算入する金額は，投信法第137条第1項に規定する金銭の分配の額のうち利益の配当等からなる部分（みなし配当，合併に際し被合併法人の株主に対する利益の配当として交付された金額を含む）の金額で，当該事業年度の所得の金額が限度とされていました。

すなわち，損金の額に算入する金額は，会計上の利益（みなし配当や配当見合いの合併交付金を含む）と当該事業年度の課税所得の金額（支払配当および繰越欠損金の損金算入前の課税所得）とのいずれか少ない金額として計算されていました。

したがって，会計上および税務上，投資法人内に過年度の留保利益および繰越損失がない場合において，税務上別表四に加算項目があると，会計上の利益の金額が当該事業年度の課税所得より少額となり，当該事業年度の会計上の利益を全額分配したとしても，投資法人の課税所得はゼロになりませんでした。

さらに，会計上の利益を上回る税務上の所得を分配したとしても，上回る部分は実質上資本の払い戻しとして取り扱われ，損金算入が可能な配当等の額として取り扱われませんでした。したがって，会計と税務の投資法人の会計と税務の処理の差異（税会不一致）に伴って会計上の利益と税務上の所得に差異が生じた場合は，投資法人が分配をいくら行ったとしても投資法人で課税が生じる状況となっていました。

この対応として，投資法人の計算に関する規則（「投資法人計算規則」）の改正（2015年3月31日改正，同年4月1日施行）により税会不一致額を「一時差異等調整引当額」として利益処分に充当できるとされるとともに，平成27

年度税制改正により「一時差異等調整引当額」からの分配については通常の利益の分配と同様，「配当等」の額として税務上取り扱われることになりました。この結果，税会不一致に相当する金額を「一時差異等調整引当額」からの分配として分配することにより，投資法人で同額が配当等として損金算入されることになり，投資法人での課税が避けられることとなりました。一方，投資家では「一時差異等調整引当額」からの分配は税務上，配当等として課税されます（この改正は，投資法人の2015年４月１日以後に開始する事業年度分の法人税より適用されています）。

投資法人計算規則および税法上の改正詳細は以下のとおりです。

(ⅰ)　投資法人計算規則における規定

投資法人計算規則において，「一時差異等調整引当額」「一時差異等調整積立金」といった税会不一致に相当する額についての規定が設けられました。

税務上の所得が会計上の利益を上回る金額および純資産の部に計上された評価損等については，「一時差異等調整引当額」として，利益処分に充当できるとされています。また，会計上の利益が法人税法上の所得を上回る額について，任意積立金として，「一時差異等調整積立金」を計上できる，とされています。「一時差異等調整引当額」や「一時差異等調整積立金」については一定の開示が求められています。

(a)　一時差異等調整引当額

利益を超えて投資主に分配された金額（以下，「利益超過分配金額」）のうち，以下に掲げる額の合計額の範囲内において利益処分に充当するものをいう，と定義されています。

○**所得超過税会不一致**：益金の額から損金の額を控除して得た額が，収益および利益（以下，「収益等」）の合計額から一定の費用（交際費等，寄附金または法人税等として計上されたもので法人税法上損金の額に算入されないものを含まず）および損失（以下，「費用等」）の合計額を控除して得た額を超える場合における税会不一致

○**純資産控除項目**：評価・換算差額等，新投資口予約権，新投資口申込証拠金および自己投資口の合計額が負となる場合における当該合計額

(b)　一時差異等調整積立金

投資法人が，金銭の分配に係る計算書に基づき積み立てた任意積立金のうち，利益超過税会不一致の範囲内において，将来の利益処分に充当する目的のために留保したものをいう，と定義されています。

○**利益超過税会不一致**：会計上の収益等の合計額から費用等の合計額を控除して得た額が，益金の額から損金の額を控除して得た額を超える場合における税会不一致

(c)　一時差異等調整引当額および一時差異等調整積立金に係る開示義務

投資法人計算規則において，一時差異等調整引当額の戻入れおよび一時差異等調整積立金の取崩しの処理に関する事項は，投資法人の貸借対照表に注記することになります。

一時差異等調整引当金を計上した場合は，税会不一致が解消した時点で戻入れがなされることが想定されています。一時差異等調整引当金の計上営業期間およびそれ以後の営業期間において，分配金計算書の「その他の注記」および「貸借対照表に係る注記」に，①引当の発生事由，発生した資産等，②引当額等，③戻入の具体的な方法（予定等）を合理的な判断に基づき記載することが求められています。

一時差異等調整積立金は，合併等のタイミングに負ののれん発生益が生じ，導管性要件の一つである90％超配当要件が満たせない場合に一時的に内部留保を認める措置とされています。したがって，一時差異等調整積立金の計上営業期間およびそれ以後の営業期間において，分配金計算書の「その他の注記」および「貸借対照表に係る注記」に，①積立の発生事由，②積立額等，③取崩しの具体的な方法（負ののれんや合併時の時価簿価差異に起因するものについては50年以内の想定取崩し期間と取崩し方法(毎期均等額以上)）を合理的な判断に基づき記載することが求められています。

なお，過去に負ののれん発生益を計上した投資法人については，経過措置として，2017年3月31日までの間に終了する営業期間のうちいずれかの営業期間に係る金銭の分配に係る計算書において，当該金額を一時差異等調整積立金として積み立てることが投資信託協会の「不動産投資信託及び不動産投資法人に関する規則」上，必要とされていました。

(ⅱ) 税法上の投資法人に係る課税特例

(a) 金銭の分配のうち投資法人における損金算入額と投資主における課税額

投資法人の出資総額等の減少に伴う金銭の分配であっても，出資総額等の減少額が一時差異等調整引当額の増加額と同額である場合，当該金銭の分配の額は，通常の利益の配当と同様，投資法人の当該事業年度の所得の金額の計算上，損金の額に算入することができます。一方，当該金銭の分配は所得税，法人税上の配当等として取り扱われることから，投資主において配当等に係る所得として課税されることになります。

なお，一時差異等調整引当額増加額を超える出資総額等の減少に伴う金銭の分配については，「出資等減少分配」として取り扱われ，投資法人の前々期末の利益積立金と資本金等との一定の比率によりみなし配当と資本金等の減少額とに区分されます。みなし配当が生じる場合には，当該金額は投資法人で損金算入されるとともに投資家で課税されることになります。

(b) 投資法人における導管性要件（90%超配当要件）

投資法人が導管性要件のうち，その事業年度に係る配当等の額の支払額が当該事業年度の配当可能利益の額の90%を超えていることとする要件（以下，「90%超配当要件」）は，上記改正を受けて以下のとおり変更されました。

以下の金額が配当可能利益の額に加算または控除されます。

（控除）　一時差異等調整積立金の積立額
（加算）　一時差異等調整積立金の取崩額

従来，配当可能利益の額の計算上，控除された負ののれん発生益の金額（以下，「控除済負ののれん発生益の額」）がある場合には，その事業年度以後の各事業年度の配当可能利益の額の計算において，原則として控除済負ののれん発生益の額に当該各事業年度の月数を乗じて，これを1,200で除して計算した金額を加算することとされていました（以下，「100年均等償却」）が，負ののれん相当額を一時差異等調整積立金として積み立てた場合には100年均等償却の規定は適用しないこととされます。

90％超配当要件

〔利益超過配当がない時〕

$$\frac{\text{配当等の額}}{\text{配当可能利益}} > 90\%$$

〔利益超過配当がある時〕

$$\frac{\text{金銭の分配の額}}{\text{配当可能額}} > 90\%$$

90％超配当要件判定式の分母（配当可能利益の額または配当可能額）

＝　税引前当期純利益

－（前期繰越損失＋買換特例圧縮積立金個別控除額＋一時差異等調整積立金の積立額）＋繰越利益等超過純資産控除項目額（※2）＋買換特例圧縮積立金取崩等＋一時差異等調整積立金取崩等

＋利益超過分配金額（※3）

－出資総額戻入金額

※1　貸借対照表の純資産控除項目額（評価・換算差額等，自己投資口等の金額がゼロを下回る場合のその下回る金額）の内，前期繰越利益等を超える部分の金額

※2　一時差異等調整引当額として区分されるものが含まれます。

※3　投信法第137条の金銭の分配のうち同条3項に規定する利益を超えて投資主に分配された金額

(ⅲ)　投資法人の海外不動産投資に関する規定

投資法人が海外投資を行う場合には直接海外不動産に投資を行う場合と，海外に不動産保有法人を設立してその法人を通じて海外不動産に投資する場合が考えられます。

海外不動産を直接保有した場合には，当該投資から生ずる所得につき投資法人は海外の税金を支払う必要が生じますが，当該外国の税金は投資法人が投資家に支払う配当にかかる源泉税の額から控除することができます。2019年以前は，特定口座を開設して株式比例配分方式を選択している個人投資家については，源泉徴収義務者が投資法人ではなく証券会社等に移転していることから，控除の対象とすることができませんでしたが，平成30年度税制改正により，配当が証券会社等経由で支払われる場合も外国の税金を配当に係る日本の源泉税から控除できることとなりました（2020年１月１日以後に支払われる配当について適用）。ただし，控除可能であるのは，所得税および復興特別所得税に係る源泉徴収税額（15.315％）のみであること，控除される外国所得税の額は，配当に係る源泉所得税額に投資法人の外貨建資産の運用割合を乗じた額を限度とすることとされており，これを超える外国税については控除できないことに留意する必要があります。また，外貨建資産割合と投資法人の全所得に占める国外所得とは必ずしも連動していない点に留意が必要です。

また，投資法人の投資口の配当に係る源泉所得税の額から控除された外国所得税等の額のうち，投資家の配当に対応する部分の金額は，投資家のその年分の所得税または法人税から控除できます。

なお，外国の法人税は，「法人税等」として計上されると「90％超配当要件」判定の計算上，外国法人税控除前の金額が分母に含まれ，外国法人税の金額によっては90％超配当要件が満たせない可能性がありました。投資法人計算規則の改正（2018年４月２日施行）により，2018年４月１日以後に開始する事業年度以降は営業費用のうちの「租税公課」として表示されることが明確化されました。この結果，外国法人税の額が90％超配当要件の計算上，影響を与えないことが明らかとなりました。

内国法人が海外不動産に投資する場合は，現地での規制上の理由や法的リスク回避のため，現地で設立された法人で不動産を取得し，その法人の株式を保有するという形態をとることがあります。投資法人が海外投資するにあたって特段の規制は税法上設けられていませんが，海外不動産を所在地国の法人を通じて保有しようとすると，導管性要件の一つである「他の法人の株式または出資等の50％以上を保有しないこと」とする要件（以下「他法人株式等50％以上保有規制」）に抵触する可能性があります。

投信法上，投資法人は他の法人の議決権の過半を保有してはならないとされていますが，一定の海外不動産保有法人についてはこの制限の例外とされることになりました。特定資産が所在する国の法令の規定または慣行その他やむを得ない理由により，不動産の取得または譲渡，不動産の賃借，不動産の管理の委託のいずれかの取引を投資法人自らはできないが海外不動産保有法人であればできる場面がその例外とされています。税制面でも，税法上の投資法人導管性要件について，投資法人に代わって専ら投信法第193条第1項第３号から第５号までに掲げる取引を国外において行うことを目的とするものとして財務省令で定める法人の株式および出資については導管性要件である他法人株式等50％以上保有規制の対象外とされました。財務省令では，投信法第221条の２第１項各号の要件すべてを満たす法人（注記表に表示された計算規則第66条の４第２号に掲げる割合が50％を超えるものに限る）とされています。

税法上，投資法人が海外不動産保有法人の過半を保有しても導管性要件の一つである他法人株式等50％以上保有規制に抵触しないためには，海外不動産保有法人は以下の条件を満たしている必要があります。

・海外不動産保有法人は外国に所在する法人であって，所在する国において専ら不動産の取得または譲渡，不動産の賃借，不動産の管理取引を行うことをその目的とすること。
・海外不動産保有法人は，各事業年度（1年を超えることができない）経過後六月以内に，その配当可能な額のうち，投資法人の有する株式の数又は出資の額に応じて按分した額その他の当該法人の所在する国における法令又は慣行により，割り当てることができる額の金銭を投資法人に支払うこと。

・投資法人が海外不動産保有法人の株式又は出資を50%を超えて保有していることが投資法人の財務諸表の注記表に表示されていること。

投信法上の制限の例外扱いを受ける国の例示として，アメリカ合衆国，インド，インドネシア，中華人民共和国，ベトナム及びマレーシアが該当するものと考えられるとされています（「投資法人に関するQ&A」平成26年6月27日　金融庁）。

なお，海外不動産保有法人で課税がなされる場合，当該課税額は投資法人に課されたものではないため，投資法人からの分配金に課される日本の源泉税から控除することはできません（海外不動産保有法人の所得についてCFC税制（タックス・ヘイブン税制）により投資法人に合算課税される場合を除く）。また，投資法人についてもCFC税制（タックス・ヘイブン税制）の適用がありうるため，海外不動産保有法人の外国での課税額によっては適用対象外国子会社に該当しないか注意する必要があります（詳細は以下⑪）。

(iv)　税会不一致への対応

平成27年度税制改正により，税会不一致が生じた場合でも一定の払い出しを行うことにより投資法人での課税を避けられるようになりました。しかし，投資法人において一時差異等調整引当額からの払い出しは税務上は配当等として取り扱われる一方，会計上は出資総額等の控除項目として取り扱われ，会計と税務の処理が異なることになります。複雑さを避けるにはできるだけ税会の処理が統一されている方が望ましいといえますので，当初の会計処理法の選定には注意を要します。

例えば，次のような科目で税会不一致が生ずる可能性があります。

修繕引当金

投資家への開示の重要性を勘案し，多額の修繕を行う場合に備え，会計上，修繕費を引当計上することが要請される可能性があります。ただし，この場合には，当該引当金計上額は税務上，損金の額に算入されません。

減価償却

会計上計上した減価償却費が法人税法の規定に従って計算された減価償却限度額を超える場合には，その超える部分の金額は，税務上，損金の額に算入されません。

会計上，資産除去債務を負債として計上するとともに，同額を対応する有形固定資産に加算して計上することが要請される場合がありますが，除去債務相当額の有形固定資産の減価償却費は一般的には税務上損金の額に算入されません。

減損損失

減損会計の適用により，資産の収益性の低下によって投資額の回収が見込めなくなった資産について会計上評価損を計上した場合，法人税法上，評価損の計上は一定の事由が生じた場合を除き，認められていないため，減損損失を税務上評価損として損金の額に算入できません。なお，減損損失で損金の額に算入されなかった金額は，償却費として損金経理したものとして取扱うと規定されている（法人税基本通達 7-5-1）ため，税務上損金算入が否認された減損損失についても，毎期法人税法上の償却限度額の範囲内であれば損金の額に算入されます。

貸倒引当金

売掛債権等についてその回収可能性に鑑みて会計上貸倒引当金が計上された場合，税務上，原則として損金算入できません。

法人税等

配当政策の関係から，投資法人に利益を一部留保する場合には，法人税が課されます。この場合「法人税等」は，会計上，発生年度に費用処理されますが，税務上，損金算入されません。利益の有無に関わらず課される住民税の均等割についても同様に考えられます。なお，外国の法人税については，「法人税等」ではなく「租税公課」として計上されます。

（ｖ）　投信法上の利益概念の改正

投資法人の課税計算においては，企業会計上の利益と税務上の所得の概念に加えて投信法上の利益概念が用いられています。

図1

投資法人の課税所得＝当期利益（企業会計上の利益）
（±）一定の税務上の加算減算（税法上の所得）
（－）支払配当等（投信法上の利益）
（－）繰越欠損金（税法上の所得）

たとえば，投資法人の課税所得計算上，損金算入される配当額の計算や利益超過分配とされる判断基準は投信法上の利益概念が用いられています。しかし，投信法第136条に定める利益概念は「貸借対照表上の純資産額から出資総額等の合計額を控除して得た額」とされており，税務だけでなく企業会計の利益概念とも異なっています。繰延ヘッジ益や非上場有価証券の評価益などの会計上損益計算書に計上されない利益も投信法上の利益となり，こういった評価益が生じた年度に利益超過配当を行うと，投信法上の利益と企業会計上の利益の入り繰りによってその後に一時差異等調整引当等（「② 税会不一致とその対応」参照）の計上ができない税会不一致が生じて投資法人に課税が生じるというリスクがありました。

たとえば，X1年度に投資法人の当期利益が1000のところ，税会不一致が

300生じているので1300を分配しようとします。ところがこの年度に投資法人の借入金にかかる金利スワップについて繰延ヘッジ益が純資産の部に200計上されているとすると，投信法第136条に定める利益は繰延ヘッジ益も含んだ額である1200のため，1200が利益配当，100が一時差異等調整引当額による利益超過配当となります。当期利益1000のところ1200利益配当を行うことから，会計上，次期繰越損失が200が生じます（図2参照）。X2年度には1000の当期純利益が生じ，期末には繰延ヘッジ益がゼロになったとすると，X1年度からの繰越損失200があることから，会計上および投信法上の利益は800となりますが，繰越損失200は課税所得計算上認識されたものではないため税務上の繰越欠損金とは扱われず，X2年度の課税所得は1000となります。ここで，1000を分配することで，投資法人での課税回避を図ろうとしても，一時差異等調整引当金は単年度の会計と税務の不一致については計上できるものの，過年度利益を含めた差異については計上できないため分配が損金算入できず，X2年度では投資法人で課税が生じえました。こういった問題は投資法人における投信法上の利益概念と企業会計上の利益概念，税法上の所得概念とが異なるものとなっていたことに起因します。

図2

利益概念の差異による影響（投信法改正前）

（例）投資法人の当期未処分利益が1000（税会不一致300），繰延ヘッジ益200が計上されている年度で，1300を分配する場合

Ⅰ　当期未処分利益	1,000
Ⅱ　利益超過分配金加算額	
一時差異等調整引当額	100
Ⅲ　分配金の額	1,300
うち利益分配金	1,200
うち一時差異等調整引当額	100
Ⅳ　次期繰越利益	△200

図3　投信法136条利益概念

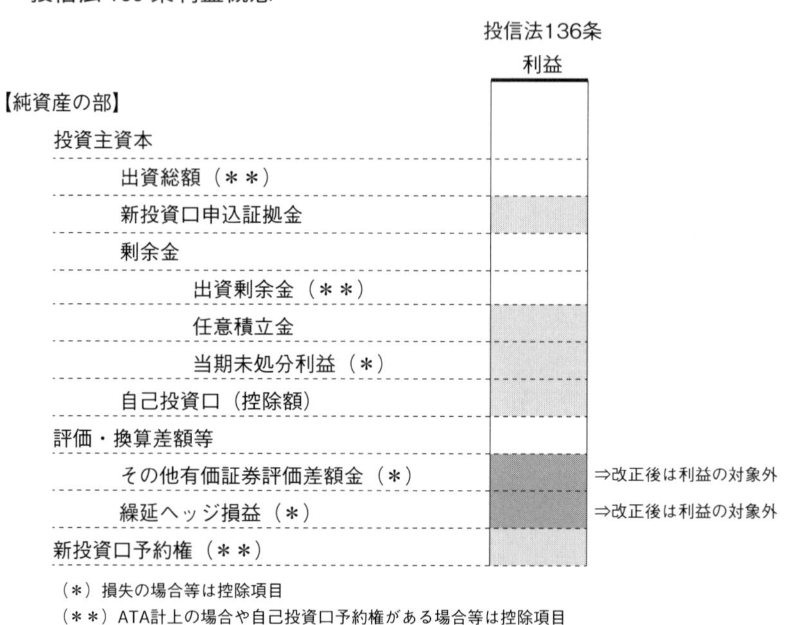

投信法上の投資法人の「利益」の算定について，評価・換算差額等の評価額をその算定の基礎から控除するための「金融商品取引法等の一部を改正する法律」が2023年11月20日に成立しました。施行については，公布の日から起算して3月を超えない範囲内において政令で定める日とされており，施行日以後に開始する営業期間に係る利益について適用することとされています。この改正により，投信法第136条利益の計算において，評価・換算差額等の評価額が除外されるため，その他有価証券評価差額金や繰延ヘッジ損益が計上される場合においても，投信法と会計・税務の利益概念の差異による投資法人課税が避けられることが期待されます。

(vi)　再生可能エネルギー発電設備等への投資に関する規定

2014年の投信法改正により，投資法人が投資可能な特定資産の範囲が拡大され，以下の資産が特定資産として追加になりました。

・電気事業者による再生可能エネルギー電気の調達に関する特別措置法第２条第３項に規定する再生可能エネルギー発電設備
・民間資金等の活用による公共施設等の整備等の促進に関する法律第２条第７項に規定する公共施設等運営権

これに伴い，平成 26 年度税制改正において投資法人の導管性要件に新たに以下の要件が追加となりました。

・投資法人の事業年度終了時において有する特定資産のうちに有価証券，不動産その他の政令で定める資産の帳簿価額がその時において有する資産の総額の 50% を超えていること（以下「資産要件」）

政令では特定資産のうち，再生可能エネルギー発電設備と公共施設等運営権が除外されており，原則としてこれらの資産以外の資産が 50% 超であることが資産要件の判定上，必要とされます。資産要件の 50% 超の判定においては貸借対照表上の帳簿価額で判定することとされています。

ただし，次の要件すべてを満たす投資法人が，2014 年９月３日から 2026 年３月 31 日までの期間内に再生可能エネルギー発電設備（再生可能エネルギー発電設備を事業とする匿名組合出資を含む）を取得した場合には，その取得の日から貸付の用に供した日以後 20 年を経過した日までの間に終了する各事業年度について，再生可能エネルギー発電設備は資産要件判定上の分子に含めることとされています。

令和５年度税制改正において資産要件の判定にかかる特例措置が延長されるとともに，特例が適用可能な投資法人の範囲が上場投資法人のみとされました（設立時公募１億円以上の投資法人については適用範囲から除外）。

・投資法人の投資口が金融商品取引所に上場されていること
・投資法人の規約に再生可能エネルギー発電設備の運用方法が賃貸のみである旨の記載または記録があること

また，匿名組合契約等に係る権利は資産要件の判定上，主として有価証券，不動産等に対する投資を対象とするものに限ることとされています。

令和３年度税制改正により，投資法人に係る課税の特例および特定投資信託に係る受託法人の課税の特例における特定の資産の総資産のうちに占める割合が50%を超えていることとする要件について，ファイナンス・リース取引に係る金銭債権はそのファイナンス・リース取引の目的となっている資産として，その割合を計算することとされました。ファイナンス・リースの対象が再生可能エネルギー発電設備の場合，上述の資産要件を充足すべきことになります。

(vii)　匿名組合契約に対する出資

従来から，投資法人の要件の一つに，「他の法人の発行済株式または出資の総数または総額の50%以上の数または金額の株式または出資を有していないこと（他法人株式等50%以上保有規制）」がありました。令和元年度税制改正により，この要件に以下の見直しが行われました。

・「他の法人の出資」に匿名組合出資を含めることとする。
・匿名組合を通じて間接的に有する株式等を合算（その保有株式等に匿名組合出資割合を乗じて算出する）して判定することとする。

これは，投資法人が匿名組合契約等を締結することによってその営業者を介して実質的に事業経営体となることが可能となり，他法人株式等50%以上保有規制が有名無実化されることを防止する観点から設けられたものです。

③　欠損金の繰越控除制限

中小法人以外の法人の青色欠損金の控除限度額は，欠損金額控除前の所得の金額の一定割合までとされています。しかし，投資法人が上記①Aの要件を満たす場合は，所得の金額の100%まで欠損金額の控除を行うことができます。

④　受取配当等および外国子会社から受ける配当等の益金不算入の不適用

内国法人が支払を受ける配当等の額については，株式持分割合に応じて一定の金額が，その内国法人の課税所得の計算上，益金の額に算入されませんが，投資法人が支払を受ける配当等についてはこの規定が適用されません。

⑤　中小法人に対する法人税の軽減税率の不適用

内国法人のうち，資本金額が１億円以下等の中小法人に対する法人税率については，所得金額のうち年800万円以下の部分について軽減が認められていますが，投資法人についてはこの軽減税率の適用はありません。

⑥　特定同族会社に対する留保金特別課税の適用

内国法人である特定同族会社が一定の限度額を超えて各事業年度の所得を留保した場合には，各事業年度の所得の金額に対する法人税のほかに，その限度額を超えて留保した所得等の金額に対し特別税額が課されます（なお，資本金額が１億円以下で大法人による完全支配関係がないものについては，留保金課税は適用されません）。投資法人についても，この特定同族会社に対する留保金特別課税の規定が適用されます。

なお，通常法人の場合，資本金の額が１億円以下の場合は上記留保金課税の適用がありませんが，投資法人にはこの適用除外の規定はありません。

⑦　外国税額控除

投資法人が国外源泉所得について外国法人税を納付している場合には，その外国法人税額は投資法人の利益の配当に対する所得税（復興特別所得税を含む）の額を限度として投資法人が源泉徴収義務を負う所得税（復興特別所得税を含む）の額から控除されます（上場投資法人の配当の源泉徴収義務が支払の取扱者たる証券会社等に移行している場合は，2020年１月１日以降は証券会社等が源泉徴収義務を負う所得税等の額から控除します）。

一般の外国税額控除の規定は適用されません。

なお，平成30年度税制改正後（2020年１月１日施行）は控除される外国法人税額は外貨建資産への運用割合（外貨建資産割合）を限度とすること等の措置が講じられています。

外貨建資産割合とは，投資法人の事業年度終了の時の貸借対照表に計上されている外貨建資産（外国通貨で表示される株式，債券，その他の資産をいう）

の帳簿価額の当該投資法人の当該事業年度終了の時の貸借対照表に計上されている総資産の帳簿価額に対する割合をいうとされています。これにより，投資法人が国内外で獲得した所得を源泉とした配当等に対して源泉所得税が課される場合，国内で獲得した所得を源泉とした配当等に対応する所得税からは外国法人税が控除できないこととなりました。また，外貨建資産割合と投資法人の全所得に占める国外所得とは必ずしも連動していない点に留意が必要です。

外国法人税が課されている投資法人において，毎期，貸借対照表に基づき外貨建資産割合の計算および証券会社等の源泉徴収義務者への通知が投資法人において必要とされています。

⑧　貸倒引当金の損金不算入

貸倒引当金繰入額の損金算入ができる法人は，中小法人，銀行・保険会社および一定の金銭債権を有する法人に限定されていますが，投資法人は中小法人の範囲から除かれていることから，原則として貸倒引当金繰入額の全額が損金不算入となります。

⑨　交際費等の損金不算入

法人のうち，期末の資本（出資）の金額が１億円以下の法人については，その支出した交際費等の額のうち一定限度に達するまでの金額は損金の額に算入することができますが，投資法人についてはこの規定の適用はなく，交際費等の全額が損金不算入となります。

なお，一定の飲食費は交際費等の範囲から除かれます。

⑩　投資法人による土地の譲渡等に係る追加課税

投資法人が行った土地の譲渡等のうち上記Ｂに掲げる要件（ホを除きます）を満たす事業年度において行うものについては，一般土地重課（譲渡利益額の5% の追加的な課税）の課税はありません。

短期所有土地の譲渡等については，土地重課として通常の法人税の他，土地の譲渡利益金額の 10% 相当額が追加的に課税されます。

現状，2026 年３月 31 日まで土地重課の適用は停止されています。

⑪　過少資本税制

投資法人には，普通法人と同様，いわゆる過少資本税制の適用があります。

投資法人が国外支配株主等*に負債の利子等を支払う場合において，当該事業年度の国外支配株主等に対する負債の平均残高が国外支配株主等の純資産に対する持分の額の３倍を超えるときは，支払った負債利子等のうち，その超える部分に対応する支払利子等は損金の額に算入されません。

*国外支配株主等とは，非居住者または外国法人で，投資法人との間に，投資法人の受益権の総数の 50% 以上を直接または間接に保有する関係その他の特殊の関係のあるものをいいます。

⑫　過大支払利子損金不算入制度

投資法人の対象純支払利子等の額が調整所得金額（当期の所得金額に，対象純支払利子等，減価償却費，税等について加減算する等の調整を行った金額）の 20% を超える場合には，その超える部分の金額は，当期の損金の額に算入されません。本制度の適用により損金不算入とされた金額は，翌期以降７年間繰越し，翌期以降の対象純支払利子等の額と調整所得金額の 20% に相当する金額との差額を限度として，損金に算入することができます。令和６年度税制改正大綱では 2022 年４月１日から 2025 年３月 31 日までの間に開始した事業年度に係る超過利子額の繰越期間は 10 年に延長されることが示されています（詳細については第４章Ⅰ１(９)参照)。

⑬　CFC 税制（タックス・ヘイブン税制）

投資法人についても普通法人と同様，いわゆる CFC 税制（タックス・ヘイブン税制）の適用があります。したがって，投資法人が CFC 税制の対象となる外国子会社等に投資をしている場合，その所得のうち投資法人の持分割合に対応する部分の金額は投資法人の所得に合算されますが，CFC税制の対象となった外国子会社等から配当がされた場合には，投資法人で益金不算入とされます。外国子会社等で課された外国法人税や配当に課された外国源泉税等については，投資法人の配当にかかる日本の源泉税から控除する措置（上述⑦）の対象とはされていませんでした。しかし，令和2年度税制改正により外国子会社等の2020年4月1日以降に終了する事業年度については外国法人税の額のうち合算対象とされた金額に対応する部分の金額は，投資法人が納付した外国法人税の額とみなして，上記⑦の外国税額控除の規定の適用がされることとなりました。

CFC税制は，外国子会社を通じて行われる租税回避に対処するため，一定の条件に該当する外国の子会社の所得をその株主である内国法人または居住者の所得とみなして合算し，日本で課税するものです。

CFC税制は，従前は租税負担割合が20%以上の国の外国子会社については対象外とされていたところ，平成29年度税制改正後は，租税負担割合が20%以上であっても，以下に記す「ペーパーカンパニー」の他，一定の場合（事実上のキャッシュ・ボックス，ブラックリスト国所在のもの）に該当すると，租税負担割合が30%未満であればCFC税制の対象となる可能性があります。（なお，令和5年度税制改正により，内国法人（投資法人）の2024年4月1日以後に開始する事業年度については，租税負担割合が上記の30%に代えて，27%未満となります。）CFC税制の対象となりうるのは，外国関係会社の株式持分の50%超を日本法人・個人が直接・間接に保有する場合で，株式等の10%以上を保有する株主等についてです（この他詳細は第4章Ⅰ外国投資法人(7)を参照)。

ペーパーカンパニー

以下のいずれにも該当しない外国関係会社

✓ 主たる事業を行うに必要と認められる事務所，店舗，工場その他の固定施設を有していること（実体基準）

✓ 本店所在地国において，事業の管理，支配および運営を自ら行っていること（管理支配基準）
✓ 持株会社である一定の外国関係会社　（持株会社特例）
✓ 不動産保有にかかる一定の外国関係会社（不動産保有会社特例）
✓ 資源開発等プロジェクトにかかる一定の外国関係会社（資源開発プロジェクト会社特例）

事実上のキャッシュ・ボックス

次のいずれにも該当するものをいう

✓ 総資産の額に対する一定の受動的所得の金額の合計額（金融子会社等に該当する場合には，異常な水準の資本に係る所得と一定の受動的所得（異常な水準の利益に係るものを除く）のいずれか大きい金額）の割合が30％を超えること
✓ 総資産の額に対する有価証券，貸付金及び無形固定資産等の合計額の割合が50％を超えること

ブラックリスト所在地国のもの

租税に関する情報の交換に非協力的な国又は地域として財務大臣が指定する国又は地域に本店等を有する外国関係会社をいう

⑭　一定の投資法人の運用財産に係る利子等の課税の特例

規約においてその資産総額の2分の1を超える額を有価証券に対する投資として運用することを目的とすることとされている投資法人または設立時の投資口の募集が公募により行われたものとして政令*で定める投資法人の運用財産にかかる利子等，配当等は，その利子等または配当等の支払者の帳簿に財務省令で定める一定事項（投資法人の名称および本店の所在地，登録をした年月日等）の登載を受けている場合，源泉税が課されません。

*租税特別措置法施行令第４条の７第２項

政令では，投資口の募集に係る取得勧誘が50人以上の者を相手方として行われる「公募」に該当し，かつ，その旨の通知がなされて行われるものと規定されています。

[オープン・エンド型投資法人]

クローズド・エンド型かどうかで投資法人の損金算入要件に特別な規定がおかれているわけではありません。オープン・エンド型投資法人に対する法人税課税は原則としてクローズド・エンド型の取扱いと同様となります。

（２）　不動産の取得に係る課税

一定の要件を満たす投資法人が不動産を取得する場合の税金については，一定の優遇措置が定められています。

①　登録免許税

不動産を取得した場合，所有権の移転登記については原則として不動産の価額に対して税率1,000分の20（土地については2026年3月31日までは1,000分の15）の登録免許税が課せられますが，図表の要件を満たす投信法第187条の登録を受けている投資法人については，（財務省令で定める取得後1年以内の登記に限り）不動産の所有権の移転登記にかかる税率を2025年3月31日までは1,000分の13とする措置が設けられています。

（登録免許税軽減要件）

・特定不動産（信託受益権を含む）の価額の合計額の当該投資法人の有する特定資産の価額の合計額に占める割合（以下，「特定不動産の割合」）を100分の75以上とする旨が規約に記載されていること

・投信法第187条の登録を受けていること

・資産の運用に係る業務を委託された資産運用会社が宅地建物取引業法に定める認可を受けていること

・資金の借入れをする場合には，金融商品取引法第2条第3項第1号の適格機関投資家からのものであること

・特定不動産の割合が100分の75以上であること，またはその不動産を取得することによりその割合が100分の75以上となること

②　不動産取得税

不動産を取得した場合，原則として不動産の取得時の価格を課税標準として1,000分の40（一定の住宅，土地については2024年3月31日まで（令和6年度税制改正大綱では2027年3月31日まで）は1,000分の30）の税率で不動産取得税が課せられます。

しかしながら，投信法第187条の登録を受けている投資法人については，2025年3月31日までの間，総務省令で定めるところにより財務局長および国土交通大臣等による要件を満たすことについての証明が行われた場合には，一定の不動産にかかる課税標準を不動産の取得時の価格の5分の2とする措置が設けられています。

③　特別土地保有税

一定の土地を取得した場合，土地の取得価額に対して1,000分の30の税率で特別土地保有税が課せられますが，不動産取得税の減免が認められる一定の投資法人については，取得に対して課される特別土地保有税は課されません。

なお，特別土地保有税は，当分の間新たな課税は行われません。

不動産の取得にかかる税金		
	株式会社	一定の投資法人
登録免許税	不動産の価額×2%（土地については2026年3月31日までは1.5%）	不動産の価額×1.3%（2025年3月31日まで）
不動産取得税	不動産の取得時の価格×4%（住宅，土地については2024年3月31日まで（令和6年度税制改正大綱では2027年3月31日まで）は3%）	不動産の取得時の価格×2/5（2025年3月31日まで）×4%（住宅，土地については2024年3月31日まで（令和6年度税制改正大綱では2027年3月31日まで）は3%）
特別土地保有税	課税なし	課税なし

（3）　規約への記載要件について

上述のとおり，投資法人が税務上の種々のベネフィットを享受するにあたって，一定の事項を規約に記載することを条件としている場合があります。例えば，以下の事項が規約記載要件となっているため，規約の作成にあたっては留意する必要があります。

①　支払配当の損金算入

発行する投資口の発行価額の総額のうち国内において募集される投資口の発行価額の占める割合が100分の50を超える旨の記載が必要です。

また，再生可能エネルギー発電設備を特例特定資産として，資産要件（上記（1）①B ト）判定上の分子に含める場合，当該資産の運用方法（匿名組合契約の目的事業にかかる資産の運用方法を含む）が賃貸のみである旨の記載が必要です。

②　不動産取得税の課税標準の軽減および登録免許税の税率の軽減

資産の運用方針として，地方税法施行令附則第７条第７項（不動産取得税）または租税特別措置法第83条の２の３第３項（登録免許税）に基づき特定不動産割合（特定不動産の価額の合計額の特定資産の価額の合計額に占める割合）を100分の75以上とする旨の記載が必要です。

3　投資法人の投資家に対する課税

投資法人の投資口は，原則として株式と同様の取扱いとなります。特に出資の戻しが，利益超過配当として行われる場合には，みなし配当や譲渡損益の取扱いに注意を要します。

［クローズド・エンド型投資法人］

（１）　金銭の分配のうち投資法人の利益および一時差異等調整引当額の増加額からなる金額からの分配

居住者が支払を受ける投資法人の投資口にかかる金銭の分配のうち，投資法人の利益および一時差異等調整引当額の増加額からなる金額（以下において「配当等」）については，原則として所得税20％の源泉課税の後，配当所得として総合課税されます。居住者は支払った源泉税を所得税額から控除することができます。

配当等の額が少額の場合には，少額配当の申告不要制度の適用を受けることができます。

一般の株式会社の発行する株式にかかる配当と異なり，配当控除の適用を受けることはできません。

投資法人の投資口が上場されている場合，当該投資口の配当等については源泉税率は20％（所得税15％，地方税５％）とされます。

上場投資口の配当等については，受け取る配当等の金額にかかわらず，申告不要制度の選択が可能となり，源泉徴収だけで課税関係を終了させることができます。申告をする場合は総合課税または申告分離課税の選択適用となり，申告分離課税を適用する場合の税率は20%（所得税15%，地方税5%）です。なお，これらの取扱いは投資法人の配当等の支払に係る基準日において発行済投資口総数の100分の３以上を有する（支配する他の法人を通じる等により実質的持株割合が100分の３以上となる場合も含む）個人投資主以外の者に限られます。

内国法人が支払を受ける投資法人の投資口にかかる配当等については，原則として所得税20%の源泉課税の後，法人税額の計算上，益金算入されますが，源泉税については所得税額控除の適用を行うことができます。受取配当等の益金不算入の適用はありません。投資法人の投資口が上場されている場合，当該投資口の配当等については源泉税率は原則15%（所得税）とされています。

平成30年度税制改正により，2020年１月１日以降，配当等に係る所得税額から控除された外国法人税額のうち，投資家の配当の額に対応する金額は，投資家たる個人または法人の所得税または法人税から控除することができます。当該控除できる外国法人税額は，投資法人または支払の取扱者から投資家に対し通知されます（詳細は第１章Ⅱ２(１)⑦参照)。

2014年以降，金融商品取引業者等に開設した非課税口座において管理されている上場株式等の一定の配当等（上場投資口の配当等を含む）については，非課税口座内の少額上場株式等に係る配当所得の非課税措置（NISA）の適用があります。なお，令和５年度税制改正により，特定非課税累積投資契約に係る非課税措置（新NISA）が改組され，2024年１月１日以後，非課税保有限度額は，全体で1,800万円（成長投資枠は内1,200万円）とされます。

（２）　出資等減少分配

投資法人は投信法上，利益を超えて配当を行うことが認められていますが，当該利益を超える額は利益からの配当ではなく，投資法人の出資からの分配です。税会不一致が生じる状況下では，会計上の利益を超える分配であっても一時差異等調整引当額の増加額からなる金額については税法上は配当等として取り扱われます。利益超過配当のうち，一時差異等調整引当額の増加額からなる金額以外の金額は税務上，出資等減少分配として「資本の払戻し」として取り扱われます。一方で，税会不一致が生じない状況下での出資の減少による分配は，投資家の投資口の取得価額や投資法人における加算留保項目の額によっては，投資家にみなし配当や譲渡損益が生じる可能性があります。

①　出資等減少分配と出資の減少

投信法第 137 条において定める「利益を超えて金銭の分配をすること」は，会計上の利益を超えた金銭の分配であり，出資の減少を伴う分配です。金銭の分配のうち，一時差異等調整引当額の増加額からなる金額は配当等として取り扱われますが，それ以外の金額は出資等減少分配として，税法上，法人投資家および個人投資家にとって，法人税法第 24 条および所得税法第 25 条に規定する「資本の払戻し」に該当します。

②　みなし配当の計算

投資法人の出資等減少分配にかかるみなし配当の計算方法は法人税法第24条，法人税法施行令第 23 条第 1 項第 5 号に以下のように規定されています（個人の場合は，所得税法施行令第 61 条第 2 項第 5 号に同様の規定があります）。

> 出資等減少分配（法人税法施行令第 23 条第 1 項第 5 号および租税特別措置法 67 条の 15 より）
> 当該出資等減少分配を行った投資法人の当該出資等減少分配等の直前の分配対応資本金額等（当該直前の資本金等の金額にイに掲げる金額のうちロに掲げる金額の占める割合（直前の資本金等の金額が零以下の場合には零，直前の資本金等の金額が零を超え，かつ，イに掲げる金額が零以下の場合または直前の資本金等の金額が零を超え，かつイに掲げる金額が零以下である場合には一とし，当該割合に小数点以下 3 位未満の端数があると

きは，これを切り上げる。）を乗じて計算した金額をいう。）を当該投資法人の発行済投資口の総数で除し，これに同項に規定する内国法人が当該直前に有していた当該投資法人の投資口の数を乗じて計算した金額

イ　当該投資法人の当該出資等減少分配の日の属する事業年度の前々事業年度終了の時の当該投資法人の資産の帳簿価額から負債の帳簿価額を減算した金額（当該終了の時から当該出資等減少分配の直前の時までの間に資本金等の額が増加し，または減少した場合には，その増加した金額を加算し，またはその減少した金額を減算した金額）

ロ　当該出資等減少分配による出資総額等の減少額として財務省令で定める金額（当該金額がイに掲げる金額を超える場合には，イに掲げる金額）

すなわち，みなし配当の金額は，簡易な式にすると以下のようになります。

みなし配当＝出資等減少分配額－所有投資口に対応する資本金等の金額*

*所有投資口に対応する資本金等の金額＝（投資法人の出資等減少分配直前の税務上の資本金等の金額×一定割合†）(＊1)×各投資家の出資等減少分配直前の所有投資口数／投資法人の発行済投資口総数

†一定割合＝投資法人の出資等減少分配による出資総額の減少額／投資法人の税務上の前々期末純資産価額（＊2）（小数点以下３位未満切上げ）

（＊1）　投資法人の出資等減少分配による出資総額の減少額を超える場合にはその超える部分の金額を控除した金額

（＊2）　前々期末から当該出資等減少分配の直前の時までの間に税務上の資本金等の増減がある場合にはその金額を加減算した金額

③　みなし譲渡損益の計算

みなし配当の計算後，投資家は譲渡損益を計算するために譲渡原価を計算し

なければなりません。法人税法第61条の2は以下のとおり規定しています（個人の場合は租税特別措置法第37条の10に同様の規定があります）。

「内国法人が所有株式（当該内国法人が有する株式をいう。以下この項において同じ。）を発行した法人の第24条第1項第4号に規定する資本の払戻し（出資等減少分配を含む。）又は解散による残余財産の一部の分配（以下この項において「払戻し等」という。）として金銭その他の資産の交付を受けた場合における第1項の規定の適用については，同項第2号に掲げる金額（譲渡原価）は，当該所有株式の払戻し等の直前の帳簿価額を基礎として政令で定めるところにより計算した金額とする。」

上記政令である法人税法施行令第119条の9において以下のように規定しています（個人の場合は所得税法施行令第114条第1項に同様の規定があります）。

「法第61条の2第18項（有価証券の譲渡益又は譲渡損の益金又は損金算入）に規定する政令で定めるところにより計算した金額は，同項に規定する所有株式を発行した法人の行った同項に規定する払戻し等の直前の当該所有株式の帳簿価額に当該払戻し等に係る第23条第1項第4号イ（所有株式に対応する資本金等の額の計算方法等）に規定する割合（当該払戻し等が法第23条第1項第2号に規定する出資等減少分配である場合には，当該出資等減少分配に係る第23条第1項第5号に規定する割合）を乗じて計算した金額とする。」

すなわち，これを簡易な式にすると以下のようになります。

譲渡原価の額＝出資等減少分配直前の投資口の帳簿価額×一定割合*

$$^{\dagger}\text{一定割合}=\frac{\text{投資法人の出資等減少分配による出資総額の減少額}}{\text{投資法人の税務上の前々期末純資産価額（☆）}}\left(\begin{array}{l}\text{小数点以下3}\\\text{位未満切上げ}\end{array}\right)$$

（☆）　前々期末から当該出資等減少分配の直前の時までの間に税務上の資本金等の増減がある場合にはその金額を加減算した金額

なお，上記割合や，みなし配当金額について投資法人は投資家に対して通知する義務を負います。

④　みなし配当およびみなし譲渡益が生じる可能性

例えば，個人投資家が，各6か月ごとの計算期間に出資等減少分配金の支払を受け取り，みなし配当およびみなし譲渡益が生じる場合，みなし配当について配当所得の申告をするとともに，みなし譲渡益について原則20％の申告分離課税の処理を必要とします。上場投資法人の投資口について個人投資家が特定口座（源泉徴収選択口座）を利用する場合は，下記（3）に記載のとおり，配当所得と譲渡所得の損益通算が可能となっており，みなし配当についても同様の取扱いが可能です。

投資法人は，出資等減少分配のつど，みなし配当およびみなし譲渡損益の計算に用いられる一定割合を投資家に通知する義務を負います。

投資法人は，金銭の分配を行う際には支払調書および支払通知書を作成し，そこに金銭の分配の額を配当等，みなし配当およびみなし譲渡にかかる収入金額に分類して記載し，配当等およびみなし配当については源泉徴収を行う必要があります。

一般事務受託者が投資法人に代わって金銭の支払に関する事務を行う場合には，投資家への上記の一定割合の通知および金銭の分配につき上記の区分に従った源泉徴収税額の計算をした上で支払調書，支払通知書等の作成，提出が必要となります。

（3）　投資口の譲渡

居住者が投資法人の投資口を譲渡した場合には，原則として譲渡益に対して20％（所得税15％，地方税5％）の申告分離課税が行われます。譲渡損失が発生した場合は，上場，非上場の区分ごとに株式等に係る譲渡所得等の範囲内で損益通算することができます。

上場投資法人の投資口については，特定口座制度の対象とすることも可能です。特定口座の中で生じた上場株式等に該当する投資口の譲渡損は特定口座（源泉徴収選択口座）に受け入れた上場株式等の配当等と特定口座内での損益通算が可能です。

証券会社等を通じて上場株式等に該当する投資口を譲渡したこと等により生じた譲渡損失のうちその譲渡日の属する年分の株式等に係る譲渡所得等の金額の計算上控除しきれない金額は，一定の要件の下で，その年の翌年以後３年内の各年分の上場株式等に係る譲渡所得等の金額からの繰越控除が認められます。譲渡損失の繰越控除を受ける場合は，譲渡損失が生じた年以降，連続して確定申告書および譲渡損失の金額の計算に関する明細書の提出が必要です。

その年分に生じた上場株式等の譲渡所得等の金額の計算上生じた損失の金額，またはその年の前年以前３年内の各年に生じた上場株式等の譲渡損失の金額は，申告を行うことにより上場株式等の配当所得等の金額（申告分離課税を選択したものに限ります）から控除されます。

2014 年以降，金融商品取引業者等に開設した非課税口座において管理されている上場株式等（上場投資口を含む）の一定の譲渡に係る譲渡所得等は非課税口座内の少額上場株式等に係る譲渡所得の非課税措置（NISA）の適用があります。なお，令和５年度税制改正により，非課税措置が改組され（新 NISA），2024 年１月１日以後，非課税保有限度額は，全体で 1,800 万円（成長投資枠は内 1,200 万円）とされます。

内国法人の場合は，譲渡損益は法人税および地方税の課税対象とされます。

（４）　その他の課税

居住者および内国法人について，その運用財産に属する資産が主として土地等である投資法人の投資口の譲渡で，土地等の譲渡に類するものとして政令で定めるものについては，それぞれ所得税法上の土地等にかかる短期譲渡所得課税の特例および法人税法上の土地重課の対象とされます。

しかしながら，投資法人の投資口のうち，その設立に際して発行した投資口が公募でかつ１億円以上であるもの，または，その事業年度終了時においてその発行済投資口が50人以上の者によって所有されているものあるいは機関投資家のみによって所有されているものについては，当該投資法人がいわゆる同族会社に該当しない限り，当該投資口の譲渡は所得税法上の土地等にかかる短期譲渡所得課税の特例および法人税法上の土地重課の対象とされません。

なお，土地等にかかる短期譲渡所得課税の特例および土地重課は，2026年3月31日までその適用が停止されています。

[オープン・エンド型投資法人]

オープン・エンド型投資法人は現在のところ非上場ですので，投資家に対する課税は，原則として非上場のクローズド・エンド型投資法人の取扱いと同様となります。しかしながら，オープン・エンド型投資法人が投資口を投資家から取得する際のみなし配当計算は，出資等減少分配時と異なる計算がなされます。

公募／オープン・エンド型の一定の投資法人の利益の配当，および投資口の譲渡および払戻しについては，次のような特別な取扱いが定められています。なお，以下において投資法人の投資口は上場されていないことを前提としています。

（1）　特定投資法人の投資口に係る配当等

居住者が支払を受けるいわゆるオープン・エンド型で公募に該当するものとして政令*で定める一定の投資法人（特定投資法人）の投資口に係る配当等については，原則所得税15%，地方税5%の源泉徴収の後，金額にかかわらず申告不要制度の対象とすることができます。申告をする場合は総合課税または申告分離課税の選択適用となり申告分離課税を適用する場合の税率は20%（所得税15%，地方税5%）です。配当控除は適用されません。その他，上場投資法人とほぼ同様の措置が認められています。

*租税特別措置法施行令第4条の2第6項

政令では，投資口の募集に係る勧誘が金商法第2条第3項第1号に掲げる場合（公募）に該当し，かつ投資口申込証にその旨が記載されているものと規定されています。

内国法人が支払を受ける特定投資法人の投資口に係る配当等については，原則所得税15％の源泉徴収後，支払った源泉税につき所得税額控除を適用することができます。受取配当等の益金不算入の適用はありません。

（2）　特定投資法人の投資口の譲渡

居住者が，いわゆるオープン・エンド型で公募に該当するものとして政令で定める一定の投資法人（特定投資法人）の投資口を譲渡等した場合には，所得税15％，地方税5％の申告分離課税となります。また，一定の要件の下で譲渡損失の繰越控除，譲渡損失と上場株式等の配当所得等の損益通算も可能である等，上場投資法人とほぼ同様の措置が認められています。内国法人の投資口譲渡による損益は課税所得の計算上益金および損益として認識されます。

（3）　特定投資法人の投資口の払戻し

オープン・エンド型投資法人の投資口の払戻し（解約）にあたっては，「クローズド・エンド投資法人（2）出資等減少分配」の「②みなし配当の計算」「③みなし譲渡損益の計算」で記したのと同様の手法でみなし配当とみなし譲渡損益が計算されますが，「所有投資口に対応する資本金等の金額」は次の算式とされます。

$$\text{所有投資口に対応する資本金等の金額} = \text{投資法人の資本の払戻し直前の税務上の資本金等の金額} \times \frac{\text{払戻し投資口数}}{\text{払戻しの直前の発行済投資口総数}}$$

また，みなし譲渡損益計算における譲渡原価の額は払戻しとなる投資口の帳簿価額です。

[非居住者または外国法人が投資家の場合]

(1) 配　当　等

日本に恒久的施設を有さない非居住者および外国法人が支払を受ける投資法人の投資口に係る配当等については，原則として所得税20%の源泉課税により課税関係が終了します。

なお，投資法人の投資口が上場されている場合またはオープン・エンド型で公募に該当するものとして政令で定める一定の投資法人（特定投資法人）の場合，当該投資口に係る配当等については源泉税率は原則所得税15%とされています。

また，投資家の所在国との租税条約により，所得税の額は軽減される可能性があります。

(2) 投資口の譲渡

日本に恒久的施設を有さない非居住者および外国法人が投資口を譲渡した場合には，譲渡益は原則として課税されませんが，投資口が一定の事業譲渡類似の株式に該当する場合は，譲渡益について所得税または法人税の課税がありえます。事業譲渡類似株式等の譲渡益課税等の判定について，①一定の場合民法組合等の他の組合員を特殊関係株主等に加えること（一定の場合には除外），および②資本の払戻し等を株式等の譲渡等に加えること，とされています。ただし，投資家の所在地国との租税条約の適用により，当該課税が免除される場合もあります。

また，非居住者，外国法人が国内にある不動産等が50%以上である法人が発行する一定の株式等を譲渡した場合の所得についても申告納税の対象となる国内源泉所得となります（不動産化体株式等の譲渡益課税）。不動産投資法人の投資口は原則として不動産化体株式等に該当します。投資口が上場されている場合には，保有割合（特殊関係株主等による保有を含む）が5%以下，上場されていない場合は保有割合が2% 以下の者が行う投資口の譲渡益は課税されません。この保有割合の判定において，民法組合等の他の組合員も特殊関係株主等に含まれます。なお，不動産化体株式等の判定は「譲渡に先立つ365 日の期間のいずれかの時点」で行うことになります。

(３)　投資口の払戻し

日本に恒久的施設を有さない非居住者，外国法人の払い戻しに伴う所得は居住者についてと同様，みなし配当と譲渡損益として取り扱われます。みなし配当については源泉税が課され，配当と同様に取り扱われ，譲渡損益は譲渡所得として譲渡の場合と同様に取り扱われます。

上場不動産投資法人の投資家に係る課税関係

	日本の個人投資家	日本の法人投資家	非居住者／ 外国法人（注 1）
配当等	・原則 20% の源泉徴収（所得税 15% + 地方税 5%）（注 3） ・少額配当申告不要制度の上限なし ・申告分離課税 20% の選択適用可能	・原則 15% の所得税源泉徴収後，法人税法上，益金算入	・原則 15% の所得税源泉徴収により課税関係終了（注 3）
譲渡損益	・20% の申告分離課税 ・損失は上場株式等に係る譲渡所得等内で損益通算可能（注 4） ・譲渡損失の繰越控除可能	・法人税法上，益金または損金算入	・5% 以下保有の場合は課税なし（注 2）

(注 1)　投資家が日本に恒久的施設を有しないことを前提とします。
(注 2)　5% 超保有する者の譲渡については申告課税
(注 3)　大口個人投資家については源泉税は 20% とされ日本の個人投資家は総合課税となります。
(注 4)　申告分離課税を選択した配当所得等の金額との損益通算も可能
＊租税条約の適用については考慮していません。

第2章　信託型投資ストラクチャー

　ここでは，信託の基本的な取扱いを冒頭で説明して，その後資産流動化法における特定目的信託と投信法における投資信託について説明します。

Ⅰ　受益者等課税信託

1　受益者等課税信託の位置付けと信託導管理論

法人税等第12条第1項において，「信託の受益者（受益者としての権利を現に有するものに限る）は当該信託の信託財産に属する資産および負債を有するものとみなし，かつ，当該信託財産に帰せられる収益および費用は当該受益者の収益および費用とみなして，この法律を適用する。ただし，集団投資信託，退職年金等信託，特定公益信託等または法人課税信託についてはこの限りではない」とされています。

すなわち，集団投資信託，退職年金等信託，特定公益信託等または法人課税信託といった但書信託以外の信託は，税法上，導管として取り扱われ，信託財産に係る資産・負債，収益・費用は受益者に帰属するものとして取り扱われることになります。したがって，受益者は信託から現実に現金等の分配がなされなくても，信託に収益が生じた時点で収益認識をする必要があります（受益者等課税信託）。

信託財産を有するものとされる受益者の範囲について，「受益者としての権利を現に有するものに限る」とされています（法人税法第12条第1項カッコ書き）。また，①信託の変更をする権限（軽微な変更をする権限として政令で定めるものを除く）を現に有し，かつ，②当該信託の信託財産の給付を受けることとされている場合には，受益者以外の者も受益者とみなされ，信託財産を有するものとして取り扱われます。

（1）　信託財産に係る取扱い

平成19年度税制改正前においては，信託財産に帰せられる「収入及び支出」については受益者（特定していないまたは存在していない場合には委託者）がその信託財産を有するものとみなす，とされていましたが，平成19年度税制改正により，受益者が信託財産に属する「資産および負債」を有するものとみなし，かつ，「収益および費用」が受益者の収益および費用とみなす，との記載ぶりになりました。

従来，特に信託財産が不動産等である場合において，信託財産についての所得分類や減価償却，特別償却，特別控除の適用など，受益者が信託財産の所有者と同様に取り扱われるかどうか等が法令上必ずしも明確でありませんでしたので，とりわけ議論の多い不動産の信託については，具体的な取扱いは個別通達（昭和61直審5-6，平10課審5-1他，以下「土地信託通達」）において定められていました。

平成19年度税制改正により，信託を導管とみて受益者を信託財産の保有者として取り扱うとすることについて法令上より明確に示されたといえますが，これに加えて2007年7月に公表された法人税基本通達（課法2-5，課審5-22，平成19年6月22日）および所得税基本通達（課個2-11，課資3-1，課法9-5，課審4-26，平成19年6月22日）において，受益権の譲渡または取得を行った場合には，受益権の目的となっている信託財産に属する資産および負債を譲渡または取得したことになる旨が明記されました。

さらに，信託財産が土地である場合を例にとり，譲渡に態様に応じて，譲渡，交換，収用，買換え等の規定の適用もあることが明らかにされ，従来，個別通達たる土地信託通達において規定されていた点が基本通達レベルにおいて規定されています。基本通達では，委託者と受益者がそれぞれ単一であり，かつ，同一の者である場合，信託設定にあたっての委託者から受託者への資産の移転，信託の終了に伴う残余財産の給付としての受託者から受益者への資産の移転は，資産の譲渡や取得に該当しないことが明記されています。信託税制の整備に伴い，土地信託通達は信託法の施行の日をもって廃止されています。

（2） 受益者について

平成19年度税制改正前においては，受益者が特定されていないまたは存在していない場合には委託者について信託の収益が課税されることとされていましたが，平成19年度税制改正により，受益者の定めがない信託については信託そのものに法人税が課されることとなりました。これに伴い，発生時課税がなされるのは受益者のみとされましたが，信託変更権限を現に有し，かつ信託財産の給付を受けることのできる者については受益者以外であっても受益者とみなして課税されることになりました。

軽微な変更をする権限については信託変更権限から除外されていますが，当該除外されるものは，信託の目的に反しないことが明らかな場合に限り変更することができる権限をいう，とされています。また，信託の変更権限には，他の者との合意による変更権限を含み，停止条件が付された信託財産の給付を受けることとされている者についても受益者の範囲に含まれることになります。

すなわち，必ずしも受益者でなくても，信託の変更権限を有する等，信託のコントロールをすることができ，かつ，信託財産の給付を受ける者については受益者として取り扱われます。信託の変更をする権限を現に有している委託者は，信託契約によって帰属権利者として定められている場合または信託契約に残余財産受益者もしくは帰属権利者の指定に関する定めがない場合や定められたすべての者が権利放棄をした場合には，受益者とみなされることになります。

（3） 受益者が複数の場合について

法人税法施行令第15条第4項において，受益者が2以上ある場合について，「信託財産に属する資産および負債，収益および費用の全部がそれぞれの受益者にその有する権利の内容に応じて帰せられるものとする」とされています。

この点について，法人税基本通達ではさらに具体的に，「一の受益者が有する受益者としての権利がその信託財産に係る受益者としての権利の一部にとどまる場合であっても，その余の権利を有する者が存在しない，または特定されていないときは，当該受益者がその信託の信託財産に属する資産および負債の全部を有するものとみなされ，かつ，当該信託財産に帰せられる収益および費用の全部が帰せられるものとみなされる」と規定しています。

また，「権利の内容に応じて」信託の資産および負債，収益および費用が帰せられる例として，信託財産に属する資産が，その構造上区分された数個の部分を独立して住居，店舗，事務所等としての用途に供することができる場合，各部分について権利を有する受益者が各自の有する権利の割合に応じて有しているものとする，とされています。

これらの規定から，受益者が複数である場合には，受益権の対象とする信託財産をその持分に応じて所有しているのと同様にとらえるものと考えられます。

なお，実務上は，信託受益権について信託に関する権利が優先受益権と劣後受益権に分割されるなど，均等に分割されていないケースや受益者数が多くなる場合など，必ずしも上記通達では明記されていない，個別の検討を要する場合があるものと思われます。

「信託財産に属する資産および負債，収益および費用の全部がそれぞれの受益者にその有する権利の内容に応じて帰せられるものとする」（圏点は筆者が付した）という政令の規定からは，信託受益者が必ずしも均等に分割されていないケース等においても，信託の収益および費用の全額がいずれかの受益者において，それぞれの権利に応じて認識されるべきことが伺えます。

この点，会計上は信託が優先・劣後など質的に分割されているケースにおいては信託財産を有するものとはみず，信託において新たな有価証券が発行されたものとの認識をしますので，税務と会計ではその取扱いが異なる可能性があります。

（４） 所得認識時期および経理方法

受益者等課税信託の法人受益者は，信託レベルで生じる収益および費用は信託財産に直接投資したのと同様の経理処理が求められています。すなわち，受

受益者等課税信託の概念図

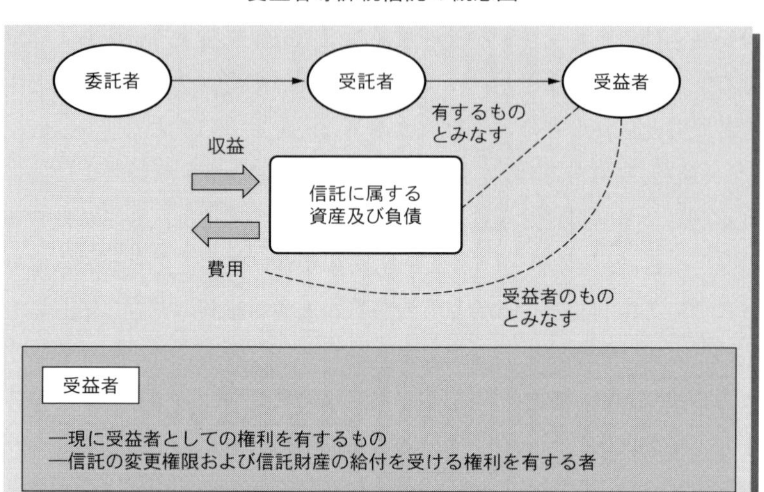

益者等課税信託の法人受益者は，信託の計算期間にかかわらず，法人受益者の事業年度の期間に対応する当該信託の収益および費用を認識すべきものと規定されています。

また，受益者等課税信託の法人受益者については信託財産に帰せられる収益および費用の帰属額は総額法で計算をすることが求められ，信託における所得の利益または損失だけを取り込む純額法は認められていません。

任意組合等への投資については，組合計算期間にあわせた組合損益の取込みや，純額法での損益取込みが投資家の選択により認められていますが，受益者等課税信託を通じた投資については信託を一つの事業体的にとらえた所得認識・経理方法の選択は認められていません。

2　信託損失の取込み規制

受益者等課税信託の法人受益者等に帰せられる信託損失のうち当該法人受益者等の信託金額を超える部分の金額は，損金の額に算入しないこととされています。また，信託損失が生じた場合に法人受益者等に対しこれを補填する契約が締結されていること等により当該法人受益者等の信託期間終了までの間の累積損益が明らかに欠損とならない場合には，その法人受益者等に帰せられる信託損失の金額を損金の額に算入しないこととされました。

個人受益者については，信託から生ずる不動産所得は生じなかったものとされます。

（1）　個人受益者についての取扱い

特定受益者に該当する個人が，各年において，信託から生ずる不動産所得を有する場合において不動産所得の金額の計算上当該信託による不動産所得の損失の金額として政令で定める金額があるときは，当該損失の金額に相当する金額は，所得税法上生じなかったものとされます。

個人の信託損失取込み規則

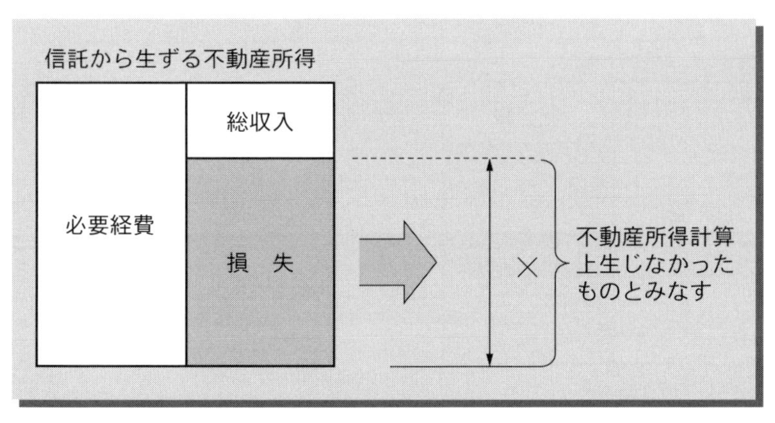

ここで，特定受益者とは所得税法第13条第1項に規定する受益者（同条第2項の規定により受益者とみなされる者を含む）をいう，とされており，受益者等課税信託の受益者であればすべて本信託の損失取込み規制の対象とされます。また，政令で定める金額とは，特定受益者のその年分における信託から生ずる不動産所得に係る総収入金額に算入すべき金額の合計額が当該信託から生ずる不動産所得に係る必要経費に算入すべき金額の合計額に満たない場合におけるその満たない部分の金額に相当する金額とされています。

その年において信託から生ずる不動産所得を有する個人が確定申告書を提出する場合には，財務省令で定めるところにより，当該信託から生ずる不動産所得の金額の計算に関する明細書を当該申告書に添付しなければなりません。

（2）　法人受益者についての取扱い

集団投資信託や法人課税信託を除く法人税法第12条第1項本文に規定する信託の受益者は「特定受益者」とされ，受益者が信託債務（受託者が信託財産に属する財産をもって履行する責任を負う債務）による損失を直接的に負担するものでない場合においては当該信託による損失の額として政令で定める金額（組合等損失額）のうち当該信託の信託財産の帳簿価額を基礎として政令で定める金額（調整出資等金額）を超える部分の金額は損金の額に算入されません。

法人受益者の信託損失取込み規制

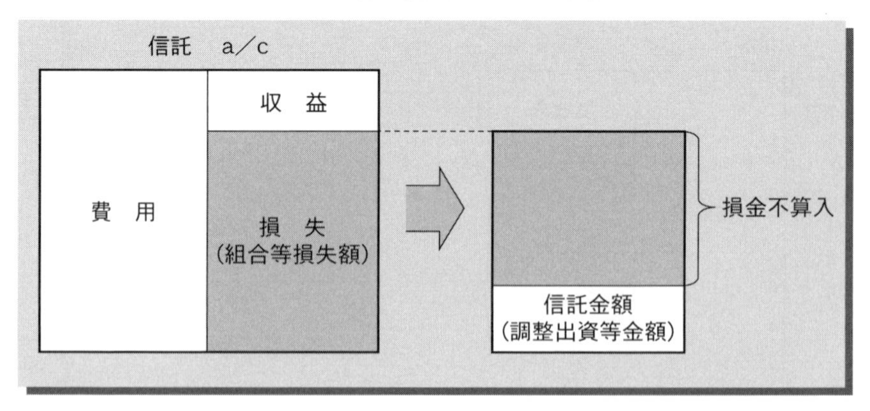

損失の額として政令で定める金額（組合等損失額）とは，信託による組合等損金額（当該事業年度の所得の金額の計算上損金の額に算入される金額のうち当該信託の信託費用帰属額（法人税法第12条第1項の規定により当該法人の費用とみなされる当該信託の信託財産に帰せられる費用の額をいう）に係る部分）が当該信託による組合等益金額（当該事業年度の所得の金額の計算上益金の額に算入される金額のうち当該信託の信託収益帰属額（法人税法第12条第1項の規定により当該法人の収益とみなされる当該信託の信託財産に帰せられる収益の額）に係る部分）を超える場合のその超える部分の金額をいいます。

なお，信託形態，信託債務の弁済に関する契約，損失補填等契約（信託について損失が生じた場合にこれを補塡することを約し，または一定額の収益が得られなかった場合にこれを補足することを約する契約その他これに類する契約）その他の契約の内容その他の状況からみて，信託の信託財産に帰せられる損益が明らかに欠損とならないと見込まれる時については，当該超える部分の金額が損金算入されません。

損金不算入の規制を受けた金額は，翌期以降に信託収益が生じた場合には連続して確定申告書を提出していること，および当該事業年度における申告書への明細書の添付を要件として，その事業年度に生じた信託利益額まで損金の額に算入することとされています。また信託の清算結了または受益者の地位の譲渡等の事由が生じた時点で損金算入することができます。

信託に係る調整出資等金額を超える組合等損失額が生ずるおそれがないと見込まれ，かつ，損失補塡等契約が締結されていない場合を除き，特定受益者に該当する場合には，調整出資等金額等の計算に関する明細書を添付しなければなりません。

一般的には信託契約は受託者の債務を直接的に負うものではないと考えられるため，導管として取り扱われる多くの信託契約は本規制の対象となり，信託元本を超える損失の損金計上は認められなくなると考えられます。最終的に受益者の取引全体の利回りが確保されている取引等については損失額の金額の計上が認められないことになります。

（３）　法人と個人の信託損失取込み規制に係る規定の違い

個人受益者の不動産所得を生ずべき信託による信託損失はないものとみなされます。一方，法人受益者については，受益者が信託債務を直接的に負担するものでない場合において，信託損失のうち調整出資等金額を超える部分の金額が損金不算入とされます。

信託損失の取扱い		
	個　人	法　　人
信託損失	ないものとみなす	調整出資等金額を超える部分の金額は損金不算入。翌期以降，確定申告書の提出，明細書の添付により信託利益が生じた場合等に損金算入可。

（４）　信託損失取込み規制に関するその他留意点

複数の委託者兼受益者が含み損益のある現物資産を信託することが考えられますが，この場合，当該信託が導管として取り扱われる受益者等課税信託である限りにおいて，信託時に信託対象資産のうち他の受益者の持分相当割合を売却したのと同様の課税になります。

このことは，法人受益者の「調整出資等金額」の計算上，現物資産を信託するにあたって自己の持分割合については帳簿価額で，他の受益者の持分割合相当額を時価で認識すべき旨が定められていることからも伺えます。信託から現物で償還を受けた場合などにも同様の取扱いがなされます。

受益者の地位の譲渡（受益者の定めのない信託の受益者たる地位の取得その他の信託の受益者たる地位または信託に関する権利の取得を含みます）を受けた者については，従前の受益者が信託した金銭その他の財産の価額および信託から生じた利益でいまだ従前の受益者に分配されていない部分に相当する価額を，その地位を譲り受けた受益者自らが信託した金銭その他の財産の価額とみなすことにより，調整出資等金額の計算を行うこととされます。

調整出資等金額の算定	
法人税法上の調整出資等金額(イ)＋(ロ)－(ハ)	（イ） 事業年度終了の時までに信託行為に基づいて信託をした金銭の額に現物資産に係る次に掲げる金額の合計額を加算した金額（委託者の負債も併せて信託財産に属する負債とした場合にはその負債の額を減算した金額） （ａ） 現物資産の価額に他の受益者の信託財産持分割合を乗じて計算した金額 （ｂ） 当該法人受益者の信託直前の現物資産の帳簿価額に自己の信託財産持分割合を乗じて計算した金額
	（ロ） 法人受益者の当該事業年度前の各事業年度における利益積立金額のうち信託の信託損益帰属額にかかる部分の金額の合計額
	（ハ） 事業年度終了の時までに分配等（信託財産からの給付をいう。以下「分配等」という）を受けた金銭の額に現物資産に係る次に掲げる金額の合計額を加算した金額（負債も併せて分配等を受けた場合にはその負債の額を減算した金額） （ａ） 現物資産の価額に分配等の直前の他の受益者の信託財産持分割合を乗じて計算した金額 （ｂ） 現物資産の当該法人受益者における分配等の直前の帳簿価額

地位の譲渡を受けた受益者が当初の受益者の信託額とは異なる価額で譲渡を受けた場合などは，調整出資等金額と信託への自らの投資額とが異なることになります。

このように譲渡を受けたケースだけでなく，信託の会計上の信託受益権の価額の計算処理と税法上の調整出資等金額の計算処理は全て同じではない点（たとえば現物信託時の処理など）に留意が必要です。

3　信託の計算書の提出等

集団投資信託，退職年金等信託，法人課税信託（但書信託）を除く信託の受益権の譲渡をした者で国内において受益権の譲渡を受けた法人または金融商品取引業者または登録金融機関から譲渡対価の支払を受けるものは，当該支払者に住民票等の写しを提示し，住所等の告知を行うことが必要とされます。

但書信託を除く信託の受託者は，原則として信託に係る受益者（みなし受益者を含む）別に，その信託の計算書を，毎年1月31日まで（信託会社については毎事業年度終了後1月以内）に税務署長に提出しなければなりません。

信託計算書の記載事項
①　委託者および受益者等の氏名または名称および住所もしくは居所（国内に居所を有しない者にあっては，国外におけるその住所）または本店もしくは主たる事務所の所在地および個人番号または法人番号
②　その信託の期間および目的
③　信託会社が受託者である信託については信託会社の各事業年度末，信託会社以外の受託者については前年12月31日における信託に係る資産および負債の内訳並びに資産および負債の額
④　信託会社が受託者である信託については各事業年度中，信託会社以外の者が受託者である信託については前年中における②の信託に係る資産の異動ならびに信託財産に帰せられる収益および費用の額
⑤　受益者等に交付した信託の利益の内容，受益者等の異動および受益者の受けるべき報酬等に関する事項
⑥　委託者または受益者等が国税通則法の規定により届け出た納税管理人が明らかな場合には，その氏名および住所または居所
⑦　②の信託が特定寄附信託の場合は，その旨および一定の事項
⑧　その他参考となるべき事項

Ⅱ　特定目的信託

1　資産流動化法上の取扱い概要

「資産の流動化に関する法律」（資産流動化法）において，資産の流動化を行うことを目的とし，かつ，信託契約の締結時点において委託者が有する信託の受益権を分割することにより複数の者に取得させることを目的とする制度として，特定目的信託制度が定められています。特定目的信託は資産流動化法上の資産流動型スキームの一つとして整備されています。

①　届　　出

信託会社等は，受託者として特定目的信託契約を締結するときは，あらかじめ内閣総理大臣に届け出る必要があります（資産流動化法第225条）。

②　特定目的信託契約

ⅰ）特定目的信託契約について，特定目的信託たる旨，資産信託流動化計画および原委託者の義務に関する事項等を定めなければならないこととするほか，受託信託会社等に対する指図の禁止等の条件を付さなければならないこととされています（資産流動化法第229条および第230条）。

ⅱ）受託信託会社等が行う資金の借入れおよび費用の負担に関する規定ならびに特定目的信託の信託財産に属する金銭の運用方法に関する規定が設けられています（資産流動化法第231条および第232条）。

③　受益権の譲渡等

i）　特定目的信託の受益権は譲渡することができるものとし，その譲渡は受益証券をもって行わなければならないこととされています（資産流動化法第233条および第234条）。

ii）　受益証券を取得する者は，原則として，その取得により当該受益証券に係る特定目的信託契約の委託者の地位を承継することとされています（資産流動化法第237条）。

iii）　その他，権利者名簿等に関する規定を設けることとされています（資産流動化法第235条，第236条，第238条および第239条）。

④　受益証券の権利者の権利

i）　特定目的信託の受益者および委託者の権利は，権利者集会のみがその決議により行使できることとされています（資産流動化法第240条および第241条）。

ii）　権利者集会，代表権利者，特定信託管理者等に関する規定を設けることとされています。

平成23年に「資産の流動化に関する法律」が改正され，わが国の金融資本市場にイスラムマネーを呼び込むという観点から，特定目的信託の社債的受益権を活用したイスラム債（日本版スクーク）発行のための法的枠組みが整備されました。具体的には，特定目的信託の受益権のうち，信託期間中の金銭の分配についてあらかじめ定められた金額の分配を受けられる種類の受益権が社債的受益権と定義されました（資産流動化法第230条）。税制面においても，平成23年度税制改正において，社債的受益権を社債と同様に取扱う等の税制措置が織り込まれました。なお，令和6年度税制改正大綱では社債的受益権に係る非課税措置は期限到来により廃止されることが示されています。

2　特定目的信託の税務

（1）　信託導管理論の不適用

税法上，集団投資信託（合同運用信託，一定の投資信託，特定受益証券発行信託），退職年金等信託，特定公益信託等または法人課税信託以外の信託は導管として取り扱われ，受益者が当該信託に係る資産および負債を有するものとみなされ，信託財産に帰せられる収益および費用は受益者の収益および費用とみなして税法の規定が適用されます。

しかしながら，集団投資信託や法人課税信託については，信託導管理論の適用対象外とされており，集団投資信託や法人課税信託の投資家は，信託財産を有するものとはみなされません。

特定目的信託は「法人課税信託」に含められており，信託財産の帰属について，導管として取り扱われないこととされています。

（2）　特定目的信託の所得に係る受託者の納税義務

法人税法上，特定目的信託は，法人課税信託として取り扱われ，特定目的信託の各事業年度の所得については，受託者に対して法人税が課されます。

法人課税信託の受託者は，各法人課税信託の信託資産等（信託財産に属する資産および負債ならびに信託財産に帰せられる収益および費用）および固有資産等（法人課税信託の信託資産等以外の資産および負債ならびに信託財産に帰せられない収益および費用）ごとに，それぞれ別の者とみなして，法人税が課されます。

すなわち，特定目的信託の信託財産に帰せられる収益および費用については受託者に対して法人税が課されるものの，他の法人課税信託および受託者自身の所得に係る（法人課税信託以外の）収益および費用と通算して申告すべきものではありません。

特定目的信託の受託者は，その信託された営業所等が国内であるものは内国法人として，その信託された営業所等が国内でないもの（外国特定目的信託）は外国法人とされます。外国特定目的信託の受託者には，国内源泉所得について法人税が課されますが，その所得の計算については，基本的に内国法人とされる特定目的信託に係る受託法人の各事業年度の所得の計算と同様の措置が講じられています。

（３）　特定目的信託の各事業年度の所得に係る法人税の計算

上述のとおり，特定目的信託を含む法人課税信託の各事業年度の所得については法人税の課税対象とされています。

法人課税信託の課税所得の金額の計算は，普通法人の課税所得の金額の計算規定に準じて計算することとされています。ただし，特定目的信託については，一定の要件を満たす場合，利益の分配の損金算入の規定が租税特別措置法において定められているほか，いくつかの特例が定められています。

①　納　税　地

法人課税信託の納税地は，受託者の固有の納税地と同一となります。受託者が個人の場合は，所得税法の規定により所得税の納税地とされている場所とされます。

②　事業年度

原則として法人課税信託の約款等で定める信託の計算期間をいいます。ただし，計算期間が１年を超える場合は，計算期間をその開始の日以後１年ごとに区分した各期間（最後に１年未満の期間を生じたときは，その１年未満の期間）をいいます。

なお，受託法人については，仮決算による中間申告は認められていません。

③　課税標準

内国法人の所得の金額の計算の規定に準じて計算した金額が，法人課税信託の各事業年度の所得の金額とされています。

④　利益分配の損金算入

特定目的信託のうち下記Aに掲げるすべての要件を満たすものの利益の分配の額として政令で定める金額で下記Bに掲げる要件を満たす事業年度に係るものは，当該事業年度の所得の金額の計算上，損金の額に算入されます。

A　次に掲げるすべての要件（特定目的信託に関する要件）

イ　資産流動化法第225条第1項の規定による届出が行われているものであること

ロ　次のいずれかに該当するものであること

（1）　その発行者（金融商品取引法第2条第5項に規定する発行者をいう）による社債的受益権（資産流動化法第230条第1項第2号に規定する社債的受益権をいう）の募集が金融商品取引法第2条第3項に規定する取得勧誘（同項第1号に掲げる場合に該当するものに限る）であって，その社債的受益権の発行価額の総額が1億円以上であるもの

（2）　その発行者が行った社債的受益権の募集により社債的受益権が機関投資家*のみによって引き受けられたもの

（3）　その発行者が行った受益権（社債的受益権を除く。以下同じ。）の募集により受益権が50人以上の者によって引き受けられたもの

（4）　その発行者が行った受益権の募集により受益権が機関投資家*のみによって引き受けられたもの

*機関投資家とは，金融商品取引法第2条第9項に規定する金融商品

取引業者（同法第28条第1項に規定する第1種金融商品取引業のうち同条8項に規定する有価証券関連業に該当するものまたは同条第4項に規定する投資運用業を行う者に限る）その他の財務省令で定めるものをいいます（以下において同様）。

ハ　その発行者による受益権の募集が主として国内において行われるものとして政令で定めるもの*に該当するものであること

*政令では，資産流動化法に規定する資産信託流動化計画においてその発行者により募集される受益権（社債的受益権を除く）の発行価額の総額に占める国内募集の発行価額の占める割合が100分の50を超える旨（二種類以上の受益権が募集される場合は，それぞれの受益権ごとに100分の50を超える旨）の記載があるもの，と定められています。

ニ　その他政令で定める要件*

*政令では，原則として特定目的信託の受託法人の会計期間が1年を超えないこととする旨が定められています。

B　次に掲げるすべての要件（事業年度に関する要件）

イ　当該事業年度終了の時において法人税法第2条第10号に規定する同族会社のうち政令で定めるものに該当していないこと（Aロ(1)または(2)に該当する場合を除く）。

ロ　当該事業年度に係る利益の分配の額が当該事業年度の分配可能利益の金額として政令で定める金額*（社債的受益権に係る受益証券を発行している受託法人の場合は政令で定める金額を控除した金額）の100分の90に相当する金額を超えていること。

*政令では，特定資産の管理または処分により得られる利益の額として財務省令で定めるところにより計算した金額，と規定されています。

ハ　その他政令で定める要件*

＊政令では，特定目的信託の受託法人が特定目的信託の信託事務を処理するために資金の借入れを行っている場合におけるその借入れが機関投資家からのものであること，と規定されています。

なお，この措置は，適用を受けようとする事業年度の確定申告書に損金の額に算入される金額の損金算入に関する申告の記載およびその損金の額に算入される金額の計算に関する明細書の添付があり，かつ，上記Ａロおよびハに掲げる要件を満たしていることを明らかにする書類を保存している場合に限り，適用されます。

⑤　受取配当等および外国子会社配当等の益金不算入の不適用

特定目的信託が内国法人から配当等を受け取っても，受取配当等の益金不算入（法人税法第23条）の規定を適用することはできません。同様に，外国子会社から受ける配当等の益金不算入の規定の適用もありません。

⑥　中小法人に対する法人税の軽減税率の不適用

資本金１億円以下の軽減税率の適用はありません。

⑦　特定同族会社に対する留保金特別課税の適用

特定目的信託が特定同族会社＊に該当し，当該同族会社の各事業年度の留保金額が留保控除額を超える場合には，通常の法人税に加え，当該留保控除額を超える留保金額を次に掲げる金額に区分して，それぞれ定める割合を乗じて計算した金額の合計額を加算した額の法人税が課されます。

ａ．年3,000万円以下の金額	10%
ｂ．年3,000万円を超え，年１億円以下の金額	15%
ｃ．年１億円を超える金額	20%

*特定同族会社とは，受益権を有する者の１人ならびにこれと政令で定める特殊関係のある個人および法人が有する受益権のその信託に係るすべての受益権に対する割合が100分の50超に相当するものとして政令で定める法人課税信託をいいます。

上記の留保金額とは，特定目的信託の当該事業年度の所得等の金額のうち留保した金額から，当該事業年度の所得に係る法人税の額ならびに法人税の額に係る道府県民税および市町村税の額として政令で定めるところにより計算した金額の合計額を控除した金額をいいます。

上記の留保控除額とは，次に掲げる金額のうちいずれか多い金額をいいます。

a．当該事業年度の所得等の金額の40%

b．年2,000万円

なお，通常法人の場合，資本金の額が１億円以下の場合は上記留保金課税の適用がありませんが，特定目的信託にはこの適用除外の規定はありません。

⑧　外国税額控除

特定目的信託の信託財産につき課された外国所得税の額は，特定目的信託の収益の分配に係る所得税および復興特別所得税の額を限度として当該所得税および復興特別所得税の額から控除されます。なお，平成30年度税制改正後（2020年１月１日施行）は控除される外国法人税額は外貨建資産への運用割合を限度とすること等の措置が講じられています。一般の外国税額控除の規定は適用されません。

⑨　土地重課

特定目的信託の受託者である法人が当該特定目的信託の信託財産につき土地の譲渡等をした場合には，原則として通常の法人税の他に土地の譲渡利益額の5%の追加的な課税が行われます。

しかし，当該特定目的信託が上記④の要件（ロの90%超の利益分配要件を除く）を満たす事業年度については上記の追加的な課税はありません。

また，特定目的信託の信託財産につき，短期所有に係る土地の譲渡等をした場合には，通常の法人税の他，土地の譲渡利益額の10％の追加的な課税が行われます。

なお，土地重課は2026年3月31日までその適用が停止されています。

⑩　過少資本税制

特定目的信託には，普通法人と同様，いわゆる過少資本税制の適用があります。

特定目的信託が国外支配株主等*に負債の利子等を支払う場合において，当該事業年度の国外支配株主等に対する負債の平均残高が国外支配株主等の純資産に対する持分の額の3倍を超えるときは，支払った負債利子等のうち，その超える部分に対応する支払利子等は損金の額に算入されません。

*国外支配株主等とは，非居住者または外国法人で，特定目的信託との間に，特定目的信託の受益権の総数の50％以上を直接または間接に保有する関係その他の特殊の関係のあるものをいいます。

⑪　過大支払利子損金不算入制度

特定目的信託の対象純支払利子等の額が調整所得金額（当期の所得金額に，対象純支払利子等，減価償却費，税等について加減算する等の調整を行った金額）の20％を超える場合には，その超える部分の金額は，当期の損金の額に算入されません。なお，本制度の適用により損金不算入とされた金額は，翌期以降7年間繰越し，翌期以降の対象純支払利子等の額と調整所得金額の20％に相当する金額との差額を限度として，損金に算入することができます。令和6年度税制改正大綱では2022年4月1日から2025年3月31日までの間に開始した事業年度に係る超過利子額の繰越期間は10年に延長されることが示されています（詳細については第4章Ⅰ1(9)参照）。

⑫　CFC 税制（タックス・ヘイブン税制）

特定目的信託についても普通法人と同様，いわゆる CFC 税制（タックス・ヘイブン税制）の適用があります。したがって，特定目的信託が CFC 税制の対象となる外国子会社等に投資をしている場合，その所得のうち特定目的信託の持分割合に対応する部分の金額は特定目的信託の所得に合算されます。

なお，CFC 税制は平成 29 年度税制改正により大幅に変更され，投資対象の外国子会社等がいわゆるペーパーカンパニーに該当する場合，租税負担割合が 30% 未満(注)であると適用の可能性があります。詳細については第１部第４章Ⅰ１(７）を参照ください。

（注）内国法人の 2024 年４月１日以後に開始する事業年度については 27% 未満

（４）　信託財産に係る利子等の非課税

特定目的信託のうち，信託財産（特定資産）が主として有価証券であるものとして政令で定めるものについては，帳簿登載を要件として，信託財産に係る利子等または配当等について所得税の源泉徴収が免除されます。特定目的信託のうち主として不動産に投資するものについては信託財産に係る利子等の非課税の規定の適用はありません。

（５）　登録免許税，不動産取得税

日本版スクークを発行するにあたり不動産を信託する場合，その移転登記に係る登録免許税および不動産取得税は非課税とされます。また当該不動産の買戻しについても，一定の要件の下，登録免許税と不動産取得税が非課税とされています（登録免許税については 2025 年３月 31 日まで）。なお，令和６年度税制改正大綱では，この非課税措置は期限到来により廃止されることが示されています。

3　特定目的信託の投資家に対する課税

特定目的信託は，資産流動化法上，社債的受益権*を発行することができますが，社債的受益権は税務上特別に社債と同様の取扱いが定められています。社債的受益権以外の特定目的信託の受益権は原則として株式と同様の課税を受けます。

なお，以下において特定目的信託の受益権は金融商品取引所における上場や公募等はなされていないことを前提としています。

*社債的受益権とは，信託期間中の金銭の分配についてあらかじめ定められた金額の分配を受ける種類の受益権をいいます。社債的受益権を定める場合には，その元本があらかじめ定められた時期に償還されること，その受益証券の権利者が権利者集会の決議について議決権を有しないこと等の条件を付さなければならないこととされています（資産流動化法第230条①ニ）

（1）　特定目的信託の受益権の収益の分配に係る投資家の課税

法人課税信託の収益の分配は資本剰余金の減少を伴わない剰余金の配当とみなされることから，特定目的信託の収益の分配は配当所得として取り扱われます。

なお，所得税法上，合同運用信託，投資信託，特定目的信託の収益の分配に係る所得区分は次のように定められています。

○**利子所得**：合同運用信託，公社債投資信託および公募公社債等運用投資信託の収益の分配

○**配当所得**：投資信託（公社債投資信託および公募公社債等運用投資信託を除く）および特定目的信託を含む法人課税信託の収益の分配

①　特定目的信託の投資家が日本の居住者である場合

居住者が受け取る社債的受益権以外の受益権に係る収益の分配については，

20％（所得税）の源泉徴収がなされた後，配当所得として総合課税されます。収益の分配の額が少額の場合，少額配当の申告不要制度の適用があります（なお，2037年12月31日まで，所得税の2.1％に相当する復興特別所得税が別途課される。以下この章において同様）。

居住者が受け取る社債的受益権に係る収益の分配については，20％（所得税15％，地方税5％）の源泉徴収によって課税関係が終了します（源泉分離課税）(注)。

居住者が特定目的信託から受け取る収益の分配については，配当控除の適用を受けることはできません。

（注）特定公社債等として取り扱われるものについては異なる取扱いとされる（第１章Ⅰ３特定目的会社の投資家に対する課税（２）①参照）。

②　特定目的信託の投資家が日本の法人である場合

内国法人が受け取る社債的受益権以外の受益権に係る収益の分配については，20％（所得税）の源泉徴収がなされた後，当該内国法人の法人税および地方税の課税所得の計算上，益金に算入されます。源泉徴収された所得税は，所得税額控除の適用を受けることができます。

社債的受益権に係る収益の分配については，所得税15％の源泉徴収がなされた後，法人税および地方税の課税所得の計算上，益金に算入されます。源泉徴収された所得税は，所得税額控除の適用を受けることができます。

特定目的信託から受け取る収益の分配については，受取配当等の益金不算入の適用はありません。

③　特定目的信託の投資家が非居住者または外国法人である場合

特定目的信託から非居住者または外国法人へ支払われる収益の分配には，支払時に社債的受益権に係る収益の分配については15％，社債的受益権以外の受益権に係る収益の分配については20％の源泉税が課されます。日本の非居住者または外国法人が日本に恒久的施設を有していなければ，所得税（源泉税を除く）または法人税は課されず，源泉税のみで課税関係が終了します（租税条約の適用については考慮していません)。

2024年3月31日までに発行された振替社債的受益権は振替社債と同様に取り扱われ，その収益の分配については一定の要件の下，源泉税が課されません。なお，令和6年度税制改正大綱では，この非課税措置は期限到来により廃止されることが示されています。

(2)　特定目的信託の受益権の譲渡に係る投資家の課税

①　特定目的信託の投資家が日本の居住者である場合

居住者が特定目的信託の受益権を譲渡した場合，譲渡益に対し20%の課税(所得税15%，地方税5%)が行われます(申告分離課税)。譲渡損失が発生したときは，上場，非上場の区分ごとに株式等に係る譲渡所得等の範囲内で損益通算することができますが，その他の所得区分との損益通算をすることはできません。

②　特定目的信託の投資家が日本の法人である場合

内国法人が特定目的信託の受益権を譲渡した場合，譲渡損益につき法人税および地方税の課税対象とされます。

③　特定目的信託の投資家が非居住者または外国法人である場合

日本に恒久的施設を有しない非居住者または外国法人が特定目的信託の受益権を譲渡したときは，原則として所得税および法人税は課されません。

しかしながら非居住者，外国法人が国内にある不動産等の割合が信託財産の50%以上である特定目的信託の一定の受益権を一定割合以上譲渡した場合の所得は申告納税の対象となる国内源泉所得になります(ただし，特定目的信託の社債的受益権の譲渡を除く)。

個人投資家および法人投資家について，その信託財産に属する資産が主として土地等である特定目的信託の受益権の譲渡であって，土地等の譲渡に類するものとして，政令で定めるものの譲渡については，それぞれ土地等に係る短期譲渡所得課税（個人投資家）および土地重課（法人投資家）の対象とされます。

しかしながら，同族会社に該当せず，租税特別措置法第68条の３の２第１項第１号ロに掲げる要件に該当する特定目的信託の受益権の譲渡については土地等に係る短期譲渡所得課税および土地重課の対象とされません。特定目的信託において利益の分配の額の損金算入が認められるための条件には租税特別措置法第68条の３の２第１項第１号ロに掲げる要件を満たしていることおよび同族会社に該当していないことが含まれています。

したがって，利益の分配の額を損金に算入できる特定目的信託の受益権の譲渡については，土地等に係る短期譲渡所得課税および土地重課の対象とされることはありません。

なお，土地重課は2026年３月31日までその適用が停止されています。

租税特別措置法第68条の３の２第１項第１号ロ

ロ　次のいずれかに該当するものであること

（１）　その発行者（金融商品取引法第２条第５項に規定する発行者をいう）による社債的受益権（資産流動化法第230条第１項第２号に規定する社債的受益権をいう）の募集が金融商品取引法第２条第３項に規定する取得勧誘（同項第１号に掲げる場合に該当するものに限る）であって，その社債的受益権の発行価額の総額が１億円以上であるもの

（２）　その発行者が行った社債的受益権の募集により社債的受益権が機関投資家のみによって引き受けられたもの

（３）　その発行者が行った受益権（社債的受益権を除く。以下同じ。）の募集により受益権が50人以上の者によって引き受けられたもの

（４）その発行者が行った受益権の募集により受益権が機関投資家のみによって引き受けられたもの

特定目的信託の投資家に係る主な課税関係

	居住者等				非居住者等（注1）			
	特定目的信託からの収益の分配		特定目的信託の受益権の譲渡益		特定目的信託からの収益の分配		特定目的信託の受益権の譲渡益	
	所得区分	課税関係	所得区分	課税関係	所得区分	課税関係	所得区分	課税関係
法　　人								
社債的受益権の投資家	—	15%の源泉税 法人税の計算上益金算入（注7）	—	源泉税なし 法人税の計算上益金算入	—	15%の源泉税（注3） 一定の場合，非課税（注9）	—	課税なし
その他の受益権の投資家	—	20%の源泉税 法人税の計算上益金算入（注7）	—	源泉税なし 法人税の計算上益金算入	—	20%の源泉税（注3）	—	課税なし（注8）
個　　人								
社債的受益権の投資家	配当所得	20%（注2）の源泉分離課税	株式等に係る譲渡所得等	20%（注6）の申告分離課税	配当所得	15%の源泉分離課税（注3） 一定の場合，非課税	—	課税なし
その他の受益権の投資家	配当所得	20%の源泉税総合課税（注5）	株式等に係る譲渡所得等	20%（注6）の申告分離課税	配当所得	20%の源泉分離課税（注3）	—	課税なし（注8）

※上記に加え，復興特別所得税（所得税の額×2.1%）が課されます。
（注1）投資家が日本に恒久的施設を有していないことを前提とします。
（注2）所得税15%，地方税5%。なお，この表内の注記のない源泉税は所得税のみを表示しています。
（注3）源泉税のみで課税関係が終了します。
（注4）特定公社債に該当する場合は20%（所得税15%，地方税5%）の申告分離課税
（注5）源泉税は所得税の計算上税額控除することができますが，配当控除の規定の適用はありません。
少額配当の申告不要制度の適用はあります。
（注6）所得税15%，地方税5%。
（注7）源泉税は法人税の計算上税額控除することができますが，受取配当等の益金不算入の規定の適用はありません。
（注8）国内にある土地等の割合が信託財産の50%以上である特定目的信託の一定の受益権を一定割合以上保有する場合の譲渡所得は不動産化体株式等の譲渡として申告納税の対象となります。
（注9）令和6年度税制改正大綱では，この非課税措置は期限到来により廃止されることが示されています。

＊　租税条約の適用については考慮していません。
＊　発行証券は非上場・私募を前提とします。

Ⅲ　契約型投資信託

1　契約型投資信託の税務上の位置付けと分類

（1）　概　　　要

「投資信託及び投資法人に関する法律」（投信法）および「資産の流動化に関する法律」（資産流動化法）において，信託について，投資信託と特定目的信託という概念がおかれています。投資信託は投信法上の資産運用型スキームとして，また，特定目的信託は資産流動化法上の資産流動型スキームの一つとして整備されています。

投資信託については，委託者指図型投資信託，委託者非指図型投資信託をあわせて投資信託と定義されています（投信法第２条第３項)。

（2）　投資信託の税法上の区分

契約型の投資信託で，投信法第２条第３項に規定する「投資信託」のうち次に掲げるものおよび投信法第２条第24項に規定する「外国投資信託」は，税法上「集団投資信託」として取り扱われます。

①　投信法第２条第４項に規定する証券投資信託 ②　その受託者（投信法第２条第１項に規定する委託者指図型投資信託にあっては，委託者）による受益権の募集が，公募により行われ，かつ，主として国内において行われるもの

投信法第２条第３項に規定する「投資信託」とは，委託者指図型投資信託お

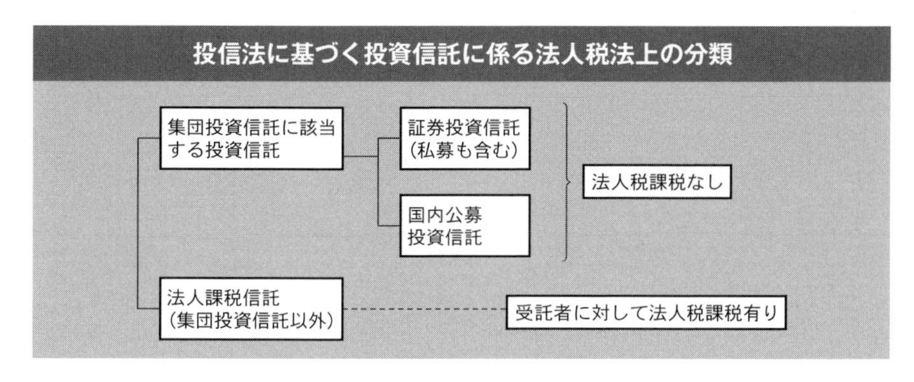

よび委託者非指図型投資信託をいうとされており，投信法第2条第24項に規定する「外国投資信託」とは，外国において外国の法令に基づいて設定された信託で，投資信託に類するものをいう，とされています。

①投信法第2条第3項に規定する投信法に基づく「投資信託」のうち，（ⅰ）投信法第2条第4項に規定する証券投資信託，（ⅱ）受益権の募集が公募により行われ，かつ，主として国内において行われるもの（国内公募投資信託），および，②投信法第2条第24項に規定する「外国投資信託」は，税法上「集団投資信託」として取り扱われるため，いわゆる信託導管理論の対象外とされ，投資信託の投資家は，信託財産を有するものとはみなされません。

投資信託の投資家は，信託財産から所得が生じた時点では課税されず，投資信託から当該所得が分配されるときに初めて所得を認識して課税されることになります。また，集団投資信託に該当する投資信託は投資信託段階での課税は行われません。

一方，投資信託のうち上記①と②に該当しないものについては，法人課税信託として信託の所得について受託者に課税がなされます。

税法上，投資信託の投資家は，主として次の区分に従い，課税されます。

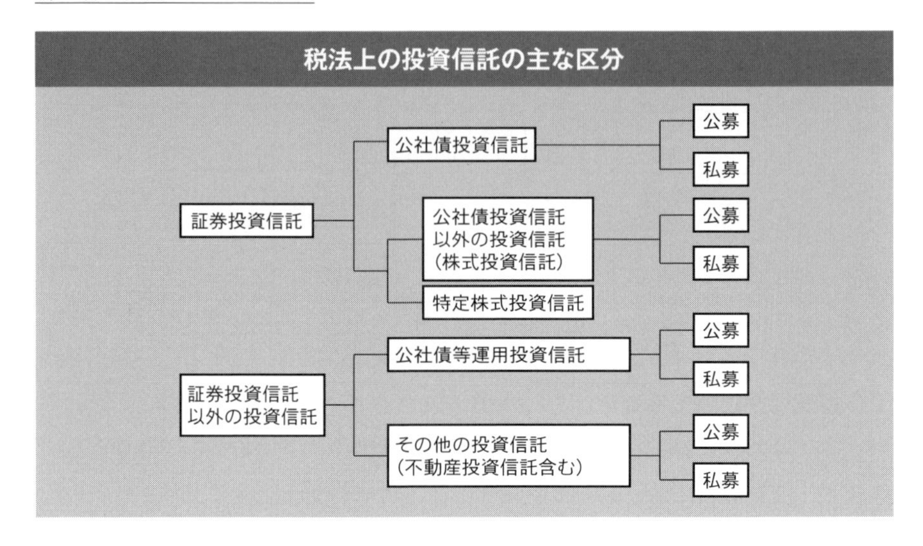

（3）　証券投資信託の定義

契約型の投資信託で，投信法第2条第4項に規定する「証券投資信託」およびこれに類する同条第24項に規定する「外国投資信託」は，税法上「証券投資信託」として取り扱われ（所得税法第2条第13号，法人税法第2条第27号），その受益証券は有価証券として取り扱われます（所得税法第2条第17号，法人税法第2条第21号）。投信法第2条第4項に規定する「証券投資信託」とは，委託者指図型投資信託のうち主として有価証券（金融商品取引法第2条第2項の規定により有価証券とみなされる権利を除く）に対する投資として運用することを目的とするものであって，政令で定めるもの（投資信託財産の総額の2分の1を超える額を有価証券に対する投資として運用することを目的とする委託者指図型投資信託）をいうとされています。

税法上，証券投資信託の受益証券が国外で発行された場合は，国外発行の証券投資信託として取り扱われます。

その設定に係る受益権の募集が金融商品取引法第2条第3項に規定する勧誘のうち第1号（当該受益権の国外における募集にあっては，当該勧誘に相当するもの）に掲げる場合に該当する等一定の要件を満たすものは公募の証券投資信託として取り扱われ，それ以外のものは，私募の証券投資信託として取り扱われることになります。

証券投資信託は，運用対象により公社債投資信託と公社債投資信託以外の証券投資信託とに区分されます。所得税法上，公社債投資信託とは，証券投資信託のうち，その信託財産を公社債に対する投資として運用することを目的とするもので，株式（投信法第2条第14項に規定する投資口を含む）または出資に対する投資として運用しないものをいいます（所得税法第2条第15号）。法人税法上も所得税法とほぼ同様の規定がなされています（法人税法第2条第28号）。

従来，税法上の収益分配金等の計算において，証券投資信託の元本はいわゆる平均信託金によっていましたが，2000年4月1日以降，日本の追加型株式投資信託の元本は，平均信託金方式にかえて，個々の投資家が信託した額を当該投資家の元本とする個別元本方式によることとなりました。2002年4月1日以降，日本の追加型公社債投資信託についても個別元本方式が導入されました。

税法上，信託財産を株式のみに対する投資として運用することを目的とする証券投資信託のうち，その受益証券が金融商品取引法第2条第16項に規定する金融商品取引所に上場されていることその他の政令で定める要件に該当するものについては，「特定株式投資信託」として異なる取扱いが定められています。株価指数に連動する一定のETFは税法上，特定株式投資信託として取り扱われます。

（4）　証券投資信託以外の投資信託の定義

投信法上，信託財産の対象が不動産を含めた幅広い資産を対象とすることが認められていることから，主として有価証券に投資する証券投資信託以外の投資信託の組成が可能です。

税法上，「公社債等運用投資信託」という概念が導入されています。公社債等運用投資信託とは，「証券投資信託以外の投資信託のうち，信託財産として受け入れた金銭を公社債等（公社債，手形，指名金銭債権その他の政令で定める資産をいう）に対して，運用するものとして政令で定めるもの」と定義されています。公社債等運用投資信託は，その運用対象が主として利子，償還差益を生ずるものに限定されています。公社債等運用投資信託は社債とほぼ同様の課税上の取扱いが定められています。

その他の投資信託の範疇には，証券投資信託と公社債等運用投資信託以外の投資信託が入ります。契約型の不動産投資信託が組成された場合はその他の投資信託に分類されることになります。

合同運用信託は，「信託会社が引き受けた金銭信託で，共同しない多数の委託者の信託財産を合同して運用するもの（投信法第2条第2項に規定する委託者非指図型投資信託及びこれに類する外国投資信託（投信法第2条第24項に規定する外国投資信託）並びに委託者が実質的に多数でないものとして政令で定める信託を除く）をいう」と定義されています（法人税法第2条第26号）。

したがって，委託者非指図型投資信託のうち，投信法上の投資信託に区分されるものは，合同運用信託に該当せず，合同運用信託は税法上，投資信託としては取り扱われません。

2　投資信託の投資家の取扱い

契約型投資信託は，次の区分により投資家の課税上の取扱いが異なります。

- （1）　公社債投資信託（公募，私募）
- （2）　公募株式投資信託
- （3）　私募株式投資信託
- （4）　特定株式投資信託
- （5）　公社債等運用投資信託（公募，私募）
- （6）　その他の投資信託（公募，私募）

なお，以下において契約型投資信託の受益証券は上場していないことを前提とします。

（１）　公社債投資信託

公社債投資信託の収益の分配は所得税法上，利子所得とされます。公社債投資信託は2015年12月31日までは税法上，公募，私募によりその取扱いに区別なく課税されていましたが，2016年以後は公募（または上場）かそれ以外かにより異なる課税関係とされます。

○公募公社債投資信託

①　日本の個人投資家

（ａ）　期中収益分配

特定公社債の利子と同様，利子所得として原則として所得税15%，地方税5%の源泉税が課されます。収益分配金の金額にかかわらず，申告不要制度の適用を受けることができます。

申告を行う場合は，所得税15%，地方税5%の申告分離課税が適用され，支払った源泉税を所得税等から控除することができます。

（ｂ）　譲　　渡

譲渡に係る所得は，上場株式等に係る譲渡所得等として申告分離課税（所得税15%，地方税5%）の対象となります。譲渡損は上場株式等に係る譲渡所得等の中で他の上場株式等（特定公社債を含む）の譲渡益と通算でき，申告分離課税を選択した上場株式等（特定公社債を含む）の配当所得，利子所得から控除することができます。そのほか上場株式等と同様，譲渡損失の繰越控除，特定口座制度の適用対象となります。

（ｃ）　償　　還

償還差損益については，譲渡所得等として，上記（ｂ）と同様に取り扱われます。

②　日本の法人投資家

（a）　期中収益分配

所得税 15% の源泉徴収後，法人税の課税所得の計算上，益金算入されます（地方税利子割は課されません）。支払った源泉税は所得税額控除を適用することができます（所有期間按分なし）。受取配当等の益金不算入の規定の適用はありません。

（b）　譲　　渡

譲渡にともなう損益は，法人税法上，益金および損金に算入されます。

（c）　償　　還

償還差損益については，法人税法上，益金および損金に算入されます。

③　外国法人／非居住者

（a）　期中収益分配

所得税 15% の源泉徴収がなされ，課税関係が終了します。投資家の所在地国との租税条約により源泉税が軽減される可能性があります。

（b）　譲　　渡

原則として課税されません。

（c）　償　　還

償還により支払を受ける金額から元本相当額を差し引いた残額につき所得税 15% の源泉徴収がなされ，課税関係が終了します。投資家の所在地国との租税条約により源泉税が軽減される可能性があります。

○私募公社債投資信託

①　日本の個人投資家

（a）　期中収益分配

一般公社債の利子と同様，利子所得として原則として所得税 15%，地方税 5% の源泉分離課税で課税関係が終了します。

（b）譲　　渡

譲渡に係る所得は，株式等に係る譲渡所得等として申告分離課税（所得税15%，地方税5%）の対象となります。譲渡損は他の非上場株式等，一般公社債の譲渡益と通算することができます。

（c）償　　還

償還により支払を受ける金額から元本相当額を差し引いた残額は，期中収益分配金と同様の課税を受けます。

償還により受ける金額のうち，受益証券に係る元本相当額に達するまでの金額は譲渡所得に係る収入金額とみなされ，取得価額との差額が上記（b）と同様に取り扱われます。

②　日本の法人投資家

公募公社債投資信託と同様です。

③　外国法人/非居住者

公募公社債投資信託と同様です。

（２）　公募株式投資信託

公社債投資信託の収益の分配は，所得税法上，利子所得とされますが，株式投資信託の収益の分配は配当所得とされます（所得税法第23条，24条）。なお，2000年4月以降，日本の追加型株式投資信託については収益の分配の計算上，従来の平均信託金方式に代えて個別元本方式が採用されています。

株式投資信託は税法上，公募，私募によりその取扱いに区別があります。公募株式投資信託とは，その設定にかかる受益証券の募集が金融商品取引法第2条第3項に規定する勧誘のうち第1号（当該受益証券の国外における募集にあっては，当該勧誘に相当するもの）に掲げる場合に該当する等一定の要件を満たす株式投資信託をいいます。

①　日本の個人投資家

（ａ）　期中収益分配

上場株式に係る配当と同様，配当所得として原則として20％（所得税15％，地方税５％）の源泉税が課されます。収益分配金の金額にかかわらず，申告不要制度の適用を受けることができます。

申告を行う場合は総合課税または申告分離課税の選択適用となり，支払った源泉税を所得税から控除することができます。申告分離課税を適用する場合の税率は20％（所得税15％，地方税５％）です。

配当所得として総合課税される場合は，信託約款における外貨建資産の組入れおよび株式以外の資産に運用する割合の区分に従い，一定の割合については配当控除の適用を受けることができます。元本払戻金（特別分配金）の支払は非課税とされ，取得価額の計算上，控除されます。

非課税口座で管理されている公募株式投資信託の一定の収益分配金については，非課税口座内の少額上場株式等に係る配当所得の非課税措置の適用があります（NISA）。

（ｂ）　譲　　渡

譲渡に係る所得は，上場株式等に係る譲渡所得等として申告分離課税（原則所得税15％，地方税５％）の対象となります。譲渡損は上場株式等に係る譲渡所得等の中で他の上場株式等の譲渡益と通算でき（注），申告分離課税を選択した上場株式等の配当所得から控除することができます。譲渡損失は上場株式等に係る譲渡損失の繰越控除の対象とされています。また，国内公募株式投資信託は，特定口座制度の対象とされています。特定口座の中で生じた国内公募株式投資信託の譲渡損は特定口座（源泉徴収選択口座）に受け入れた国内公募株式投資信託の収益分配金と特定口座内での損益通算が可能です。

非課税口座で管理されている公募株式投資信託の一定の譲渡に係る譲渡益については，非課税口座内の少額上場株式等に係る譲渡所得の非課税措置の適用があります（NISA）。

証券業者等が投資家からの買取請求により買い取った一定の受益証券に係る償還については一定の条件の下で源泉課税はなされません。

（注）2016年１月１日以後，上場株式・公募株式投資信託・特定公社債・公募公社債投資信託などが「上場株式等」と，非上場株式・私募株式投資信託・一般公社債・私募公社債投資信託などが「一般株式等」とされています。「上場株式等」と「一般株式等」は区分され，相互の損益通算は行えません。

（c）償　　還

償還により支払を受ける金額と取得価額との差額は譲渡による所得と同様に取り扱われます。

②　日本の法人投資家

（a）期中収益分配

日本の法人投資家が受け取るべき収益分配金については，上場株式に係る配当と同様，原則として，所得税15%の税率にて源泉徴収が行われます。収益分配金は，法人の課税所得の計算上，益金に算入されます。株式投資信託の収益分配金について受取配当等の益金不算入の適用はできません（特定株式投資信託を除く）。

源泉徴収された所得税は，元本所有期間対応部分について所得税額控除の適用があります。

個別元本方式による追加型の証券投資信託に係る元本払戻金（特別分配金）の支払については，元本の払戻しに相当する金銭の交付として，その交付の直前の帳簿価額からその元本払戻金（特別分配金）の額を控除した上で帳簿価額を再計算することになります。

（b）譲　　渡

譲渡にともなう損益は，法人税法上，益金および損金に算入されます。

（c）償　　還

償還により支払を受ける金額から元本相当額を差し引いた残額は，期中収益分配金と同様の課税を受けます。ただし，特定株式投資信託以外の国内上場公募株式投資信託の償還により支払を受ける金額のうち収益分配金部分については源泉税が課されません。

償還により支払を受ける金額のうち，受益証券に係る元本相当額と取得価額との差額がある場合は法人税法上，益金および損金に算入されます。

③　外国法人／非居住者

（a）　期中収益分配

所得税 15% の源泉徴収がなされ，課税関係が終了します。投資家の所在国との租税条約により源泉税が軽減される可能性があります。

（b）　譲　　渡

原則として，課税されません。

（c）　償　　還

償還により支払を受ける金額から元本相当額を差し引いた残額につき，所得税 15% の源泉徴収がなされ，課税関係が終了します。投資家の所在国との租税条約により源泉税が軽減される可能性があります。

（３）　私募株式投資信託

私募株式投資信託の収益の分配は所得税法上，配当所得として取り扱われます。

①　日本の個人投資家

（a）　期中収益分配

配当所得として所得税 20% の源泉課税の後，総合課税されます。支払った源泉税につき所得税額から控除できます。私募株式投資信託の収益分配については信託約款における外貨建資産の組入れ割合および株式以外の資産に運用する割合区分に従い，一定の割合については配当控除の適用を受けることができます。

私募株式投資信託の収益の分配額が少額の場合，所得税 20% の源泉徴収のみで申告不要制度の対象となります。

(注)　申告不要制度を選択した場合には配当控除や所得税からの控除の適用はありません。

（b）譲　　渡

譲渡による所得については，一般株式等に係る譲渡所得等として申告分離課税により，所得税15%，地方税5%の計20%が課税されます。

（c）償　　還

償還により支払を受ける金額から元本相当額を差し引いた残額は，期中収益分配金と同様の課税を受けます。

一回に支払を受ける償還による分配金の金額が少額の場合，確定申告が不要です。

償還により支払を受ける金額のうち，受益証券に係る元本相当額に達するまでの金額は譲渡所得等に係る収入金額とみなされます。取得価額との差額は株式等に係る譲渡所得等として取り扱われ，申告分離課税（所得税15%，地方税5%の計20%）が適用されます。

②　日本の法人投資家

（a）期中収益分配

所得税20%の税率にて源泉徴収が行われ，法人の課税所得の計算上，原則として益金に算入されます。従前，期中収益分配金の一定割合について受取配当等の益金不算入の規定の適用がありましたが，平成27年度税制改正により株式投資信託の収益分配金について受取配当金等の益金不算入の適用はできないこととなりました（特定株式投資信託を除く）。

源泉徴収された所得税は，元本所有期間対応部分については所得税額控除の適用があります。

（b）譲　　渡

譲渡にともなう損益は，法人税法上，益金および損金に算入されます。

（c）償　　還

償還により支払を受ける金額から元本相当額を差し引いた残額は，期中収益分配金と同様の課税を受けます。

償還により支払を受ける金額のうち，受益証券に係る元本相当額と取得価額との差額は法人税法上，益金および損金に算入されます。

③　外国法人／非居住者

（a）期中収益分配

所得税20％が源泉徴収された後，課税関係は終了します。投資家の所在国との租税条約により源泉税が軽減される可能性があります。

（b）譲　　渡

原則として課税されません。

（c）償　　還

償還により支払を受ける金額から元本相当額を差し引いた残額につき，所得税20％の源泉徴収がなされ，課税関係が終了します。投資家の所在国との租税条約により源泉税が軽減される可能性があります。

（4）　特定株式投資信託

「特定株式投資信託」とは，信託財産を株式のみに対する投資として運用することを目的とする証券投資信託のうち，その受益権が金融商品取引法第2条第16項に規定する金融商品取引所に上場されていることその他の政令で定める要件に該当するものをいい，株価指数に連動するETF等がこの範疇に入ります。政令では，以下をはじめとするいくつかの事項が規定されています。

・信託契約期間を定めないこと。

・受益者が信託契約期間中に一部解約請求できないこと。

・信託収益（費用控除後）のすべてを分配することとされていること。

・受益権と信託財産の株式（持分相当額）との交換を請求できること，等。

外国の証券投資信託も一定の要件を満たすものについては特定株式投資信託

に含められます。

なお，金融商品取引所に上場されている上場株式投資信託（ETF）のうち，特定株式投資信託の要件を満たさないものは，税務上上場株式等として取り扱われ，上場株式等とほぼ同様の課税関係が適用されます。

①　日本の個人投資家

（a）　期中収益分配

上場株式の配当と同様，原則として20％（所得税15％，地方税5％）の源泉税が課されます。

収益分配金の金額にかかわらず，申告不要制度の適用を受けることができます。申告を行う場合は総合課税または申告分離課税の選択適用となり支払った源泉税は所得税から控除されます。申告分離課税を適用する場合の税率は20％（所得税15％，地方税5％）です。

配当所得として総合課税される場合，特定株式投資信託の収益分配金は原則として株式に係る配当と同様，配当控除の適用を受けることができます。ただし，外国株価指数連動型特定株式投資信託については配当控除の適用はありません。

2014年以降，非課税口座で管理されている特定株式投資信託の一定の収益分配金については，非課税口座内の少額上場株式等に係る配当所得の非課税措置の適用があります。

（b）　譲　　渡

特定株式投資信託の譲渡によって生じた利益は，上場株式の譲渡益と同様，原則として，20％（所得税15％，地方税5％）の割合で課税されます（申告分離課税）。2014年以降，非課税口座で管理されている特定株式投資信託の一定の譲渡に係る譲渡益については，非課税口座内の少額上場株式等に係る譲渡所得の非課税措置の適用があります。

（c）　償　　還

一般投資家は基本的に償還を受けることができず，市場における売買により，換金を図ることになります。

(d)　設定・交換

ETFの設定・交換は，主として証券会社や機関投資家等により行われます。

②　日本の法人投資家

(a)　期中収益分配

特定株式投資信託の収益分配金は，上場株式の配当と同様に取り扱われます（以下，この項において同様）。

特定株式投資信託の収益分配金は，原則として所得税15%の税率にて源泉徴収が行われます。特定株式投資信託の収益の分配金は原則として株式に係る配当と同様の割合で，受取配当等の益金不算入の規定の適用があります。

ただし，外国株価指数連動型特定株式投資信託については受取配当等の益金不算入の規定の適用はありません。

源泉徴収された所得税は，元本所有期間対応部分について所得税額控除の適用があります。

(b)　譲　　渡

譲渡にともなう損益は，法人税法上，益金および損金に算入されます。

(c)　償　　還

一般投資家は基本的に償還を受けることができず，市場における売買により，換金を図ることになります。

(d)　設定・交換

ETFについては設定・交換は，主として証券会社や機関投資家等により行われます。

特定株式投資信託設定時において，特定株式投資信託の受益証券を取得するために拠出した現物株バスケットについては，設定時に売却したものとして取り扱われ，法人税法上，売却益が生じれば課税されることになります。

③　外国法人／非居住者

（ａ）　期中収益分配

所得税15％が源泉徴収された後，課税関係は終了します。投資家の所在国との租税条約により源泉税が軽減される可能性があります。

（ｂ）　譲　　渡

原則として課税されません。

（ｃ）　償　　還

一般投資家は基本的に償還を受けることができず，市場における売買により，換金を図ることになります。

（５）　公社債等運用投資信託

公社債等運用投資信託とは，税法上の概念であり，「証券投資信託以外の投資信託のうち，信託財産として受け入れた金銭を公社債等（公社債，手形，指名金銭債権その他の政令で定める資産をいう）に対して，運用するものとして政令で定めるもの」と定義されています。公社債等運用投資信託は，その運用対象が主として利子，償還差益を生ずるものに限定されています。

投資家は，公社債等運用投資信託に投資する場合，公募，私募の区分ごとにそれぞれ公募，私募の公社債投資信託に投資する場合とほぼ同様の課税上の取扱いを受けます。なお，私募の公社債等運用投資信託の収益の分配は配当所得とされます。また，国内公募に該当しない場合は，以下「3　投資信託の税務」に記載のとおり，投資信託に法人税課税がなされます。

（６）　その他の投資信託

その他の投資信託とは，上記に記載した以外の契約型の投資信託をいいます。投資家の税務上の取扱いは公募，私募の区分ごとにそれぞれ公募，私募の株式投資信託とほぼ同様ですが，期中収益分配に係る配当控除についてはその他の投資信託が特定投資信託に該当する場合は，適用がありません。

また，国内公募に該当しない場合は，以下「3　投資信託の税務」に記載のとおり，投資信託に法人税課税がなされます。

合同運用信託は，「信託会社が引き受けた金銭信託で，共同しない多数の委託者の信託財産を合同して運用するもの（投信法第２条第２項に規定する委託者非指図型投資信託及びこれに類する外国投資信託（投信法第２条第22項に規定する外国投資信託）並びに委託者が実質的に多数でないものとして政令で定める信託を除く）をいう」と定義されています。

したがって，委託者非指図型投資信託のうち，投信法上の投資信託に区分されるものは，合同運用信託に該当しないことになり，合同運用信託は税法上，投資信託としては取り扱われません。

契約型の不動産投資信託が組成された場合は（１）から（６）の区分上，その他の投資信託の範疇にはいりますが，その受益証券が上場された場合は，上場投資信託等として上場株式等とほぼ同様の課税上の取扱いになります。

なお，非居住者，外国法人が国内にある不動産等の割合が信託財産の50％以上である特定投資信託の一定の受益権を一定割合以上譲渡した場合の所得は，申告納税の対象となる国内源泉所得となります。なお，50％以上の判定は，保有する不動産関連法人，不動産関連受益権も加えて判定されます。

―まとめ―

上記の（１）から（６）で述べた契約型投資信託に係る日本の個人投資家の取扱いをまとめると，以下のようになります。

契約型投資信託に係る個人投資家の取扱い				
	収益の分配		受益証券の譲渡	
	所得区分	課税関係	所得区分	課税関係
公募公社債投資信託 公募公社債等運用投資信託	利子所得	・20％（所得税15％，地方税5％）の源泉課税の後，申告分離課税（20％）（注1） ・申告不要制度の適用可	上場株式等に係る譲渡所得等	・20％（所得税15％，地方税5％）の申告分離課税
私募公社債投資信託 私募公社債等運用投資信託	利子所得 配当所得	・20％（所得税15％，地方税5％）の源泉分離課税（注1）	一般株式等に係る譲渡所得等	・20％（所得税15％，地方税5％）の申告分離課税
公募株式投資信託 その他の公募投資信託	配当所得	・20％（所得税15％，地方税5％）の源泉課税 ・申告不要制度の適用可 ・申告分離課税20％の選択適用可能	上場株式等に係る譲渡所得等	・20％（所得税15％，地方税5％）の申告分離課税
特定株式投資信託 その他の上場投資信託	配当所得	・20％（所得税15％，地方税5％）の源泉課税 ・申告不要制度の適用可 ・申告分離課税20％の選択適用可能	上場株式等に係る譲渡所得等	・20％（所得税15％，地方税5％）の申告分離課税
私募株式投資信託，その他の私募投資信託	配当所得	・20％（所得税）の源泉課税の後，総合課税 ・少額配当申告不要制度の適用可	一般株式等に係る譲渡所得等	・20％（所得税15％，地方税5％）の申告分離課税

＊上記に加え，復興特別所得税（所得税の額×2.1％）が課されます
（注1）一定の同族会社の株主等が支払を受けるものは総合課税

3　投資信託の税務

（1）　信託導管理論の不適用

法人税法上および所得税法上，いわゆる「但書信託」として取り扱われる信託の信託財産に帰せられる資産／負債および収益／費用の帰属について，導管として取り扱われないこととされています。

（2）　一定の投資信託についての法人税課税

法人税法上，証券投資信託および国内公募投資信託（投信法第２条第８項に規定する公募により行われ，かつ，主として国内において行われるものとして政令で定めるもの）以外の投資信託を「特定投資信託」といいます。特定投資信託は法人課税信託の一形態としてその各事業年度の所得について法人税が課されます。

なお，外国の法令に基づく投資信託は特定投資信託には該当しません。

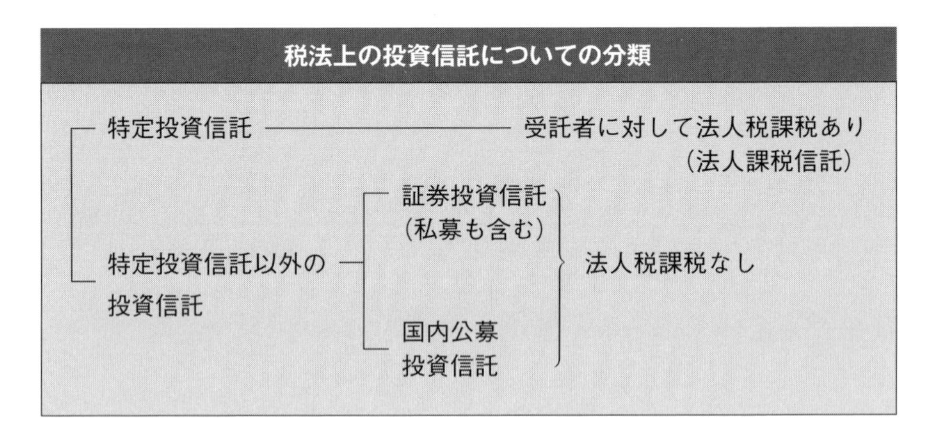

図　税法上の特定投資信託

投信法上の投資信託（契約型）
（委託者非指図型）
国内公募投資信託
（委託者指図型）
特定投資信託
証券投資信託
部：税法上の特定投資信託

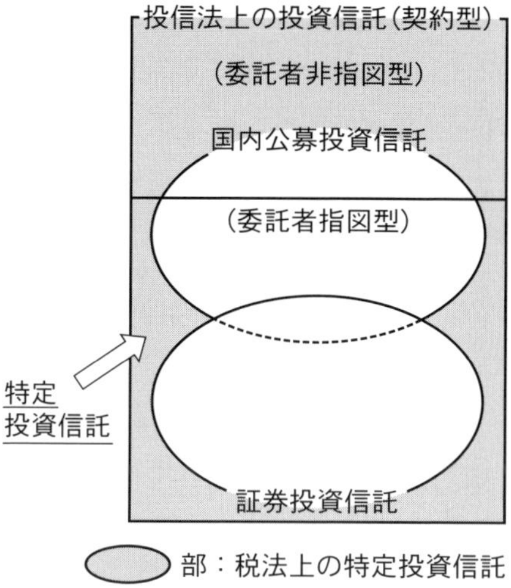

（3）　特定投資信託の所得に係る受託者たる内国法人の納税義務と特定投資信託の所得に係る法人税の課税計算

特定投資信託の各事業年度の所得については，受託者たる内国法人に対して法人税が課されます。なお，特定投資信託の引受けを行う外国法人に対しても法人税が課されます。

特定投資信託の法人税法上の課税所得の計算については，原則として普通法人の法人税法上の課税所得の計算と同様の規定が適用されます。なお，ここでは詳細にふれませんが，移転価格税制，CFC 税制（タックス・ヘイブン税制），過少資本税制等の取扱いの適用もあります。

一定の要件を満たす特定投資信託の収益の分配については課税所得の計算上，損金算入が認められています。当該一定の要件とは，下記Ａに掲げるすべての要件を満たすものの収益の分配の額として政令で定める金額で，下記Ｂに掲げる要件を満たす事業年度に係るものをいいます。

この措置は，適用を受けようとする事業年度の確定申告書に損金算入に関する申告の記載およびその損金の額に算入される金額の計算に関する明細書の添付があり，かつ，下記Ａロおよびハに掲げる要件を満たしていることを明らかにする書類を保存している場合に限り，原則として適用されます。

Ａ　次に掲げるすべての要件

イ　投信法第４条第１項または第49条第１項の規定による届出が行われていること
ロ　その受託者（委託者指図型投資信託にあっては委託者）による受益権の募集が機関投資家私募により行われるものであって，投資信託約款にその旨の記載があること
ハ　その受託者による受益権の募集が主として国内において行われるものとして政令で定めるものに該当するものであること
ニ　その他政令で定める要件
　*政令では，特定投資信託に係る受託法人の会計期間が１年超でないこと，とされています。

Ｂ　次に掲げるすべての要件

イ　当該事業年度終了の時において同族会社に該当していないこと
ロ　当該事業年度に係る収益の分配の額の分配可能収益の額に占める割合として政令で定める割合が100分の90を超えていること
ハ　当該事業年度終了の時において有する特定資産のうち，有価証券，不動産その他の政令で定める資産の帳簿価額の合計額が総資産の帳簿価額の合計額の２分の１に相当する金額を超えていること
ニ　その他政令で定める要件
　*政令では，信託財産に同一法人の発行済株式または出資の総数または

総額の50％以上に相当する数または金額の株式または出資が含まれていないこと（匿名組合契約に基づく出資を含む），借入れを行っている場合には機関投資家からのものであること，とされています。

（4）　証券投資信託および公募の投資信託の信託財産に係る利子等の課税の特例

証券投資信託および受益証券の募集が公募により行われた投資信託について，一定の条件の下，信託財産に係る利子等，配当等に日本の源泉税が課されません（所得税法第176条，租税特別措置法第9条の4）。

従来，集団投資信託（日本の証券投資信託および受益証券の募集が国内で公募により行われた投資信託を含む）の信託財産について納付された所得税（外国所得税を含む）は，当該投資信託の収益分配に係る所得税の額から控除されることとされていましたが，当該取扱いは源泉徴収義務が証券会社等になる場合には適用されませんでした。平成30年度税制改正により，2020年1月1日以降，復興特別所得税からも控除可能となること，収益分配が支払の取扱者経由で行われ，証券会社等が源泉徴収義務者となる場合も適用が可能となること，控除される外国所得税額は外貨建資産への運用割合（外貨建資産割合）を限度とすること等の措置が講じられています。

「外貨建資産割合」とは，その証券投資信託の収益の分配の計算期間の末日において計算したもので，その証券投資信託の信託財産において運用する外貨建資産の額がその信託財産の総額のうちに占める割合をいいます。ここで「外貨建資産」とは，外国通貨で表示される株式，債券，その他の資産とされています。本措置はファミリー・ファンド形式の一定の証券投資信託についても適用があることとされています。

（5）　特定投資信託による土地の譲渡等に係る追加課税

特定投資信託が上記Bの要件（ロの90％超の利益分配要件を除く）を満た

す事業年度についてはいわゆる一般土地重課（譲渡利益額の5％の追加的な課税）の課税はありません。

特定投資信託の信託財産につき，短期所有に係る土地の譲渡等をした場合には，土地重課として通常の法人税の他，土地の譲渡利益額の10％の追加的な課税が行われます。なお，土地重課は2026年３月31日まで適用が停止されています。

Ⅳ　受益証券発行信託

1　受益証券発行信託の税務上の位置付けと分類

信託法第185条において，信託行為においては，一または二以上の受益権を表示する証券（以下「受益証券」）を発行する旨を定めることができ，当該定めのある信託を受益証券発行信託といいます。

受益証券発行信託の税務上の取扱いは，特定受益証券発行信託に該当するか否かで，その取扱いが異なります。特定受益証券発行信託に該当する場合は，集団投資信託として取り扱われ信託自体に課税はされないのに対し，特定受益証券発行信託以外の受益証券発行信託に該当する場合は，原則として法人課税信託として取り扱われます。

法人税法上の取扱い

受益証券発行信託	特定受益証券発行信託	集団投資信託
	上記以外	法人課税信託

受益証券発行信託は，金融商品取引法上第２条第１項に定める有価証券に該当し，税務上も有価証券として取り扱われます。

2　特定受益証券発行信託

（1）　特定受益証券発行信託の定義

信託法第185条第3項に規定する受益証券発行信託のうち，次に掲げる要件の全てに該当するもの（合同運用信託および法人課税信託として取り扱われる一定の事業信託を除く）は，税法上「特定受益証券発行信託」として取り扱われます。

（ア）　信託事務の実施について一定の要件に該当するものであることについて税務署長の承認を受けた法人（以下「承認受託者」）*が引き受けたものであること（その計算期間開始の日の前日までに，当該承認受託者がその承認を取り消された場合および当該受益証券発行信託の受託者に承認受託者以外の者が就任した場合を除きます）

> **＊税務署長の承認を受けた法人（承認受託者）**
>
> 信託事務の実施につき次のＡからＥまでの要件のすべてに該当するものであることについて税務署長の承認を受けた法人をいいます。
>
> （要件）
>
> Ａ　次のいずれかの法人に該当すること
>
> ①　信託会社（管理型信託会社を除きます）
>
> ②　金融機関の信託業務の兼営等に関する法律に規定する信託業務を営む金融機関
>
> ③　資本金の額又は出資金の額が5,000万円以上である法人（その設立日以後１年を経過していないものを除きます）
>
> Ｂ　その引受けを行う信託に係る会計帳簿，一定の書類又は電磁的記録の作成及び保存が確実に行われると見込まれること
>
> Ｃ　その帳簿書類に取引の全部又は一部を隠ぺいし，又は仮装して記載又は記録をした事実がないこと

D　その業務及び経理の状況について有価証券報告書に記載する方法等により開示し，又は計算書類，事業報告等について閲覧の請求があった場合に原則としてこれらを閲覧させること
E　清算中でないこと

（イ）各計算期間終了時における未分配利益の額のその時における元本の総額に対する割合（以下「利益留保割合」）が2.5％を超えない旨の信託行為における定めがあること
（ウ）各計算期間開始時に，その時までに到来した利益留保割合の算定の時期として政令で定めるもの（注）のいずれにおいてもその算定された利益留保割合が（イ）の割合を超えていないこと
（注）承認受託者から特定受益証券発行信託の各計算期間の貸借対照表その他の書類が税務署長に提出された日（各事業年度終了の日の翌日以後２月を経過する日までに提出されなかった場合は，２月を経過する日）をいいます。
（エ）その計算期間が１年超でないこと
（オ）受益者が存しない信託に該当したことがないこと

上記（ウ）の要件については次のように考えます。たとえば計算期間が４月１日から３月31日の信託についてX1年３月31日に終了する計算期間（第X期）の貸借対照表等の提出時期（以下「算定時期」）をX1年５月31日とします。この場合において，X3年３月31日に終了する計算期間（第X2期）については，その開始時たるX2年４月１日までに到来した算定時期（すなわちX1年３月31日に終了する計算期間に係る算定時期であるX1年５月31日およびそれ以前の各計算期間の算定時期）において利益留保割合が所定の割合（2.5％）以下であれば，（ウ）の要件を満たしているものとして取り扱われることになります。

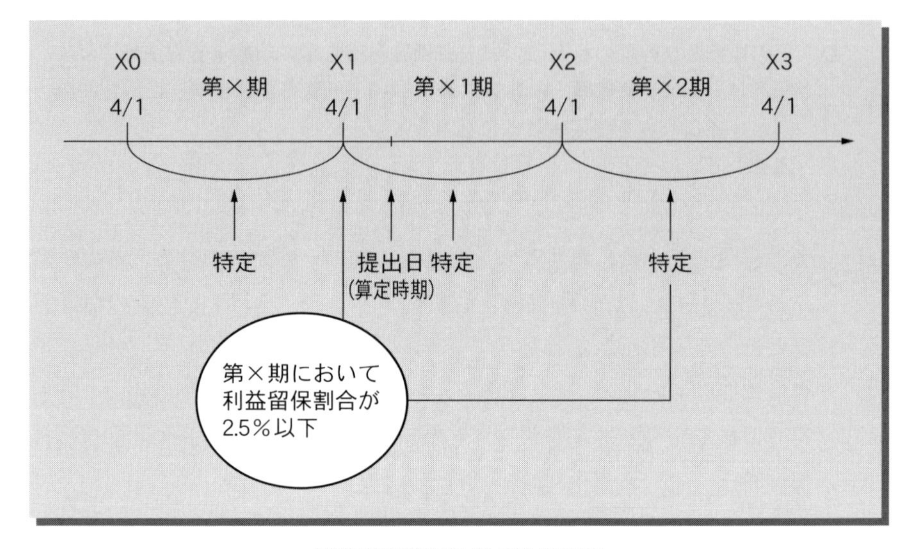

受益証券発行信託の計算期間

また，上記（ア）の要件について，承認受託者がその承認を取り消された場合または特定受益証券発行信託の受託者に承認受託者以外の者が就任した場合には，その承認を取り消された日または承認受託者以外の者が就任した日を含む計算期間の翌計算期間から特定受益証券発行信託以外の受益証券発行信託（すなわち法人課税信託）として取り扱われます。

効力発生時に特定受益証券発行信託に該当しないものおよび一度特定受益証券発行信託に該当しなくなった信託は，その後特定受益証券発行信託に該当することはありません。

承認受託者たる法人は，受託者の各事業年度終了の日から２月以内に，特定受益証券発行信託の各計算期間の貸借対照表その他の書類を納税地の所轄税務署長に提出する必要があります。また，承認受託者は収益の分配をする際，投資家に対し，当該収益の分配は特定受益証券発行信託の収益の分配である旨を通知しなければなりません。

(2)　特定受益証券発行信託の税法上の位置付け

税法上，集団投資信託（合同運用信託，一定の投資信託および特定受益証券発行信託）等の法人税法第12条但書に列挙される一定の信託を除き，信託財産に帰せられる資産および負債，収益および費用については，受益者が当該信託財産を有するものとみなして税法の規定が適用されます。

特定受益証券発行信託は集団投資信託に該当するため，いわゆる信託導管理論（受益者発生時課税信託）の対象外とされ，特定受益証券発行信託の投資家は，信託財産を有するものとはみなされません。特定受益証券発行信託の投資家は，信託財産から所得が生じた時点では課税されず，特定受益証券発行信託から当該所得が分配されるときに初めて所得を認識して課税されることになります（受益者受領時課税信託）。

特定受益証券発行信託は集団投資信託に該当するため，信託について法人税課税は行われません。

(3)　特定受益証券発行信託の信託財産に係る利子等の課税の特例

特定受益証券発行信託の信託財産につき納付した所得税（外国所得税を含む）の額はその収益の分配に係る源泉徴収所得税額から控除されます。

平成30年度税制改正により，2020年1月1日以降，証券投資信託同様，控除される外国所得税の額は外貨建資産割合を限度とするといった措置が講じられています。

(4)　特定受益証券発行信託の投資家の取扱い

特定受益証券発行信託の投資家の取扱いは，受益証券が上場しているか，公募かどうかにより異なります。

以下は，特定受益証券発行信託の受益証券が公募または上場していないことを前提とします。受益証券が公募または上場している場合は上場株式等とほぼ同様の取扱いとなります。

①　日本の個人投資家

(ⅰ)　期中収益分配

特定受益証券発行信託の収益の分配は配当所得として所得税20%の源泉課税の後，総合課税されます。支払った源泉税につき所得税額から控除できます。配当控除の適用はありません。

特定受益証券発行信託の収益の分配額が少額の場合，20%の源泉徴収のみで申告不要制度の対象となります。

(注) 申告不要制度を選択した場合には所得税からの控除の適用はありません。

(ⅱ)　譲　　渡

譲渡による所得については，一般株式等に係る譲渡所得等として，申告分離課税により，所得税15%，地方税5%の計20%が課税されます。

(ⅲ)　償　　還

償還により支払を受ける金額から元本相当額を差し引いた残額は，期中収益分配金と同様の課税を受けます。

償還により支払を受ける金額のうち，受益証券に係る元本相当額に達するまでの金額は譲渡所得等に係る収入金額とみなされます。取得価額との差額は株式等に係る譲渡所得等として取り扱われ，申告分離課税（所得税15%，地方税5%の計20%）が適用されます。

②　日本の法人投資家

(ⅰ)　期中収益分配

所得税20%の税率にて源泉徴収が行われ，法人の課税所得の計算上，原則として益金に算入されます。受取配当等の益金不算入の規定の適用はありません。

源泉徴収された所得税は，元本所有期間対応部分については所得税額控除の適用があります。

(ⅱ)　譲　　渡

譲渡にともなう損益は，法人税法上，益金および損金に算入されます。

(ⅲ)　償　　還

償還により支払を受ける金額から元本相当額を差し引いた残額は，期中収益分配金と同様の課税を受けます。

償還により支払を受ける金額のうち，受益証券に係る元本相当額と取得価額との差額は法人税法上，益金および損金に算入されます。

③　外国法人／非居住者

(ⅰ)　期中収益分配

所得税20％が源泉徴収された後，課税関係は終了します。投資家の所在国との租税条約により源泉税が軽減される可能性があります。

(ⅱ)　譲　　渡

原則として課税されません。

(ⅲ)　償　　還

償還により支払を受ける金額から元本相当額を差し引いた残額につき，所得税20％の源泉徴収がなされ，課税関係が終了します。投資家の所在国との租税条約により源泉税が軽減される可能性があります。

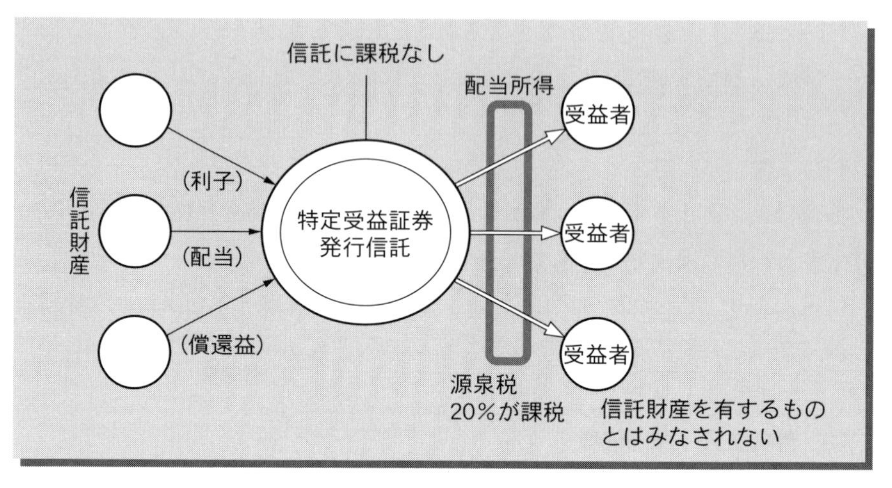

特定受益証券発行信託

特定受益証券発行信託に係る投資家の取扱い					
		収益の分配		受益証券の譲渡	
		所得区分	課税関係	所得区分	課税関係
個人投資家	公募／上場特定受益証券発行信託	配当所得	・上場株式等としての取扱い ・20%（所得税15%，地方税5%）の源泉課税 ・申告分離課税または申告不要制度適用可 ・配当控除適用なし	上場株式等に係る譲渡所得等	・上場株式等としての取扱い ・20%（所得税15%，地方税5%）の申告分離課税 ・上場株式等の配当，譲渡損益との通算可
	上記以外の特定受益証券発行信託	配当所得	・一般株式等としての取扱い ・20%（所得税）の源泉課税の後，総合課税 ・少額配当申告不要制度適用可 ・配当控除適用なし	一般株式等に係る譲渡所得等	・一般株式等としての取扱い ・20%（所得税15%，地方税5%）の申告分離課税 ・一般株式等の譲渡損益と通算可

法人	公募／上場特定受益証券発行信託	—	・20%（所得税15%，地方税5%）の所得税源泉課税の後，法人税法上益金算入 ・受取配当等の益金不算入適用なし	—	法人税法上，益金または損金算入
	上記以外の特定受益証券発行信託	—	・20%（所得税）の所得税源泉課税の後，法人税法上益金算入 ・受取配当等の益金不算入適用なし	—	法人税法上，益金または損金算入
非居住者・外国法人（注）	公募／上場特定受益証券発行信託	—	15%（所得税）の所得税源泉課税により課税関係終了	—	課税なし
	上記以外の特定受益証券発行信託	—	20%（所得税）の所得税源泉課税により課税関係終了	—	課税なし

（注）日本に恒久的施設を有していないことを前提とします。

3　特定受益証券発行信託以外の受益証券発行信託の投資家の取扱い

（1）　税法上の位置付け

受益権を表示する証券を発行する旨の定めのある信託のうち，集団投資信託ならびに退職年金等信託および特定公益信託等に該当しないものについては，法人課税信託として取り扱われ，その受託者に対し，信託財産から生ずる所得について，当該受託者の固有財産から生ずる所得とは区別して法人税が課されます。信託法第185条第3項に規定する受益証券発行信託のうち，上述の特定受益証券発行信託の要件を満たさないものについては，法人課税信託として取り扱われることになります。また，信託法第185条第3項に規定する受益証券発行信託だけでなく，受益権を表示する証券を発行する旨の定めのある信託が広く対象となりますので，外国の法律に基づき設定された信託で受益証券を発行する旨の定めのあるものは外国投資信託に該当しない限り，法人課税信託として取り扱われることになります。

（2） 投資家の課税

特定受益証券発行信託以外の受益証券発行信託は法人課税信託に該当するため，投資家は株主として，受益証券は株式として取り扱われます。したがって，信託収益の分配および受益証券の譲渡は株式の配当または株式の譲渡として取り扱われることになります。投資家の課税関係は法人課税信託の投資家の課税関係と同様です（V事業信託その他の信託3投資家に対する課税参照）。

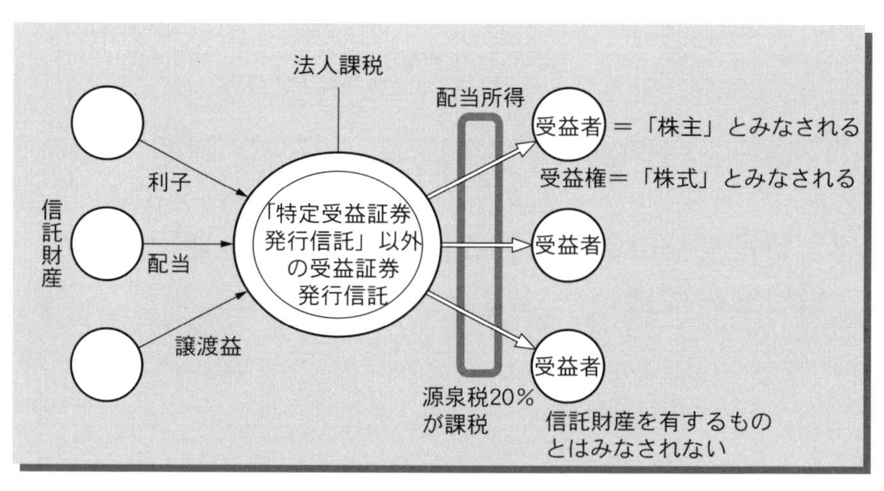

受益証券発行信託（特定受益証券発行信託以外）

4　特定受益証券発行信託が特定受益証券発行信託以外の受益証券発行信託に該当することとなった場合

集団投資信託たる特定受益証券発行信託が，特定受益証券発行信託の要件を満たさなくなり特定受益証券発行信託に該当しなくなった場合は，法人課税信託に該当します。この場合，当該法人課税信託にかかる受託法人の設立時における金額は以下のとおりとなります。

法人課税信託に係る受託法人の設立時における金額	
資産・負債の帳簿価額	該当することとなった時の直前の集団投資信託の帳簿に記載された資産・負債の価額
資本金等の額	該当することとなった時の直前の集団投資信託について信託されている金額
利益積立金額	（該当することとなった時の直前の集団投資信託の資産の帳簿記載金額―負債の帳簿記載金額―信託されている金額の合計額）―直前の未処分利益の金額

なお，特定受益証券発行信託が法人課税信託に該当することとなった場合は，その該当することとなったときの直前の未分配利益の額に相当する金額[注]は，法人課税信託の受託法人のその該当することとなった日の属する事業年度の所得の金額の計算上，益金の額（または損金の額）に算入されます。

（注）特定受益証券発行信託が法人課税信託に該当することとなった日の属する事業年度開始の日の前日における貸借対照表に記載された財務省令で定める金額をいいます。

V　事業信託等その他の信託

1　法人課税信託としての位置付け

2007年の信託法の改正により，財産の信託と債務引受の組み合わせにより事業を信託したのと同様の状態を作りだすことが可能になりました。委託者自身を受託者とする自己信託も可能であり，事業信託と自己信託を組み合わせれば，委託者の事業の一部を信託して，自己のその他の事業と分離することができます。

税務上は，上記の信託がパススルー扱い（受益者等課税信託）されることが原則ですが，法人が委託者となる信託のうち一定のもの（以下）は，税務上いわゆる法人課税信託に該当し，信託の受託者が納税義務者として，その信託の信託財産にかかる所得について受託者の固有の財産とは区分して法人税が課されますので注意が必要です。

法人課税信託

法人が委託者となる信託（信託財産に属する資産のみを信託するもの（いわゆる再信託）を除く）のうち以下のいずれかに該当するもの

（イ）　事業の全部または重要な一部を信託し，かつ，信託の効力が生じた時において当該法人の株主等が取得する受益権の総受益権に対する割合が50％超に該当することが見込まれていたこと

ただし，その信託財産に属する金銭以外の資産の種類を金銭債

権等，不動産等，減価償却資産（建物等を除く），その他の資産に区分したとき，おおむねすべての資産が同一の区分に属する場合は除かれます。

（ロ）信託効力発生時または信託行為における存続期間の定めの変更の効力発生時において，受託者が委託者たる法人または当該法人の特殊関係者[注2]であり，かつ，効力発生時においてその存続期間が20年超とされていること（信託財産の性質上信託財産の管理または処分に長期間を要する場合として政令で定める場合を除く[注1]）

（注１）政令で定める場合とは，効力発生時において信託財産に属する主たる資産が，耐用年数が20年を超える減価償却資産，減価償却資産以外の固定資産または償還期間が20年を超える金銭債権を含む金銭債権であることが見込まれていた場合をいいます。

（注２）特殊関係者とは委託者と直接または間接に50％超の関係を有する者をいいます（以下同様）。

（ハ）信託効力発生時に委託者たる法人又はその特殊関係者が受託者，委託者たる法人の特殊関係者が受益者であり，かつ，その時において当該特殊関係者に対する収益の分配割合が変更可能である場合として政令で定める場合[注3]に該当したこと。

（注３）政令で定める場合は，受益者である特殊関係者に対する収益分配割合につき，受益者，委託者，受託者その他の者がその裁量により決定することができる場合とします。

法人課税信託とされる「法人が委託者となる信託のうち一定のもの」

（イ）　重要事業の信託

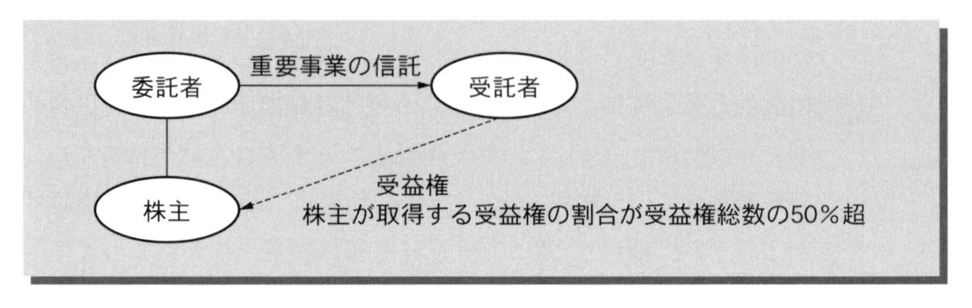

（ロ）　長期の自己信託等

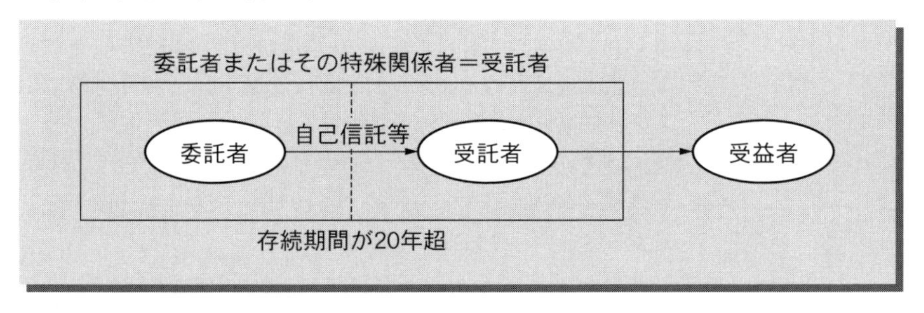

（ハ）　損益分配の操作が可能な自己信託等

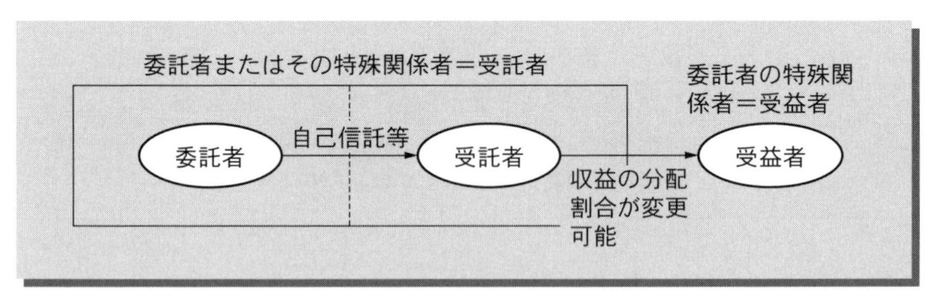

上記の「法人が委託者となる信託のうち一定のもの」以外に税務上の法人課税信託に該当するものとして，これまでの章で述べた特定目的信託，特定投資信託，受益証券発行信託（特定受益証券発行信託以外）のほか，受益者が存し

ない信託があげられます。

2　法人課税信託に対する課税

（１）　信託導管理論の不適用

法人税法上および所得税法上，集団投資信託（合同運用信託，一定の投資信託，特定受益証券発行信託）および法人課税信託以外の受益者等課税信託は導管として取り扱われ，受益者が当該信託に係る資産および負債を有するものとみなされ，信託財産に帰せられる収益および費用は受益者の収益および費用とみなして税法の規定が適用されます。しかしながら，集団投資信託や法人課税信託等については信託導管理論の適用対象外とされており，信託の受益者は信託財産を有するものとはみなされません。

（２）　信託の受託者等に関する法人税法の適用

法人税法上，法人課税信託の受託者は，各法人課税信託の信託資産等（信託財産に属する資産および負債ならびに信託財産に帰せられる収益および費用）および固有資産等（法人課税信託の信託資産等以外の資産および負債ならびに収益および費用）ごとに，それぞれ別の者とみなして，法人税が課されます。この場合において，各法人課税信託の信託資産等および固有資産等は，そのみなされた各別の者にそれぞれ帰属します。

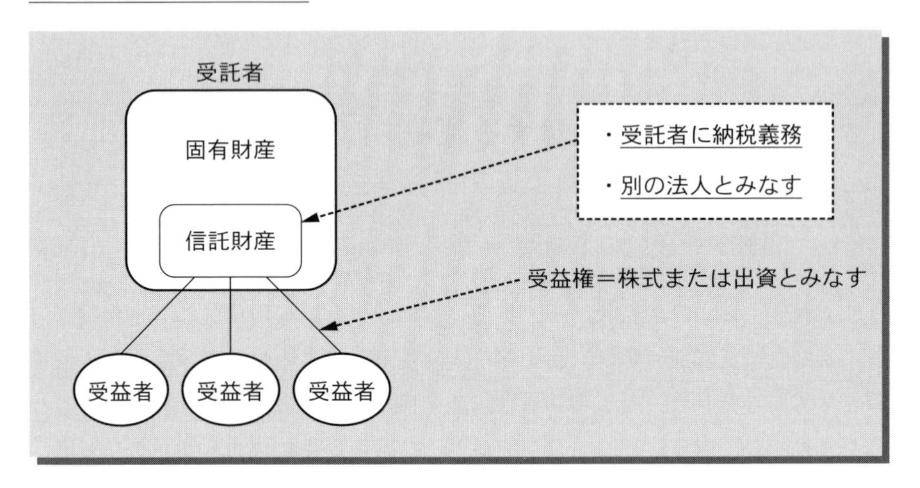

すなわち，法人課税信託の信託財産に帰せられる収益および費用については受託者に対して法人税が課されるものの，他の法人課税信託および受託者自身の所得に係る（法人課税信託以外の）収益および費用と通算して申告すべきものではありません。

具体的には，以下に定めるところにより法人税法の規定が適用されます。

①　受託法人について

（ⅰ）　納税義務

内国法人，外国法人および個人は，法人課税信託の引受けを行うときは，法人税の納税義務があります。

（ⅱ）　内国法人／外国法人の別

法人課税信託の受託者である法人（受託者が個人の場合は，その受託者たる個人を含む。以下「受託法人」）は，法人課税信託の信託された営業所，事務所その他これらに準ずるもの（以下「営業所」）が国内にある場合には，内国法人とされ，営業所が国内にない場合には，外国法人とされます。すなわち，法人課税信託の課税に際しては，受託者自身が内国法人か外国法人かではなく，信託された営業所の所在地が国内か国外かで内国法人か外国法人かが判断されることになります。

(iii)　会社でない受託法人

会社でない受託法人も，会社とみなされます。

(iv)　信託の併合

信託の併合は合併とみなし，併合にかかる従前の法人課税信託にかかる受託法人は被合併法人に，併合にかかる新たな法人課税信託に係る受託法人は合併法人に含まれます。

(v)　信託の分割

信託の分割は分割型分割に含まれるものとし，信託の分割によりその信託財産の一部を受託者を同一とする他の信託または新たな信託の信託財産として移転する法人課税信託にかかる受託法人は分割法人に，信託の分割により受託者を同一とする他の信託からその信託財産の一部の移転を受ける法人課税信託に係る受託法人は分割承継法人に含まれます。

(vi)　設立および解散

受託法人は，法人課税信託の効力が生ずる日（一の約款に基づき複数の信託契約が締結される場合は最初の契約が締結された日，法人課税信託以外の信託が法人課税信託に該当することとなった場合はその該当することとなった日）に設立されたものとされます。

また，法人課税信託について信託の終了があった場合または受益者が存することとなった場合（他の類型の法人課税信託に該当する場合を除く）は，受託法人の解散があったものとみなされます（ただし，受益者等が存しない法人課税信託に受益者等が存することとなった場合を除きます）。

（ⅶ）　受託者が二以上の場合

一の法人課税信託の受託者が二以上ある場合には，一の者の信託資産等とみなし，当該信託の信託事務を主宰する受託者（中心となって信託事務の全体を取りまとめる受託者をいいます。以下「主宰受託者」）を納税義務者として当該信託にかかる法人税を納めるものとします。法人課税信託の主宰受託者以外の受託者は，その法人税について，連帯納付の責めに任ぜられます。

②　委託者・受益者について

（ⅰ）　法人課税信託の受益権の取扱い

法人課税信託の受益権は株式または出資とみなし，法人課税信託の受益者は株主等に含まれます。

（ⅱ）　法人課税信託への信託の取扱い

法人課税信託（受益者が存しない信託を除く）の委託者たる個人および法人がその有する資産の信託をした場合や受益者等課税信託が法人課税信託に該当することとなった場合は，それぞれ委託者／受益者から法人課税信託にかかる受託法人に出資があったものとみなされます。この場合において，信託された資産の時価から負債の時価を減額した金額は，資本金等の額に含まれるものとされます。

また，受益者が存しない信託の委託者たる個人がその有する資産の信託をした場合または受益者等課税信託が受益者が存しない信託に該当することとなった場合は，それぞれ委託者／受益者から法人課税信託にかかる受託法人に贈与があったものとみなされます（すなわち，委託者において資産の譲渡損益および受託法人に対する寄付金が認識され，受託法人において受贈益課税がなされます）。

（ⅲ）　収益の分配の取扱い

法人課税信託の収益の分配は資本剰余金の減少に伴わない剰余金の配当と，

元本の払戻しは資本剰余金の減少に伴う剰余金の配当とみなされます。

（３）　法人課税信託の所得に係る法人税の課税計算

法人課税信託の各計算期間の所得については，受託者たる法人および個人に対して法人税が課されます。なお，法人課税信託の引受けを行う外国法人および非居住者に対しても法人税が課されます。このとき，受託者は法人課税信託の信託された営業所の所在により内国法人または外国法人として取扱われます。

法人課税信託の法人税法上の課税所得の計算については，原則として普通法人の法人税法上の課税所得の計算と同様の規定が適用されます。例えば，特定同族会社に対する留保金課税や同族会社等の行為・計算否認規定の適用もあります。

一定の要件を満たす特定投資信託および特定目的信託の収益の分配については課税所得の計算上，損金算入が認められていますが，これら以外の法人課税信託については，この規定の適用はありません（特定投資信託および特定目的信託以外の法人課税信託については，収益の分配につき受取配当等の益金不算入や配当控除の適用が認められていますので，これらの適用を通じて二重課税の排除を図ることになります）。

その他の法人税の計算に係る具体的な取扱いは，第２章Ⅱ特定目的信託２特定目的信託の税務（３）で記載のとおりです。

3　投資家に対する課税

法人課税信託の受益権は株式または出資とみなし，法人課税信託の受益者は株主等に含まれます。法人課税信託の収益の分配は資本剰余金の減少に伴わない剰余金の配当（すなわち所得税法上，配当所得）と，元本の払戻しは資本剰余金の減少に伴う剰余金の配当として取扱われます。

法人課税信託の受託者が収益の分配を行う場合，投資家に対し，法人課税信託の収益の分配である旨を通知しなければなりません。

以下では，法人課税信託の受益権が上場していないことを前提としていますが，受益権が上場している場合は上場株式等と同様の取扱いとなります。

（1）　日本の個人投資家

①　期中収益分配

配当所得として所得税20％の源泉課税の後，総合課税されます。支払った源泉税につき所得税額から控除できます。法人課税信託の収益分配については配当控除の適用を受けることができます。

法人課税信託の収益の分配額が少額の場合，20％の源泉徴収のみで申告不要制度の対象となります。

（注）申告不要制度を選択した場合には配当控除や所得税からの控除の適用はありません。

②　譲　　　渡

譲渡による所得については，申告分離課税により，所得税15％，地方税5％の計20％が課税されます。

③　償還（元本の払戻し）

償還により支払を受ける金額から資本金等相当額を差し引いた残額は，期中収益分配金と同様の課税を受けます。

一回に支払を受ける償還による分配金の金額が少額の場合，確定申告が不要です。

償還により支払を受ける金額のうち，受益証券に係る資本金等相当額に達するまでの金額は譲渡所得等に係る収入金額とみなされます。取得価額との差額は株式等に係る譲渡所得等として取り扱われ，申告分離課税（所得税15％，地方税5％の計20％）が適用されます。

④　受益者の存しない信託の受益者となる場合

居住者が，受益者の存しない信託の受益者となったことにより，当該信託が法人課税信託に該当しないこととなった場合には，その受託法人から信託財産に属する資産および負債のその該当しないこととなった時の直前の帳簿価額による引継ぎを受けたものとして取り扱われます。この場合において，その資産および負債の引継ぎにより生じた収益の額は，その引継ぎを受けた日の属する年分の総収入金額に算入されません。

（2）　日本の法人投資家

①　期中収益分配

所得税20％の税率にて源泉徴収が行われ，法人の課税所得の計算上，原則として益金に算入されます。期中収益分配金の一定割合について受取配当等の益金不算入の規定の適用があります（この場合の関係法人株式等の判定に当たっては，受益者たる各投資家が有する当該法人課税信託にかかる受益権のみにより判定を行います)。

源泉徴収された所得税は，元本所有期間対応部分については所得税額控除の適用があります。

②　譲　　　渡

譲渡にともなう損益は，法人税法上，益金および損金に算入されます。

③　償　　　還

償還により支払を受ける金額から資本金等相当額を差し引いた残額は，期中収益分配金と同様の課税を受けます。

償還により支払を受ける金額のうち，受益証券に係る資本金等相当額と帳簿価額との差額は法人税法上，益金および損金に算入されます。

④　受益者の存しない信託の受益者となる場合

内国法人が，受益者の存しない信託の受益者となったことにより，当該信託が法人課税信託に該当しないこととなった場合には，その受託法人から信託財産に属する資産および負債のその該当しないこととなった時の直前の帳簿価額による引継ぎを受けたものとして取り扱われます。この場合において，その資産および負債の引継ぎにより生じた収益および損失の額は，その引継ぎを受けた日の属する事業年度の益金または損金の額に算入されません。

（3）　外国法人／非居住者

①　期中収益分配

所得税20％が源泉徴収された後，課税関係は終了します。投資家の所在国との租税条約により源泉税が軽減される可能性があります。

②　譲　　渡

日本に恒久的施設を有さない非居住者および外国法人が法人課税信託の受益権を譲渡した場合には，譲渡益は原則として課税されませんが，一定の事業譲渡類似株式等に該当する場合は，譲渡益について所得税または法人税の課税がありえます。ただし，投資家の所在地国との租税条約の適用により，当該課税が免除される場合もあります。

また，非居住者，外国法人が国内にある不動産等が50％以上である法人課税信託の受益権を譲渡した場合の所得についても申告納税の対象となる国内源泉所得となります（不動産化体株式等の譲渡益課税）。受益権が上場されている場合には，保有割合（特殊関係株主等による保有を含む。以下同じ）が5％以下，受益権が上場されていない場合には保有割合が2％以下の者が行う受益権の譲渡益は課税されません。

③　償　　還

償還により支払を受ける金額から資本金等相当額を差し引いた残額につき，

所得税 20% の源泉徴収がなされ，原則として課税関係が終了します。投資家の所在国との租税条約により源泉税が軽減される可能性があります。

（４） CFC 税制（タックス・ヘイブン税制）

法人課税信託についても普通法人と同様，いわゆる CFC 税制（タックス・ヘイブン税制）の適用があります。したがって，法人課税信託が CFC 税制の対象となる外国子会社等に投資をしている場合，その所得のうち法人課税信託の持分割合に対応する部分の金額は法人課税信託の所得に合算されます。

なお，CFC 税制は平成 29 年度税制改正により大幅に変更され，投資対象の外国子会社等がいわゆるペーパーカンパニーに該当する場合，租税負担割合が 30% 未満(注)であると適用の可能性があります。詳細については第１部第４章Ⅰ1(７）を参照ください。

（注）内国法人の 2024 年４月１日以後に開始する事業年度については 27% 未満

<table>
<tr><th colspan="9">法人課税信託の投資家に係る主な課税関係（非上場，私募を前提）</th></tr>
<tr><th rowspan="3"></th><th colspan="4">居住者等</th><th colspan="4">非居住者等（注1）</th></tr>
<tr><th colspan="2">法人課税信託からの収益の分配</th><th colspan="2">法人課税信託の受益権の譲渡益</th><th colspan="2">法人課税信託からの収益の分配</th><th colspan="2">法人課税信託の受益権の譲渡益</th></tr>
<tr><th>所得区分</th><th>課税関係</th><th>所得区分</th><th>課税関係</th><th>所得区分</th><th>課税関係</th><th>所得区分</th><th>課税関係</th></tr>
<tr><td>法人投資家</td><td>—</td><td>20％の源泉税
法人税の計算上益金算入
受取配当等の益金不算入の適用あり</td><td>—</td><td>源泉税なし
法人税の計算上益金算入</td><td>—</td><td>20％の源泉税で課税関係終了</td><td>—</td><td>原則課税なし（注2）</td></tr>
<tr><td>個人投資家</td><td>配当所得</td><td>20％の源泉税
総合課税
配当控除の適用あり
所得税額控除の適用あり</td><td>株式等に係る譲渡所得等</td><td>20％（所得税15％，地方税5％）の申告分離課税</td><td>配当所得</td><td>20％の源泉税で課税関係終了</td><td>—</td><td>原則課税なし（注2）</td></tr>
</table>

（注1）投資家が日本に恒久的施設を有さないことを前提。
（注2）事業譲渡類似課税，不動産化体株式の譲渡益課税あり。

第3章　組合型ストラクチャー

主たる組合型投資ストラクチャーには，民法に基づく任意組合契約，商法に基づく匿名組合契約があります。組合型の場合，投資 Vehicle はあくまで契約関係であり，Vehicle そのものに法人格がない点に特徴があります。

民法，商法に基づくストラクチャーの他に，投資事業有限責任組合契約に関する法律や有限責任事業組合契約に関する法律（LLP 法）および不動産特定共同事業法に基づく投資ストラクチャーがあります。投資事業有限責任組合契約に関する法律に基づく投資事業有限責任組合および有限責任事業組合契約に関する法律に基づく有限責任事業組合は，通達により任意組合と同様に取り扱われることが明らかにされています。

不動産特定共同事業法が対象とする契約類型には任意組合型，匿名組合型，賃貸型，外国法令に基づく契約によるもの等に分けられますが，これらの税務的見地からの検討は，それぞれ任意組合，匿名組合，法人型，パートナーシップと位置付けられます。

したがって，不動産特定事業法については，税務的にはそれぞれの関連形態の章の説明に包含されることになりますので，あえて独立した説明の章を設けていません。

I　任意組合

1　任意組合契約の概要

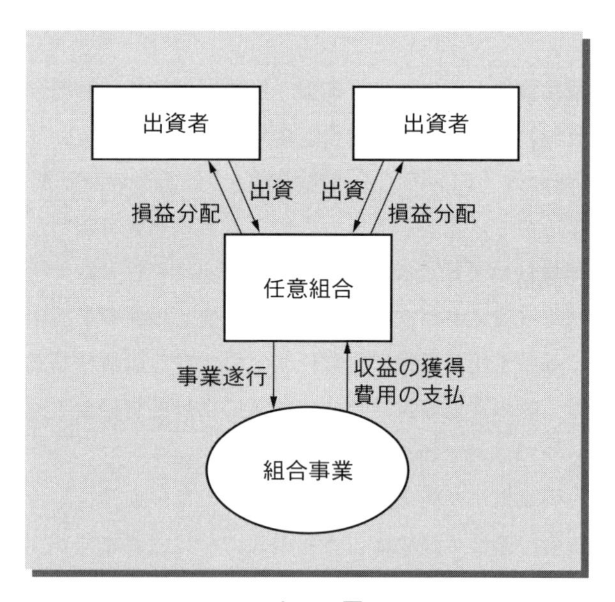

スキーム図

[スキーム図の説明]

① 任意組合員は，任意組合契約（民法第667条）を締結します。

② 任意組合員は，任意組合契約に基づき，出資金を支払います。

③ 任意組合員のうち業務執行組合員は，各任意組合員から受け入れた出資金を原資として，原資産保有者から資産を購入し，代金を支払います。

④ 業務執行組合員は，購入した資産を運用します。

⑤　業務執行組合員は，資産の運用により得た利益を各任意組合員に分配します。

2　民法上の取扱い

任意組合とは，各当事者が出資をなして共同の事業を営むことを約する合意によって成立する団体です（民法第667条）。任意組合には，以下のような特徴があります。

①　任意組合に法的主体性はありません。

②　任意組合に法人格はありません。

③　各組合員の出資その他の組合財産は総組合員の共有に属します（民法第668条）。

④　任意組合の債務は，組合員全員に帰属します。したがって，各組合員は直接無限連帯責任を負います。

⑤　任意組合契約は組合員相互の契約関係となります。

⑥　組合員は金銭その他財産のほか労務を出資することができます（民法第667条）。

⑦　組合員の人数は，2人以上です。

⑧　任意組合に目的の制限はありません。したがって，営利目的のものおよび非営利目的のものが存在します。

⑨　任意組合の財産は，組合員全員の共有に属します（民法第668条）。

⑩　任意組合においては，原則として各組合員が業務執行権を有しますが，組合契約または組合員の過半数による決定で，一部の組合員または第三者に業務の執行を委任することができます（民法第670条）。

⑪　任意組合に法人格はなく，組合員の結合体として構成されているため，任意組合が対外的な法律行為を行う場合には，原則として組合員全員の名前で行わなければなりません。業務執行者が定められている場合は，業務執行者が組合員の代理人として法律行為を行うことができると解されてい

ます。

⑫　組合員たる地位の譲渡については，民法上の規定はありませんが，組合契約または組合員全員の同意によって有効となると解されています。

⑬　組合員の損益の分配割合は，組合契約によりますが，組合契約に定めがない場合は出資割合によります（民法第 674 条）。

⑭　任意組合はその目的たる事業の成功または成功の不能により解散します（民法第 682 条）。

なお，法定の解散事由の他に存続期間の満了や組合契約で定めた解約事由の発生によって解散することがあります。

一定の任意組合に基づく権利は金融商品取引法上の有価証券（みなし有価証券）として取り扱われています。

3　税務上の取扱い概要

日本の税務上，人格のない社団等は法人とみなされ，法人税法の規定が適用されます（法人税法第３条）。

「人格のない社団等」とは，「法人でない社団または財団で代表者または管理人の定めがあるものをいう」と定義されています（法人税法第２条第８号）。ここでいう「法人でない社団」とは，多数の者が一定の目的を達成するために結合した団体のうち法人格を有しないもので，単なる個人の集合体ではなく，団体としての組織を有して統一された意思の下にその構成員の個性を超越して活動を行うものをいう，とされており，民法第 667 条に規定される任意組合や商法第 535 条の規定による匿名組合は，人格のない社団等には含まれないとされています（法人税基本通達 1-1-1）。

このことから，任意組合自体に法人税が課税されることはなく，各組合員がそれぞれ組合事業の納税主体として，組合の損益は各組合員に帰属します。すなわち，任意組合の損益は，各組合員の損益として法人税または所得税の課税対象となります（法人税基本通達 14-1-1，所得税基本通達 36-37 共-19）。

4　任意組合員の税務上の取扱い

（1）　法人投資家

①　所得認識の時期

任意組合の利益または損失は，組合契約または民法第674条に基づき，各組合員が負担することになり，当該分担額は組合員にとって益金または損金として取り扱われることになります。

組合事業に係る損益のうち，組合契約または民法第674条による損益分配割合に応じて利益の分配を受けるべき金額または損失の負担をすべき金額は，たとえ現実に利益の分配を受けまたは損失の負担をしていない場合であっても，その分配割合に応じてその法人組合員の各事業年度の期間に対応する組合事業に係る個々の損益を計算して当該法人の損益に算入すべきものとされています(法人税基本通達14-1-1の2)。

ただし，毎年一回以上一定の時期において組合事業の損益を計算し，かつ，法人組合員への個々の損益の帰属が損益発生後1年以内である場合，帰属損益額は，組合事業の計算期間を基として計算し，組合の計算期間の終了の日の属する各法人の事業年度の損益に算入するものとされています（なお，上記規定は同業者の組織する団体で営業活動を行っていないものには適用がありません)。

したがって，組合事業の計算期間が異なる組合を複数介在させ，当初の損益取引を行った組合で発生した損益が1年を超えて法人組合員に帰属し，課税が繰り延べられる場合，原則どおり法人組合員の各事業年度に対応する帰属損益計算を行うことになります（法人税基本通達14-1-1の2コンメンタール)。

なお，2005年改正前の法人税基本通達では，所得認識の時期について「組合の計算期間の終了の日の属する法人組合員の事業年度の損益に算入すること」(組合の計算期間を基とした計算方法）を原則としていましたが，改正後は，法人組合員の各事業年度の期間に対応する組合事業に係る個々の損益を当該事業年度の損益に算入することが原則とされ，一定の要件（組合事業に係る損益を毎年1回以上一定の時期において計算し，かつ，組合員への損益の帰属が損益発生後1年以内である場合）を満たす場合に限り，従来の原則的取扱い（組合の計算期間を基とした計算方法）を適用することに変更されました。

②　任意組合から分配を受ける利益等の計算

法人税基本通達14-1-2によれば，各組合員の損益分配方式としては，以下，①総額方式によることを原則とするが，多額の減価償却費の前倒し計上などの課税上の弊害がない限り，継続適用を要件として②または③の方法によることができる旨を定めています。

①　総額方式（組合事業の収入，支出，資産，負債をその分配割合に応じて認識する）

②　中間方式（組合事業の収入，原価，費用，損失をその分配割合に応じて認識する）

③　純額方式（組合事業の利益または損失の額をその分配割合に応じて認識する）

なお，2005年改正前の法人税基本通達では，上記3法のいずれかを採用することができるとされていましたが，改正後は総額方式が原則とされ，中間方式または純額方式は多額の減価償却費の前倒し計上などの課税上の弊害がない限り，継続適用を条件として認められることとされました。

（i）　**総額方式**（組合事業の収入，支出，資産，負債をその分配割合に応じて認識する）

総額方式の場合，組合事業の収入，支出，資産，負債は分配割合により，自己の収入，支出，資産，負債として計算することになります。これらは，例えば明細書を別に作成するなど，法人投資家の固有の金額に含めないで計算することもできます。

この方法によるときは，各組合員は資産，負債，収入，支出について，受取配当等の益金不算入，所得税額控除，引当金や準備金繰入れ等，資産，負債，収入，支出にかかる通常の税務上の規定の適用を受けることができます。

ただし，引当金，準備金等の損金経理が要件とされているものについては，各組合員固有の決算において損金経理処理を行う必要があることに注意を要します。

なお，中間方式，総額方式による場合，減価償却資産の償却方法や棚卸資産の評価方法は，組合事業を組合員の個別の事務所として選定することができます。

（ⅱ）**中間方式**（組合事業の収入，収入に係る原価，費用，損失の額をその分配割合に応じて認識する）

この方法による場合，税務上の特別の取扱いを受けられる項目，受けられない項目として次のように示されています。

・適用のあるもの
　受取配当等の益金不算入
　所得税額控除　等
・適用のないもの
　引当金繰入れ
　準備金積立て　等

すなわち，費用，収益に関する項目については税務上の恩典の適用がありますが，資産，負債項目についての税務上の恩典は受けられないことになります。

（ⅲ）**純額方式**（組合事業の利益または損失の額をその分配割合に応じて認識する）

純額方式による場合，法人組合員において，組合が行った取引について受取配当等の益金不算入，所得税額控除，引当金や準備金の繰入れ等の適用はありません。

純額方式を採用する場合において，組合事業の支出金額に寄附金または交際費に該当する金額がある場合には，組合事業を資本または出資を有しない法人とみなして，一括して寄附金または交際費等の損金不算入額の計算を行い，当該金額を加算したところにより各組合員へ配分すべき純損益額を計算すべきであるとされています（各組合員の法人税の課税所得に加算，その他社外流出として処理（法人税基本通達 14-1-2 注 5））。この場合，組合員自らの寄附金，交際費等の計算とは切り離してその計算を行うことになります。

純額方式の採用は多額の減価償却費の前倒し計上などの課税上の弊害がない場合に限って認められるものとされたことを考慮すると，純額方式を採用している場合においても，組合員は組合決算内容（とりわけ支出項目）を詳細に検討すべきと考えられるので注意が必要です。

なお，純額方式，中間方式を採用する場合には，各組合員が配賦額に応じて自ら寄附金または交際費等の支出をしたものとして損金不算入額の計算をすることになります。

③　分配割合と出資割合との関係

分配割合は，民法上，特に当事者間で定められていない場合は出資の価額に応じて取り扱われることになり，損失についても同様とされていますが，出資割合とは異なる分配割合を定めることも可能です（民法第 674 条）。

また，労務の出資も民法上は認められており，労務を金銭として見積もり，分配割合を定めるとされています。

ただし，分配割合が出資割合と異なる場合は，分配割合は各組合員の出資の状況，組合事業への寄与の状況などからみて経済的合理性を有するものでなければならないことが法人税基本通達 14-1-2（注)1 で明らかにされています。

税務上，組合事業による利益および損失の法人所得計算上の取込み方法について，上記②に記載のとおり，総額方式，中間方式，純額方式のいずれにおいても分配割合に応じて利益／損失，収入／支出，資産／負債を取り込むことが前提とされています。取込みにあたっては，「中小企業等投資事業有限責任組合契約の税務上の取扱いについて」（平10.12.2課審3-44）別添にも示されているように，組合財産が組合員全体の共有であることから，組合全体の貸借対照表を考えた後，個々の組合員の貸借対照表に取り込むことが考えられます。

分配割合と出資割合が異なる場合，例えば減価償却資産について分配割合による減価償却費計上を認めると，減価償却費計上後の組合計算の資産の共有割合と出資比率とが一致しないことになります。そこで中間方式，総額方式による場合で，分配割合と出資割合が異なるときの計算は，出資割合を用いて計算した損益の額（出資割損益額）に，分配割合を用いて計算した損益の額と出資割損益額との差額を加減算して調節する方法によるほか，合理的な計算方法によるべきとされています（法人税基本通達14-1-2注2)。

④　任意組合の持分の譲渡等

任意組合は，上述のとおり各組合員が組合財産を共有しているものととらえられますので，法人組合員が含み損益のある資産を組合に現物出資した場合には，他の組合員の持分については損益が実現することになりますが，自己の持分については引継き保有していることになります。このことは以下⑤に記す調整出資金額について，現物出資の場合は他の組合員持分割合については時価で，自己の持分割合については簿価で計算されていることからも明らかです。組合持分を譲渡した場合には組合財産を譲渡したものと同様の効果になります。

任意組合の解散において組合から分配される資産は，組合解散時に組合決算を行う場合，出資またはその後の収益認識により有しているとみなされる資産の返却または収益等の分配としてとらえられることになります。

⑤　組合損失の損金算入制限規定

任意組合の組合員である法人が，特定組合員に該当する場合で，かつ，組合事業につきその債務を弁済する責任の限度が実質的に組合財産の価額とされている場合その他の政令で定める場合には，組合事業による損失の額のうち当該法人の出資の価額を基礎として計算した金額（調整出資等金額）を超える部分の金額（組合事業が実質的に欠損にならないと見込まれる場合は，組合損失額）は，その事業年度の損金の額に算入されません。

（ⅰ）　特定組合員

損金算入制限の対象となる「特定組合員」とは，組合契約にかかる組合員のうち組合事業への実質的な関与度合いが低い組合員を意味し，次に掲げる組合員のいずれにも該当しない組合員をいいます。

■　特定組合員―次のいずれにも該当しない組合員

①　組合事業に係る重要な財産の処分もしくは譲受けまたは組合事業に係る多額の借財に関する業務（重要業務）の執行の決定に関与し，かつ，当該重要業務のうち契約を締結するための交渉その他の重要な部分（重要執行部分）を自ら執行する組合員（既に行われた重要業務の執行の決定に関与せず，または当該重要業務のうち重要執行部分を自ら執行しなかったものおよび次号に掲げるものを除く）

②　その組合員（組合員のいずれかに組合事業に係る業務の執行の委任をしている場合にあっては当該委任を受けた組合員に，投資事業有限責任組合契約の場合にあっては無限責任組合員に，それぞれ限るものとする）のすべてが組合契約が効力を生ずる時から組合契約に定める計算期間で既に終了したもののうち最も新しいものの終了の時まで組合事業と同種の事業を主要な事業として営んでいる場合におけるこれらの組合員

上記①の「重要な財産の処分もしくは譲受け」および「多額の借財」に該当するかどうかは，組合事業に係る当該財産または借財の価額，当該財産または借財が組合事業にかかる財産等に占める割合，当該財産の保有等または借財の目的，およびその組合事業における従来の取扱いの状況等を総合的に勘案して判定されます。

また，法人が組合員となった日以後に行われたすべての重要業務の執行の決定に関与し，かつ，その重要業務のうちすべての重要執行部分を自ら執行していることが必要とされ，既に行われた重要業務の執行の決定に一度でも関与しなかった場合，またはその重要業務のうち重要執行部分を一度でも自ら執行しなかった場合にはこの要件を満たさないこととなります。なお，業務の執行とは，組合事業の存在を前提とした概念であり，組合契約の締結や変更，組合の解散といった組合事業の基礎自体に関する行為，また，組合としての意思決定前に方針案を立案し，これを提供することは意思決定の過程に参画すること自体は該当しないとされています（平成17年改正税法のすべて）。

上記②のように自己が主要な事業として営む事業と同種の事業について組合契約による共同事業を行う場合には，組合契約の目的とする事業についての専門的知識やノウハウを有し組合事業の経営を積極的に行う組合員でその共同事業が構成されると考えられるため，①と同様に組合事業に対する実質的な関与度合いが高いとみなすことが可能です。

なお，投資事業有限責任組合の有限責任組合員は，法律上業務執行を行うことが予定されていませんので，特定組合員に該当します。

(ii)　債務弁済責任の限度が実質的に組合財産の価額とされている場合

組合事業につきその債務を弁済する責任の限度が実質的に組合財産の価額とされている場合その他の政令で定める場合とは，要約すると以下のとおりです。

■　債務弁済責任の限度が実質的に組合財産の価額とされている場合その他の政令で定める場合

①　組合事業にかかる債務の額のうちに占める責任限定特約債務の額の割合，組合事業の形態，組合財産の種類，組合債務の弁済に関する契約の内容その他の状況から見て，組合債務を弁済する責任が実質的に組合財産となるべき資産に限定され，またはその価額が限度とされていると認められる場合

> ②　組合事業について損失補塡等契約が締結され，かつ当該契約が履行される場合には，組合事業による累積損失額が概ね出資金合計額以下の金額となり，または累積損失額がなくなると見込まれるとき
> ③　その組合員が組合債務を直接に負担するものでない場合
> ④　その組合員にかかる組合契約または損益分配割合の定めの内容，組合債務（当該組合員に帰せられるものに限るものとし，組合員持分担保債務を含む）の額のうちに占める責任限定特約債務の額の割合，組合事業の形態，組合財産の種類，組合債務の弁済に関する契約の内容その他の状況から見て，当該組合員が組合債務を弁済する責任が実質的に当該組合員に帰せられる組合財産となるべき資産に限定され，またはその価額が限度とされていると認められる場合
> ⑤　その組合員につき，組合事業にかかる損失補塡等契約が締結され，かつ，当該契約が履行される場合には，その組合員の当該組合事業による組合員累積損失額が概ね出資金額以下の金額となり，または当該組合員累積損失額がなくなると見込まれるとき
> ⑥　以上に掲げる場合に準ずる場合

（ⅲ）　組合事業が実質的に欠損とならないと見込まれる場合

「組合事業が実質的に欠損とならないと見込まれる場合」とは，組合事業の最終的な損益の見込みが実質的に欠損となっていない場合において，当該組合事業の形態，組合債務の弁済に関する契約，損失補塡等契約その他の契約の内容その他の状況から見て，当該組合事業が明らかに欠損とならないと見込まれるときをいいます。この「明らかに欠損とならないと見込まれるとき」に該当するかどうかは，コンメンタールにおいて，例えば，損失のうち少額の求償を受ける可能性があることや，相対的に発生の蓋然性が低い事由により生ずる損失が補塡されないこと等の事実のみをもって，当該組合事業が「明らかに欠損とならないと見込まれるとき」には該当しないこととなるものではない，とさ

れています。

(iv)　調整出資等金額

損金算入制限を受ける金額の計算の基礎となる「調整出資等金額」は，次の（イ）および（ロ）の合計額から（ハ）の金額を減算した金額をいいます。

（イ）　直近の組合損益計算期間終了の時までに出資をした金銭の額および金銭以外の資産の価額（次に掲げる金額の合計額）の合計額（組合員持分担保債務は控除し，負債も併せて出資をしている場合にはその負債の額を減算した金額） （ａ）　金銭以外の資産の価額に他の組合員の合計持分割合を乗じて計算した金額 （ｂ）　当該法人の出資直前の金銭以外の資産の帳簿価額に自己の持分割合を乗じて計算した金額
（ロ）　当該事業年度前の各事業年度または連結事業年度における利益積立金額または連結利益積立金額のうち組合事業に帰せられる金額の合計額
（ハ）　直近の組合損益計算期間終了の時までに分配等（組合員持分担保債務に相当する払戻しを除く。以下「分配等」という）を受けた金銭の額および金銭以外の資産の価額（次に掲げる金額の合計額）の合計額（負債も併せて分配等を受けた場合にはその負債の額を減算した金額） （ａ）　金銭以外の資産の価額に分配等の直前の他の組合員の合計持分割合を乗じて計算した金額 （ｂ）　金銭以外の資産の当該法人における分配等の直前の帳簿価額

組合損失の損金算入制限により組合損失の計上を制限された事業年度後の各事業年度においてその組合事業による組合利益額が計上される場合には，確定申告書の提出を要件として，その組合利益額を限度として前事業年度以前から繰り越された組合損失超過合計額が損金に算入されます。

法人が各事業年度終了の時において特定組合員に該当する場合には，損金不算入となる損失の有無にかかわらず確定申告書にその組合事業にかかる組合損失超過額および組合損失超過合計額ならびに調整出資等金額の計算に関する明細書を添付しなければなりません。

（2）　個人投資家

①　所得認識の時期

法人の場合と同様，その年分の組合事業の利益または損失を各種所得の総収入金額または必要経費として認識すべきこととなりますが，毎年1回以上一定の時期に組合事業に係る損益を計算し，かつ，組合員への個々の損益の帰属が損益発生後1年以内である場合，組合の計算期間を基として計算し，計算期間終了時の属する年分の各種所得の総収入金額または必要経費として算入することになります（所得税基本通達36-37共-19の2）。

なお，2005年改正前の所得税基本通達では，所得認識の時期について，「組合の計算期間の終了の日の属する年分の各種所得の総収入金額または必要経費に算入すること」を原則としていましたが，2005年改正後は，暦年によることが原則とされた上で，一定の要件（組合事業に係る損益を毎年1回以上一定の時期において計算し，かつ，組合員への損益の帰属が損益発生後1年以内である場合）を満たす場合に限り，従来の原則的取扱いを適用することに変更されました。例外規定に一定の要件が付された理由としては，この取扱いを無制限に認めた場合には，例えば，組合契約を複数用いるなどにより，所得の帰属する年を自由に選択できることとなるため，とされています。

②　利益等の額の計算

法人の場合と同様，

①　総額方式（収入，支出，資産，負債を分配割合に応じて認識），

②　中間方式（収入，支出を分配割合に応じて認識），

③　純額方式（利益または損失のみ分配割合に応じて認識）

の3法があります。個人については総額方式が原則方式とされており，中間方式と純額方式は総額方式により計算することが困難と認められる場合で，かつ，継続して計算している場合にのみ，その計算が認められるとされています（所得税基本通達36·37共-20）。この「総額方式により計算することが困難と認め

られる場合」には，組合事業の利益の額または損失の額の組合員への報告等の状況，組合員の組合事業への関与の状況その他の状況から見て，組合員において組合事業に係る収入金額，支出金額，資産，負債等を明らかにできない場合があたるとされています（所得税基本通達（注）書き）。なお，中間方式または純額方式が認められる要件の一つである，「困難と認められる場合」は，2012年8月30日に発遣された所得税基本通達の改正により新たに設けられたものであり，同日前に締結される組合契約により成立する任意組合等の組合事業に係る利益の額の計算については，従前の所得税基本通達の規定が適用されます（したがって，2012年8月30日前に締結された組合契約に関しては，中間方式と純額方式は継続して計算している場合に認められます）。

各計算方法によって，各種所得の計算上，適用が受けられる税法上の規定とそうでないものがあります。

(ⅰ)　総額方式の場合

特に税務上，適用できる通達の記載等がありませんので，組合財産を直接有している場合と同様の規定の適用が受けられるものと考えられます。

(ⅱ)　中間方式の場合

非課税所得，配当控除，確定申告による源泉徴収税額の控除等に関する規定の適用はありますが，引当金，準備金等に関する規定の適用はありません。

(ⅲ)　純額方式の場合

非課税所得，引当金，準備金，配当控除，確定申告による源泉徴収税額の控除等に関する規定の適用もなく，各組合員に按分される利益または損失は組合の主たる事業の内容に従って，不動産所得，事業所得，山林所得，雑所得のいずれか一の所得に係る収入金額または必要経費とされます。したがって，組合事業が株式や社債への投資であったとしても，純額方式で計算する場合は配当所得や利子所得としての所得認識をすることはできないことになります。

■　**任意組合からの分配利益等の計算**

①　純額方式（組合事業の利益・損失を分配割合で認識）

・法人組合員――受取配当等益金不算入，所得税額控除，引当金，準備金の適用なし。寄附金，交際費が組合支出金額にあるときは，組合を資本または出資を有しない法人とみなして分配または負担計算

・個人組合員――非課税所得，引当金，準備金，配当控除，源泉税控除等の適用なし。不動産所得，事業所得，山林所得または雑所得

②　中間方式（組合事業の収入，原価，費用，損失を分配割合で認識）

・法人組合員――引当金，準備金等の適用なし

・個人組合員――引当金，準備金等の適用なし

③　総額方式（組合事業の収入，支出，資産，負債を分配割合で認識）

・法人組合員／・個人組合員――損益分配割合に応じて各組合員の収入，支出，資産，負債として計算し，直接所有している場合と同じ取扱い

③　所得区分および諸経費の取扱い

経済産業省大臣官房審議官（産業資金担当）の取引等の税務上の取扱い等に関する事前照会「投資事業有限責任組合及び民法上の任意組合を通じた株式等への投資に係る所得税の取扱いについて（2004年6月18日）」に対して，国税庁課税部長から回答が行われ，個人投資家が投資事業有限責任組合や任意組合（以下，「投資組合」）を通じてベンチャー企業等に対する投資を行った場合の個人所得税の所得区分および諸経費の取扱いが明らかにされました。

(ⅰ)　個人所得税の所得区分

個人投資家がベンチャー投資等を行う投資組合を通じて得る所得には，株式等の譲渡に係る所得，利子所得，配当所得等のさまざまな所得があり，各投資家における所得金額の計算上，投資組合において発生する所得をその属性に応じて所得税法に規定する各種所得に区分することとなります。その際，個人投資家が得た株式等の譲渡に係る所得が，株式等の譲渡による雑所得もしくは株式等の譲渡による事業所得に該当するかまたは株式等の譲渡による譲渡所得に該当するかについては，租税特別措置法取扱通達37の10–2（株式等の譲渡に係る所得区分）において，当該株式等の譲渡が営利を目的として継続的に行われているかどうかにより判定することとされています。

個人投資家が投資組合を通じて得た所得に関し，所得税基本通達36･37共–20の(1)の方法（総額方式）により所得金額の計算を行っている場合には，下記のすべての要件が充足され，かつ，投資組合契約書等に記載されているときは，個人投資家が当該投資組合を通じて得た株式等の譲渡に係る所得は，株式等の譲渡による雑所得または株式等の譲渡による事業所得に該当するものとされています。

- 株式等への投資を主たる目的事業としていること
- 各組合員において収益の区分把握が可能であること
- 民法上の任意組合が前提とする共同事業性が担保されていること
- 投資組合が営利目的で組成されていること
- 投資対象が単一銘柄に限定されないこと
- 投資組合の存続期間が概ね5年以上であること

(ⅱ)　投資組合の運営経費に係る税務上の取扱い

上記(ⅰ)の要件を充足する投資組合から発生した株式等の譲渡に係る所得が事業所得または雑所得に該当することとなった場合，個人投資家は当該組合の運営上発生する経費を所得の金額の計算上，必要経費として控除することとなります。

④　組合損失の必要経費不算入規定

任意組合の組合員で，特定組合員に該当する個人が，組合事業から生ずる不動産所得を有する場合において，その年分の不動産取得の金額の計算上，下記により計算した不動産所得の損失の金額があるときは，当該損失金額は，不動産所得の計算上，生じなかったものとみなされます。

不動産所得の損失の金額とは，特定組合員のその年分における組合事業から生ずる不動産所得に係る総収入金額の合計額が当該組合事業から生ずる不動産所得にかかる必要経費の合計額に満たない場合におけるその満たない部分の金額をいいます。

なお，この組合事業による不動産所得の損失金額は，各組合契約の組合事業ごとに計算されます。また，この組合事業による不動産所得の損失金額は，損益通算の規定の適用を受けられないのみならず，他の組合事業による不動産所得の金額（黒字額）から控除（不動産所得内の通算）することもできません。

上記の規制の対象となる「特定組合員」とは，組合契約にかかる組合員のうち組合事業に係る重要な財産の処分もしくは譲受けまたは組合事業に係る多額の借財に関する業務の執行の決定に関与し，かつ，当該重要業務のうち契約を締結するための交渉その他の重要な部分を自ら執行する組合員以外の者をいいます。

なお，組合員である個人が，業務執行組合員またはそれ以外の者に当該組合事業の業務の執行の全部を委任している場合には，上記にかかわらず，特定組合員に該当します。

上記の「重要な財産の処分もしくは譲受け」および「多額の借財」に該当するかどうかは，組合事業に係る当該財産または借財の価額，当該財産または借財が組合事業にかかる財産等に占める割合，当該財産の保有等または借財の目的，およびその組合事業における従来の取扱いの状況等を総合的に勘案して判定されます。

その年において組合事業から生ずる不動産所得を有する個人が確定申告書を提出する場合には，一定の明細書を当該確定申告書に添付しなければなりません。

（3）　非居住者・外国法人投資家

税法上，任意組合は原則として導管として取り扱われ，任意組合の収入および支出は各任意組合員が受け取りおよび支払うものと認識されます。任意組合からの利益等の分配はあくまで組合を通じて受け取る収益と支出の合計額にすぎず，原則として新たな所得分類を構成するものではありません。

したがって，各任意組合員が受け取るものとみなされる任意組合の収入すべき金額に源泉税の課税対象となる所得があれば，当該所得については源泉税が課されることになります。

例えば，任意組合員が外国法人であり，任意組合が日本において事業を行う日本法人から貸付金の利子を受け取る場合，当該貸付金の利子については源泉税が課されることになります。

さらに，国内において任意組合に基づいて行う事業から生ずる利益で国内にPE（恒久的施設）を有するとみなされる組合員である外国法人が配分を受けるものについては，20%の税率にて所得税の源泉徴収が行われます（別途復興特別所得税が課されます。以下この章において同じ）。さらに，PEを有するということですので組合員である外国法人は日本において法人税の申告義務があります。組合員である外国法人・非居住者が日本国内にPEを有するものとして取り扱われるかどうかは，各組合員がそれぞれ国内における組合契約事業を直接行っているものとして判定されます。

なお，日本国内に組合事業に係るPE以外のPEを有する外国法人が，源泉免除証明書を取得し，組合の利益を配分する者に提示する場合には，源泉税は免除されます。しかしながら，日本国内に組合事業に係るPEのみを有する外国法人については，この源泉免除の規定の適用がありません。非居住者または外国法人たる組合員が任意組合に投資を行うことにより日本国内に組合事業に係る PE を有することになる場合，当該組合員は任意組合に係る所得につき法人税または所得税の申告義務を負うことになりますが，源泉税は当該申告にあたって控除することができます。

Ⅱ　匿名組合

1　匿名組合契約の概要

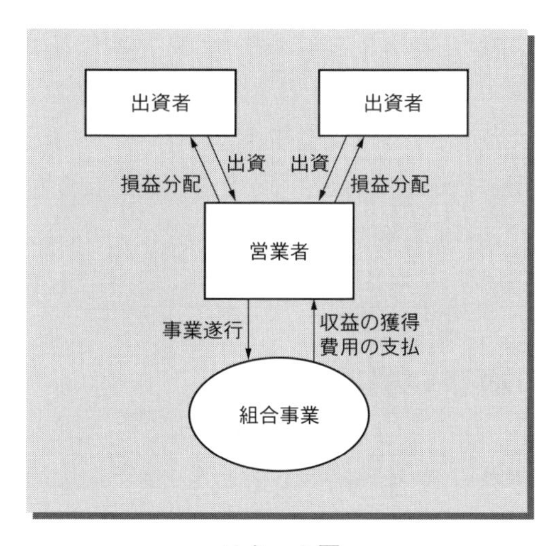

スキーム図

[スキーム図の説明]

① 匿名組合員は，営業者との間で匿名組合契約（商法第535条）を締結します。

② 匿名組合員は，匿名組合契約に基づき，営業者に対し出資金を支払います。

③ 営業者は，匿名組合員から受け入れた出資金を原資として，原資産保有者から資産を購入し，代金を支払います。

④ 営業者は，購入した資産を運用します。

⑤　営業者は，資産の運用により得た利益を匿名組合員に分配します。

2　商法上の取扱い

匿名組合契約とは，当事者の一方が相手方の営業のために出資を行い，その営業から生ずる利益の分配を約する契約です（商法第535条）。匿名組合契約は，商法に基づく匿名組合員と営業者との間の双務契約によって成り立っています。

この場合の利益とは営業年度における財産の増加額，すなわち，営業年度の初めにおける財産額と年度の終わりにおける財産額を比較した増加額であり，商法の規定に従って計算されます。匿名組合契約が終了した場合，営業者は匿名組合員にその出資の額を返還する必要があります（商法第542条）。

一定の匿名組合に基づく権利は，金融商品取引法上の有価証券として取り扱われています。

3　税務上の取扱い概要

日本の税務上，人格のない社団等は法人とみなされ，法人税法の規定が適用されます（法人税法第3条）。商法第535条に規定される匿名組合は，人格のない社団等には含まれないとされており（法人税基本通達1−1−1），匿名組合自体に法人税が課されることはありません。匿名組合の損益は，匿名組合の営業者および匿名組合員の損益として法人税または所得税の課税対象となります。

税務上の取扱いは，法的形式だけでなく，その取引の経済的実質を考慮した上で決定されます。法律上，契約が匿名組合契約として組成されていても，税務上は，その経済的な実質を含む取引の全体的な性格を考慮した上で当該契約が税務上匿名組合契約として取り扱われるかどうかが判断されます。

日本の税務上，匿名組合契約として取り扱われるためには，取引が日本の法律上匿名組合契約として有効に成立しているだけでなく，営業者の行う事業に事業性が認められること，匿名組合員が出資にともない営業者の事業に関するリスクと便益をともに有していることが必要であると考えます。

また，匿名組合契約が，匿名で営業者の営む事業に対して投資をする契約であることから，匿名組合員は営業者の行う事業について，一定以上の支配統制を行うべきものではないと考えられます（出資者としての権限の範囲内で営業者の行動に一定の制限を加えることは可能）。

匿名組合員の所在地国との租税条約によっては，匿名組合契約に基づく利益の分配に日本の税金が課されないケースがありますが，そのような国に新規に特別目的会社等を設立して課税を逃れる場合は，租税回避行為とみなされる可能性があります。

税務上，取引の経済的実質の判断において匿名組合契約と比較される契約として，任意組合契約があります。任意組合契約とは，各当事者が出資を行い，共同の事業を営むことを約する契約です（民法第667条）。民法第667条の規定による組合は，法人税法上，人格のない社団等には該当せず（法人税基本通達1-1-1），組合自体に法人税は課されません。各組合員は，組合から分配を受けるべき利益の額または負担すべき損失の額を各事業年度の益金の額または損金の額に算入します。

前述のスキーム図にある取引のうち匿名組合契約が，仮に任意組合契約に置き換えられる場合は，組合員が直接営業者の有する金銭債権や不動産等の資産を共有することになります。

すなわち，税務上，任意組合契約の出資者である外国法人は日本国内に直接金銭債権や不動産を保有することになります。

昨今さまざまな取引に匿名組合契約が活用されていますが，匿名組合について明示的に定めている法令，通達は法人税基本通達14-1-3などわずかな記載に限られています。したがって，上記通達等で明示的に定められているもの以外の部分については，匿名組合の法的な性格を考慮して解釈することになります。

4　営業者の税務上の取扱い

（1）　匿名組合契約に係る所得認識

匿名組合事業は一義的には営業者が行う事業です。営業者は事業により得る収益から諸費用を差し引いて営業者の事業に関する純損益を計算しなければなりません。

ただし，純損益の計算は，日本の税法の規定に従わなければなりません。日本の法律に従って匿名組合契約が有効であり，かつ，税務上も当該契約が匿名組合契約として取り扱われる場合，匿名組合員は匿名組合契約に定める条件に応じて分配されるべき損益を日本の税務上それぞれの損金または益金とすることになります。

匿名組合営業について生じた利益の額または損失の額については，匿名組合契約により匿名組合員に分配すべき利益の額または負担させるべき損失の額を営業者の損金の額または益金の額に算入すると定められています（法人税基本通達14-1-3後段）。

（2）　匿名組合契約に係る消費税の取扱い

匿名組合の事業に属する資産の譲渡等または課税仕入れ等に係る消費税の納税義務ついては，営業者が単独で負うことになります（消費税基本通達1-3-2）。

したがって，営業者の課税売上割合が100％になる場合，原則として，売上にかかる消費税額と仕入れにかかる消費税額との差額が営業者により納税または営業者に対して還付されることになります。

5　匿名組合員の税務上の取扱い

（1）　損益認識時期

匿名組合員が法人の場合，匿名組合営業について生じた利益の額または損失の額については，現実に利益の分配を受け，または損失の負担をしていない場合であっても，匿名組合契約により匿名組合員に分配すべき利益の額または損失の額を匿名組合計算期間の末日の属する投資家の事業年度の益金の額または損金の額に算入すると定められています（法人税基本通達14-1-3前段）。

したがって，実際に現金分配や追加出資をしていなくても，匿名組合契約上，法人組合員が受けるべき利益または損失の分配額を益金または損金として認識することになります。

匿名組合の場合，任意組合に係る規定とは異なり，毎年一回一定の時期に組合決算を行う旨の規定が定められていません。この理由についてコンメンタールにおいて，これは，「匿名組合営業者が商人である」から，と記載されています。匿名組合契約においては匿名組合財産はあくまで営業者に帰属するものであり，その分配については，当事者間の契約関係によるものとの認識とともに，毎年一定時期に分配がなされない場合には，当該分配損益は組合員ではなく，営業者において課税されることになるため，任意組合とは異なり，課税上の弊害がないことがあるものと考えられます。

匿名組合の組合員である法人が，特定組合員に該当し，かつ組合事業につきその債務を弁済する責任の限度が実質的に組合財産の価額とされている場合その他の政令で定める場合には，組合事業による損失の額のうち当該法人の出資の価額を基礎として計算した金額（調整出資等金額）を超える部分の金額（組合事業が実質的に欠損にならないと見込まれる場合は，組合損失額）は，その事業年度の損金の額に算入されません。特定組合員とは，組合事業に係る重要な財産の処分もしくは譲受けまたは組合事業に係る多額の借財に関する業務の執行の決定に関与し，かつ，当該業務のうち契約を締結するための交渉その他の重要な部分を自ら執行する組合員以外をいいます。

過去の事業年度において上記により損金に算入されなかった金額がある場合は，当該金額のうちその事業年度の組合事業の利益の額に達するまでの金額は，一定の方法により当該事業年度の損金の額に算入されます。

上記法人匿名組合員に係る損金算入制限は任意組合についての組合損失の損金算入制限と同様ですので，詳細は「Ｉ．４（１）⑤　組合損失の損金算入制限規定」を参照してください。法人が各事業年度終了の時において特定組合員に該当する場合には，損金不算入となる損失の有無にかかわらず確定申告書にその組合事業にかかる組合損失超過額および組合損失超過合計額ならびに調整出資等金額の計算に関する明細書を添付しなければなりません。匿名組合の組合員は，多くの場合特定組合員に該当するものと考えられますので，確定申告書への明細書の添付等に注意が必要です。

（２）　利益の分配

①　源　泉　税

匿名組合契約等に基づく利益の分配については，20％の源泉所得税が課されます。

②　匿名組合員が内国法人の場合の法人税課税，利益等の額の計算

匿名組合契約に基づく利益の分配は，20％の源泉所得税が課された上で，法人税が課されます。法人税額を計算するにあたっては，徴収された源泉税は，法人税額から控除することができます。

特約がない限り，匿名組合員は追加出資義務はなく，出資の額を超えて損失を負担することはないため，出資額を超える損失は匿名組合員の損金とはなりません。

また，匿名組合契約は任意組合同様に法人格のない組合契約であるものの，任意組合とは異なり，匿名組合の組合財産，負債は法的には営業者に帰属する

ものですので，税務上の損益の認識としてはいわゆる純額方式しかありえないものと考えられます。

すなわち，組合員は匿名組合出資を出資としてのみ認識し，匿名組合契約の収入，支出，資産，負債をあたかも自己が有するものと同様にとらえるという認識（仕訳）はないものと考えられます。

この点，会計上は，場合によって開示の観点からあたかも匿名組合員が組合財産を有しているのと同様の総額法的な処理が求められる可能性がありますが，税務上の取扱いはそれとは異なることになるものと考えられます。

したがって，任意組合の組合員とは異なり，組合事業の収入，支出，資産，負債につき適用のある税務上のベネフィット（例えば受取配当等の益金不算入，所得税額控除，引当金繰入れ，準備金積立て等）を適用できるのはあくまで法的に匿名組合財産所有者である営業者であり，匿名組合員がこれらのベネフィットを享受することはできないことになります。

従来，匿名組合における支出金額のうちに寄附金または交際費等に該当する金額があるときは，任意組合の純額方式における場合と同様，匿名組合における損益分配にあたって，匿名組合を資本または出資を有しない法人とみなして一括して寄附金または交際費等の損金不算入額の計算を行い，匿名組合員は分配割合に応じてその損金不算入額を所得に加算すべきとされていました（旧法人税基本通達14-1-3（注））。

しかしながら，2005年改正通達では当該注書の規定は削除されました。この理由については，コンメンタールにおいて，寄附金や交際費等に該当する金額は営業者固有の申告上，損金不算入額の計算を行って当該営業者の所得金額を計算し，匿名組合員に分配，負担させるべき額は匿名組合契約により決まるものであるから，特に匿名組合員において加算させる必要はない，と説明されています。

③　投資家が日本の居住者である場合の所得税課税

匿名組合契約に基づく利益の分配は，20%の源泉所得税が課された上で，総合課税の対象となります。所得分類は，匿名組合員が個人の場合，雑所得とされることが通達で明らかにされています。ただし，匿名組合員が組合事業に係る重要な業務執行の決定を行っているなど組合事業を営業者と共に経営していると認められる場合には，営業者から受ける利益の分配は，当該営業者の事業の内容に従って事業所得またはその他の各種所得に所得分類されます。

営業者の営業の利益の有無にかかわらず，一定額または一定割合により分配を受けるものは貸付金利子として事業所得または雑所得として取り扱われます。

雑所得として取り扱われる匿名組合に基づく利益の分配は，所得税法上，総合課税されますが，所得税額を計算するにあたっては，匿名組合に基づく利益の分配に源泉税が課される場合における当該源泉税額は所得税額から控除することができます。

なお，国税庁がホームページで公表する「平成17年度税制改正及び有限責任事業組合契約に関する法律の施行に伴う任意組合等の組合事業に係る利益等の課税の取扱いについて（情報）」（個人課税課情報　第2号　平成18年1月27日）（以下「組合通達解説」）によれば，匿名組合事業の損益計算上利益が生じた場合，現実に利益の分配がなされておらず，当該組合に留保することとされている場合であっても，匿名組合員は利益配当請求権による利益の分配を請求することができ，「収入すべき金額」は確定していることから，当該金額は匿名組合員たる個人の収入金額に算入されます。また，匿名組合事業に損失が生じた場合は，各計算期間に損失の負担を求めず，匿名組合契約の終了時に損失分担義務を負うこととしている場合，当該損失は各計算期間においていまだ確定していないことから，当該計算期間の各種所得の計算上匿名組合員たる個人の必要経費に算入することはできない，とされています。したがって，翌営業年度以降に当該匿名組合事業に利益が生じた場合については，出資の欠損額をてん補した後に分配を受ける利益が，各種所得の金額の計算上総収入金額に算入されることになります。

④　投資家が外国法人または非居住者の場合

投資家が外国法人または非居住者の場合，投資家の人数にかかわらず，利益の分配につき20％の源泉所得税が課されます。投資家が日本に恒久的施設を有さない場合，源泉徴収で課税関係は終了します。租税条約の影響については後述を参照してください。

匿名組合の利益の分配についての投資家の課税関係	
投資家	
日本の居住者	・20％の源泉所得税あり ・原則雑所得。ただし，匿名組合員が組合事業を営業者と共に経営していると認められる場合には，営業者の営業の内容に従い事業所得またはその他の各種所得に分類（出資額に対して一定割合の分配を受け取るものは貸金の利子として事業所得または雑所得）
内国法人	・20％の源泉所得税あり ・法人税の計算上，損益算入
外国法人 非居住者 （PEなし）	・20％の源泉所得税で課税関係終了

（注）上記に加え，復興特別所得税（所得税の額×2.1％）が課されます。

（3）　出資持分の譲渡

日本の居住者または内国法人が匿名組合に対する出資持分を譲渡した場合または日本に恒久的施設を有する非居住者または外国法人が出資持分を譲渡した場合には，源泉税は課されませんが，譲渡益に対し個人であれば所得税，法人であれば法人税が課されます。

匿名組合の組合員たる個人の投資家がその出資持分を第三者に譲渡した場合は，匿名組合出資持分が営業者に対する一種の債権として取り扱えば，譲渡価額と取得価額の差額は，当該債権の譲渡所得として総合課税の対象になるものと考えられます。

日本に恒久的施設を有しない非居住者または外国法人が匿名組合に対する出

資持分を譲渡した場合，出資持分を一種の債権として取り扱えばその譲渡所得は所得税または法人税の課税対象となる国内源泉所得に該当しないため，源泉税を含む所得税および法人税は課されないことになります。

（４）　匿名組合契約解約時の取扱い

匿名組合契約解約時の取扱いについて税法上，明文の規定はありません。法人投資家の場合，出資額と解約時に支払われる金額との差額は益金または損金として取り扱われます。個人投資家の場合，解約時に支払われる金額と出資額の差額が，原則として雑所得として認識されることになると考えられます。

（５）　租税条約の適用

匿名組合員に対する日本の税務上の一般的な取扱いは上述のとおりですが，匿名組合員が日本に恒久的施設を有しない非居住者または外国法人で，所得に対する租税に関して日本と匿名組合員の居住地国との間で租税条約が結ばれている場合，当該非居住者または外国法人の所得に対しては，日本の税法に優先して租税条約の規定が適用されます。

租税条約においては，所得の種類ごとに各条項においてその課税関係を規定しその条項の規定に従って課税関係が定まります。分類された所得ごとに，それぞれ租税条約の規定が適用されますが，租税条約に明示された所得のいずれにも該当しない所得（その他の所得）については，いわゆる「その他所得」条項を設け租税条約上の取扱いを定めている場合と，その他の所得について何も規定を設けていない場合があります。

租税条約の内容は，租税条約ごとにそれぞれ異なっており，個別に判断する必要がありますが，租税条約における匿名組合からの利益の分配の取扱いは，概ね以下のように分類することができます。

①　居住地国においてのみ課税するとされる場合

日韓租税条約では，匿名組合から受ける利益の分配額について特に規定を設けていません。一般的には，租税条約に規定のない「その他所得」にあたると解されており，第23条で「その他所得」は居住地においてのみ課税されると規定されています。匿名組合員が韓国の居住者または韓国法人の場合，匿名組合から受け取る利益の分配額に対して，日本で課税関係が生じることはありません。

なお，この場合，租税条約の適用を受けるための届出書を提出する必要があります。

オランダ，スイスとの租税条約においても，従前は匿名組合契約に係る所得については日本で課税されていませんでしたが，2011年に租税条約の改定が行われ，新租税条約のもとでは匿名組合契約に係る所得について日本で課税されます。

②　源泉地国の国内法の規定により課税することができるとする場合

日加（カナダ）租税条約では，匿名組合から受ける利益の配当について，租税条約上直接該当する規定はありませんが，日加租税条約の第20条「その他所得」条項にあたると解されます。日加租税条約第20条3では，次のように記載されています。

> **日加租税条約第20条**
>
> 1および2の規定にかかわらず，一方の締約国の居住者の所得のうち他方の締約国内において生ずるものであって，前各条に規定のないものに対しては，当該他方の締約国において租税を課することができる。

すなわち，日加租税条約では，匿名組合員の利益の分配額は，源泉地国たる日本の税法に従い課税することができることになります。同様の租税条約を締結している国に，シンガポール，スウェーデン等があります。

日米租税条約では，いわゆる「その他条項」が設けられていますが，議定書において匿名組合契約に係る利益の分配については日本の課税権が留保されています。したがって，外国法人や非居住者に対する匿名組合の利益の分配については日本の税法に従い，源泉所得税（20%）が課されることになります。一方，議定書において，匿名組合は米国において日本の居住者ではないものとして取り扱い，かつ，当該仕組みに従って取得される所得を当該仕組みの参加者によって取得されないものとして取り扱うことができる，とされています。これに関する米国側解説において，営業者および投資家の双方が日本の居住者である匿名組合契約において資産を米国に投資運用する場合，日本の営業者においても投資家においても日米租税条約の適用を受けられないと解釈される旨が記載されています。したがって，匿名組合については日米租税条約の下では条約の恩典が受けられないことになると考えられます。

日英租税条約，日仏租税条約および日豪租税条約等日本が2004年以降締結した租税条約においても匿名組合条約に関連して匿名組合員が取得する所得は日本の法令に従って租税が課される旨が明記されています（日英租税条約第20条，日仏租税条約第20条のA，日豪租税条約第20条，日独租税条約議定書第4条(a)(iii)等)。

③　租税条約に規定がない場合

匿名組合契約に基づく利益の分配について，租税条約上該当する規定がなく，「その他所得」条項もない場合は，源泉地国および居住地国の国内法の規定に従って課税関係が決定されると一般的に解されています。

このような場合，日本に恒久的施設を有しない非居住者または外国法人に対する日本における匿名組合契約に基づく利益の分配額は，日本の税法に従い，20%の源泉所得税の課税対象となります。

④　BEPS防止措置実施条約（MLI）

2017年6月7日に「税源浸食及び利益移転を防止するための租税条約関連措置を実施するための多数国間条約」(Multilateral Convention to Implement Tax Treaty Related Measures to Prevent Base Erosion and Profit Shifting，以下「BEPS防止措置実施条約」または「MLI」）が日本を含む67カ国・地域により署名され，2018年7月1日より発効しました。日本については2019年1月1日に発効しています（詳細は第4章I外国投資法人　1.（6）参照)。

匿名組合契約に基づく利益の分配についてはMLIで特に言及があるものではありませんが，PEの規定や条約の適用に関する規定そのものが変更になることから，MLIで置き換えられた個別の条約内容に基づき，判定していく必要があります。

Ⅲ　投資事業有限責任組合

1　投資事業有限責任組合の概要

中小企業等投資事業有限責任組合契約に関する法律は，「中小企業等に対する投資事業を行うための組合契約であって，無限責任組合員と有限責任組合員との別を約するものに関する制度を確立することにより，円滑な資金供給を通じた中小企業等の自己資本の充実を促進し，その円滑な成長発展を図り，もって我が国の経済活力の向上に資すること」を目的として制定されました。2004年4月14日の法律改正により，①事業範囲を大企業や公開企業にまで拡充し，②融資や金銭債権，社債の取得などの機能が追加されました。これにともない，法律名称が「投資事業有限責任組合契約に関する法律」に改められました。

投資事業有限責任組合契約に関する法律は，組合業務を執行する無限責任組合員と出資の価額を限度として組合の債務を弁済する責任を負う有限責任組合員から構成されています。

投資事業有限責任組合契約に関する法律より必要とされる登記を行った後は，これをもって善意の第三者に対抗することができます。

民法上の任意組合の場合は一部の組合員が有限責任を負うことは当事者間では可能であるが善意の第三者に対抗することはできないとされていましたが，投資事業有限責任組合契約における有限責任組合員の有限責任については善意の第三者にも対抗できるとされている点が特徴です。

一方，投資事業有限責任組合契約は，各当事者が出資を行い，共同して事業の全部または一部を営むことを約することにより，その効力を生ずることとされています。投資事業有限責任組合契約の対象とされている事業は主として次の事業です。

（投資事業有限責任組合契約）
第３条　投資事業有限責任組合契約（以下「組合契約」という。）は，各当事者が出資を行い，共同で次に掲げる事業の全部又は一部を営むことを約することにより，その効力を生ずる。
一　株式会社の設立に際して発行する株式の取得及び保有並びに企業組合の設立に際しての持分の取得及び当該取得に係る持分の保有
二　株式会社の発行する株式若しくは新株予約権（新株予約権付社債に付されたものを除く。）又は企業組合の持分の取得及び保有
三　金融商品取引法（昭和23年法律第25号）第２条第１項各号（第９号及び第14号を除く。）に掲げる有価証券（同項第１号から第８号まで，第10号から第13号まで及び第15号から第21号までに掲げる有価証券に表示されるべき権利であって同条第２項の規定により有価証券とみなされるものを含む。）のうち社債その他の事業者の資金調達に資するものとして政令で定めるもの（以下「指定有価証券」という。）の取得及び保有
四　事業者に対する金銭債権の取得及び保有並びに事業者の所有する金銭債権の取得及び保有
五　事業者に対する金銭の新たな貸付け
六　事業者を相手方とする匿名組合契約（商法（明治32年法律第48号）第535条の匿名組合契約をいう。）の出資の持分又は信託の受益権の取得及び保有
七　事業者の所有する工業所有権又は著作権の取得及び保有（これらの権利に関して利用を許諾することを含む。）
八　前各号の規定により投資事業有限責任組合（次号を除き，以下「組合」という。）がその株式，持分，新株予約権，指定有価証券，金銭債権，工業所有権，著作権又は信託の受益権を保有している事業者に対して経営又は技術の指導を行う事業
九　投資事業有限責任組合若しくは民法（明治29年法律第89号）第667条第１項に規定する組合契約で投資事業を営むことを約するものによって成立する組合又は外国に所在するこれらの組合に類似する団体に対する出資

十　前各号の事業に付随する事業であって，政令で定めるもの
十一　外国法人の発行する株式，新株予約権若しくは指定有価証券若しくは外国法人の持分又はこれらに類似するものの取得及び保有であって政令で定めるところにより，前各号に掲げる事業の遂行を妨げない限度において行うもの
十二　組合契約の目的を達成するため，政令で定める方法により行う業務上の余裕金の運用
2　組合契約の契約書（以下「組合契約書」という。）には，次の事項を記載し，各組合員はこれに署名し，又は記名押印しなければならない。
一　組合の事業
二　組合の名称
三　組合の事務所の所在地
四　組合員の氏名又は名称及び住所並びに無限責任組合員と有限責任組合員との別
五　出資一口の金額
六　組合契約の効力が発生する年月日
七　組合の存続期間
3　組合に対してする通知又は催告は，組合の事務所の所在地又は無限責任組合員の住所にあててすれば足りる。

投資事業有限責任組合契約に関する法律では，民法の組合に関する規定が準用されており，組合財産の共有，委任規定，業務執行者の辞任または解任，組合員の業務および財産の状況の検査権，組合員の解散請求等の規定が準用されています。

投資事業有限責任組合に基づく権利等は金融商品取引法上，有価証券（みなし有価証券）として取り扱われています。

2　税務上の取扱い概要

投資事業有限責任組合は利益等の帰属，利益等の額の計算等，任意組合と同様に取り扱われることが法人税基本通達，所得税基本通達に明示されています。

平成10年10月21日付け法人税個別通達「中小企業等投資事業有限責任組合に係る税務上の取扱いについて」（以下「個別通達」）において，中小企業等投資事業有限責任組合に関する税務上の取扱いについて一定の取扱いが定められています。

当該通達は，中小企業庁計画部長から国税庁課税部長に対する一定の取扱いに係る照会に対して，国税庁が照会に記載されたとおりの取扱いで差し支えない旨を回答する内容となっています。

当該通達の確認内容は，以下の2点についてです。

- 中小企業等投資事業有限責任組合から受ける利益等の帰属の時期および額の計算について，民法上の任意組合と税務上，同様の取扱いを受けること
- 中小企業等投資事業有限責任組合における会計処理について

また，経済産業省大臣官房審議官からの事前照会「投資事業有限責任組合及び民法上の任意組合を通じた株式等への投資に係る所得税の取扱いについて」に対して，国税庁課税部長から回答が行われ，個人投資家が投資事業有限責任組合や任意組合を通じてベンチャー企業等に対する投資を行った場合の個人所得税の所得区分および諸経費の取扱いが明らかにされています（詳細については「Ⅰ任意組合　4任意組合員の税務上の取扱い」を参照）。

3　任意組合としての取扱い

投資事業有限責任組合は利益等の帰属，計算等の点において任意組合と同様

に取り扱われることが通達で明らかにされていますので，詳細の取扱いについては，基本的に任意組合にて記した内容と同様です。

個別通達において，中小企業等投資事業有限責任組合が税務上も民法上の任意組合と同様の取扱いが適用される根拠としては，

① 無限責任社員と有限責任社員から構成される

② 登記を対抗要件としている

といった特徴があるものの，「組合員の相互の信頼関係に基づき共有財産を運用しながら共同事業を行うという性格を有している」という特徴があることが，挙げられています。

4　非居住者・外国法人投資家の取扱い

（1）　外国投資家とPE課税

投資事業有限責任組合は民法上の任意組合と同様，組合員が共有財産を運用しながら共同事業を行うという性格（共同事業性）を有しています。また，投資事業有限責任組合契約に関する法律上，組合の事務所を定め，これを登記することが要請されています。

投資事業有限責任組合が日本国内に事務所等を有する場合，組合員の共同事業性の観点から，業務執行に関与しない有限責任組合員も含めて組合員全員が日本国内に共同事業を営む事務所を有するものとされます。したがって，投資事業有限責任組合に外国投資家が出資を行う場合，投資家自身は日本国内に恒久的施設（PE）を有さない場合であっても，組合投資を行うことにより日本国内にPEを有することとされ，投資事業有限責任組合事業の利益の分配に源泉徴収がなされた上，組合からの所得について申告をする必要があるとされていました。

平成21年度税制改正により，上記取扱いに見直しがなされ，以下の条件を満たす投資事業有限責任組合の外国投資家については投資事業有限責任組合に出

資しても一定の手続を経ることを条件に，PEを有するとはみなされないものとされました（以下「PE課税の特例措置」）。平成30年度税制改正により，2019年以降，外国投資家がPEを有するとみなされないのではなく，PE帰属所得（投資事業有限責任組合事業に係るPEに帰せられる一定の所得に限る）に対する所得税および法人税を非課税とする，と変更されています。なお，PE課税の特例措置の適用を受けられる外国投資家は，投資事業有限責任組合事業の利益の分配に源泉税は課されないことになります。

（i）　投資組合の有限責任組合員であること
（ii）　投資組合の業務を執行しないこと
（iii）　投資組合の組合財産に対する持分の割合が25％未満であること
（iv）　投資組合の無限責任組合員と特殊の関係のある者でないこと
（v）　国内に投資組合の事業以外の事業にかかる恒久的施設を有しないこと

（ii）に定める「業務執行」とは，当該組合契約に係る業務の執行，業務執行の決定，業務執行または業務執行の決定についての承認，同意その他これらに類する行為（以下「業務執行等についての承認等」）をいうとされています。他の組合（ファンド）を通じて投資事業有限責任組合に投資をしている場合において，当該ファンドの他の組合員が当該ファンドの業務の執行として投資事業有限責任組合の業務執行を行う場合は，たとえ判定対象の外国投資家自身は業務執行に関与しなかったとしても，「業務執行をしないこと」の要件は満たされないことになります。

この要件の明確化を図るため，2009年7月に経済産業省が国税庁の確認を受けた上でQ&Aを公表しています（巻末資料参照）。Q&Aでは「業務執行等」を（イ）業務執行とは関係のない行為，（ロ）業務執行に関係するが業務執行ではない行為，（ハ）　業務執行そのもの，の3類型に分け，税務上業務執行として取り扱われる行為に該当するかどうかを解説しています。Q&Aでは，ガイドライン等で一定額以上の投資や無限責任組合員（GP）の利益相反取引について有限責任組合員（LP）の承認を要することとされている場合における当該LPの承認も税法上の「業務執行等の承認等」に該当することが示されています。

<table>
<tr><th colspan="3">Q&Aに解説されている業務執行等に該当する行為と該当しない行為</th></tr>
<tr><th colspan="2"></th><th>税法上の業務執行等に該当するか否か</th><th>行為の例示</th></tr>
<tr><td colspan="2">1　業務執行とは関係のない行為</td><td>該当しない</td><td>投資組合の基礎に係る権利や，監督権，自身の利益確保のための権利に基づくLPの行為</td></tr>
<tr><td rowspan="5">2　業務執行に関係するが業務執行ではない行為</td><td>①　GP（無限責任組合員）の権限内行為の承認等</td><td>該当</td><td>GPの業務執行権限の範囲内の投資案件について，GPの業務執行の前提としてLPの承認等が必要とされる場合における当該承認等</td></tr>
<tr><td>②　GPの権限外行為の承認等</td><td>該当</td><td>GPの権限外の投資業務の執行に対してLPの承認等が必要とされる場合における当該承認等（例：投資ガイドライン等で一定額以上の投資についてLPの承認が必要と定められている場合における当該LPの承認等）</td></tr>
<tr><td rowspan="2">③　利益相反取引の承認等</td><td>該当</td><td>GPがその投資組合の業務執行権限者として行う利益相反取引に対してLPの承認等が必要とされる場合における当該承認等</td></tr>
<tr><td>該当しない</td><td>LPがGPの利益相反取引について事前に説明・報告を受けることや，これに対して助言や異議の申し立てをすること（実質的に承認等と変わらない場合を除く）</td></tr>
<tr><td>④　GPの業務執行権限の範囲の変更についての承認等</td><td>該当</td><td>GPの業務執行権限の範囲の変更についてLPが承認等することが実質的にはGPの業務執行等についての承認等であると考えられる場合におけるLPの承認等</td></tr>
</table>

	該当しない	投資可能限度額や投資可能資産の変更など，個別の投資判断を離れて事前に行われるGPの業務執行権限の範囲の変更についてLPが行う承認等
⑤　投資業務に対する助言	該当	実質的にGPの業務執行に対して拘束力を持ち，承認等と変わらない助言
	該当しない	GPの業務執行に対する拘束力を持たない助言
3　業務執行そのもの	該当	投資先との交渉，投資先の決定，売却など，業務執行そのものに該当する行為

（注）なお，投資組合においてLPがGPの業務執行等に対して助言等を行う機関であるアドバイザリーボードが存在する場合については，アドバイザリーボードがその権限に基づいて行う行為は，上記の分類で税法上の業務執行とみなされない限り，税法上の業務執行に該当しないものとされています。

平成22年度税制改正により，以下の行為についての承認等については，税法上の「業務執行の承認等」に該当しないこととされました。

・　業務執行者（法人の場合は，その役員および使用人を含む）との間において取引を行うことを内容とした組合財産の運用を行うこと。
・　業務執行者が金融商品取引法第42条第1項に規定する権利者のため運用を行う金銭その他の財産との間において取引を行うことを内容とした組合財産の運用を行うこと。

それまでは，いわゆるGPが行う利益相反行為に関しLPの承認等を必要とする場合も「業務執行の承認等」に該当するとされていましたが，上記改正により，GPが組合財産の運用として自己取引，または自己が運用者となっている他のファンド等と取引を行うに際し，LPの承認等を必要とする場合のLPの承認等については，税法上の「業務執行の承認等」に該当しないこととされました。

(iii)に定める「投資組合の組合財産に対する持分割合」は，以下のうちいずれか高い割合をいい，①または②の割合のいずれか一方でも25％以上である場合には，PE課税の特例措置は適用されないことになります。

①　外国組合員に係る特殊関係組合員の持分の割合を合計した割合

②　外国組合員に係る特殊関係組合員の損益分配割合を合計した割合

上記でいう「特殊関係組合員」には，当該外国組合員と「特殊の関係にある者」が含まれます。「特殊の関係にある者」とは，当該外国投資家の親族や役員の他，50％超の資本関係等により直接および間接に支配する関係にある者などの関係にある者（以下「特殊の関係にある者」）をいいます。なお，令和3年度税制改正前は，外国組合員が締結している組合契約に係る組合財産として投資組合財産に対する持分を有する者，すなわち他の組合（ファンド）を通じて投資事業有限責任組合に投資を行う場合のファンドの他の組合員も特殊関係組合員に含まれ，保有割合は当該ファンドレベルで判定されていました。

令和3年度税制改正により，上記の要件が緩和され，外国組合員が他の組合（ファンド）を通じて投資事業有限責任組合に投資をする場合に対する持分割合の要件については，以下の要件を満たす場合，当該ファンドの他の組合員（当該外国組合員と特殊の関係のある者（以下，「外国組合員等」）を除く）の持分割合を除外して判定することとされました。

①　当該ファンドに対する当該外国組合員等（当該ファンドの組合契約を直接に締結している組合に係る組合契約に係る組合財産に対する当該外国組合員等の持分割合が25％以上である等の場合には，当該組合契約に係る組合財産に対する持分を有する者（当該外国組合員等を除く）を含む。）の持分割合の合計が25％未満であること。

②　ファンドの組合契約に基づいて行う業務に係る業務の執行として当該特例適用投資組合契約に基づいて行う事業に係る重要な業務の執行に関する行為*を行わないこと。

*重要な業務の執行に関する行為は，当該投資組合事業に係る重要な財産の処分もしくは譲受け又は当該投資組合事業に係る多額の財産に関するものに限る（一定の承認・同意等を除く），とされています。

上記(iv)において「投資組合の無限責任組合員と特殊の関係のある者でないこと」がPE課税の特例措置の要件の一つとされていますので，例えば無限責任組合員の親会社である外国法人が投資事業有限責任組合に有限責任組合員として投資を行った場合には，当該親会社はPE課税の特例措置を受けられないことになります。

上記（ｉ）から（ｖ）までの要件を満たす外国組合員がPE課税の特例措置の適用を受けるにあたっては，適用を受けようとする旨，氏名または名称および住所その他財務省令で定める事項を記載した書類（以下「特例適用申告書」）等を投資組合契約に係る投資組合契約の利益の配分の取扱いをする者（通常は無限責任組合員）を経由して所轄税務署長に提出する必要があります。また，特例適用申告書の記載内容に変更がある場合には，変更申告書の提出も求められています。特例適用申告書等は５年ごとに提出が必要です。

PE課税の特例措置は，当該特例適用申告書の提出をした後の期間について適用があるものとされています。PE課税の特例措置の適用にあたって必要とされる書類には，投資事業有限責任組合等の契約書（外国語で記載されている場合には翻訳を含む）のほか，官公庁が発行する住所等を証する書類などがあり，多岐にわたる書類を速やかに整えられるよう，投資家に対して注意喚起する必要があります。また，PE課税の特例措置は，投資組合契約の締結の日から継続して上記に掲げる要件を満たしている場合に限り，その提出日以後の期間についてのみ適用がなされますので，外国投資家が要件を満たさない事態が生じた場合は，その後は特例措置の適用が受けられないことに留意が必要です。

（２）　外国投資家と株式譲渡益課税

日本国内にPEを有さない外国投資家が日本の会社が発行する株式を譲渡した場合，原則として課税はありませんが，いわゆる事業譲渡類似株式の譲渡益および不動産化体株式の譲渡益については，申告課税がなされることとされています（外国法人投資家の場合は法人税25.59％，外国個人投資家の場合には所得税15％。この他，復興税あり）。

事業譲渡類似株式の譲渡益課税は外国投資家と他の特殊関係株主等が対象会社の発行済株式総数の25％以上を保有していた場合に，不動産化体株式の譲渡益課税は外国投資家と特殊関係株主等が対象会社の発行済株式総数の5％超

（対象会社が非上場会社である場合には2％超）を保有していた場合に課税される可能性があります。この保有割合の判定において，外国投資家が組合を通じて対象会社株式を保有する場合には当該組合の他の組合員も特殊関係株主等として取り扱われ，保有割合が組合単位で判定されるものとされています（詳細は第1章　I特定目的会社2（2）③参照)。投資事業有限責任組合に投資を行う外国投資家のうち上記(1)のPE課税の特例措置を満たした外国投資家であっても，投資事業有限責任組合で対象会社の株式等の25％以上を保有する場合，当該株式等の一定割合以上の譲渡益に法人税または所得税課税がなされることになります。

平成21年度税制改正において，一定の要件（有限責任組合員であること，保有割合が25％未満であること等）を満たす外国投資家の事業譲渡類似株式の譲渡益課税については組合単位ではなく，投資家単位で保有割合が算定されるという特例措置が設けられました（以下「事業譲渡類似株式の譲渡益課税の特例」)。

投資事業有限責任組合に投資を行う外国投資家のうち上記(1)のPE課税の特例措置を満たす外国投資家については，PE帰属所得（投資事業有限責任組合事業に係るPEに帰せられる一定の所得に限る）に対する所得税および法人税が非課税とされ，さらに，以下の条件を満たす場合において，事業譲渡類似株式の譲渡益課税の保有割合の判定が投資家単位で判定されます。

- 譲渡事業年度終了の日以前3年内のいずれの時においても，外国投資家および特殊関係株主等が，対象法人の発行済株式または出資の総数または総額の25％以上を所有していなかったこと（本判定において，投資事業有限責任組合およびこれに類する一定の外国のパートナーシップの他の組合員は除かれる）

したがって，投資事業有限責任組合への出資についてPE課税の特例を受けることのできる外国投資家は，他に対象株式への投資を行っていない限り，当該投資事業有限責任組合全体では対象株式を25％以上保有していたとしても，外国投資家自身の保有割合が25％未満であれば投資事業有限責任組合を通じた株式譲渡益に法人税や所得税の申告課税が必要とされないことになります。

外国投資家が事業譲渡類似株式の譲渡益課税の特例の適用を受けるには，本適用を受けようとする旨，氏名または名称および住所その他一定の事項を記載した書類等を納税地の所轄税務署長に提出する必要があります。

なお，不動産化体株式の譲渡益課税について特例措置の適用はありません。また，投資組合財産として取得した日の翌日から1年未満の株式または出資の譲渡，および預金保険機構から投資組合財産として取得する特別危機管理銀行の株式の譲渡に対象株式の譲渡が該当する場合にも，特例措置の適用はありません。これらの株式譲渡益課税の判定にあたっては原則どおり，組合単位で保有割合が判定されます。

5　組合計算書の提出

投資事業有限責任組合の業務を執行する無限責任組合員は，各組合員別に，一定の事項を記載した計算書を，組合の計算期間の終了の日の属する年の翌年1月31日または計算期間の終了の日の翌日から2月を経過する日とのいずれか遅い日までに，その組合の主たる事務所の所在地の所轄税務署長に提出しなければなりません。

計算書の書式については，有限責任事業組合の項（(2)　組合計算書の提出）を参照してください。なお，PE課税の特例（上記4（1））の適用を受ける外国組合員について無限責任組合員が提出する計算書には，組合員が特例適用申告書を提出している旨，その提出年月日等も記載することとされています。

6　投資事業有限責任組合における会計処理について

個別通達において，中小企業等投資事業有限責任組合の有限責任組合員は出資の額を超えて責任を負わないことが善意の第三者にも対抗できることとなっているため，出資金がマイナスの場合に組合が収益をあげたときを例としてそれぞれの組合員の認識方法ついての確認がなされています。

（1） 利益の額

分配割合に応じた会計処理を行うものとされており，一般の任意組合同様，通達により認められる総額法，中間法，純額法のいずれかにより処理することとなります。

（2） 出資総額を超える損失の処理

損失にかかる分担金額については利益および損失を各組合員が負担する手法とは異なる手法が当該通達内に定められています。

なお，考え方として組合財産は組合員全員の共有であることを理由として，収益をふまえて組合全体の貸借対照表を考えたあと，それぞれの組合員（GP, LP）に取り込むという手法が記載されている点が任意組合等における取扱いを考える上で参考になります。

（ア） 中小企業等投資事業有限責任組合について「純額法」で経理する場合	
有限責任組合員	出資の額を限度として損失を計上 持分相当額が減少しているときは，当該金額を限度とする。
無限責任組合員	組合の損失のうち有限責任組合員が負担した額を控除した金額

（イ） 中小企業等投資事業有限責任組合について「中間法」で経理する場合	
有限責任組合員	組合の収入および原価，費用 $\times \dfrac{\text{負担損失金額}}{\text{組合の損失総額}}$
無限責任組合員	組合の収入および原価，費用のうち有限責任組合員が計上した額を控除した額

(ウ)　中小企業等投資事業有限責任組合について「総額法」で経理する場合	
有限責任組合員	組合の収入，支出金額 $\times \frac{\text{負担損失金額}}{\text{組合の損失総額}}$
	組合の負債金金額 $\times \frac{\text{負担損失金額} - \text{出資額を超える損失額}}{\text{組合の損失総額}}$
無限責任組合員	組合の収入，支出金額，資産，負債のうち有限責任組合員が計上した金額を控除した金額

7　国際金融センターに係る税制措置（令和3年度税制改正措置等）

令和3年度税制改正大綱において，日本の国際金融センターとしての地位の確立に向けて，海外から事業者や人材，資金を呼び込む観点から講じられる税制上の措置の一つとして，運用成果を反映する持分の課税関係の整理が図られることが記されました。すなわち，ファンドマネージャーが，出資持分を有するファンド（株式譲渡等を事業内容とする組合）からその出資割合を超えて受け取る組合利益の分配（キャリード・インタレスト）について，分配割合が経済的合理性を有するなど一定の場合には，役務提供の対価として総合課税の対象となるのではなく，株式譲渡益等として分離課税の対象となることの明確化が行われると記載されていました。

これを受けて，2021年4月1日に金融庁が国税庁に照会し，構成員課税の対象となるキャリード・インタレストの判定基準と構成員課税のための要件を具備した一般的な事例を記した「キャリード・インタレストの税務上の取扱いについて」を公表しました（以下「キャリーガイドライン」)。また，金融庁からキャリード・インタレストに関して内容を満たしている旨を確認するためのチェックシートや計算書が公表されており，これを確定申告書に添付することに留意すべきとされています。キャリーガイドラインでは，キャリード・インタレストに対する原則的な考え方の整理として，ファンドマネージャーがファンド（株式譲渡等を事業内容とする組合）からその出資割合を超えて組合利益の分配をキャリード・インタレストとして受け取る場合に，所得税法上構成員課税を受けることになるには，その分配割合の経済合理性が要件となるとしています。経済合理性については，個々の組合契約について具体的に検討する必要があるものの，例えば，次の要件に該当する場合には，一般的には，経済的合理性を有しているものと考えられるとされています。

（１）　組合契約について

・各種法令に基づいていること

・金銭等の財産を出資していること

（２）　利益の分配について

・利益の分配や配分を規定する組合契約条項に定められていること

（３）　経済合理性について

・分配条件が恣意的でないこと

・一般的な商慣行に基づいていること

・組合事業に貢献していること

個人であるファンドマネージャーが受領するキャリード・インタレストの課税については，これまでも議論がされてきましたが，今般，金融庁から国税庁の確認を得たうえでガイドラインが出されたことから，上記ガイドラインに基づき経済合理性を有するといえる場合には構成員課税の対象となる，すなわち組合の所得が株式等の譲渡所得で構成されている等一定の場合には株式等の譲渡益課税の対象となることが明らかになりました。

このほかに，国際金融都市に向けた税制措置として，非上場の資産運用会社の役員への業績連動給与の損金算入措置の緩和や高度外国人材の国外資産にかかる相続税の免除などが設けられています。

●　資産運用会社の業績連動役員報酬の損金算入要件の緩和

これまで業績連動役員報酬の損金算入のためには，業績連動指標や算定方法が有価証券報告書等に記載し開示されること等が要件とされており，実質上，非上場会社には適用ができませんでした。令和3年度税制改正により，2021年4月1日から2026年3月31日までの間に開始する事業年度について非同族会社である一定の資産運用会社については，業績連動役員報酬の算定方法や算定根拠となる業績等を事業報告書に記載し金融庁ホームページ等に公表すること等を要件として，損金算入が可能となりました。

●　ファンドマネージャー等の相続税，贈与税の特例

日本に就労のために来日して居住する一定の外国人に係る相続税や贈与税（以下，「相続税等」）については，その居住期間にかかわらず，国外に居住する外国人や日本に短期的に滞在する外国人が相続人等として取得する国外財産を相続税等の課税対象としないこととされました。

上記に加えて，外国組合員のPE所得免税措置の判定についても緩和されています。すなわち，ファンドオブファンズ形式で日本にGPが存する組合に投資する場合においても，一定の場合，ファンド単位ではなく組合員単位でPE所得免税措置の判定が可能とされました（詳細は第3章Ⅲ投資事業有限責任組合4(1)を参照）。

Ⅳ　有限責任事業組合

1　有限責任事業組合の概要

民法組合の特例法である有限責任事業組合契約に関する法律に基づく有限責任事業組合は出資者の全員が有限責任とされる組合です。有限責任事業組合は，ベンチャー企業同士の共同研究開発やITといった分野における専門人材の共同事業などで活用が考えられます。

2　有限責任事業組合契約に関する法律における取扱い

有限責任事業組合契約に関する法律は，2005年5月に成立し，2005年8月に施行されました。有限責任事業組合（以下，「LLP」）は，以下の特徴を備えています（「有限責任事業組合契約に関する法律について」経済産業省平成17年6月，参考）。

（1）　出資者全員に有限責任制を付与

①　有限責任制の導入

LLPの出資者は出資額の範囲までしか責任を負いません。

②　債権者保護規定の整備

有限責任制の導入に伴い，債権者保護の観点から，有限責任事業組合契約の登記，財務データの開示，債務超過時の利益分配の禁止等の定めがあります。

(2)　内部自治の徹底

①　柔軟な損益や権限の配分

出資者の間の損益の分配や権限の配分は，総組合員の同意により出資比率と異なる配分を行うことができます。別段の定めがない場合は出資価額に応じて定められます。

②　内部組織の柔軟性

LLPの経営者（業務執行者）に対する監視の在り方は，出資者の間で柔軟に決めることができます。

(3)　共同事業性の確保

経営（業務執行）への全員参加

LLPの意思決定は，原則，出資者全員で行い，出資者全員が経営（業務執行）に参加します。

このように，LLPは共同事業性が確保されており，原則として組合員全員が業務執行に参加する必要があります。また，組合財産の共有に係る規定等，民法組合の規定が準用されています。

3　税務上の取扱い概要

LLPは民法組合と同様，LLP自体に法人税が課税されることはなく，各組合員がそれぞれ組合事業の納税主体として，組合の損益は各組合員に帰属することになります。利益等の帰属，利益等の額の計算，非居住者に対する組合利益の分配に係る源泉税等，民法組合と同様の取扱いになることが所得税および法人税基本通達に明示されています。

有限責任事業組合については，税法上，任意組合とは別に下記の規定が設けられています。

（１）　損失取込制限規定

①　個人組合員

LLP の組合員である個人が，組合事業から生ずる不動産所得，事業所得または山林所得を有する場合において，組合事業によるこれらの所得の損失額のうち当該組合員の出資の価額を基礎として計算した金額（調整出資等金額）を超える部分の金額は，その年分の不動産所得，事業所得または山林所得の金額の計算上，必要経費に算入されません。

この場合において，一つの組合事業による事業所得等の損失額は，組合事業から生ずる不動産所得，事業所得または山林所得の個々の所得区分ごとに判定するのではなく，同じ組合事業から生ずるこれらの所得の総収入金額および必要経費をすべて合計したところで損失額が生ずるかどうかを判定することとされています。

また，個人が複数の組合契約を締結している場合は，組合事業による事業所得等の損失額および調整出資等金額は，各組合契約にかかる組合事業ごとに計算するものとされています。

調整出資等金額とは，組合事業に係る次の(イ)および(ロ)の合計額から(ハ)の金額を減算した金額をいいます。

（イ）　出資の価額の合計額
その年に計算期間の終了の日が到来する計算期間の終了の時までに組合契約に基づいて有限責任事業組合に関する法律第 11 条の規定により出資をした金銭その他の財産の価額で組合の会計帳簿に記載された出資の価額の合計額

（ロ）　各種所得金額の合計額
その年の前年に計算期間の終了の日が到来する計算期間以前の各計算期間において当該個人の当該組合事業から生ずる各種所得にかかる収入金額とすべき金額または総収入金額に算入すべき金額の合計額から次の（ａ）から（ｄ）までに掲げる金額の合計額を控除した金額

（ａ）当該個人の組合事業から生ずる配当所得：収入金額から控除される負債利子の合計額
（ｂ）当該個人の組合事業から生ずる不動産所得，事業所得，山林所得または雑所得：総収入金額から控除される必要経費の額
（ｃ）当該個人の組合事業から生ずる譲渡所得：総収入金額から控除される資産の取得費および資産の譲渡に要した費用の額の合計額
（ｄ）当該個人の組合事業から生ずる一時所得：総収入金額から控除される支出した金額の合計額

（ハ）その年に計算期間の終了の日が到来する計算期間の終了の時までに当該個人が交付を受けた金銭その他の資産にかかる有限責任事業組合契約に関する法律第35条第１項に規定する分配額のうち当該個人がその交付を受けた部分に相当する金額の合計額

なお，上記の「出資をした金銭の額及び金銭以外の資産の価額」とは，当該出資を約しただけでは足りず，実際に出資が履行された「金銭その他の財産」を意味するとされています。

組合員が税務上計上できる組合事業にかかる損失の額を組合員の出資額の範囲内に限ることとされた措置の趣旨からすれば，組合員が組合の債務を弁済する責任を負う出資の価額と税務上の調整出資等金額とが同額であることが望ましいですが，LLPの会計上の出資の価額の計算処理と税法上の調整出資金額の計算処理が全て同じではないため両者の金額は近似値になっても完全に一致するものではありません。

②　法人組合員

LLPの組合員である法人の組合事業による損失額（組合損失額）のうち当該組合員の出資の価額を基礎として計算した金額（調整出資等金額）を超える部分の金額（組合損失超過額）は，その事業年度の損金の額に算入されません。

調整出資等金額とは，組合事業に係る次の(イ)および(ロ)の合計額から(ハ)の金額を減算した金額をいいます。

（イ）　直近の組合損益計算期間終了の時までに有限責任事業組合契約に基づいて出資をした金銭の額および金銭以外の資産の調整価額（次に掲げる金額の合計額）の合計額（組合員持分担保債務は控除し，負債も併せて出資をしている場合にはその負債の額を減算した金額）
　（ａ）　金銭以外の資産の価額に他の組合員の合計持分割合を乗じて計算した金額
　（ｂ）　当該法人の出資直前の金銭以外の資産の帳簿価額に自己の持分割合を乗じて計算した金額

（ロ）　当該事業年度前の各事業年度または連結事業年度における利益積立金額または連結利益積立金額のうち組合事業に帰せられる金額の合計額

（ハ）　直近の組合損益計算期間終了の時までに組合財産の分配を受けた金銭の額および金銭以外の資産の調整価額（次に掲げる金額の合計額）の合計額（組合員持分担保債務払戻し金額は控除，負債も併せて分配を受けた場合にはその負債の額を減算した金額）
　（ａ）　金銭以外の資産の価額に分配の直前の他の組合員の合計持分割合を乗じて計算した金額
　（ｂ）　金銭以外の資産の当該法人における分配の直前の帳簿価額

過去の事業年度において上記により損金に算入されなかった金額（組合損失超過合計額）がある場合は，連続して確定申告書を提出していることを要件として，当該組合損失超過合計額のうち各事業年度の組合利益額に達するまでの金額は，当該事業年度の損金の額に算入されます。

なお，過年度の組合損失超過額のうち，組合損益計算期間において生じた組合利益額と相殺できなかった部分の金額についても，組合事業の終了，組合員の地位の譲渡等により組合員でなくなったときに損金算入されることになります。

③　任意組合に係る損失取込制限との違い等

有限責任事業組合契約においては，組合員全員に業務執行を行う義務が課されているなど組合事業への一定の関与が法制上確保されていること，組合債務の弁済の範囲が法的に限定されていること等をふまえ，次に記すような点で任意組合の損失取込制限とは異なる定めとなっています。

任意組合の損失取込制限との違い（個人組合員について）

・不動産所得を生ずべき任意組合等の事業に係る個人組合員（特定組合員に限る）の組合損失はないものとみなされるが，LLP については，LLP 事業から生ずる不動産所得上の損失は調整出資等金額まで認められることになる。

・任意組合の損金算入制限は特定組合員に限られるが，LLP の場合は，組合事業への実質的な関与度合にかかわらず，不動産所得，事業所得または山林所得の損失の金額のうち，調整出資等金額を超える部分の損失額は切り捨てられることとなる。

任意組合の損失取込制限との違い（法人組合員について）

・任意組合の課税の特例では，組合員が特定組合員に該当し，かつ，組合事業が実質的に欠損とならないことが明らかな場合は組合損失額の全額が損金に算入されないが，LLP においては調整出資等金額までの組合損失額の損金算入が認められる。

・任意組合の損金算入制限は特定組合員に限られるが，LLP の場合，組合事業への実質的な関与度合にかかわらず，法人組合員が損金算入できる組合損失額は，組合員の調整出資等金額が限度とされる。

なお，組合員の共同事業性の要件を満たさない LLP については，LLP 法上の契約は無効となり任意組合として扱われることから，任意組合と同様の損失取込制限に服することになると解釈されていますが，LLP と任意組合は損失取込制限以外には主だった税務上の差異はありません。

（2）　組合計算書の提出

LLPの会計帳簿を作成した組合員は，各組合員に生ずる利益の額または損失の額につき，当該各組合員別に，次に掲げる事項を記載した「有限責任事業組合に係る組合員所得に関する計算書」を，計算期間の終了の日の属する年の翌年1月31日または計算期間終了の日の翌日から2月を経過する日のいずれか遅い日までに，当該LLPの主たる事務所の所在地の税務署長に提出しなければなりません。「有限責任事業組合等に係る組合員所得に関する計算書」の書式は，別表第七（二）として定められています。

有限責任事業組合等に係る組合員所得に関する計算書の記載事項

① 組合員の氏名または名称，住所もしくは居所または本店もしくは主たる事務所の所在地および個人番号または法人番号

② 組合の名称，主たる事務所の所在地，有限責任事業組合の会計帳簿を作成した組合員または投資事業有限責任組合の業務を執行する無限責任組合員の氏名または名称および個人番号または法人番号

③ 組合の計算期間，事業の内容

④ 組合の計算期間の終了の時までに出資組合員が出資した金銭その他の財産の価額で組合の会計帳簿に記載された出資の価額の合計額に相当する金額その他出資に関する事項

⑤ 組合の計算期間において組合員が交付を受けた金銭その他の資産にかかる分配額または組合財産の価額のうち当該組合員がその交付を受けた部分に相当する金額および当該組合の計算期間の終了の時までに当該組合員がその交付を受けた部分に相当する金額の合計額

⑥ 損益分配の割合

⑦　組合の損益計算書に計上されている収益・費用の内訳ならびに当該収益・費用のうち当該組合員の収益・費用の額に相当する額
⑧　組合の計算期間終了の日における貸借対照表に計上されている資産・負債の内訳ならびに当該資産・負債のうち当該組合員の資産・負債の額に相当する額
⑨　組合員が届け出た納税管理人が明らかな場合は，その氏名および住所または居所
⑩　その他参考となるべき事項

なお，LLP組合員は上記の組合計算書に加え，LLP法上LLPの貸借対照表，損益計算書の各科目の組合員別内訳を記した会計帳簿の写しを交付されることになっているため，LLP組合員は利益等の額の計算にあたって総額方式によることが想定されます。

第4章　海外投資 Vehicle

ここでは，海外に設立された投資 Vehicle を使ったストラクチャーについて説明したいと思います。前章までで，類型的に会社型，信託型，組合型のストラクチャーを日本の法律に基づいた Vehicle について述べてきましたが，ここでは，海外に設立された Vehicle について類型的に説明された日本の投資 Vehicle との相違点を中心に述べていきたいと思います。

特に昨今，パートナーシップ等の取扱いについては従来より注目されるようになっており，その税務上の取扱いを検討することは投資ストラクチャーを構築する上で大変重要な点となっています。

I　外国投資法人

日本の税法上，内国法人は「国内に本店または主たる事務所を有する法人」とされ，外国法人は「内国法人以外の法人」と定義されていますが，いかなる事業体を「法人」として取り扱うかについての定義は税法にはありません。

したがって，法人の概念については民法や商法を初めとする法律上の概念に従うものと考えられます（詳細については，「Ⅲ パートナーシップ，リミテッド・ライアビリティー・カンパニー」参照）。

投資 Vehicle として設立国で課税を受けない Entity であっても，法人格を有していること等により，日本の税法上は外国法人として取り扱われるものがあります。例えば，ルクセンブルクやケイマンの会社型の投資法人などは，法人格を有した法人として設立されていることから，日本の税法上は外国法人として取り扱われることになると考えられます。

この他にも，設立国において「法人」として取り扱われる投資 Vehicle については，原則として日本の税法上も法人（外国法人）として取り扱われ，当該投資 Vehicle への投資家は，日本の税法上，外国法人の株式等を保有するものとして取り扱われることになります。

1　外国法人への課税

投資信託及び投資法人に関する法律に基づく日本の投資法人については，一定の要件の下に支払配当を損金算入できる特別の規定（租税特別措置法第67条の15）および受取利子等，配当等について源泉税が免除される規定（租税特別措置法第9条の4）がありますが，外国の投資法人については特別の規定は存在せず，法人税法および所得税法上，一般の外国法人と同様に取り扱われ，特別の減免規定は適用されないことになります。

外国法人の所得に対する一般的な課税は次のとおりです。外国法人に対する課税は，当該外国法人が日本国内に恒久的施設を有するか否かにより課税関係が異なります。例えば，「国内に自己のために契約を締結する権限のある者その他これに準ずる者」（代理人 PE）を有する場合には，日本国内に恒久的施設を有するものとみなされる点について留意する必要があります。ただし，代理人 PE の範囲から独立の地位を有する代理人等（独立代理人）は除かれます。

また，外国法人の株主のうちに日本の法人および個人が占める割合が高い場合は，CFC 税制（タックス・ヘイブン税制）により外国法人の所得は各投資家の所得に合算課税される可能性がある点にも注意が必要です。

（1）　外国法人の所得に対する法人税課税

内国法人は，国内，国外を問わず原則としてすべての所得に対し法人税が課されるのに対し，外国法人は一定の国内源泉所得についてのみ法人税の課税を受けます（法人税法第 141 条）。2016 年 4 月 1 日以降開始事業年度については（7）に記載の AOA の導入により，外国法人の法人税の課税標準は，以下の外国法人の区分に応じ，それぞれに定める国内源泉所得とされています。

1. 恒久的施設を有する外国法人
   - ①　恒久的施設を通じて事業を行う場合の当該恒久的施設に帰せられるべき所得（法人税法第 138 条第 1 項第 1 号）
   - ②　国内にある資産の運用または保有による所得（法人税法第 138 条第 1 項第 2 号）
   - ③　国内にある資産の譲渡により生ずる一定の所得（法人税法第 138 条第 1 項第 3 号）
   - ④　国内における人的役務の提供を主たる内容とする一定の事業を行う法人が受ける人的役務提供に係る対価（法人税法第 138 条第 1 項第 4 号）

⑤　国内にある不動産等の貸付けによる対価（法人税法第138条第1項第5号）

⑥　前各号に掲げるもののほかその源泉が国内にある所得として政令で定めるもの（法人税法第138条第1項第6号）

2. 恒久的施設を有しない外国法人

法人税法第138条第1項第2号から第6号までに掲げる国内源泉所得

すなわち外国法人は，恒久的施設の有無により区分され，それぞれの外国法人の区分ごとに課税所得の範囲が異なっています。

恒久的施設とは，事業を行う一定の場所とされています。具体的には，支店，事務所，工場，作業所，天然資源の採取場所，建設工事現場等が挙げられます。また，事業を行う一定の場所としての物理的施設がない場合であっても，一定の代理人を有することで，機能的に支店等を有する場合と同様の事業活動が行われる場合には，その代理人の存在をもって恒久的施設を有することになります。法人税法は，恒久的施設を以下のとおり三つに区分し，恒久的施設を有する外国法人および恒久的施設を有しない外国法人の課税標準の範囲を定めています。平成30年度税制改正前は，恒久的施設は以下のように定義されていました。

恒久的施設（旧法人税法第2条第12の19号）

①　国内にある支店，工場その他事業を行う一定の場所で政令で定めるもの

②　国内にある建設作業場（外国法人が国内において建設作業等（建設，据付け，組立て，その他の作業またはその作業の指揮監督の役務の提供を1年を超えて行われるものをいう）を行う場所をいい，当該建設作業等を含む）

③　国内に置く自己のために契約を締結する権限のある者その他これに準ずる者で政令で定めるもの

その後，平成30年度税制改正により，上記恒久的施設の定義は次のように変更されました（下線部が平成30年度税制改正により変更，追加）。

恒久的施設（法人税法第2条第12の19号）

次に掲げるものをいう。ただし，我が国が締結した所得に対する租税に関する二重課税の回避または脱税の防止のための条約において次に掲げるものと異なる定めがある場合には，その条約の適用を受ける外国法人については，その条約において恒久的施設と定められたもの（国内にあるものに限る）とする。

① 外国法人の国内にある支店，工場その他事業を行う一定の場所で政令で定めるもの（支店PE）

② 外国法人の国内にある建設若しくは据付けの工事又はこれらの指揮監督の役務の提供を行う場所その他これに準ずるものとして政令で定めるもの（建設PE）

③ 外国法人が国内に置く自己のために契約を締結する権限のある者その他これに準ずる者で政令で定めるもの（代理人PE）

上記③代理人PEについて，平成30年度税制改正後の政令では次のように定められています。

契約締結代理人

国内において外国法人に代わって，その事業に関し，反復して次に掲げる契約を締結し，又は当該外国法人によって重要な修正が行われることなく日常的に締結される次に掲げる契約の締結のために反復して主要な役割を果たす者（なお，その活動が当該外国法人の事業の遂行にとって準備的又は補助的な性格のもののみである場合における当該者は除く。以下「契約締結代理人等」）

イ） 当該外国法人の名において締結される契約

ロ） 当該外国法人が所有し，又は使用の権利を有する財産について，

> 所有権を移転し，又は使用の権利を与えるための契約
> ハ）　当該外国法人による役務の提供のための契約

また，独立代理人については契約締結代理人等には含まれないものとされていますが，独立代理人の範囲から，専らまたは主として一または二以上の自己と特殊の関係にある者に代わって行動する者は除かれることが明記されました。ここでいう特殊の関係とは，直接または間接の支配関係とされ，たとえば50%超の直接または間接の出資関係が示されています。

外国法人は，法人税の課税対象となる国内源泉所得が生じた場合には，法人税の申告をしなければなりません。他方，外国法人は一定の国内源泉所得に対して，所得税が源泉徴収されます（「（２）　外国法人の所得に対する所得税法上（源泉税）の取扱い」を参照）。

外国法人は，納付すべき法人税額を計算する際，源泉徴収された所得税を法人税額から税額控除することができます。

外国法人に法人税の課税対象とならない国内源泉所得が生じ，所得税が源泉徴収された場合，当該外国法人は法人税の申告をする必要はなく，所得税が源泉徴収されるのみで課税関係は完了します。

【外国法人に対する課税関係の概要】

区分 所得の種類			PEを有する外国法人 PE帰属所得	PEを有する外国法人 PEに帰属しない国内源泉所得	PEを有しない外国法人	源泉徴収
国内源泉所得	（事業所得）		①PEに帰せられるべき所得 【法人税】			無
	②国内にある資産の運用・保有 （下記(7)～(14)に該当するものを除く。）			【法人税】	【法人税】	無
	③国内にある資産の譲渡（右のものに限る。）	国内にある不動産の譲渡				無（注1）
		国内にある不動産の上に存する権利等の譲渡				
		国内にある山林の伐採又は譲渡				無
		買集めした内国法人株式の譲渡				
		事業譲渡類似株式の譲渡				
		不動産関連法人株式の譲渡				
		国内のゴルフ場の所有・経営に係る法人の株式の譲渡　等				
	④人的役務の提供事業の対価					20.42%
	⑤国内不動産の賃借料等					20.42%
	⑥その他の国内源泉所得					無
	(7)債券利子等			【源泉徴収のみ】	【源泉徴収のみ】	15.315%
	(8)配当等					20.42%
	(9)貸付金利子					20.42%
	(10)使用料等					20.42%
	(11)事業の広告宣伝のための賞金					20.42%
	(12)生命保険契約に基づく年金等					20.42%
	(13)定期積金の給付補塡金等					15.315%
	(14)匿名組合契約等に基づく利益の分配金					20.42%
国内源泉所得以外の所得			課税対象外			無

（注）1　土地の譲渡対価に対して10.21％の源泉徴収

2　(7)から(14)の国内源泉所得の区分は所得税法上のものであり，法人税法にはこれらの国内源泉所得の区分は設けられていません。

3　源泉徴収の欄の税率は，所得税と復興特別所得税を合わせた合計税率（＝所得税率×102.1％）により表記しています。

国税庁 HP「国際課税原則の帰属主義への見直しに係る改正のあらまし」より抜粋

(２)　外国法人の所得に対する所得税法上（源泉税）の取扱い

①　外国法人の所得に対する源泉徴収制度

所得税法は，納税者自らが自主的に申告して納付する「申告納税制度」と併せて，給与や利子，配当，報酬等の特定の所得については，その支払者である源泉徴収義務者がその所得を支払う際に所得税を徴収して納付する「源泉徴収制度」を採用しています。非居住者および外国法人に対して所得税法第161条第１号の４から第16号までに掲げる国内源泉所得の支払をする際には，原則として源泉税が課されます。

非居住者および外国法人に対する支払につき源泉徴収の対象となる一定の国内源泉所得とは，所得税法の条文を抜粋して要約すると，以下のとおりです（⑨は非居住者に対する支払のみです）。

①　民法組合契約（これに類する契約を含む）に基づいて恒久的施設を通じて行う事業から生ずる利益で当該組合契約に基づいて配分を受けるもののうち一定のもの

②　国内にある不動産等の譲渡による対価（政令で定めるものを除く）

③　国内において人的役務の提供を主たる内容とする事業で政令で定めるものを行う者が受ける当該人的役務の提供に係る対価

④　国内にある不動産等の貸付けによる対価

⑤　所得税法第23条第１項（利子所得）に規定する利子等のうち次に掲げるもの

イ　日本国の国債もしくは地方債または内国法人の発行する債券の利子

ロ　外国法人の発行する債券の利子のうち当該外国法人のPEを通じて行う事業に係るもの

ハ　国内にある営業所，事務所その他これらに準ずるもの（以下この編において「営業所」という）に預け入れられた預貯金の利子

ニ　国内にある営業所に信託された合同運用信託，公社債投資信託または公募公社債等運用投資信託の収益の分配

⑥　第24条第1項（配当所得）に規定する配当等のうち次に掲げるもの

イ　内国法人から受ける第24条第1項に規定する剰余金の配当，利益の配当，剰余金の分配，金銭の分配または基金利息

ロ　国内にある営業所に信託された投資信託（公社債投資信託および公募公社債等運用投資信託を除く）または特定受益証券発行信託の収益の分配

⑦　国内において業務を行う者に対する貸付金（これに準ずるものを含む）で当該業務に係るものの利子（政令で定める利子を除き，債券の買戻または売戻条件付売買取引として政令で定めるものから生ずる差益として政令で定めるものを含む）

⑧　国内において業務を行う者から受ける一定の使用料または対価で当該業務に係るもの

⑨　一定の給与，報酬または年金

⑩　国内において行う事業の広告宣伝のための賞金として政令で定めるもの

⑪　国内にある営業所または国内において契約の締結の代理をする者を通じて締結した生命保険契約，損害保険契約等に基づいて受ける年金

⑫　給付補填金，利息，利益または差益のうち一定のもの

⑬　国内において事業を行う者に対する出資につき，匿名組合契約（これに準ずる契約として政令で定めるものを含む）に基づいて受ける利益の分配

②　日本支店等を有する外国法人に対する源泉徴収免除の取扱い

日本に支店等のPEを有する外国法人に対する一定の国内源泉所得の支払の際の源泉徴収については，源泉税を免除する旨の例外規定が設けられています。

すなわち，外国法人に対して一定の国内源泉所得を支払うとき，その外国法人が納税地の所轄税務署長の証明書の交付を受け，その証明書を当該国内源泉所得の支払をする者に提示した場合は，その支払をする者は，その証明書が効力を有している間にその証明書を提示した者に対して支払う当該源泉所得については，源泉税を徴収する必要がありません。

この免除規定の適用が認められるのは，前述の源泉徴収すべき一定の国内源泉所得のうち，①，③，④，⑦，⑧，⑩，⑪です。

したがって，有価証券に係る利子や配当の支払についてこの免除規定の適用はありません。

なお，上記の免除規定は任意組合等の組合事業に係るPEに帰せられる所得のみを有する外国法人には適用されません。

（3）　PEの定義

上述のとおり，外国法人の日本の法人税に係る課税関係は，日本国内における恒久的施設（PE）の有無により異なります。平成30年度税制改正以後は，資産の保管などの特定の活動のみを行う場所についても，事業を行う一定の場所での活動の全体が準備的，補助的な活動に該当しない場合はPEの例外としない等，PEの範囲が拡大されましたが，条約に異なる定めがある場合には，その外国法人については条約の定めによる旨が規定されています。

①　支店PE

日本国内に支店，工場その他事業を行う一定の場所で政令で定めるもの（直接PE）を有する外国法人は，PEに帰属する所得および一定の国内源泉所得が法人税の課税対象とされます。

直接PEの定義は外国法人の国内にある支店，工場その他事業を行う一定の場所で政令で定めるもの等とされています。判定は機能的な側面を重視してなされるので国内において事業活動の拠点としている場合はホテルの一室等も含まれます。

外国投資家が民法上の任意組合等，組合員が共同財産を運用しながら共同事業を行うという法的性格を有する組合に出資する場合，当該組合が日本国内に事務所等を有すると組合員の共同事業性の観点から外国投資家も日本国内にPEを有するものとされています。

日本国内に事務所等を有する投資事業有限責任組合とこれに類する外国の

事業体に外国投資家が出資を行った場合において，一定の要件を満たし，所要の手続を経た場合には当該外国投資家は日本国内にPEを有さないものと平成30年度税制改正前はみなされていましたが，平成30年度税制改正後は，PEは有するものの，これに帰属する所得は非課税とされることになりました。なお，当該特例措置は任意組合や有限責任事業組合等には適用がありません（詳細は第3章　Ⅲ投資事業有限責任組合4（1））。

②　代理人PE

日本国内に自己のために契約を締結する権限のある者その他これに準ずる者で政令で定めるもの（代理人PE）を有する外国法人については，PEに帰属する所得および一定の国内源泉所得が法人税の課税対象とされます。

代理人PEとは，平成30年度税制改正前は

（a）　外国法人のために，その事業に関し，契約を締結する権限を有し，かつ，これを継続的にまたは反復して行使する者（従属代理人）

（b）　外国法人のために，顧客の通常の要求に応ずる程度の数量の資産を保管し，かつ，当該資産を顧客の要求に応じて引き渡す者（在庫保有代理人）

（c）　専らまたは主として一の外国法人のために，継続的にまたは反復してその事業に関し契約を締結するための注文の取得，協議その他の行為のうちの重要な部分をする者（注文取得代理人）

とされていました。

（a）に該当することになる代理人PEには，契約を締結する権限は与えられていないが，契約内容につき実質的に合意する権限を与えられている者が含まれます。

平成30年度税制改正後は，代理人PEの定義（上記（a）～（c））は従属代理人のみとされ，いわゆるコミッショネア契約等を通じたPE認定の人為的回避防止のため，次のように改められました。

国内において外国法人に代わって，その事業に関し，反復して次に掲げる契約を締結し，又は当該外国法人によって重要な修正が行われることなく日常的に締結される次に掲げる契約の締結のために反復して主要な役割を果たす者（なお，その活動が当該外国法人の事業の遂行にとって準備的又は補助的な性格のもののみである場合における当該者は除く，以下「契約締結代理人等」） ①　当該外国法人の名において締結される契約 ②　当該外国法人が所有し，又は使用の権利を有する財産について，所有権を移転し，又は使用の権利を与えるための契約 ③　当該外国法人による役務の提供のための契約

外国法人の課税関係を検討するにあたっては，支店や事業所の有無はもちろん，外国法人の従業員等が日本国内を訪れる場合は直接 PE を保有することがないか，外国法人がその業務の一部を日本にて活動する法人等に依頼する場合，当該日本で活動する法人が外国法人の代理人 PE とならないか，等の検討が必要です。

とりわけ，外国法人の投資先が日本の資産である場合にはこれらの点に注意を要します。

なお，代理人 PE の範囲から以下（４）に記す独立の地位を有する代理人等（独立代理人）は除かれています。

（４）　独立代理人

非居住者または外国法人は日本国内に恒久的施設を有するか否かによってその課税上の取扱いが異なります。非居住者または外国法人が日本国内に自己のために契約を締結する権限を有する代理人を有している場合において，当該代理人がその事業に係る業務を非居住者または外国法人に対して独立して行い，かつ，通常の方法により行う場合は，当該代理人は独立代理人として取り扱われ，当該非居住者または外国法人の代理人 PE には該当しません。

なお，2015年10月に公表されたBEPS行動7（PE認定の人為回避の防止）の最終報告書の提言を受けてOECDモデル租税条約，および同コンメンタリーが2017年に改訂されています。これにより，日本の国内法も平成30年度税制改正により，独立代理人の範囲から，専らまたは主として一または二以上の自己と特殊の関係にある者に代わって行動する者は除かれることが明記されました。ここでいう特殊の関係とは，直接または間接の支配関係を意味するものとされています。

独立代理人の要件の明確化を図るため，2008年6月27日付けで金融庁から，財務省および国税庁の確認を得た上で，"恒久的施設（PE）に係る「参考事例集」・「Q&A」"が公表されました（以下，それぞれ「参考事例集」「Q&A」)。参考事例集では，国外ファンド（組合形式または法人形式）と投資一任契約を締結し特定の投資活動を行う国内の投資運用業者に係る独立代理人の判定について，Q&Aではその実務上の取扱いについて記載されています。

参考事例集では，「独立代理人」を代理人の範囲から除外するという取扱いは，租税条約における同様の規定を勘案して導入されたものであり，国内法上の独立代理人の基本的な考え方はOECDモデル租税条約のコンメンタリーの考え方に沿ったものである旨が明らかにされています。その後，2017年のOECDモデル租税条約および同コンメンタリーの改訂，平成30年度税制改正を受けて，参考事例集も2019年4月1日に改正されています（さらに2020年7月22日に投資運用業者の範囲について改正)。

参考事例集では，組合契約により組成された国外ファンドの国外業務執行組合員が，当該国外ファンドの他の組合員である非居住者等のために国内の投資運用業者と投資一任契約を締結し（国外業務執行組合員が国外投資運用業者を介して間接的に国内の投資運用業者と投資一任契約を締結する場合を含む)，当該国内の投資運用業者が当該国外ファンドの組合員を代理して国内で特定の投資活動を行う場合，以下に記すいずれの事情もない場合には，独立代理人に該当するとされています。このうち，オ）の要件は2017年のOECDモデル租税条約と同コンメンタリー改訂および我が国の平成30年度税制改正をふまえて追加されたものです。

ア）国内の投資運用業者が投資一任契約において投資判断を一任されている部分が少なく，実質的に国外ファンドの組合員または国外投資運用業者が直接投資活動を行っていると認められる

イ）国内の投資運用業者の役員の２分の１以上が国外業務執行組合員または国外投資運用業者の役員または使用人を兼任している

ウ）国内の投資運用業者が国外ファンドまたは国外投資運用業者から投資一任を受けた運用資産の総額または運用利益に連動した（当事者の貢献を反映した適切な）報酬を収受していない

エ）国内の投資運用業者がその事業活動の全部または相当部分を国外ファンドまたは国外投資運用業者との取引に依存している場合において，当該国内の投資運用業者が事業活動の態様を根本的に変更することなく，また事業の経済的合理性を損なうことなしに，事業を多角化する能力若しくは他の顧客を獲得する能力を有していない（ただし，国内の投資運用業者が業務を開始した期間を除く）

オ）国外ファンドの組合員が国内の投資運用業者の特殊関係者に該当し，かつ，当該国内の投資運用業者が専らまたは主として当該国外ファンドの組合員に代わって行動している

上記の独立代理人の判定についての考え方は，外国の法令により設立された法人形態の国外ファンドが国内の投資運用業者と投資一任契約する場合にも，同様に適用されます。すなわち，国内の投資運用業者が法人型国外ファンドの関係において独立代理人となりうるかは上記ア～オの要件を満たすかどうかで検討することになる旨が記されています。

なお，2008年当時のOECDモデル条約コンメンタリ―に合わせ，2008年の参考事例集には，代理人が法的にも経済的にも本人である非居住者または外国法人から独立していること（①法的独立性，②経済的独立性），かつ，本人に代わって行動する際に，代理人の業務の通常の過程において行動すること（③通常業務性）が独立代理人として取扱われるために必要とされることが記載さ

れていました。

この記載は2017年のOECDモデル租税条約コンメンタリーの記載の変更を受けて削除されましたが，法的独立性，経済的独立性，通常業務性を有することが独立代理人として具体的に必要な要件である旨が法人税法基本通達20-1-8に引続き定められています。

従前，外国ファンドが日本国内の投資運用業者と投資一任契約を締結する場合，当該外国ファンドが日本国内に恒久的施設を有するとみなされ，国内源泉所得に該当する投資運用益に日本の課税がなされる可能性がありました。独立代理人規定の創設により，日本国内に投資運用業者がいる場合においても，その運用方法等が参考事例集に記された要件を満たす場合または独立代理人の一般的な概念に該当する場合には，投資運用業者は独立代理人として取り扱われ，外国ファンドの恒久的施設にはならないことが明らかにされています。

（5） PEがない外国法人に対して課される法人税の留意点

上記のとおり，以下の所得については日本国内にPEがない場合においても日本の法人税の申告をする必要があります。

① 国内にある資産の運用または保有による所得（法人税法第138条第1項第2号）
② 国内にある資産の譲渡により生ずる一定の所得（法人税法第138条第1項第3号）
③ 国内における人的役務の提供を主たる内容とする一定の事業を行う法人が受ける人的役務提供に係る対価（法人税法第138条第1項第4号）
④ 国内にある不動産等の貸付けによる対価（法人税法第138条第1項第5号）
⑤ 前各号に掲げるもののほかその源泉が国内にある所得として政令で定めるもの（法人税法第138条第1項第6号）

外国法人が日本への投資Vehicleである場合，上記のうち，特に以下の所得については，法人税の課税対象になることに留意が必要です。

①　事業譲渡類似株式等および不動産化体株式等の譲渡

日本に恒久的施設を有しない外国法人による内国法人の発行する株式その他出資者の持分（株式等）の譲渡には原則として日本の課税は行われません。しかしながら，以下の株式等の譲渡は法人税の課税対象とされています。

①　買い集めた同一銘柄の内国法人の株式等を売却することによる所得 ②　内国法人の特殊関係株主等*である外国法人が行うその内国法人の株式等の譲渡**による所得で次の要件を満たすもの イ）株式等の譲渡があった事業年度終了の日以前３年以内のいずれかのときに，特殊関係株主等がその内国法人の発行済株式または出資の総数または総額の25%以上を所有していたこと ロ）株式等の譲渡があった事業年度において，特殊関係株主等がその内国法人の発行済株式または出資の総数または総額の5%以上を譲渡したこと *　特殊関係株主等とは，内国法人の株主等，およびその株主等と一定の関係にある個人（例えば，その株主等の親族），その株主等が50%超の資本を有する会社，民法組合等の他の組合員などをいいます。 **資本の払戻し等を含みます。 ③　株式方式のゴルフ会員権の譲渡による所得 ④　不動産化体株式等の譲渡による所得

「株主となる権利，株式の割当てを受ける権利，新株予約権および新株予約権の割当てを受ける権利」は上記の「株式等」に含まれます。

上記②でいう内国法人の特殊関係株主等である外国法人が内国法人の株式等を一定の条件のもとで譲渡した場合，その譲渡所得に対して法人税が課されます。この外国法人による譲渡を事業譲渡類似株式等の譲渡といいますが，これは，当該特殊関係株主等による株式等の譲渡が実質的には事業を譲渡したのと同様と考えることができるためです。

非居住者，外国法人が国内にある不動産の割合が資産総額の50％以上である法人（不動産関連法人）が発行する一定の株式等を譲渡した場合の所得は申告納税の対象となる国内源泉所得となります（上記④，不動産化体株式等の譲渡益課税）。平成30年度税制改正により，不動産関連法人の判定は「譲渡に先立つ365日の期間のいずれかの時点」で行うことになりました。上場株式等については5％超，非上場株式等については2％超を特殊関係株主等が保有する場合，特殊関係株主等たる外国法人，非居住者の不動産化体株式等の譲渡による所得には法人税，所得税が課されます。特殊関係株主等の範囲には民法組合等の他の組合員が含まれます。

なお，事業譲渡類似株式等の譲渡益課税の判定にあたって，一定の要件を満たす投資事業有限責任組合およびこれに類する外国の事業体の外国投資家については組合の他の組合員を含まず投資家単位で保有割合を算定することができます。

②　資産の運用または保有により生ずる所得

次に掲げる資産の運用または保有により生ずる所得は，PEのない外国法人も法人税の申告が必要となる資産の運用または保有により生ずる所得に該当します。

①　日本国債，地方債，内国法人の発行する債券または金融商品取引法第2条第1項第15号に掲げる約束手形

②　居住者に対する貸付金で居住者の行う業務に係るもの以外のもの

③　国内にある営業所等または国内において契約の締結の代理をする者を通じて締結した生命保険契約その他これに類する契約に基づく保険金の支払または剰余金の分配を受ける権利

上記については，法人税基本通達20-2-7においてさらに，以下のように詳細な説明がなされています。

> 法人税法第138条第1号《国内にある資産の所得等》に規定する国内にある資産の運用又は保有により生ずる所得には，次に掲げるようなものが該当する。
> （1）　公社債を国内において貸し付けた場合の貸付料及び令第177条第1項第1号《国内にある資産の運用又は保有により生ずる所得》に掲げる国債，地方債，債券若しくは資金調達のために発行する約束手形に係る償還差益又は発行差金
> （2）　同項第2号に掲げる債権の利子及び当該債権又は所得税法第161条第1項第10号《国内において業務を行う者に対する貸付金の利子》に規定する貸付金に係る債権をその債権金額に満たない価額で取得した場合におけるその満たない部分の金額
> （3）　国内にある供託金について受ける利子
> （4）　個人から受ける動産（当該個人が国内において生活の用に供するものに限る。）の使用料

③　国内にある不動産の譲渡，貸付け等

国内にある不動産の譲渡による所得については，日本国内にPEがない外国法人についても法人税が課税されます。

また，不動産の貸付けによる対価についても同様です。

④　租税条約に定める取扱い

上述のとおり，PEがない外国法人についても一定の資産の譲渡等については日本の法人税が課されますが，外国法人の所在国と日本との間に租税条約が締結されている場合，当該租税条約の規定によっては日本の法人税が免除されるケースがあります。

例えば，以下の国においては株式の譲渡益は投資家の居住地国のみで課税されることになっています（ただし，破綻金融機関株式や不動産化体株式等の場

合の例外あり)。

・米国	・英国	・ドイツ	・アイルランド
・ベルギー	・イタリア	・スペイン	

内国法人に対する債権の取得差額は，資産の運用もしくは保有により生ずる所得に該当し，日本にPEがない外国法人についても法人税の課税対象となります。

しかしながら，投資家の所在国との租税条約において債権の取得差額が「その他所得」として取り扱われ，居住地国においてのみ課税される旨の規定がある場合は，日本の法人税が免除されることになります。例えば，次のような国との租税条約の適用がある場合です。

・オランダ	・ドイツ
・スイス	・フィンランド
・スペイン	・ベルギー

なお，後述（6）のBEPS防止措置実施条約（MLI）第9条においては，「不動産から価値が構成される株式等の譲渡収益に対する課税」についての定めがあり，当該規定を双方の国が採用すれば，その国への投資については，条約規定が変更されることになります。例えば，アイルランドでは旧条約上すべての株式譲渡益が居住地国のみ課税となっていましたが，MLIの規定の発効後は，不動産化体株式譲渡益について課税されることになりました。

（6）　BEPS防止措置実施条約の締結

2017年6月7日に「税源浸食及び利益移転を防止するための租税条約関連措置を実施するための多数国間条約」(Multilateral Convention to Implement Tax Treaty Related Measures to Prevent Base Erosion and Profit Shifting，以下「BEPS防止措置実施条約」「MLI」）の署名式が行われ，日本を含む67カ国・地域が署名しました。日本については2019年1月1日に発効しており，2023年11月20日現在で100か国・地域が署名し，うち，83か国・地域が批准書等を寄託しています。

日本がBEPS防止措置実施条約の適用対象として選択している条約相手国（43か国・地域）のうち，2023年11月20日現在で39か国との条約について批准書等が寄託されています（批准書等の寄託された日に開始する3か月の期間が満了する日の属する月の翌月の初日にその国について発効します）。

日本がMLIの適用対象として選択している条約相手国・地域（43か国・地域）

アイルランド	アラブ首長国連邦	イスラエル	イタリア
インド	インドネシア	ウクライナ	英国
エジプト	オマーン	オーストラリア	オランダ
カザフスタン	カタール	カナダ	韓国
クウェート	サウジアラビア	シンガポール	スウェーデン
スロバキア	タイ	チェコ	中国
ドイツ	トルコ	ニュージーランド	ノルウェー
パキスタン	ハンガリー	フィジー	フィンランド
フランス	ブルガリア	ベトナム	ポーランド
ポルトガル	香港	マレーシア	南アフリカ
メキシコ	ルクセンブルク	ルーマニア	

（注）下線は，本条約の批准書等を寄託した国（39か国，2023年11月20日現在）を示す。

BEPS防止措置実施条約は，OECD/G20のBEPSプロジェクトにおいて策定された税源浸食・利益移転（BEPS）を防止するための措置のうち租税条約関連部分を多数の既存の租税協定に同時かつ効率的に採り入れることを可能とするためのもので，BEPS行動15（多数国間協定の策定）の勧告に基づいています。

BEPS防止措置実施条約の各締約国は，本条約に規定する租税条約関連BEPS防止措置の規定のいずれを既存の租税協定について適用するかを，所定の要件の下において選択することができ，各租税協定のいずれかの締約国がその規定を適用することを選択しない場合には，その規定はその租税協定については適用されません。本条約に規定する租税条約関連のBEPS防止措置の規定が既存の租税協定について適用される場合には，本条約の規定が，既存の租税協定に規定されている同様の規定に代わって，または，既存の租税協定に同様の規定がない場合にはその租税協定の規定に加えて，適用されます。

関係国・地域は，まず，本条約によって修正される租税協定を選択することができ，また，修正された租税協定を二国間の交渉によってさらに修正することも可能です。

本条約は，これらBEPS行動計画での条約関連措置をグローバルで協調して実現しようとするものであり，具体的な構成は次のとおりです。

前文
第1部（適用範囲及び用語の解釈）：第1条〜第2条
第2部（ハイブリッド・ミスマッチ）：第3条〜第5条
第3部（条約の濫用）：第6条〜第11条
第4部（恒久的施設の地位の回避）：第12条〜第15条
第5部（紛争解決の改善）：第16条〜第17条
第6部（仲裁）：第18条〜第26条
第7部（最終規定）：第27条〜第39条

このうち，日本が適用することを選択している本条約の規定および選択していない規定は，次のとおりです。

●日本が適用することを選択している規定
① 課税上存在しない団体を通じて取得される所得に対する条約適用に関する規定（第3条）
② 双方居住者に該当する団体の居住地国の決定に関する規定（第4条）
③ 租税条約の目的に関する前文の文言に関する規定（第6条）

④　取引の主たる目的に基づく条約の特典の否認に関する規定（第7条）
⑤　主に不動産から価値が構成される株式等の譲渡収益に対する課税に関する規定（第9条）
⑥　第三国内にある恒久的施設に帰属する利得に対する特典の制限に関する規定（第10条）
⑦　コミッショネア契約を通じた恒久的施設の地位の人為的な回避に関する規定（第12条）
⑧　特定活動の除外を利用した恒久的施設の地位の人為的な回避に関する規定（第13条）
⑨　相互協議手続の改善に関する規定（第16条）
⑩　移転価格課税への対応的調整に関する規定（第17条）
⑪　義務的かつ拘束力を有する仲裁に関する規定（第6部）

●日本が適用しないことを選択している規定

①　二重課税除去のための所得免除方式の適用の制限に関する規定（第5条）
②　特典を受けることができる者を適格者等に制限する規定（第7条）
③　配当を移転する取引に対する軽減税率の適用の制限に関する規定（第8条）
④　自国の居住者に対する課税権の制限に関する規定（第11条）
⑤　契約の分割による恒久的施設の地位の人為的な回避に関する規定（第14条）

MLIの規定のうち，とりわけ以下の規定が投資ストラクチャーに影響を与えています。

○課税上存在しない団体

> 対象租税条約の適用上，いずれかの当事国の租税に関する法令の下において全面的若しくは部分的に課税上存在しないものとして取り扱われる団体若しくは仕組みによって又はそのような団体若しくは仕組みを通じて取得される所得は，一方の当事国における課税上当該一方の投資国の居住者の所得として取り扱われる限りにおいて，当該一方の当事国の居住者の所得とみなす（MLI 第3条第1項）。

MLI 第3条には上記のほか既存条約との関係等について規定する様々な規定がおかれていますが，MLI 適用対象国で第3条（課税上存在しない団体）の適用を選択している国については，MLI 発効後は，透明な事業体を通じて取得される所得が投資家所在地国の税法上投資家の所得として取り扱われる場合，投資家の所得とみなして条約適用がなされることになります。すなわち，日米・日英租税条約等と同様，パートナーシップなどの団体を通じて投資を行う場合，投資家所在地国での団体（Vehicle）の課税上の扱いにより，条約適用の可否が決められるということになります。MLI 第3条は多数の国が選択しており，MLI 発効に伴い適用対象国が拡大しています。

○主に不動産から価値が構成される株式等の譲渡収益に対する課税に関する規定

主として不動産から価値構成される団体の株式・持分譲渡から生ずるキャピタルゲインについては，譲渡前365日のいずれかの時点で株式・持分価値の50% 超が不動産によって直接・間接に構成される場合には，不動産所在地国にて課税ができるとされています。

平成30年度税制改正において，不動産化体株式の判定について MLI 第9条と同様の規定が日本の税法に盛り込まれました。

現行の条約でも不動産保有法人の株式等については多くが不動産所在地国で課税扱いとなっていますが，本規定の採用国は，不動産化体株式の判定要素が修正されることになります。また，現行条約で株式譲渡益が免税扱いとなっている国についても，MLI 発効後，不動産保有法人株式の譲渡益について不動産所在地国で課税されることになります。

○恒久的施設（PE）に関する規定

企業に代わって行動する者が，反復して契約を締結し，又は重要な修正が行われることなく日常的に締結される契約の締結のために反復して主要な役割を果たす場合には PE になるとされており，また，独立代理人についても，専ら又は主として一又は二以上の自己と密接に関連する企業に代わって行動する場合は，いわゆる独立代理人とはされないと規定されています（第 12 条）。

既存の条約で規定する特定活動に関する除外を利用した PE の地位の人為的な回避については，特定活動が準備的補助的性質に係ることを条件とする規定（選択肢 A）と本来的に準備的補助的性質を有する活動についての規定（選択肢 B）との選択となっています（第 13 条）。

上述した各条項での関連者（closely related to an enterprise）の定義としては，支配関係及び持分の 50% 超の所有関係について規定がされています（第 15 条）。

PE に関する規定については，平成 30 年度税制改正において，BEPS 防止実施条約の PE に関する規定（12 条，13 条，15 条）と同様の規定が日本の税法に盛り込まれました。

○条約の濫用に関する規定

条約の濫用（BEPS 行動 6）については，条約の濫用（treaty abuse）に係る規定（第 6 条～第 11 条）のうち，ミニマムスタンダードとしての条約濫用の防止についての規定（第 7 条）において，PPT（Principal Purpose Test，主要目的テスト）および簡素化された LOB（Limitation on Benefit，特典制限条項）について規定がなされています。本条約の署名時には，本条約でカバーされる全ての 68 か国・地域が PPT の適用を選択しており，また，12 の国・地域が簡素化されたLOBを選択することでPPTを補完することとしています。

○投資ストラクチャーへの今後の影響

日本が本条約の適用対象として選択している条約相手国・地域（2023年11月20日時点で43か国・地域）が，日本の選択と同様の規定の適用を選択した場合，双方の国において一定の手続きを経た後，既存の条約が修正されることになります。

代理人PEの規定が強化され，独立代理人とされる範囲が狭く解釈されることから，投資対象国でPE認定されないかどうか，今まで以上に注意が必要となります。また，条約適用を受けられる者はより厳格に解釈されることから，Vehicleを一定の条約上有利な国に設立しただけで条約の恩典が受けられるといったことは今後ますます困難になることが予想されます。ストラクチャリングにあたっては，投資家，投資対象国，ファンド運営状況他の状況を見極めつつストラクチャーを選択していく必要が高まります。

（7）　CFC税制（タックス・ヘイブン税制）

CFC税制（タックス・ヘイブン税制）は，外国子会社を通じて行われる租税回避に対処するため，一定の条件に該当する外国の子会社の所得をその株主である内国法人または居住者の所得とみなして合算し，日本で課税するものです。

CFC税制については，平成29年度税制改正でBEPSプロジェクト（行動3）の合意に基づき見直しが行われ，従来，租税回避リスクが外国子会社の外形（会社全体の税負担率（20％未満）や会社としての実態の有無等）により把握されていたところ，改正後は，外国子会社の個々の活動内容に着目しつつ一定の事務負担を考慮して合算課税を行う制度に改められました。

具体的には，その発行済株式または出資の総数または総額（発行済株式総数等）の50％を超える数または金額の株式または出資（株式等）を，居住者および内国法人ならびにこれらの特殊関係非居住者によって直接にまたは他の外国法人を通じて間接に保有（直接および間接に保有）されている外国法人（外国関係会社）で，以下のいずれかに該当する法人の一定の所得（適用対象金額）のうち，当該外国法人の発行済株式総数等の10％以上を直接および間接に保有する居住者または内国法人（同族株主グループを含む）の当該保有する株式等に対応する部分の金額（課税対象金額）は，当該外国関係会社の各事業年度終了の日の翌日から２か月を経過する日を含む当該居住者または内国法人の各事業年度の所得に合算して日本において課税されます。ここで，間接に保有する株式等は，各段階において50％超の連鎖関係がある場合に支配関係が継続しているとして判定されます。また，外国関係会社には居住者または内国法人との間に実質支配関係がある外国法人が含まれます。

① 特定外国関係会社（ペーパーカンパニー，事実上のキャッシュ・ボックス，ブラックリスト国所在のもの）については，租税負担割合が30％未満(注)の場合，会社単位の合算課税が行われます。

（注）内国法人の2024年４月１日以後に開始する事業年度については27％未満

② 特定外国関係会社以外の外国関係会社のうち，会社全体として，能動的所得を得るために必要な経済活動の実態を備えていない（いわゆる経済活動基準のいずれかを満たさない）もの（対象外国関係会社）については，租税負担割合が20％未満の場合，会社単位の合算課税が行われます。

③ 特定外国関係会社以外の外国関係会社のうち，会社全体として，能動的所得を得るために必要な経済活動の実態を備えている（経済活動基準を満たす）ものについては，租税負担割合が20％未満の場合，受動的所得についてのみ合算課税が行われます。

合算課税の対象となる所得に関して外国関係会社が納付した外国法人税については外国税額控除の方法により，また，合算課税の対象となった所得を原資として配当が支払われた場合には，配当を益金不算入する方法により，それぞれ，二重課税の排除が行われます。

外国関係会社の判定は，主にその発行済株式総数等のうち 50% 超を居住者および内国法人（特殊関係非居住者を含む）が直接および間接に保有しているかどうかで判定しますが，議決権の数が1個でない株式等や請求権の内容が異なる株式等を発行している場合には，当該発行済株式総数等の割合と，次の①，②，③に定める割合のいずれか高い割合により判定します。

① 議決権の数が1個でない株式等を発行している場合：議決権の総数のうちに居住者および内国法人等が有する直接および間接保有の議決権の数の合計数の占める割合
② 請求権の内容が異なる株式等を発行している場合：請求権に基づき受けることができる剰余金の配当等の総額のうちに居住者および内国法人等が有する直接および間接保有の請求権に基づく剰余金の配当等の額の合計額の占める割合
③ 議決権の数が1個でない株式等および請求権の内容が異なる株式等を発行している場合：①または②に定める割合のいずれか高い割合

CFC 税制適用の有無の判定は，外国関係会社の発行済株式総数等の 10% 以上を居住者または内国法人（同族株主グループを含む）が直接および間接に保有しているかどうかで判定しますが，特定外国関係会社が議決権の数が1個でない株式等や請求権の内容が異なる株式等を発行している場合には，当該発行済株式総数等の割合と上記①，②，③に定める割合のいずれか高い割合により判定します。

平成 29 年度税制改正後は，従前は CFC 税制対象外とされていた租税負担割合が 20% 以上の外国関係会社についても，以下に記すペーパーカンパニーやその他の一定の場合（事実上のキャッシュ・ボックス，ブラックリスト国所在のもの）に該当すると，租税負担割合が 30% 未満(注)であれば CFC 税制の対象となる可能性がある点にとくに留意が必要です。CFC 税制の対象となりうるのは，外国関係会社の株式持分の 50% 超を日本法人・個人が直接・間接に保有する場合で，株式等の10% 以上を保有する株主等についてです。

（注）内国法人の2024年4月1日以後に開始する事業年度については27% 未満

ペーパーカンパニー

以下のいずれにも該当しない外国関係会社

✓ 主たる事業を行うに必要と認められる事務所，店舗，工場その他の固定施設を有していること（実体基準）

✓ 本店所在地国において，事業の管理，支配および運営を自ら行っていること（管理支配基準）

✓ 持株会社である一定の外国関係会社（持株会社特例）

✓ 不動産保有にかかる一定の外国関係会社（不動産保有会社特例）

✓ 資源開発等プロジェクトにかかる一定の外国関係会社（資源開発プロジェクト会社特例）

事実上のキャッシュ・ボックス

次のいずれにも該当するものをいう

✓ 総資産の額に対する一定の受動的所得の金額の合計額（金融子会社等に該当する場合には，異常な水準の資本に係る所得と一定の受動的所得（異常な水準の利益に係るものを除く）のいずれか大きい金額）のの割合が30% を超えること

✓ 総資産の額に対する有価証券，貸付金及び無形固定資産等の合計額の割合が50% を超えること

ブラックリスト所在地国のもの

租税に関する情報の交換に非協力的な国又は地域として財務大臣が指定する国又は地域に本店等を有する外国関係会社をいう

外国籍の法人型Vehicleについても，外国法人として取り扱われる場合はCFC税制の適用対象となりえますので，日本の投資家の比率や保有割合には

留意する必要があります。

さらに，令和2年度税制改正において，米国など法的位置づけにかかわらずパススルー課税の選択が可能となる税制を有する国に本店を有する外国法人へのCFC税制の適用にあたっては，パススルー課税の適用がないものとして，租税負担割合や基準所得金額（国外所得方式），CFC外国税額控除上の外国税の算定をすべきものとされました。米国においてはLLCなど日本では法人として取扱われる事業体についても現地税法上パススルー課税を選択することができるようになっていますが，日本のCFC税制上は米国LLCに所得が帰属するものとして計算すべきことになります。すなわち，パススルー課税を選択した米国LLCにCFC税制が課される場合には，当該米国LLCがパススルー課税の適用がなかった場合の所得を取り込み，パススル—課税がなかった場合に課されるべき米国税について負担したものとしてCFC税制上の外国税額控除を行うことになります。米国投資の場面では，投資対象にパススルー課税を選択したLLC等がないか，CFCの課税対象とはならないか，二重課税を回避できるか等について検討する必要があります。なお，令和5年度税制改正により，内国法人の2024年4月1日以降開始事業年度については，ペーパーカンパニー判定の税負担割合閾値がそれまでの30%から27%までと引き下げられます。これによりCFCに該当する可能性が低くなりますが，閾値近辺の税率の国々においては，年度ごとの所得に課される税負担によって，CFCに該当したりしなかったりする可能性もあることになります。したがって，より慎重にCFC判定を見定めた上で投資ストラクチャーを決定する必要があります。

（8）　帰属主義とAOA導入

①　政府税制調査会報告書に示された内容

外国法人の課税原則について，従来の総合主義から帰属主義に変更し，OECDモデル租税条約第7条の改定を踏まえて恒久的施設（PE）を独立企業と擬制してPE帰属所得を計算するという考え方（Authorized OECD Approach，以下「AOA」）が2016年4月1日以降開始事業年度から導入されました。AOA

導入による変更点や概要については，2013年10月24日の政府税制調査会第1回国際課税ディスカッショングループ資料として，財務省から「国際課税原則の総合主義から帰属主義への見直し」と題する報告書（以下「報告書」）に説明されています。報告書に示された外国法人課税に関するポイントは以下のとおりです。

- 外国法人の課税原則について，「総合主義」から「帰属主義」に改める
- 外国法人のPE（支店等）に帰属する所得を，国内源泉所得の一つと位置付ける
- PE帰属所得を以下のような方法で算定する
  - ➢AOAに基づき，PEが本店等から分離独立した企業であると擬制した場合に得られる所得をPE帰属所得とする。
  - ➢PEと本店等との間の取引について，独立企業間価格による取引があったものとして，内部取引損益を認識する
  - ➢PEが分離独立した企業であると擬制した場合に必要とされる資本をPEに配賦し，PEが支払った利子（内部利子を含む）のうち，PEに配賦された資本に比して過剰な部分について損金不算入とする
- 外国法人のPEについても外国税額控除制度を設ける

上記のほか，報告書には，外国法人課税に影響のある改正として，以下のような内容が記されています。

国内源泉所得

・国内源泉所得の範囲

－PE帰属所得を国内源泉所得（ソースルール）として位置付け，PE非帰属国内源泉所得とは分離して課税を行う。

・PE帰属所得

－PE帰属所得は，そのPEと本店間の取引を独立企業同士の取引とした場合の，PEに係る機能，リスクに基づき算定される所得とする。

－PEが本店等のために行う単なる購入活動からは所得が生じないものとする

単純購入非課税の取扱いは，廃止する。

・PE の種類・範囲
– PE の種類（1号～3号 PE）に応じて総合課税の範囲を変える方式は廃止
– PE の範囲については見直さない。

・内部取引
– 内部取引に係る損益認識に関して，PE と本店等との間で資産の移転，役務の提供等の行為があった場合において，独立企業同士で同様の事実があったとしたならば対価のやり取りが行われるであろうと認められるのと同様の事実があるときは，独立企業同士で行われた取引と同様の取引が行われたものとみなす（単なる資産移管のみではなく，認識可能な事実の発生と資産に関連する機能の移転が伴う場合に限り内部取引損益を認識し，PE による資産取得を認める）。
– 内部取引損益の認識は，外部取引損益の実現時ではなく，内部取引が行われたときとするが，企業に対して実際の対価のやりとりを求めないこととする。
– PE 帰属所得の算定において内部取引価格が独立企業間価格（以下「ALP」）と異なる場合は，移転価格税制に準じて PE 帰属所得を増額調整する。
– 新第7条締結国および条約非締結国との関係では，内部使用料等を含めた内部取引について益金算入・損金算入とし，旧モデル租税条約第7条締結国との関係では，内部取引のうち内部使用料等については益金不算入・損金不算入とする。
– 内部取引に対する源泉徴収については，源泉課税を行わない。

・費用配賦
– 単なる費用配賦として認められる額は本店等が外部に支払った実額を合理的な基準で支店に割り振った額までの損金算入を認めるが，費用配賦の算定に関する文書化を前提とする。
– 独立企業同士で同様の事実があったとしたならば対価のやり取りが行われるであろうと認められるときは，費用配賦ではなく，ALP による本支店間の内部取引を認識する。

PE 帰属所得に係る文書化

PE 帰属所得の算定には，一定の文書作成を納税者に求めることを検討中。
– PE 帰属所得に係る文書化には，内部取引および PE に帰属する外部取引の認識のための文書化（第1ステップ）と内部取引の ALP 算定の文書化（第2ステップ）の2種類がある。
– 証憑類に相当するものについては青色申告法人の帳簿保存義務の対象とする

ことを検討。
- 文書化がないまま損金算入が行われている場合には，機能・事実分析または推定課税によってALPを算定し，過大な損金算入を否認することを検討する。

PEへの帰属資本・支払利子控除制限
PEが本店等から分離・独立した企業であるとした場合に，必要とされる程度の資本をPEに配賦し，PE帰属所得の計算上，支払利子の損金算入を制限する。
- PEに配賦すべき資本の算定方法については，独立企業原則との整合性や執行可能性の観点から，本店等の資本の額を一定の基準でPEに配賦する方法（資本配賦アプローチ）およびPE所在地国において同様の活動を行う独立企業が有するものと同等の資本をPEに帰属させる方法（過少資本アプローチ）を基本とすることが考えられる。なお，銀行等の金融機関に関して，PE所在地国の独立企業に対して金融機関の監督規制目的上要求される額の資本をPEに帰属させる方法（セーフハーバー・アプローチ）は，独立企業原則と整合的でない可能性が高い等の理由から採用しない。
- PEの資金調達がすべて外部からの借入金で賄われていることが明らかな場合でも，資本配賦・支払利子の損金算入制限を行う。

PEの閉鎖等
- 外国法人の在日PEの閉鎖（事業活動の終了等）時は，PE帰属資産について時価評価を行って時価評価損益を認識し，PE帰属所得として課税する（評価益課税方式）。
- PEの設立にあたって本店等から在日PEに資産を移転する場合は，PEでは時価で資産を取得したものとして計上する。

課税標準等
わが国で事業活動を行う外国法人の課税標準を，「PE帰属所得（事業所得）」および「PE非帰属国内源泉所得」の2区分として，これらの所得を通算しないこととし，欠損金についてもそれぞれについて計算する。

外国法人のPEに対する外国税額控除の供与等
外国法人のPE帰属所得について，わが国で課税を行う場合には，外国法人のPEが本店所在地国以外の第三国で稼得した所得について，当該外国とわが国との二重課税が生じるため，わが国のPEに対して内国法人における外国税額控除制度を設けることが検討されている。在日PEが本店所在地国で課された源泉税については，原則としてわが国で外国税額控除の対象とされない。

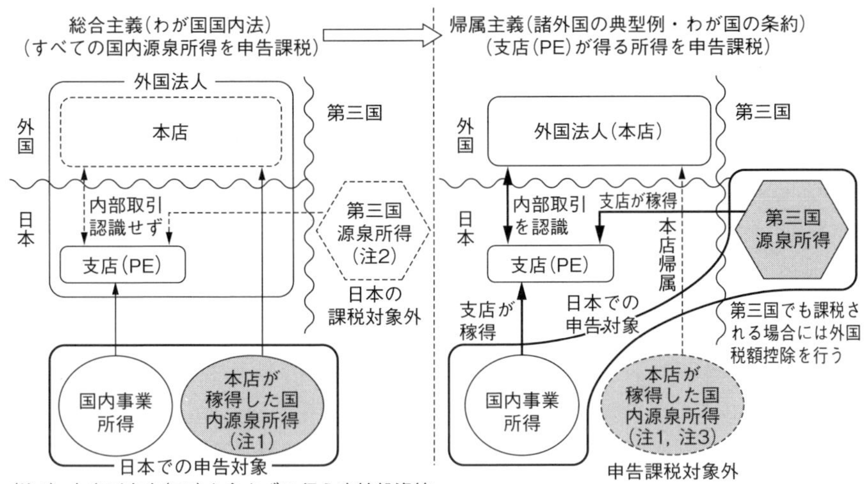

出典：財務省 HP「平成 26 年度改正関係参考資料（国際課税関係）」

②　実務への影響

AOA に基づく帰属主義の適用に伴い外国法人が海外から日本へ直接投資をする場合，外国法人が日本で支店等を構えて行う投資活動を行う場合，次のように取り扱われます。

（ⅰ）　海外から日本への投資

わが国は 2024 年 1 月 1 日現在 154 か国・地域（85 条約等）との間で租税条約（情報交換協定，税務行政執行共助条約，日台民間租税取決めを含む）を締結していますが，投資家がファンドを通じて投資を行う場合，投資家の数やファンドの形態によっては，各投資家との租税条約の適用を行うことが困難な場面が多々あります。

AOA 導入前の総合主義の国内法の下では，内国法人の発行する株式等に投資を行う外国ファンドが意図せずして日本に PE を有するものと認定された場合，PE を通じて投資していない内国法人株式の譲渡益についても日本の法人税課税を受けることとなっていました。

例えば，海外の投資家が株式のトレーディングを行う場合，受発注の高速化のために各証券取引所の近くに所在するサーバーを通じて取引することがありますが，日本国内に自社のサーバーがあると状況によっては日本に PE があることになってしまい，シンガポール等の国外から発注している日本株の譲渡益についても日本の法人税課税がなされるのではないかということが問題となりました。意図せずして PE を日本に形成してしまった場合のリスク（Inadvertent PE リスク）は，サーバーPE 問題に限らず，海外ファンドが日本株に投資する際のリスクとして問題提起されていました。国内法が帰属主義に移行したことで PE が認定されたとしても，基本的には PE の機能に応じて帰属する所得のみが課税されることとなっています。

（ⅱ）　外国法人日本支店への影響

これまでの国内法のもとでは本支店間の取引は同一法人間の取引として認識されず，原則として第三者との取引がなされた時点ではじめて所得が認識されることになっていました。しかしながら，金融業界をはじめとして，本支店の機能が分化し，それぞれが独立した会計帳簿を有して日々取引が行われるような状況下では，本支店間または支店間の取引を外部の取引までトレースすることが困難なケースが多くあります。AOA の考え方の導入により，本支店は独立企業であるのと同様の取扱いとなりました。

なお，内部取引の認識にあたっては，文書化について青色申告法人の帳簿保存義務の対象となり，内部取引の存否，価額の適正性について一定の文書作成をすることが必要です。第三者との取引である外部取引についても一定の文書化が要請されています。

また，支店が分離独立した企業であると擬制した場合に必要とされる資本を支店に配賦し，PE が支払った利子（内部利子を含む）のうち，PE に配賦された資本に比して過剰な部分について損金不算入とする制度も導入がなされました。

AOA の導入後，本支店取引は以下のようになっています。

（ケース 1）本店への資産移転

外国法人が日本支店で有していた第三者に対する債権を本店に移転（譲渡）する場合

債権が第三者への譲渡がなされていない段階では，AOA 導入前の国内法では移転にともなう対価をいくらにすべきか，については特段の規定はありませんでした。しかしながら，本店所在地国が AOA を導入している国にある場合，移転時の時価での移転が求められ，本店では移転時の時価で債権を取得したものとしてその後の課税関係が定められることになります。AOA 導入前の日本の国内税法では，第三者にその債権が移転した時に初めて所得認識をすることになると考えられましたが，移転後の債権の時価の変動によっては二重課税になる可能性がありました。また，本店での事業規模によっては，日本支店から本店に移転された資産を引続きトレースして把握することは実務的に困難でもありました。AOA に基づく帰属主義のもとでは，本店移転時の時価で債権の譲渡損益が定まることから，本店所在地国との二重課税が回避することが可能となり，支店と AOA を導入している本店との対応が統一化されます。

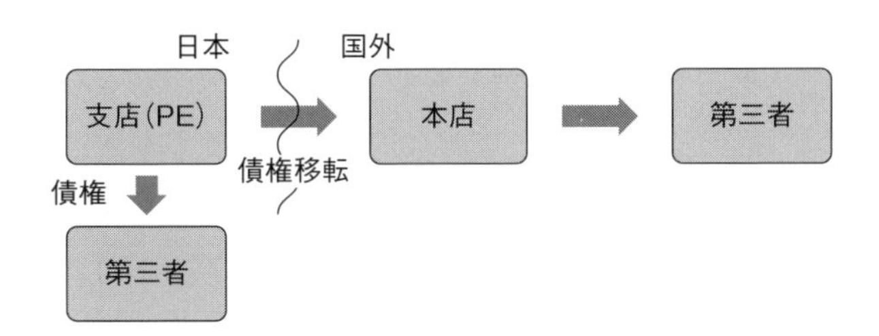

（ケース 2）本店からの資産の移入

外国法人の日本支店が本店から有価証券の移管（譲渡）を受け，その後日本支店が第三者に対して譲渡をする場合

日本支店が本店から有価証券の譲渡を受けた時の時価（例：120）は本店が有価証券を取得した時点での時価（例：100）より上回っており，日本支店が有価証券を第三者に譲渡した時の時価は本店による当初の取得価額（例：100）と同額であったとします。

AOA導入前の国内法では，有価証券の本店からの移転については「移入」という考え方でのみ整理されており，有価証券の移入についてどう考えるのか，法人全体では所得が生じていないにもかかわらず日本支店でのみ損失（100－120＝△20）が帰属するとの解釈が可能かどうか，明確ではないところがありました。AOA導入後は，国内法が新OECDモデル租税条約に沿ったものとされ，PEと本店等との間の取引について独立企業間価格による取引があったものとして，内部取引損益を認識することとされていますので，対価のやりとりを行うべき事実と機能移転が伴う場合は，本取引について損失が日本の税法上認識可能であることが明確化されました（簿価で譲渡したものとされる一定の株式の移転を除く）。

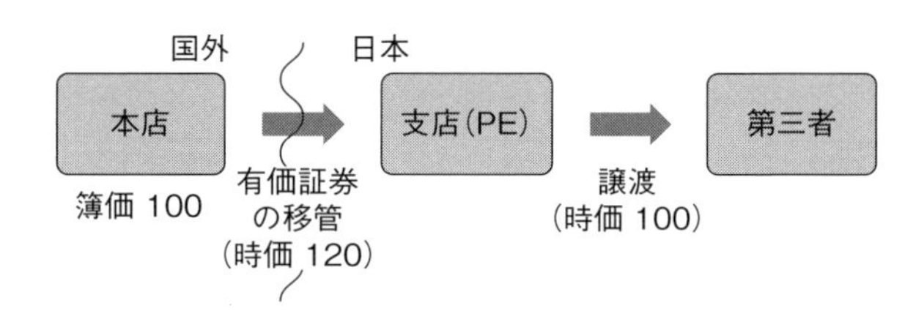

（ケース3）外部からの資金調達

日本支店が外部の第三者から資金調達をし，利子を支払う場合

AOA導入前の国内法では，本支店間の貸付等から生ずる利子については認識されないものの，外部の第三者からの調達資金が日本支店での事業に供されたことが明らかであれば，原則としてその利子は損金算入が可能となっていました。例えば，外国法人が日本支店で第三者からローンを調達して資産を購入している場合や，日本支店での事業のために国外で発行した社債の利子を日本支店に付け替えてきている場合，AOA導入前の国内法では原則として日本支店で全額損金算入が可能でした。

AOAに基づく帰属主義の導入後は無償資本の配賦計算をし，どれだけが費用処理可能かどうかの検討が支払利子の損金算入にあたって必要となりました。

なお，過少資本税制の適用はなくなったものの，過大利子損金不算入制限の対象とならないかについては別途検討が必要です。

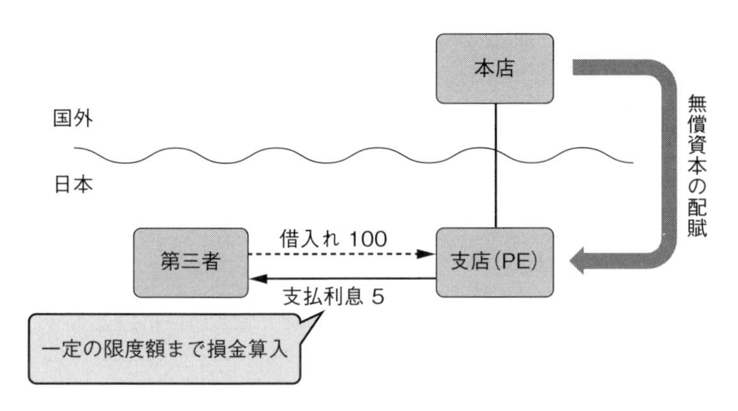

（ケース4）外国税額控除―国外投融資との関係

AOA導入前の国内法では，外国法人が日本支店を通じて得る国外の者に対する貸付金の利子や外国法人の発行する社債の利子などは原則として国内源泉所得とされるものの，その利子等の所得に外国の税が課されている場合には国外源泉所得とされていました。この規定により外国税額控除が認められていない外国法人について，二重課税とされることを防止する役割があったとされています。

AOAに基づく帰属主義の導入後は，日本支店を通じた海外投資に係る所得は，国内源泉所得であるPE帰属所得として日本の法人税に服するものの，課された外国税は外国税額控除の対象となります。

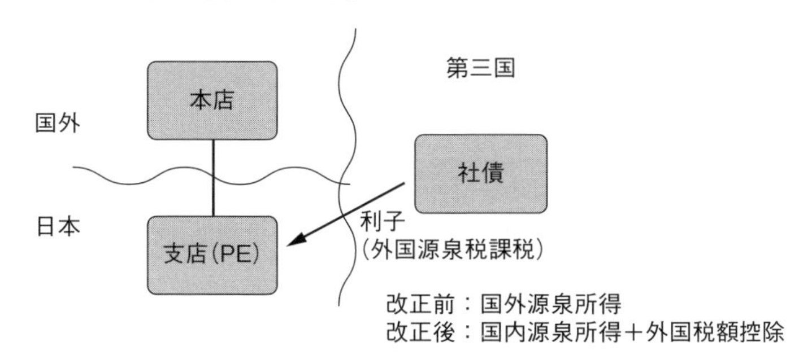

（9）　過大支払利子税制

過大支払利子税制は，所得金額に比して過大な利子を支払うことを通じた租税回避を防止するため，対象純支払利子等の額のうち調整対象所得金額の一定割合を超える部分の金額について当期の損金の額に算入しないこととする制度です。

図　過大支払利子税制の概要

（財務省HP「過大支払利子税制の概要」より）

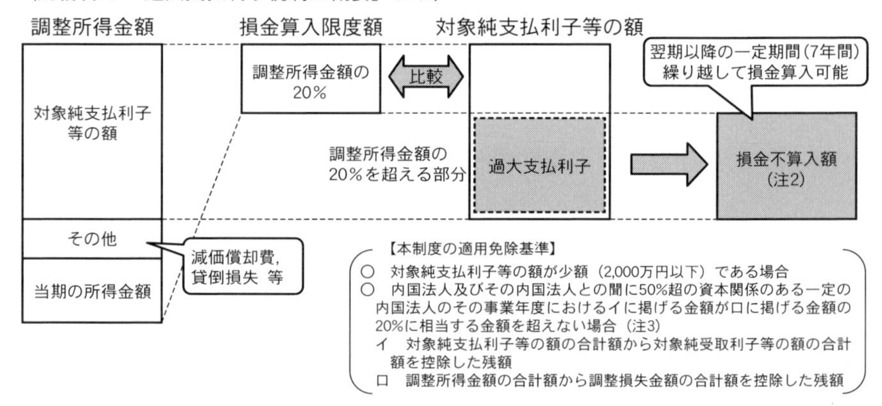

過大支払利子税制は，OECD の BEPS 最終報告書（行動 4）の議論をふまえ，令和元年度税制改正により大幅に変更され，国外関連者等に対する支払利子のみならず，第三者に対する支払利子も対象とされた（ただし利子の支払いを受ける者において日本の課税対象所得に含まれる利子等を除く）ほか，損金不算入額は調整所得金額の 20%（従前は 50%）を超える金額とされました。本制度の適用により損金不算入とされた金額は，翌期以降 7 年間繰越し，翌期以降の対象純支払利子等の額と調整所得金額の 20% に相当する金額との差額を限度として，損金に算入することができます。なお，令和 6 年度税制改正大綱では 2022 年 4 月 1 日から 2025 年 3 月 31 日までの間に開始した事業年度に係る超過利子額の繰越期間は 10 年に延長されることが示されています。

〔令和元年度税制改正後の過大支払利子税制の対象〕

$$\frac{\text{対象純支払利子等の額（対象支払利子等の額}^{(*1)}-\text{控除対象受取利子等）}}{\text{調整所得金額}^{(*2)}} > 20\%^{(*3)}$$

（＊1）　従前は関連者支払利子のみが対象であったところ，第三者への支払利子も含む（受領者において日本の課税所得に含まれる利子等は対象外）こととされた

（＊2）利子，税，減価償却等を考慮前の所得

（＊3）従前は50%であったが，令和元年税制改正により20%に引き下げ

外国法人の日本支店の利子損金不算入制度としては，AOAが適用されることからいわゆる過少資本税制（外国親会社当の資本持分の一定倍率［原則3倍］を超える負債の平均残高に対応する支払利子を損金不算入とする制度）の適用はありませんが，過大支払利子税制の損金不算入制度の適用があります。外国法人型 Vehicle が日本に支店等（PE）を有する場合，支店等の課税所得計算において過大支払利子税制が適用とならないかどうかについても検討が必要となります。

(10)　グローバル・ミニマム課税への対応

令和5年度税制改正では，OECDより公表された第2の柱にかかるモデル規則にて規定されているグローバル税源浸食防止（GloBE：Global Anti-Base Erosion）ルールのうち所得合算ルール（IIR：Income Inclusion Rule）が導入されました。IIRが各対象年度の国際最低税額に対する法人税として法人税の中に盛り込まれ，2024年4月1日以後に開始する対象会計年度の国際最低税額に対する法人税について適用されることになります。

この各対象会計年度の国際最低課税額に対する法人税は，グループの全世界での年間総収入金額が7億5,000万ユーロ以上の多国籍企業グループを対象にしており，実質ベースの所得除外額を除く所得について国ごとに基準税率15%以上の課税を確保する目的で，子会社等の所在する軽課税国での税負担が基準税率15%に至るまで，日本に所在する親会社等に対して上乗せ（トップ アップ）課税を行う制度です。

特定多国籍企業グループ等に属する内国法人に対して，各対象会計年度の国際最低課税額について，各対象会計年度の国際最低課税額に対する法人税が課されます。

ここで，対象となる企業グループ等とは，次のものをいいます。

イ　連結等財務諸表に財産及び損益の状況が連結して記載される又は記載されることとなる会社等に係る企業集団のうち，最終親会社に係るもの

ロ　会社等（上記イの企業集団に属する会社等を除きます。）のうち，その会社等の恒久的施設等の所在地国がその会社等の所在地国以外の国又は地域であるもの

投資にあたって対象会社がファンドであったとしても，基準税率である15% 未満の税しか納めていない場合は親会社所在地国にて納税すべきとされる可能性があります。しかし，グローバル・ミニマム課税の対象となるのは主に対象会社の連結財務諸表に財産および損益の状況が連結して記載される場合であり，会計上連結対象とされていない事業体は（規模などにより連結除外されている場合でなければ）グローバル・ミニマム課税の対象外となります。また，投資会社等や不動産投資会社等の適用除外事業体（Excluded Entity）に該当すれば，グローバル・ミニマム課税の適用を受ける構成会社等には該当しません。したがって，ファンド投資を行う場合，当該ファンドが投資家である内国法人の連結対象にならない場合や投資対象のファンドが除外事業体である投資会社等や不動産投資会社等（図４）に該当する場合は，当該ファンドはグローバル・ミニマム課税の対象にはなりません。

なお，投資家所在地国またはファンド組成地国で税務上導管扱いされる事業体は導管会社として取り扱われ，納める税の割振り等について詳細の規定がされています。LLC や LPS などを通じた投資で，ビークル組成地や投資家所在地でパススルー扱いされる場合は，グローバル・ミニマム課税上の取扱いにも注意を要します。

図４

投資会社等と不動産投資会社等

投資会社等：以下に定める要件の全てを満たす会社等

(１)複数の者から出資又は拠出を受けた金銭その他の財産（出資財産）を運用することを目的とすること。

(２)会社等の定款，寄附行為，規則，規約その他これらに準ずるものに出資財産の運用の基本方針等の記載があること。

(３)次に掲げる要件のいずれかを満たすこと。

①会社等の収益のおおむね全部が出資財産の運用によって得られることが見込まれていること。

②出資財産の運用に係る損失の危険の管理を目的として設立されたものであること。

(４)出資又は拠出を行った者が出資財産の運用に係る収益の配当を受ける権利を有すること。

(５)会社等が出資財産の運用を事業として行うことにつき，国又は地域の法令の規定により当該国又は地域において免許又は登録その他これらに類する処分を受けていること。

不動産投資会社等：以下に定める全ての要件を満たす会社等

(１)複数の者から出資若しくは拠出を受けた不動産又は複数の者から出資若しくは拠出を受けた金銭その他の財産をもつて取得した不動産（出資不動産）を運用することを目的とすること。

(２)会社等の定款，寄附行為，規則，規約その他これらに準ずるものに出資不動産の運用の基本方針その他の一定の事項の記載があること。

(３)次に掲げる要件のいずれかを満たすこと。

①会社等の収益のおおむね全部が出資不動産の運用によって得られるこ

とが見込まれていること。
②出資不動産の運用に係る損失の危険の管理を目的として設立されたものであること。
③出資者が出資不動産の運用に係る収益の配当を受ける権利を有すること。
④会社等の所得に対する法人税又はこれに相当する税が当該会社等又は出資者のいずれかに課することとされていること

2　投資家に対する課税

ファンドに対する投資であったとしても，当該投資 Vehicle が法人格を有していること等により，日本の税法上は外国法人として取り扱われる場合，当該投資 Vehicle への投資家は，日本の税法上，外国法人の株式等を保有するものとして取り扱われます。

したがって，投資家の課税は，一般的に外国法人発行の株式等を取得した場合と同様の課税になります。

(1)　配　当　時

①　日本の法人投資家の場合

外国法人発行の株式の配当を国内における支払の取扱者を通じて支払を受ける場合のみ，日本において原則として 20%(注)の源泉徴収が行われます。日本国内における支払の取扱者とは，業務としてまたは業務に関連して日本国内において配当，利子等の受領に係る媒介，取次ぎまたは代理をする者をいいます。

(注)　外国所得税が課されているときはその控除後の金額の 20% となります。

外国法人の株式が「外国金融商品市場において売買されている株式」に該当する場合，当該株式の配当については源泉税率は所得税 15% とされています。また，2013 年 1 月 1 日から 2037 年 12 月 31 日まで，所得税の 2.1% に相当する復興特別所得税が課されます（以下，この章において同じ）。

源泉徴収された所得税は，元本所有期間対応部分について所得税額控除の適用があります。

内国法人が外国子会社(注)から受領する配当については，支払配当が損金算入される場合等を除き，原則として配当等の95%相当額が益金不算入とされます。

（注）外国子会社とは，内国法人が発行済株式等の総数または議決権のある株式等の25%（租税条約により異なる割合が定められている場合は当該割合）以上を配当の支払義務が確定する日以前6月以上引き続き直接に有している外国法人をいいます。

一定の場合，外国税額控除の適用があります。すなわち，法人投資家が外国法人から配当の支払を受ける際に，現地で外国税額を源泉徴収された場合，法人投資家は一定の限度額の範囲内で当該外国税額を法人税額から控除すること，ができます（ただし，益金不算入の対象となる配当等について課された外国源泉税等は外国税額控除の対象から除かれます）。

② 日本の個人投資家の場合

当該配当を国内における支払の取扱者を通じて支払を受ける場合のみ，日本において所得税20%(注)の源泉徴収が行われます。

（注）外国所得税が徴収されているときはその控除後の金額の20%となります。

当該配当は，原則として配当所得として総合課税され，上記源泉所得税額は申告所得税額から控除します。

配当が少額であり，支払の取扱者により20%の所得税源泉徴収が行われる場合には，確定申告をしないことを選択することができます。

外国法人から支払を受ける配当については配当控除の適用が受けられません。

外国法人から配当の支払の際，外国所得税が課されている場合には一定の限度額の範囲内でその外国所得税額をその年の所得税額から控除することができます（外国税額控除）。

なお，外国税額控除の適用を受けるためには確定申告書の提出が要件とされているため，申告不要を選択した場合には，外国税額控除の適用が受けられません。

外国法人の株式が「外国金融商品市場において売買されている株式」に該当する場合，当該株式の配当については源泉税率は20%（所得税15%，地方税5%）とされます。また，受け取る配当金額にかかわらず，申告不要制度の選択が可能となり，源泉徴収だけで課税関係を終了させることができます。申告を行う場合は総合課税または申告分離課税の選択適用となります。申告分離課税を適用する場合の税率は20%（所得税15%，地方税5%）です。上場外国株式の一定の配当については，非課税口座内の少額上場株式等に係る配当所得の非課税措置（NISA）の適用があります。

（2）　譲渡における取扱い

①　日本の法人投資家の場合

内国法人が有価証券の譲渡をした場合には，その譲渡損益は，その譲渡契約を締結した日の属する事業年度の所得金額の計算上，益金の額または損金の額に算入されます。

譲渡損益＝譲渡対価の額（注1）－譲渡原価の額（注2）

（注1）みなし配当の金額を除きます。
（注2）内国法人が選定した1単位当たりの帳簿価額の方法（移動平均法または総平均法）により算出した金額となります。

②　日本の個人投資家の場合

株式の譲渡益については他の所得と区分し，原則20%（国税15%，地方税5%）の税率により申告分離課税が行われます。

株式の譲渡損失は，原則として，他の所得との損益通算は認められず，同年度に発生した株式の譲渡益とのみ上場株式等，非上場株式等ごとに損益通算が認められます。また，株式の譲渡損失は原則として翌年への繰越しが認められません。

ただし，外国法人の株式が「外国金融商品市場において売買されている株式」に該当する場合，国内の証券会社等を通じて当該上場株式を譲渡したこと等により生じた譲渡損失のうちその譲渡日の属する年分の上場株式等の譲渡に係る譲渡所得等の金額の計算上控除しきれない金額は，一定の要件の下で，その年の翌年以後3年内の各年分の上場株式等の譲渡に係る譲渡所得等の金額からの繰越控除が認められます。譲渡損失の繰越控除を受ける場合は，譲渡損失が生じた年以降，連続して確定申告書および譲渡損失の金額の計算に関する明細書の提出が必要です。

その年分に生じた上場株式等の譲渡所得等の金額の計算上生じた損失の金額，またはその年の前年以前3年内の各年に生じた上場株式等の譲渡損失の金額は，一定の要件の下，上場株式等の配当所得の金額（申告分離課税を選択したものに限ります）から控除されます。

2014年1月1日以降，非課税口座で管理されている上場外国株式等の一定の譲渡に係る譲渡益については，非課税口座内の少額上場株式等に係る譲渡所得の非課税措置（NISA）の適用があります。

(3)　資本の払戻し時の取扱い

株主等に資本の払戻し（株式に係る剰余金の配当のうち資本剰余金の減少に伴うもの，いわゆる利益超過配当）があった場合には，その金銭等の額が資本金等の金額のうちその交付の基因となった当該法人の株式に対応する部分の金額を超える部分の金額についてはみなし配当として配当と同様の課税関係が適用されます。

みなし配当以外の金額は，株式等の譲渡による収入金額として取り扱われます。株主は，この譲渡収入に対応する譲渡原価を各自計算し，譲渡原価との差額がある場合には，譲渡損益（以下，「みなし譲渡損益」）として株式の譲渡と同様の課税関係が適用されます。

資本の払戻しにより株主等に金銭の払戻しがあった場合の取扱いは以下のと

おりです。

みなし配当＝交付金銭等－減資法人の税務上の資本金等の金額のうち株主の株式に対応する部分（A）

みなし譲渡損益＝交付金銭等－みなし配当－譲渡原価の額（B）

（A）＝（減資法人の資本の払戻し直前の税務上の資本金等の金額×一定割合（C））(注1)×保有株式数割合

（B）＝投資家における資本の払戻し直前の株式の帳簿価額×一定割合（C）

（C）＝減資法人の資本払戻し総額／減資法人の税務上の前期末純資産価額(注2)（小数点以下3位未満切上げ）

（注1）減資法人の資本の払戻しにより減少した資本剰余金の額を超える場合はその超える部分の金額を控除した額
（注2）前期末から当該資本の払戻しの直前の時までの間に税務上の資本金等の増減がある場合にはその金額を加減算した金額

なお，上記のみなし配当の額および一定割合については，資本の払戻しを行う法人が各株主に対して通知することになっています。

法人格を有する会社型投資法人等の投資Vehicleが投資口の元本部分の払戻しを投資家に対して行う場合，外国法人が資本の払戻しを行うものとして取り扱われると考えられます。

税務上，外国法人が行う資本の払戻しについては，外国の法制に基づく一定の取扱いが勘案されるものの，資本の払戻しにともなう取扱いが資本の払戻しを行う法人が内国法人である場合に限った規定とはされていないため，外国法人についても原則として内国法人が行う資本の払戻しと同様の規定が適用されます。

したがって，投資家が会社型投資法人の投資Vehicleからの元本の払戻しを受ける場合においても，原則として上述の内国法人から資本の払戻しを受けた場合と同様に取り扱われます。

（4）　発行法人による買戻し・払戻し時の取扱い

株式等の発行法人による株式等の買戻し又は払戻しがあった場合，（3）資本の払戻し時に記したと同様に，原則としてみなし配当とみなし譲渡損益が認識されます。ただし，計算式は資本の払戻し（利益超過配当）は異なり，次のとおりになります。

みなし配当＝交付金銭等－発行法人の税務上の資本金等の金額のうち株主の株式に対応する部分（A）

みなし譲渡損益＝交付金銭等－みなし配当－譲渡原価の額

（A）＝発行法人の資本の買戻し・払戻し直前の税務上の資本金等の金額 × 買戻し・払戻し投資口数／買戻し・払戻しの直前の発行済投資口総数

（5）　CFC 税制（タックス・ヘイブン税制）

投資対象の会社型外国 Vehicle が CFC 税制の対象となる場合，配当・分配等の前においても外国 Vehicle の所得を投資家において所得認識する必要があります（CFC 税制の詳細については第4章Ⅰ．外国投資法人1（7）CFC 税制を参照して下さい）。

Ⅱ　外国投資信託

投信法第2条第3項に規定する「投資信託」とは，委託者指図型投資信託および委託者非指図型投資信託をいうとされており，投信法第2条第24項に規定する「外国投資信託」とは，外国において外国の法令に基づいて設定された信託で，投資信託に類するものをいう，とされています。

契約型の投資信託で，投信法第2条第4項に規定する「証券投資信託」およびこれに類する同条第24項に規定する「外国投資信託」は，税法上「証券投資信託」として取り扱われ，その受益証券は有価証券として取り扱われます。投信法第2条第3項に規定する「投資信託」のうち投信法第2条第4項に規定する「証券投資信託」およびいわゆる「国内公募」の要件を満たすものおよび投信法第2条第24項に規定する「外国投資信託」は税法上，「集団投資信託」として取り扱われ，受益者段階受領時課税となります。

外国法令に基づく契約型の投資信託で日本の投資信託に類するものは税法上，日本の投資信託と同様に取り扱われ，その種類の区分（証券投資信託，その他の投資信託等の区分）も日本の法令に基づく契約型の投資信託と同様に区分されることになります。

なお，日本法令に基づく投資信託や証券投資信託に「類する」か否かの判断基準は，税法には明確に示されていませんが，主として投信法その他の関連法令上および実務上の取扱いを基礎に区分されることになるものと考えます。

以下では，日本の法令に基づく投資信託と異なる点を中心に記します。

1　投資家の取扱い

（1）　日本の個人投資家

①　期中収益分配と外国税額控除

（i）　日本国内の支払取扱者を通じて交付を受ける場合

収益分配金を日本国内における支払の取扱者を経由して受け取る場合，日本法令に基づく投資信託と同様の税率で源泉徴収されます。日本国内における支払の取扱者とは，業務としてまたは業務に関連して日本国内において受領に係る媒介，取次ぎまたは代理をする者をいいます。

公社債投資信託，公社債等運用投資信託に係る収益分配金は，その交付を受ける金額に対して支払の取扱者によって所得税 15%，地方税 5% の税率にて源泉徴収が行われます。公募公社債投資信託および公募公社債等運用投資信託については，申告分離課税（所得税 15%，地方税 5%）が適用されますが，申告不要制度の適用を受けることができます。私募公社債投資信託および私募公社債等運用投資信託は，源泉徴収により課税関係が終了します。

公募株式投資信託およびその他の公募の投資信託については，支払を受けるべき金額について原則 20%（所得税 15%，地方税 5%）の軽減税率にて源泉徴収されます。また，金額にかかわらず申告不要制度の対象とすることができます。申告を行う場合は総合課税または申告分離課税の選択適用となります。なお，申告分離課税を適用する場合の税率は 20%（所得税 15%，地方税 5%）です。2014 年度以降，非課税口座で管理されている公募株式投資信託の一定の収益分配金については，非課税口座内の少額上場株式等に係る配当所得の非課税措置（NISA およびジュニア NISA 等）の適用があります。

確定申告を要する投資信託（上記以外の投資信託）の収益分配金については原則として所得税 20% の税率にて源泉徴収が行われ，配当所得として総合課税されますが，一回に支払を受ける期中収益分配金が少額であれば確定申告が不要です。

源泉徴収の対象とされる「交付を受ける金額」は，期中収益分配金に外国所得税が課されている場合，

（ａ） 私募公社債投資信託，私募公社債等運用投資信託については期中収益分配金に課された外国所得税の額を加算した金額とし，

（ｂ） それ以外の投資信託については外国所得税の金額を控除した後の金額とされます。

（ａ）の私募公社債投資信託，私募公社債等運用投資信託の期中収益分配金について課された外国税額については，当該期中収益分配金に課された日本の所得税の金額から控除するものとされ，一般の外国税額控除の対象とはされません（差額徴収方式）。

（ａ）以外の投資信託の収益分配金について課された外国税額については一般の外国税額控除の対象とされます。

投資信託の信託財産について生じる利子，配当等に対して外国所得税が課される場合，当該外国所得税について投資信託レベルでの外国税額控除の適用はありません。

また，外国投資信託は期中収益分配金について配当控除の適用はなく，特別分配金も実務上，原則としてないものとみなされます。

（ⅱ） 日本国内の支払取扱者を通じないで交付を受ける場合

国内における支払の取扱者を経由しない場合，期中収益分配金について源泉徴収する者がいませんので確定申告不要の取扱いはありません。

したがって，利子所得または配当所得として課税されることになります。

外国投資信託の投資家に対する課税——収益分配金——
(1) 日本国内の支払取扱者を通じて交付を受ける場合
「支払を受けるべき金額」につき，日本法令に基づく投資信託と同様に源泉徴収ののち，課税（申告不要制度あり）
(2) 日本国内の支払取扱者を通じて交付を受けない場合
・源泉徴収なし ・利子所得または配当所得として課税（個人投資家）

外国投資信託の投資家に対する課税——外国税額控除——
収益分配金に課される外国税

	(a)私募公社債投資信託，私募公社債等運用投資信託	(a)以外の投資信託
収益分配に課される外国税	・期中収益分配金に課された日本の所得税の金額から控除(差額徴収方式)(注) ・個人投資家の場合，一般の外国税額控除なし	一般の外国税額控除の対象
信託財産に課される外国税	投資信託レベルでの外国税額控除の適用なし	同　左

② 譲　　渡

公社債投資信託，公社債等運用投資信託の受益証券の譲渡益は従前は非課税でしたが，2016年1月1日以後は申告分離課税（所得税15%，地方税5%の計20%）が適用されています（第2章Ⅲ2（1）公社債投資信託参照）。それ以外の投資信託の譲渡益についても申告分離課税（所得税15%，地方税5%の計20%）が適用されます。

外国投資信託は金融商品取引所における上場や外国金融商品市場において売買されている場合等があれば上場株式等として，一定の場合，上場株式等に係る譲渡損の繰越控除等の適用が考えられます。

なお，公募投資信託の一定の譲渡については，上場していなくても上場株式等と同様の取扱い（譲渡損失の繰越控除，配当等との損益通算等）が認められています。

③　償　　還

償還により支払を受ける金額から元本相当額を差し引いた残額は，期中収益分配金と同様の課税を受けます。ただし，公募投資信託については償還により支払を受ける金額と取得価額との差額は譲渡による所得と同様に取り扱われます。

償還により支払を受ける金額のうち，投資信託の受益証券に係る元本額と取得価額との差額は譲渡所得として取り扱われ，②で記した譲渡と同様の課税が行われます。

④　CFC 税制（タックス・ヘイブン税制）

一定の外国投資信託（特定投資信託に類するもの）についてはCFC 税制（タックス・ヘイブン税制）の対象となります。

具体的には，その受益権の総口数の50% を超える受益権の合計数を，居住者および内国法人ならびにこれらと特殊の関係のある非居住者によって直接にまたは他の外国信託または外国法人を通じて間接に保有（直接および間接に保有）されている特定投資信託に類する外国投資信託で，その信託された国または地域におけるその所得に対して課される税の負担が30% 未満(注)の場合はその所得（適用対象金額）のうち，当該外国投資信託の受益権の総口数の10%以上を直接および間接に保有する居住者の当該保有する受益権に対応する部分の金額（課税対象金額）は，外国投資信託の計算期間終了の日の翌日から２月を経過する日を含む当該居住者の所得に合算して日本において課税されます(CFC 税制の詳細については第４章Ⅰ．外国投資法人１（７）を参照して下さい)。

（注）内国法人の2024 年４月１日以後に開始する事業年度については27% 未満

図　税法上の特定投資信託

投信法上の投資信託（契約型）
（委託者非指図型）
国内公募投資信託
（委託者指図型）
特定投資信託
証券投資信託
部：税法上の特定投資信託

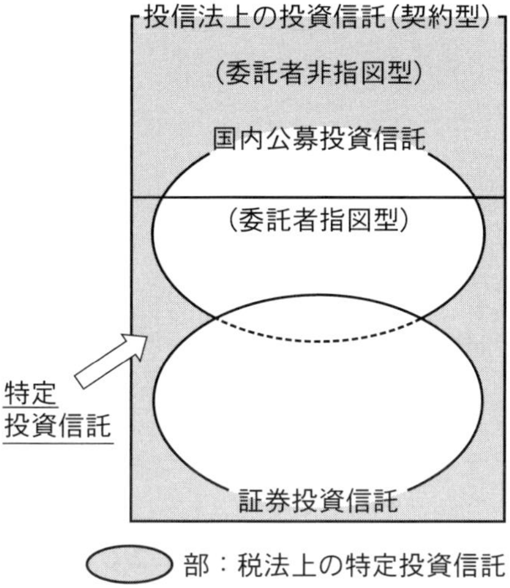

（2）　日本の法人投資家

①　期中収益分配と外国税額控除

収益分配金を日本国内における支払の取扱者を経由して受け取る場合，日本法令に基づく投資信託と同様の税率で源泉徴収されます。日本国内における支払の取扱者とは，業務としてまたは業務に関連して日本国内において受領に係る媒介，取次ぎまたは代理をする者をいいます。日本国内における支払の取扱者を経由して収益分配金を受け取らない場合は源泉徴収はありません。

収益分配金は，その交付を受ける金額に対して日本の法令に基づく投資信託と同様の税率にて，支払の取扱者によって源泉徴収が行われ，法人の課税所得の計算上，益金に算入されます。

外国投資信託については受取配当等の益金不算入および外国子会社から受ける配当等の益金不算入の適用はありません。

源泉徴収の対象とされる「交付を受ける金額」は，期中収益分配金に外国所得税が課されている場合，

（ⅰ）　私募公社債投資信託，私募公社債等運用投資信託については期中収益分配金に課された外国所得税の額を加算した金額とし，

（ⅱ）　それ以外の投資信託については外国所得税の金額を控除した後の金額とされます。

法人投資家の場合，（ⅰ）および（ⅱ）の投資信託の収益分配金について課された外国税額については一般の外国税額控除の対象とされます。

外国投資信託の信託財産について生じる利子，配当等に対して外国所得税が課される場合，当該外国所得税について投資信託レベルでの外国税額控除の適用はありません。

②　譲　　渡

譲渡にともなう損益は，法人税法上，益金および損金に算入されます。

③　償　　還

償還により支払を受ける金額から元本相当額を差し引いた残額は，期中収益分配金と同様の課税を受けます。

償還により支払を受ける金額のうち，受益証券に係る元本相当額と取得価額との差額は法人税法上，益金および損金に算入されます。

④　CFC税制（タックス・ヘイブン税制）

内国法人たる投資家についても個人と同様一定の外国投資信託についてCFC税制（タックス・ヘイブン税制）の適用がなされます。

2　投資信託に関する課税

（1）　信託導管理論の不適用と法人税課税

法人税法上，集団投資信託および法人課税信託についてはいわゆる信託導管

理論の適用はありません。投信法第2条第4項に規定する証券投資信託および国内公募投資信託（投信法第2条第8項に規定する公募により行われ，かつ，主として国内において行われるものとして政令で定めるもの）は集団投資信託として取扱われ，それ以外の国内投資信託は法人課税信託に該当します。法人課税信託については，その各事業年度の所得について法人税が課されます。

外国法令に基づく投資信託については，集団投資信託に該当し，信託導管理論の対象とはならず，また投資信託や受託者に法人税課税は行われません。

（2）　証券投資信託および公募の投資信託に関する信託財産に係る利子等の課税の特例

証券投資信託および受益証券の募集が公募により行われた投資信託については，一定の条件の下，信託財産に係る利子，配当等に源泉税が課されません。

しかしながら，この取扱いは国内の投資信託に限られており，外国の投資信託には適用がありません。したがって，外国投資信託が日本の有価証券等に投資運用する場合は，その配当，利子等については通常の外国法人に対する支払と同様，源泉課税等が行われることになります。

Ⅲ　パートナーシップ，リミテッド・ライアビリティー・カンパニー

1　パートナーシップ，リミテッド・ライアビリティー・カンパニーの概要

米国を初め諸外国においては，複数の出資者による投資活動 Vehicle として，パートナーシップが活用されています。パートナーシップは設立国ごとの法律および諸規則に基づき，さまざまな性格を有しています。一般的に，無限責任を負うジェネラル・パートナーにより組成される「ジェネラル・パートナーシップ」と，業務執行者であり人的責任を負うジェネラル・パートナーと，業務執行に関与せず有限責任を負うリミッテドパートナーより構成される「リミテッド・パートナーシップ」に分類されるといわれています。

なお，これら以外に設立国においてさまざまな形態のパートナーシップが存在します。

また，米国等においてはリミテッド・ライアビリティー・カンパニー（LLC）という事業体があります。LLC は米国では各州が制定する LLC 法に基づいて設立され，法人に似かよった性質を有していますが，米国の税務上は，各 LLC ごとに LLC にて法人税課税を受けるか，その出資者を納税主体とするいわゆるパススルー課税を受けるかの選択が認められています。

日本にもこれら諸外国における事業体と同様の事業体として 2005 年に有限責任事業組合（いわゆる日本版 LLP）および合同会社（いわゆる日本版 LLC）が導入されました。

2　金融商品会計に関する実務指針における取扱い

金融商品会計に関する実務指針（以下「金融商品会計実務指針」）において，パートナーシップおよびリミテッド・パートナーシップ等への出資については，任意組合，匿名組合同様，原則として，組合やパートナーシップ等の財産の持分相当額を出資金（金融商品取引法上，有価証券としてみなされるものは有価証券）として計上し，組合やパートナーシップ等の営業により獲得した損益の持分相当額を当期の損益として計上する，と規定されています。

ただし，有限責任の特約がある場合にはその範囲で損益を認識するとされています。なお，組合やパートナーシップ等の構成資産が金融資産に該当する場合には金融商品会計基準に従って評価し，出資者の会計処理の基礎とする，とされています（金融商品会計実務指針第132項）。

この結論の背景において，パートナーシップは，任意組合と同様に，法律上パートナーシップの財産が共有とされていてることを考慮してパートナーシップ財産，損益は出資者の資産，負債，損益としていわゆる総額計上する実務もあるとしながらも，出資目的が単なる資金運用目的である場合や有限責任特約が付いている場合等，多くは純額で取り込むことが適切であると，考えられることから，純額で貸借対照表，損益計算書に取り込む方法を原則とした，とされています。

また，企業会計基準委員会から2006年9月8日に公表された「有限責任事業組合及び合同会社に対する出資者の会計処理に関する実務上の取扱い」によれば，有限責任事業組合への出資については，上記の実務指針に従った会計処理を行うことが適当としつつも経済実態を適切に反映するように，組合財産のうち持分割合に相当する部分を出資者の資産および負債として貸借対照表に計上し，損益計算書についても同様に処理すること，また状況によっては貸借対照表について持分相当額を純額で，損益計算書については損益項目の持分相当額を計上する方法も認められる，とされています。

3　日本の税法上の取扱い概要

（1）概　　要

組合税制の適用にあたって「任意組合等に類する外国の事業体」についても同税制の対象となる旨が法令，通達に規定されています。パススルー課税が適用される事業体として，任意組合，投資事業有限責任組合，有限事業責任組合ならびに外国におけるこれらに類するもの（以下「任意組合等」）が挙げられています。

外国のパートナーシップ，リミテッド・ライアビリティー・カンパニーがどのように取り扱われるかは，原則として設立国における法的取扱い，経済的実態等を個々に検討した後，日本の法律上の組織体についての法制等との比較の上，その税務上の取扱いが判定されることになると考えられます。

わが国における組織体としては，一般に以下のものがありますが，法人格の有無，組織体の財産関係，業務執行，構成員の対外関係，構成員の持分の譲渡等について，それぞれに違いがあります。

・株式会社	・人格のない社団
・特例有限会社	・民法上の組合（以下「任意組合」）
・合名会社	・匿名組合契約（以下「匿名組合」）
・合資会社	・合同会社

上記において，任意組合とは，各当事者が出資をなして共同の事業を営むことを約する合意によって成立する団体です（民法第667条）。任意組合には，以下のような特徴があります。

・任意組合は，法人格を有しません。
・組合員の出資または組合財産は総組合員の共有に属します（民法第668条）。

すなわち，任意組合は法人格を有さないため，組合名義で財産を所有することができず，組合の財産は組合員全員の共有に属します。組合の債務についても，組合員全員に帰属します（投資事業有限責任組合や有限事業責任組合については任意組合の類型として税法上は任意組合と同様に取り扱われるため，ここでは別記していません）。

匿名組合とは，当事者の一方が他の相手方の営業のために出資をなし，その営業より生じる利益を分配すべきことを約する合意によって成立する契約関係をいいます（商法第535条）。

匿名組合には，以下のような特徴があります。

- 匿名組合に法人格はありません。
- 匿名組合員の出資は営業者の財産に帰属し（商法第536条），匿名組合員は営業者の行為につき第三者に対して権利義務を有しません（商法第536条）。

人格のない社団とは，法人でない社団で代表者の定めがあるものをいいます。社団とは，多数の者が一定の目的を達成するために結合した団体のうち法人格を有しないもので，単なる個人の集合体ではなく，団体としての組織を有して統一された意思の下にその構成員の個性を超越して活動を行うものをいいます。人格のない社団に任意組合および匿名組合は含まれません（法人税基本通達1-1-1）。

- 人格のない社団に法人格はありません。
- 人格のない社団は，収益事業により生じる所得に対し法人税が課税されます。

パートナーシップ，リミテッド・ライアビリティー・カンパニー（以下「パートナーシップ等」）が日本の税法上，任意組合等であると判定される場合には，パートナーシップ等の投資対象について投資家が直接投資している場合と基本的には同様の取扱いとなりますが，外国法人と判定される場合には，パートナーシップ等の投資対象と投資家とは分離され，あくまで投資家はパートナーシップ等の発行株式等に対して投資しているものと取り扱われます。

パートナーシップ等が任意組合等の組合であると判定される場合は，利益だけでなく損失の分配もあるものとして取り扱われますが，外国法人であると判定される場合には，収益の分配は配当として取り扱われ，損失の分配という概念はありません。

パートナーシップ等が日本の税法上，どのような取扱いを受けるかによりパートナーシップ等の投資家の課税上の取扱いは大きく変わりますが，現行の税法上，いかなる事業体を「法人」として取り扱うかについての定義は税法にはありません。現在のところは，裁決や判例で示された判断基準や課税庁が通達等で示す考え方等を参考にしつつパートナーシップ等の設立国における根拠法等について検討の上，個別に判断していく必要があると考えられます。

（2）　通達等で示された課税庁の見解

①　LLC

LLCについては，米国LLCを例示として外国事業体の取扱いについてのQ&Aが示されています。

Q&Aにおいて，「ある事業体をわが国の税務上，外国法人として取り扱うか否かは，当該事業体がわが国の私法上，外国法人に該当するか否かで判断する」としています。

米国のLLC法に準拠して設立された米国LLCについては，LLCが米国の税務上，法人課税またはパススルー課税のいずれの選択を行ったかにかかわらず，次のような理由に基づき，原則的には「外国法人」に該当するとされています。

（ｉ）　LLCは，商行為をなす目的で米国の各州のLLC法に準拠して設立された事業体であり，外国の商事会社として認められること
（ⅱ）　事業体の設立にともないその商号等の登録等が行われること
（ⅲ）　事業体自らが訴訟の当事者になれるといった法的主体となること

が認められていること

（iv）統一LLC法においては，「LLCは構成員（member）と別個の法的主体（a legal entity）である。」，「LLCは事業活動を行うための必要かつ十分な，個人と同等の権利能力を有する。」と規定されていること

なお，原則的には上記のような理由で「外国法人」として取り扱うのが相当である，としながらも，個々のLLCが外国法人に該当するか否かの判断は，個々のLLC法等の設立準拠法の規定等に照らして，個別に判断する必要があるとしています。

②　パートナーシップ

法人税基本通達では，任意組合，投資事業有限責任組合，有限責任事業組合（以下，「任意組合等」という）に類する外国の契約についても，任意組合等と同様パススルー課税の取扱いが認められています（法基通14-1-1）。「平成17年度税制改正及び有限責任事業組合契約に関する法律の施行に伴う任意組合等の組合事業に係る利益等の課税の取扱いについて（情報）」（個人課税情報　第2号　2006年1月27日）では，任意組合等に類する外国の契約として，米国におけるゼネラル・パートナーシップ契約やリミテッド・パートナーシップ契約等で共同事業性及び財産の共同所有性を有するものが該当すると例示されています（ただし，パートナーシップ契約であっても，その事業体の個々の実態等により外国法人と認定される場合は除かれるとされており，あくまで個別判断との立場になっています）。

（3）　判例等で示された判断

LLCやパートナーシップの法的位置付けが争われた判例としては，以下のようなものがあります。

①　LLC

LLCに関する判例としては，米国ニューヨーク州LLC法に基づくリミテッド・ライアビリティ・カンパニー（ニューヨークLLC）を通じた米国不動産投資に関して，ニューヨークLLCの法人該当性が争点となった事案があります。

2007年10月10日付東京高裁判決は，ニューヨークLLCを法人とするさいたま地裁判決を支持し，納税者の控訴を棄却しました。この判決では，外国事業体が法人かどうかの判断基準は法人格を有するか否かであり，基本的には外国法令の内容と団体の実質により判断すべきとし，以下の理由等により，ニューヨークLLCは租税法上の法人に該当するとしました。

・ニューヨーク州LLC法に基づき設立されるLLCは，その名において（i）訴訟手続等の当事者になることができる，不動産や動産を取得したり，その財産または資産の全部または一部を処分することができることが認められる，（ii）証券に係る取引，種々の契約の締結に加えて，202条f項ないしq項に規定される行為を行う広範な権能を有していることが認められる。

・実際に，上記を前提とした規定を契約においた上で，その名において財産を所有・管理し，契約締結していることが認められる。

・ニューヨーク州LLC法上LLCは構成員からは独立した主体（separate legal entity）と位置付けられており，LLCの個別財産についてLLCの構成員は一切の利益ないし持分（interest）を有しないと規定されている。

②　パートナーシップ

・デラウェアLPS事案

米国デラウェア州法に基づくリミテッド・パートナーシップ（以下「デラウェアLPS」）からの投資損益が不動産所得に該当するか否かについて，デラウェアLPSの法人該当性が争われた事案（以下「デラウェアLPS事案」）において，2015年7月17日，最高裁判所は下級審（名古屋高等裁判所）の判断を覆して，デラウェアLPSは日本の租税法上の外国法人に該当するとの判示を行いました。

今般の最高裁判決では，わが国の租税法上の外国法人の位置付けについて，「外国法に基づいて設立された組織体のうち内国法人に相当するものとしてその構成員とは別個に租税債務を負担させることが相当であると認められるものを外国法人と定め，納税義務者の一類型としていると解される」としています。その上で法人かどうかの判断基準について，①第一に設立根拠法令の規定における法人格の付与の有無を，②次に設立根拠法令の規定の内容や趣旨等から事業体が権利義務の帰属主体とされているか，を判断基準とすべきとしました。この判断基準に基づき，デラウェアLPSが「separate legal entity」であると規定するデラウェア州LPS法の規定その他の関連法令の文言等を参照してもデラウェアLPSがデラウェア州法において日本法上の「法人」に相当する法的地位を付与されていることが明白とは言い難いが，デラウェア州LPS法の規定の内容や趣旨等から，デラウェアLPSが権利義務の帰属主体であると認められることにより，デラウェアLPSは外国法人に該当するとの結論に到っています。

デラウェアLPSが権利義務の帰属主体とされているか否かについての検討において，デラウェア州法においてリミテッド・パートナーシップが，「営利目的か否かを問わず，一定の例外を除き，いかなる合法的な事業，目的又は活動をも実施することができる」，「パートナーシップ契約により付与された全ての権限及び特権並びこれらに付随するあらゆる権限を保有し，それを行使することができる」と定められていること等により，「デラウェアLPS法はデラウェアLPSにその名義で法律行為をする権利又は権限を付与するとともに，その名義でされた法律行為の効果が帰属することを前提とするもの」と解されました。このことは，デラウェアLPS法でパートナーシップ持分がそれ自体として人的財産と称される財産権の一類型であるとされ，かつ，構成員であるパートナーが特定のリミテッド・パートナーシップ財産について持分を有しないとされていることとも整合するとされています。さらに，各LPS契約も上記デラウェアLPS法上の規定に沿うものと解される（または齟齬するものではない）ことから，デラウェアLPSが権利義務の帰属主体であると認められる，と判断されました。

・バミューダLPS事案

バミューダ法に基づき組成されたリミテッド・パートナーシップ（以下「バミューダLPS」）の法人該当性について争われた事案（以下「バミューダLPS事案」）において，2014年2月5日に東京高等裁判所（以下「東京高裁」）は，バミューダLPSは租税法上の法人には該当しないと判断しました。本事案ではバミューダLPSが匿名組合契約に基づく利益分配金につき法人税の納税義務を負うべき法人にあたるかどうかが争われていました。東京高裁では租税法人の「法人」の意義は私法上の「法人」と同義とした上で，法人該当性の判断基準として，①準拠法である外国法令で法人格を付与する旨が規定されていると認められるか，という点に加えて②事業体が損益の帰属すべき主体として設立が認められたものといえるか，をあげていました。その上で，バミューダLPSはこれらいずれの基準も満たさないことから法人ではないとしました。さらに，法人税法上の「人格なき社団」の要件もバミューダLPSは満たさないため，法人税の納税義務を負わない，と判示しました。国側が判決を不服として上告しましたが，2015年7月17日に最高裁判所の上告不受理が決定し，東京高裁判決が確定しています。なお，裁判の過程で，バミューダLPS法上“firm”という用語がLPSに用いられることについて国側から法人認定の主張の一つとされましたが，別個の法人格を有する団体（entity）であるとは認められない，と否定されています。また，デラウェアLPS事案との対比に関して，バミューダLPSの根拠法においてパートナーシップをseparate legal entityとする記載がないことが言及されています。

・ケイマンLPS事案

ケイマン特例リミテッド・パートナーシップ（以下「ケイマンLPS」）を通

じて有する船舶リース事業にかかる資産の減価償却費を認識できるかが争われた事案（以下「ケイマン LPS 事案」）において，ケイマン LPS のリミテッド・パートナーが LPS 財産の共有持分権や使用収益権を有しているかどうかが争点となりました。2007 年 3 月 8 日付名古屋高等裁判所判決（以下「名古屋高裁判決」）は，ケイマンの特例リミテッド・パートナーシップ法（1997 年改正法）およびそれによって準用されるパートナーシップ法（1995 年改正法）の一般条項の分析により，リミテッド・パートナーにも共有持分権があると判定しました。国側が判決を不服として上告しましたが，2008 年 3 月 27 日に最高裁判所の上告不受理が決定し，名古屋高裁判決が確定しています。

上記三つの最高裁判決の結果，デラウェア LPS は法人，バミューダ LPS とケイマン LPS はパススルー認定がなされています（ケイマン LPS については法人該当性そのものについて争われたものではありませんが，共有持分権がパートナーにあるとの結論となっていることから，法人性は否定されたものと考えられます）。なお，上記事案で争点となった投資損失の取り込みや匿名組合分配金の課税については，その後の税制改正で対応がなされています。

4　リミテッド・ライアビリティー・カンパニー（LLC）の税務上の取扱い

上述の Q&A において，米国の LLC については日本の税法上，「外国法人」として取り扱われるとされています。また，2007 年 10 月 10 日付東京高裁判決において，米国ニューヨーク州 LLC について，法人であるとの判示が確定しています。

その後の税制改正でも米国 LLC が法人であるとの前提で検討がなされています。

LLC が法人であり，LLC の投資家が外国法人の株式を取得したとみる場合，外国法人の運用収益を配当として受け取るものとして取り扱われ，投資家が

LLC からの運用収益の分配につき，LLC をパススルーとして取り扱って損失を計上することは認められなくなります。

取扱いの詳細については，外国法人の章をご参照ください。

米国の LLC 以外については，Q&A においても，個々の LLC が外国法人に該当するか否かの判断は，個々の LLC 法等の設立準拠法の規定等に照らして，個別に判断する必要があるとしています。原則として設立国における法的取扱い，経済的実態等を個々に検討した後，税務上の取扱いが判定されることになります。

5　パートナーシップの税務上の取扱い

（１）　類似組織体を検討する際の留意点

パートナーシップが外国法人に該当するかどうか，についての判断にあたっては，上述のとおり，税法上の判断基準が明確には示されておらず，現在のところは裁決や判例で示された判断基準や課税庁が通達等で示す考え方等を参考にしつつパートナーシップ等の設立国における根拠法等について検討の上，個別に判断していく必要があると考えられます。

パートナーシップに関してはこれまでデラウェア LPS，バミューダ LPS，ケイマン LPS についての最高裁判決が出されていますが，このうちデラウェア LPS 事案においてのみ LPS が法人であるとの認定がなされています。

法人認定がなされたデラウェア LPS 事案では，「separate legal entity」との規定その他の関連法令の文言等を参照してもデラウェア LPS がデラウェア州法において日本法上の「法人」に法形式上該当する法的地位を付与されていることが明白とは言い難いが，デラウェア州 LPS 法における LPS に関する管理・運営の規定等からデラウェア LPS 自体が権利義務の帰属主体であると認められる，として外国法人に該当するとの結論に到っています。

しかしながら，上記判例は基本的には個別事案についての判断であり，同様の基準が必ずしもすべての事案に一律に適用されるべきものではない，との見解があります。上記判例の後，現地法令の改正も相次ぎ，投資対象国や投資対象資産の種類によって利用される LPS の組成地は異っています。数多くの国が様々なパートナーシップ法制を有していることから，パートナーシップ投資にあたっては今後も現地法令の規定ぶりや実際の契約内容，案件の性格を個々に見極めながら検討していく必要があるものと考えられます。

（2） 外国法人か任意組合等として取り扱われるかによる影響

パートナーシップが法人としての性格を有しておらず，任意組合等に類似する性格を有していると判定される場合，当該パートナーシップも任意組合と同様に取り扱われるものと考えられます。この場合，各投資家が持分に応じてパートナーシップの投資対象に直接投資を行っているものとして取り扱われることになり，任意組合の章において記された内容と同様の取扱いとなります。

なお，設立国の法令等により，パートナーシップが外国法人として取り扱われる場合の取扱いは，外国法人の章を参照してください。

パートナーシップ等が外国法人として取り扱われるか，任意組合等の組合として取り扱われるか，により差異が生じる主な点について以下に記します。

① 当該投資についての一般的な取扱い

（a） 任意組合等であると判定される場合

パートナーシップ等の投資対象について投資家が直接投資している場合と基本的には同様の取扱いとなります。

なお，国内において任意組合等に基づいて行う事業から生ずる利益で，非居住者，外国法人が配分を受ける一定のものについては 20% の源泉所得税が課されます。

（b） 外国法人と判定される場合

パートナーシップ等の投資対象と投資家とは分離され，あくまで投資家はパートナーシップ等の発行株式等に対して投資しているものとして取り扱われます。

②　投資家による収益等の分配の認識

（a）　任意組合等であると判定される場合

利益の分配だけでなく，損失の分配もあるものとして取り扱われます。

なお，一定の組合損失額については投資家において損失として認識できません。

（b）　外国法人であると判定される場合

収益の分配は配当として取り扱われます。パートナーシップ等において損失が認識されていたとしても，損失は投資家には分配できません。

③　パートナーシップ等が得た収益または損失の投資家における損益認識のタイミング

（a）　任意組合等であると判定される場合

投資家の各事業年度の期間に対応するパートナーシップの損益を認識または（毎年1回以上，一定時期においてパートナーシップ損益が計算される等の条件下で）パートナーシップ等の計算期間の末日が属する事業年度の益金または損金として認識されます。

（b）　外国法人であると判定される場合

原則としてパートナーシップからの配当確定日の属する事業年度における収益として認識されます。

④　CFC 税制（タックス・ヘイブン税制）の適用

（a）　任意組合等であると判定される場合

パートナーシップ等そのものに CFC 税制（タックス・ヘイブン税制）が適用されることはありません。ただし，パートナーシップ等の投資対象が外国法人株式であり，投資家が主として日本の法人，個人である場合，投資対象たる外国法人について CFC 税制の適用を検討する必要があります。

（b）　外国法人であると判定される場合

投資家が主として日本法人，個人である場合，パートナーシップ等そのものにCFC税制の適用の可能性があります。

CFC税制（タックス・ヘイブン税制）

CFC税制（タックス・ヘイブン税制）は，外国子会社を通じて行われる租税回避に対処するため，一定の条件の下で，軽課税国に所在する外国の子会社の所得をその親会社である内国法人の所得に合算して課税するものです。

具体的には，資産のみを保有する外国法人SPC（一定の特例に該当しないもの）を前提とした場合，その発行済株式または出資の総数または総額等（発行済株式総数等）の50%を超える株式または出資の数または金額（株式等）を，居住者および内国法人（ならびにこれらと特殊関係にある非居住者）によって直接に，または他の外国法人を通じて間接に保有（直接および間接に保有）されている外国法人（外国関係会社）で，法人の所得に対する税の負担が30%未満(注)の場合は，当該外国法人の発行済株式総数等の10%以上を直接および間接に保有する内国法人の当該保有する株式等に対応する部分の金額（課税対象金額）は，特定外国子会社等の各事業年度終了の日の翌日から2か月を経過する日を含む当該内国法人の各事業年度の所得に合算して日本において課税されます。間接に保有する株式等は，各段階において50%超の連鎖関係がある場合に支配関係が継続しているとして判定されます。また，外国関係会社には居住者または内国法人との間に実質支配関係がある外国法人が含まれます（詳細は第4章Ⅰ外国法人（7）CFC税制参照）。

（注）内国法人の2024年4月1日以後に開始する事業年度については27%未満

⑤　過少資本税制

パートナーシップ等の投資対象が内国法人発行株式であり，当該内国法人にパートナーシップ等が貸付けを行っている場合等に注意が必要です。

（a）　任意組合等であると判定される場合

パートナーシップ等そのものが過少資本税制上の支配株主に該当することはありません。パートナーシップ等の投資対象が内国法人発行株式であり，各組合員に外国法人等が含まれる場合は，当該外国法人等が投資対象たる内国法人について支配株主に該当するかどうかを検討する必要があります。

（b）　外国法人であると判定される場合

パートナーシップ等そのものが過少資本税制上の支配株主に該当する可能性があります。

過少資本税制（租税特別措置法第66条の5：国外支配株主等に係る負債の利子の課税の特例）

内国法人が国外支配株主等に負債の利子等を支払う場合において，当該事業年度の国外支配株主等に対する負債の平均残高が国外支配株主等の純資産に対する持分の額の3倍を超えるときは，支払った負債利子等のうち，その超える部分に対応する支払利子等は損金の額に算入されない，という制度です。

⑥　過大支払利子税制

パートナーシップ等の投資対象が内国法人発行株式であり，当該内国法人にパートナーシップ等が貸付けを行っている場合等には，投資対象たる内国法人について過少資本税制に加えて，過大支払利子税制の適用も考慮にいれる必要があります（詳細は第4章Ⅰ.1.(9)参照）。

過大支払利子税制（租税特別措置法第66条の5の2：対象純支払利子等に係る課税の特例）

対象純支払利子等の額が調整所得金額（当期の所得金額に，対象純支払利子等，減価償却費や税等について加減算する等の調整を行った金額）の20%に相当する額を超える場合には，その超える部分の金額は，当期の損金の額に算入されない，という制度です。なお，本制度の適用により損金不算入とされた金額は，翌期以降7年間繰越し（注），翌期以降の対象純支払利子等の額と調整所得金額の20%に相当する金額との差額を限度として，損金に算入することができます。

（注）令和6年度税制改正大綱では2022年4月1日から2025年3月31日までの間に開始した事業年度に係る超過利子額の繰越期間は10年に延長されることが示されています。

⑦　事業譲渡類似株式，不動産化体株式

パートナーシップ等が内国法人発行株式を売却目的で保有する場合に注意が必要です。

(a)　任意組合等であると判定される場合

パートナーシップ等の投資家のうち外国法人，非居住者について事業譲渡類似株式，不動産化体株式の譲渡益課税の適用可能性を検討する必要があります。

なお，事業譲渡類似株式等の譲渡益課税の判定にあたって，保有割合は原則としてパートナーシップ単位で算定しますが，平成21年度税制改正により，一定の要件を満たす投資事業有限責任組合に類するパートナーシップについては，パートナーシップ単位ではなく投資家単位で保有割合を算定することとされています（詳細は以下⑧を参照）。

(b)　外国法人であると判定される場合

外国法人として取り扱われるパートナーシップ等の所得について事業譲渡類似株式，不動産化体株式の譲渡益課税の適用可能性を検討する必要があります。

事業譲渡類似株式，不動産化体株式の譲渡等

日本に恒久的施設を有しない外国法人による内国法人の株式等の譲渡には原則として日本の課税は行われませんが，一定の株式等の譲渡は法人税の課税対象とされています。

①　買い集めた同一銘柄の内国法人の株式等を売却することによる所得

②　内国法人の特殊関係株主等である外国法人が行うその内国法人の株式等の譲渡による所得

イ）株式等の譲渡があった事業年度終了の日以前3年以内のいずれかのときに，特殊関係株主等（内国法人の株主，およびその株主と一定の関係にある個人，その株主が50%超の資本を有する会社，民法組合等の他の組合員）がその内国法人の発行済株式または出資の総数または総額の25%以上を所有していたこと

ロ）株式等の譲渡があった事業年度において，特殊関係株主等がその内国法

人の発行済株式または出資の総数または総額の5%以上を譲渡したこと
③　株式方式のゴルフ会員権の譲渡による所得
④　非居住者，外国法人が国内にある不動産等が50%以上である法人が発行する一定の株式等を譲渡した場合の所得（不動産化体株式等の譲渡益課税）
なお，平成30年度税制改正により，不動産関連法人の判定は「譲渡に先立つ365日の期間のいずれかの時点」で行うことになります。

⑧　パートナーシップと事業譲渡類似課税の特例

平成21年度税制改正において，以下①および②の要件を満たす日本国内に事務所等を有さないパートナーシップ（投資事業有限責任組合に類するものに限る。以下，本項において同じ）の外国投資家が，パートナーシップを通じて行う③の要件を満たす一定の株式等の譲渡については，事業譲渡類似株式譲渡益課税判定上の保有割合をパートナーシップ単位ではなく，投資家単位で算定するという特例措置が設けられました（以下「事業譲渡類似課税の特例」）。

①　譲渡の日を含む事業年度（以下「譲渡事業年度」）終了の日以前3年内で当該パートナーシップ契約（投資組合契約）を締結していた期間において有限責任組合員であること
②　譲渡事業年度終了の日以前3年内でパートナーシップ契約を締結していた期間において当該パートナーシップ契約に基づいて行う事業に係る業務の執行を行わないこと
③　譲渡事業年度終了の日以前3年内のいずれの時においても，外国投資家および特殊関係株主等が，対象株式の発行済株式または出資の総数または総額の25%以上を所有していなかったこと（なお，本判定において，上記①，②の要件を満たすパートナーシップの他の組合員は除かれる）

②の業務執行の判定において，外国投資家が他のパートナーシップを通じて当該判定対象となるパートナーシップに投資を行う場合において，当該他のパートナーシップの他の組合員が当該パートナーシップの業務の執行として対象パートナーシップの業務執行を行う場合は，当該外国投資家自身は業務執行

に関与しなかったとしても，業務執行を行ったものとして取り扱われます。業務執行を行ったとされるかどうかの具体的判定については，経済産業省が2009年7月に国税庁の確認を受けた上で公表したQ&Aが参考になります（詳細は巻末資料参照）。Q&Aでは「業務執行」を（イ）業務執行とは関係のない行為，（ロ）業務執行に関係するが業務執行ではない行為，（ハ）業務執行そのもの，の3類型に分け，税務上業務執行として取り扱われる行為に該当するかどうかを解説しています。なお，平成22年度税制改正により，GPの自己取引（GPの役員や使用人との取引も含む）やGPが運用者となっている他ファンドとの取引についてのLPによる承認，同意は業務執行には該当しないこととされました（詳細は第3章　Ⅲ投資事業有限責任組合4（1））。

事業譲渡類似課税の特例は，国内に恒久的施設を有しない外国組合員が本適用を受けようとする旨，その者の氏名または名称および住所，譲渡対象株式の保有割合その他一定の事項を記載した書類等を納税地の所轄税務署長に提出している場合に限り，適用されます。本特例の適用にあたっては，当該書類にパートナーシップ契約書およびその翻訳も添付することが要請されています。

なお，パートナーシップ財産として取得した日の翌日から1年未満の株式または出資の譲渡，および預金保険機構から取得する特別危機管理銀行の株式に該当するものの譲渡には本特例の適用はありません。また，不動産化体株式の譲渡益課税には，特例の適用はありませんので，従来どおり，パートナーシップ単位で保有割合が判定されることになります。

⑨　パートナーシップ等と独立代理人

非居住者または外国法人が日本国内に自己のために契約を締結する権限のある者（代理人PE）を有するか否かの判定に際して，独立の地位を有する代理人等については代理人PEの範囲から除外されています。なお，2015年10月に公表されたBEPS行動7（PE認定の人為回避の防止）の最終報告書の提言を受けてOECDモデル租税条約，および同コンメンタリーが2017年に改訂されています。これを受けて，日本の国内法も平成30年度税制改正により，独立代理人の範囲から，専らまたは主として一または二以上の自己と特殊の関係にある者に代わって行動する者は除かれることが明記されました。ここでいう特殊の関係は，直接または間接の支配関係を意味するものとされています。

当該独立代理人の要件の明確化を図るため，2008年6月27日付けで金融庁から，財務省および国税庁の確認を得た上で，“恒久的施設（PE）に係る「参考事例集」・「Q&A」”が公表されています（「参考事例集」，「Q&A」）。その後，2017年のOECDモデル租税条約および同コンメンタリーの改訂，平成30年度税制改正を受けて，参考事例集も2019年4月1日に改正されています（さらに2020年7月22日に投資運用業者の範囲について改正）。

参考事例集では，パートナーシップなどの日本の任意組合等に類似の契約により組成された国外ファンドの国外業務執行組合員が，当該国外ファンドの他の組合員である非居住者等のために国内の投資運用業者と投資一任契約を締結し（国外業務執行組合員が国外投資運用業者を介して間接的に国内の投資運用業者と投資一任契約を締結する場合を含む），当該国内の投資運用業者が当該国外ファンドの組合員を代理して国内で特定の投資活動を行う場合，以下に記すいずれの事情もない場合には，国内の投資運用業者は独立代理人に該当するとされています。

ア）国内の投資運用業者が投資一任契約において投資判断を一任されている部分が少なく，実質的に国外ファンドの組合員または国外投資運用業者が直接投資活動を行っていると認められる

イ）国内の投資運用業者の役員の2分の1以上が国外業務執行組合員または国外投資運用業者の役員または使用人を兼任している

ウ）国内の投資運用業者が国外ファンドまたは国外投資運用業者から投資一任を受けた運用資産の総額または運用利益に連動した（当事者の貢献を反映した適切な）報酬を収受していない

エ）国内の投資運用業者がその事業活動の全部または相当部分を国外ファンドまたは国外投資運用業者との取引に依存している場合において，当該国内の投資運用業者が事業活動の態様を根本的に変更することなく，また事業の経

済的合理性を損なうことなしに，事業を多角化する能力若しくは他の顧客を獲得する能力を有していない（ただし，国内の投資運用業者が業務を開始した期間を除く）

オ）国外ファンドの組合員が国内の投資運用業者の特殊関係者に該当し，かつ，当該国内の投資運用業者が専らまたは主として当該国外ファンドの組合員に代わって行動している

このうちオ）の要件は，OECD モデル租税条約の 2017 年改訂および平成 30 年度税制改正を踏まえて，追加されたものです。国外ファンドが組合型である場合におけるオ）の要件の判定について，下記の考え方が参考事例集に示されています。

> 国外ファンドの国外業務執行組合員が国内の投資運用業者（代理人）と投資一任契約を締結した場合，組合契約事業の共同事業性から，当該国外ファンドの構成員ごとに，国内に恒久的施設（代理人 PE）を持つかどうかの判定を行うことになる。このため，オ）の要件を検討するにあたっては，国内の投資運用業者と国外ファンドの各構成員との間において，当該国内の投資運用業者が「専ら又は主として」特殊関係者に代わって行動しているといえるかどうか検討するのが適当である。

また，上記オ）に関連する事例として，国内の投資運用業者が，組合型である国外ファンドの各構成員について「専ら又は主として」特殊関係者に代わって行動しているといえるかについて，モデル租税条約コンメンタリーを参照した上で，具体的な考え方（売上比率に基づく例示）が示されています。すなわち，特殊関係者に該当しないファンドの構成員にかかる契約の売上が，国内の投資運用業者の代理人としての契約の全売上の 10% 以上である場合には，当該投資運用業者は「専らまたは主として」特殊関係者に代わって行動していることにはならない旨が記されています。

Q&A では，法的独立性について，その基本的な考え方および委託者の行なっている指示が法的独立性判断に関して重要となる詳細な指示に該当するか

否かに焦点を当てて記載されています。独立代理人の判定における法的独立性に関しては，「投資の対象となる有価証券の種類，銘柄，数及び価格並びに売買の別，方法及び時期についての判断又は行うべきデリバティブ取引の内容及び時期についての判断」について国内の投資運用業者が十分な裁量権を有していることが重要である，とされています。リスク管理に関する制限やアセットアロケーションに関する指示は「有価証券の銘柄，数及び価格並びに売買の別，方法及び時期」に関する指示でない限り問題とはなりませんが，当該制限や指示が有価証券の銘柄や売買の時期等に及ぶ場合，有価証券の個別銘柄の比率に及ぶ場合には，十分な指示が行われていないとされる可能性があります。委託者が特定の業種または銘柄への投資を制限する，いわゆるネガティブ・リストを設ける場合や，委託者がアセット・アロケーションを市況に応じて適宜指示するものの，債券と株式の比率や業種ごとの比率等の大まかな投資に関する指示である場合については，「詳細な指示」には当たらないとされています。一方，一定金額以上の単一銘柄への投資に関して承認を得なければならないとされている場合は，国内の投資運用業者の投資判断についての十分な裁量権を失わせる「詳細な指示」に該当するおそれがあります。

従前，国内法には独立代理人の概念がなく，パートナーシップ等の国外業務執行組合員が，国内の投資運用業者と投資一任契約を締結し，当該国内の投資運用業者が当該国外ファンドの組合員を代理して国内で特定の投資活動を行う場合，当該国外ファンドが日本国内に恒久的施設を有するとみなされ，国内源泉所得に該当する投資運用益に日本の課税がなされる可能性がありました。独立代理人規定の創設により，日本国内に投資運用業者がいる場合においても，その運用方法等が参考事例集に記された要件を満たす場合または独立代理人の一般的な概念に該当する場合には，投資運用業者は独立代理人として取り扱われ，国外ファンドの恒久的施設にはならないことが明らかになりました。ただし，独立代理人の考え方が税法改正により変更されていることから，直近のQ&Aや参考事例集を参考に再確認しておく必要があります。

（３） 日米租税条約における取扱い

日米租税条約では，日米において課税上の取扱いが異なる事業体についての定めがおかれています。課税上の取扱いが異なる事業体として，リミテッド・ライアビリティー・カンパニーやパートナーシップが例としてあげられており，こういった事業体を通じて稼得される所得に対して，税の減免といった条約の特典を適切に与えることにより，事業体を通じた投資を促進するため，このような事業体を通じて所得を稼得する場合における条約の特典に係る適用関係を明確にすることとされています（「日米租税条約のポイント」財務省）。

具体的には，日米租税条約第４条第６項において，次のように記載されています。

<u>日米租税条約第４条第６項</u>

（ａ） 一方の締約国において取得される所得であって，（ｉ）他方の締約国において組織された団体を通じて取得され，かつ，（ⅱ）当該他方の締約国の租税に関する法律に基づき当該団体の受益者，構成員または参加者の所得として取り扱われるもの

⇒当該一方の締約国の租税に関する法令に基づき当該受益者，構成員または参加者所得として取り扱われるか否かにかかわらず，当該他方の締約国の居住者である当該受益者，構成員または参加者（この条約に別に定める要件を満たすものに限る。）の所得として取り扱われる部分についてのみ，この条約の特典（当該受益者，構成員または参加者等が直接に取得したものとした場合に認められる特典に限る。）が与えられる。

（ｂ） 一方の締約国において取得される所得であって，（ｉ）他方の締約国において組織された団体を通じて取得され，かつ，（ⅱ）当該他方の締約国の租税に関する法律に基づき当該団体の所得として取り扱われるもの

⇒当該一方の締約国の租税に関する法令に基づき当該団体の所得として取り

扱われるか否かにかかわらず，当該団体が当該他方の締約国の居住者であり，かつ，この条約に別に定める要件を満たす場合にのみ，この条約の特典（当該他方の締約国の居住者が取得したものとした場合に認められる特典に限る。）が与えられる。

（c）　一方の締約国において取得される所得であって，（ⅰ）両締約国以外の国において組織された団体を通じて取得され，かつ，（ⅱ）他方の締約国の租税に関する法律に基づき当該団体の受益者，構成員または参加者の所得として取り扱われるもの

⇒当該一方の締約国または当該両締約国以外の国の租税に関する法令に基づき当該受益者，構成員または参加者の所得として取り扱われるか否かにかかわらず，当該他方の締約国の居住者である当該受益者，構成員または参加者（この条約に別に定める要件を満たすものに限る。）の所得として取り扱われる部分についてのみ，この条約の特典（当該受益者，構成員または参加者が直接に取得したものとした場合に認められる特典に限る。）が与えられる。

（d）　一方の締約国において取得される所得であって，（ⅰ）両締約国以外の国において組織された団体を通じて取得され，かつ，（ⅱ）他方の締約国の租税に関する法律に基づき当該団体の所得として取り扱われるもの

⇒この条約の特典は与えられない。

（e）　一方の締約国において取得される所得であって，（ⅰ）当該一方の締約国において組織された団体を通じて取得され，かつ，（ⅱ）他方の締約国の租税に関する法律に基づき当該団体の所得として取り扱われるもの

⇒この条約の特典は与えられない

①　米国の居住者が米国の団体を通じて日本に投資を行う場合

日米租税条約では，米国の居住者が米国の団体を通じて日本に投資を行う場

合において，米国の税法上，当該米国の団体の受益者，構成員または参加者（以下，「構成員等」）の所得として取り扱われる場合は，構成員等の所得として取り扱われる部分については，日本の税法上構成員等の所得として取り扱われるか否かにかかわらず，構成員等が直接に取得したものとした場合に認められる特典が与えられることとされています。一方，米国の税法上，団体の所得として取り扱われる場合は，当該米国の団体が米国の居住者であり，租税条約上の一定の要件を満たす場合には，当該団体の所得について構成員等が取得したものとした場合に認められる特典が与えられることになります。

日米租税条約に定める日米において課税上の取扱いが異なる団体には，「団体」とのみ記されていますので，当該「団体」の形態にかかわらず米国税法上，当該団体の所得を構成員等の所得としてみなす取扱いが適用されるのであれば，当該団体の構成員等と投資先の日本との租税条約が適用されることになります。日米租税条約の米国側の解説（Department of the Treasury Technical Explanation of the Convention between the Government of the United States of America and the Government of Japan for the avoidance of double taxation and the prevention of fiscal evasion with respect to taxes and on capital gains, signed at Washington on November 6, 2003，以下「米国側解説」）において，「団体」が信託である場合についても同様の取扱いである旨の記載があります。

なお，日米租税条約において居住者の定義は「課税を受けるべきものとされる者」とされました。この他にも租税条約上の居住者とされるためには多岐にわたる条件が付されていますので，投資家または投資 Vehicle が居住者としての要件を満たしているかどうかに注意が必要となります。

また，日米租税条約においては，条約の濫用を防止するため，所定の要件を満たした条約相手国居住者に対してのみ条約の特典を付与する特典制限条項が設けられています。租税条約の適用に際して提出される条約適用届出書は構成員等や団体の居住性や適格性等，詳細な情報を記載するものとなっています。租税条約が定める条件を満たすことを記載した租税条約に関する届出書の他に，特典条項に関する付表および確認書類を添付することが必要とされています

（詳細は別添の届出書フォーマットを参照してください）。

②　米国の居住者が日米以外の団体を通じて日本に投資を行う場合

日米租税条約において，米国の居住者たる投資家が第三国の団体を通じて日本に投資を行う場合において，米国の税法上，第三国の団体の受益者，構成員または参加者たる米国投資家の所得として取り扱われる場合は，第三国において米国投資家の所得として取り扱われるか否かにかかわらず，米国投資家の所得として取り扱われる部分については，米国投資家が直接に取得したものとした場合に認められる特典が与えられることとされています。一方，米国の税法上，当該第三国の団体の所得として取り扱われる場合は，日米租税条約の特典は与えられないことになります。

例えばパートナーシップがケイマンにおいて組成されている場合でも，米国の税法上，米国投資家の所得として取り扱われている場合は，当該米国投資家の所得については米国のパートナーシップを通じて投資した場合と同様に日米租税条約の適用可能性があります。

なお，米国の居住者たる投資家が第三国の団体を通じて日本に投資を行う場合には，第三国における当該団体の取扱いや，第三国と日本との間の租税条約上の取扱いが新たな検討事項として考えられます。

③　日本の居住者が米国または第三国の団体を通じて米国に投資を行う場合

日米租税条約を日本の居住者が海外の団体を通じて米国に投資するアウトバウンド型ストラクチャーに当てはめて考えると，次のようになります。

（ｉ）　日本の居住者が米国または第三国で設立された団体を通じて米国に投資を行う場合において，日本の税法上，当該団体を通じて取得される所得が日本の居住者たる投資家の所得として取り扱われない場合には，投資家所在地の日本と投資先の米国との間で日米租税条約の適用可能性はない。

（ii）　日本の居住者が第三国で設立された団体を通じて米国に投資する場合

において，当該団体が日本の税法上，当該団体を通じて取得される所得が当該団体の受益者，構成員等の所得として取り扱われる場合，投資先の米国と投資家所在地の日本との租税条約の適用可能性がある。

なお，日本の居住者が米国で設立された団体を通じて米国に投資を行う場合において，日本の税法上，当該団体の所得が日本の居住者たる投資家の所得として取り扱われる場合については租税条約上，特に定めは置かれていません。

上記のように，日米租税条約は日本の居住者が海外の団体を通じて米国に投資するアウトバウンド型ストラクチャーにおいては，日本の税法上，当該団体を通じて取得される所得が当該団体の受益者，構成員等の所得として取り扱われる場合には投資先の米国と投資家居住地国の日本との租税条約の適用がありえると解釈されます。

日英租税条約，日仏租税条約，日豪租税条約等においても両国間において課税上の取扱いが異なる事業体を通じる投資について日米租税条約と同様の定めがおかれています（日英，日仏租税条約では，第三国の団体を通して投資を行う場合については特に定めがなされていませんでしたが，以下（4）で記す通り，MLI により第三国の団体を通じた場合も対象となりました）。

（4） BEPS 防止措置実施条約

BEPS プロジェクトで示された BEPS 行動のうち，租税条約に関する部分を既存の租税協定に採り入れることを目的として BEPS 防止措置実施条約（MLI）が，2017 年 6 月に日本を含む 67 か国・地域により署名されました。日本については 2019 年 1 月 1 日に発効しており，2023 年 11 月 20 日現在で 100 か国・地域が署名し，うち，83 か国・地域が批准書等を寄託しています。

日本が BEPS 防止措置実施条約の適用対象として選択している条約相手国（43 か国）のうち，2023 年 11 月 20 日現在で 39 か国・地域との条約について批准書等が寄託されています（批准書等の寄託した日に開始する 3 か月の期間が満了する日の属する月の翌月の初日にその国について発効します）。

これにより，双方の国が留保せずに選択した条項については，既存の租税条約に置き換えて適用されることになります。

MLI 第3条においては，「課税上存在しない団体」についての定めがあり，以下の通り規定されています。

> ○　課税上存在しない団体
>
> 対象租税条約の適用上，いずれかの当事国の租税に関する法令の下において全面的若しくは部分的に課税上存在しないものとして取り扱われる団体若しくは仕組みによって又はそのような団体若しくは仕組みを通じて取得される所得は，一方の当事国における課税上当該一方の投資国の居住者の所得として取り扱われる限りにおいて，当該一方の当事国の居住者の所得とみなす（MLI 第3条第1項）。

MLI 第3条には上記のほか既存条約との関係等について規定する様々な規定がおかれていますが，MLI 適用対象国で第3条（課税上存在しない団体）の適用を選択している国については，MLI 発効後は，LPS 等の透明な事業体を通じて取得される所得が投資家居住地国の税法上投資家の所得として取り扱われる場合，投資家の所得とみなして条約適用がなされる可能性があることになります。

日本との租税条約の関係では，現時点で MLI 第3条を以下の国が採択しています。2023年11月20日現在，下線部の国との条約につき批准書等が寄託されています。

> アイルランド，イギリス，イスラエル，スロバキア，トルコ，ニュージーランド，ノルウェー，フィジー，ポーランド，マレーシア，南アフリカ，メキシコ，ルーマニア，ルクセンブルク

上記のうち，既存の条約に透明な事業体を通じて得る所得について規定のなかった国（例：アイルランド，ルクセンブルク）についても，MLI 発効後は，投資家居住地国の税法の観点からパススルー扱いされる事業体を通じて投資を行う場合には，投資家居住地国との租税条約の適用があることになりました。

第2部

クロスボーダー事業投資

投資には海外の投資家が日本の資産に投資する場合（インバウンド）と，日本の投資家が海外の資産に投資する場合（アウトバウンド）およびその混合形態とが考えられます。この第2部では第1部で述べたさまざまな投資 Vehicle の選択により，その投資ストラクチャーに与える影響について記載します。

なお，第2部では，特に断りのない限り，投資家は法人投資家を前提としています。

第1章　インバウンド投資ストラクチャー

Ⅰ　投資対象の分類と影響

海外の投資家が日本の資産に投資を行う場合，投資対象によってその課税関係が異なります。さらに投資対象からどんな局面で所得を得るのか，すなわち保有局面で利子や配当，賃料などを得るのか，売却の局面で譲渡対価を得るのか，によっても課税関係は異なります。源泉税で課税関係が終了する場合もありますが，投資対象資産や所得獲得の場面によっては海外投資家が日本国内に支店等の恒久的施設を有さなくても法人税や所得税の申告が必要とされることもあります。投資家によっては自ら申告を行うことをいとわない者もあれば，投資効率にかかわらず自ら申告を行うことを避けたいという者もあります。誰が申告義務を負うかは投資家が投資を行う際の投資 Vehicle の形態によって異なります。

インバウンド投資ストラクチャーの組成にあたっては，まずは投資対象を特定し，所得を得る場面を想定した上で，投資家のニーズにそった最適のストラクチャーを考える必要があります。本章では投資対象を金銭債権，有価証券，不動産の三つに分け，それぞれ保有局面と売却局面を想定した上で，投資 Vehicle 別に課税関係について説明します。

1　金 銭 債 権

日本の債務者に対する貸付金（日本国内での事業目的）に投資している投資 Vehicle に対して海外投資家が投資するケースを想定します。Vehicle は貸付金の利子，元本回収金を受け取るとともに，貸付金の譲渡を行います。

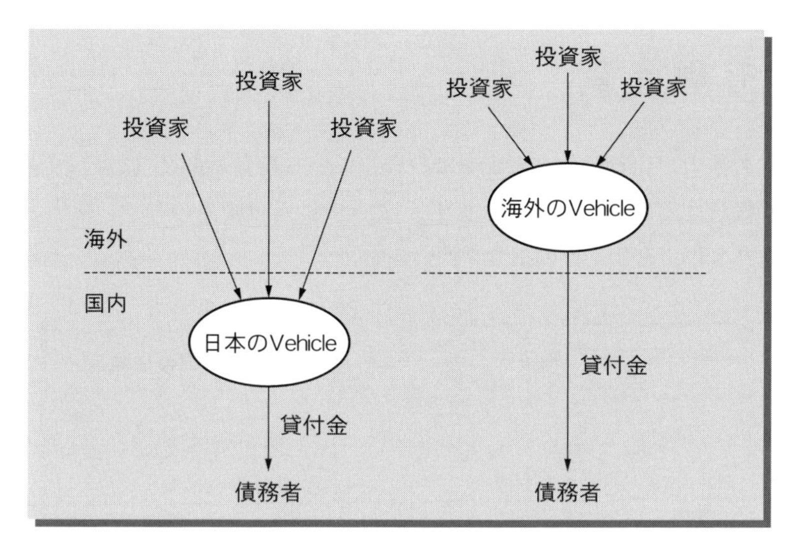

図１　海外投資家が金銭債権に投資するケース

2 有価証券

日本の法人が発行する有価証券に投資している投資 Vehicle に対して海外投資家が投資するケースを想定します。Vehicle は有価証券の利子，配当を受け取るとともに，有価証券の譲渡を行います。

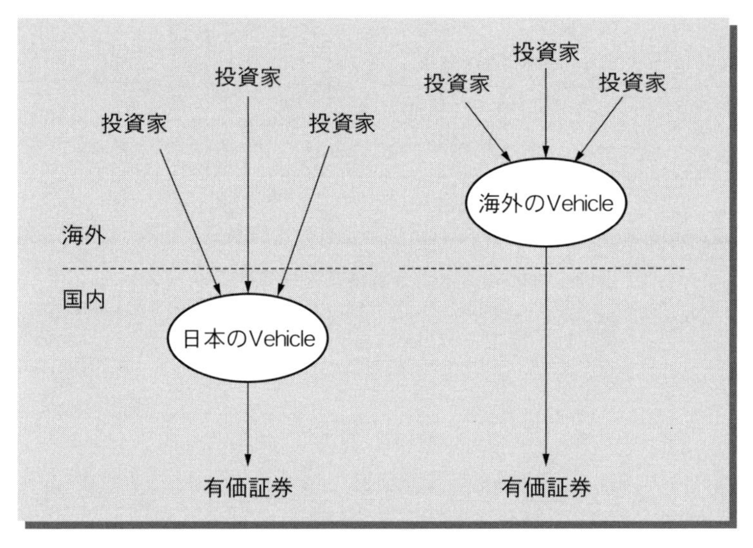

図2 海外投資家が有価証券に投資するケース

3 不　動　産

日本国内の不動産に投資している投資 Vehicle に対して海外投資家が投資するケースを想定します。Vehicle は不動産の賃貸料を受け取るとともに，不動産の譲渡を行います。

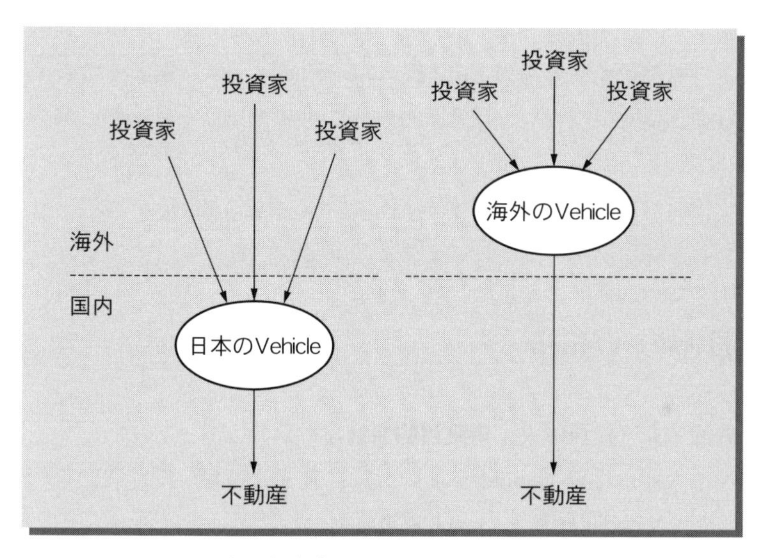

図3　海外投資家が不動産に投資するケース

Ⅱ　投資Vehicleの位置付けと取扱い概略

海外投資家が日本に投資を行ういわゆるインバウンド投資の場面においては，海外投資家が既存または新設の日本のVehicleを通じて日本国内の資産に投資する場合（間接投資）と海外で組成されるVehicleから日本国内の資産に直接投資する場合（直接投資）とが考えられます。本章ではそれぞれの場合についてステップごとに説明します。

本章で検討対象とする投資の各局面における投資Vehicleの取扱い概略は，以下のとおりです。

1　日本のVehicle

①　内国法人（投資法人，特定目的会社含む）

内国法人たる投資Vehicleが投資対象資産を取得し，投資家に対して利子，配当等として分配します。

②　信託（導管信託）

受益者等課税信託に該当する信託は導管すなわちパススルーとして取り扱われます。したがって，投資家（信託受益権の保有者）が直接投資対象の資産を保有，運用することになります。

③　投資信託

投資信託はパススルーとして取り扱われず，原則として投資信託そのものが一定の資産を保有，運用しているものとして取り扱われます。一定の投資信託については受託者に法人税の納税義務があります。

④　特定目的信託

特定目的信託はパススルーとして取り扱われず，原則として特定目的信託そのものが一定の資産を保有，運用しているものとして取り扱われます。特定目的信託は受託者に法人税の納税義務があります。

⑤　匿 名 組 合

匿名組合営業者が投資対象資産を取得，運用しているものとして取り扱われます。

⑥　任意組合（投資事業有限責任組合，有限責任事業組合を含む）

任意組合はパススルーとして取り扱われ，原則として組合員たる投資家が直接投資対象の資産を保有，運用することになります。

2　海外の Vehicle

①　外国法人（投資法人含む）

外国法人たる投資 Vehicle が投資対象資産を取得し，投資家に対して利子，配当等として分配します。なお，会社型投資信託も法人格を有する限り，外国法人として取り扱われます。

②　外国投資信託

日本の投資信託に類する外国投資信託は日本の投資信託と同様に取り扱われます。すなわち，投資信託はパススルーとして取り扱われず，原則として投資信託そのものが一定の資産を保有，運用しているものとして取り扱われます。

③　パートナーシップ

現状の日本の税務上，外国のパートナーシップ，リミテッド・ライアビリティー・カンパニーの個別の取扱いを定めた規定はないため，設立国における法的取扱い，経済的実態等を個々に検討した後，日本の法律上，もっとも類似している形態としてその税務上の取扱いが判定されると考えられます。

〈投資 Vehicle の税務上の取扱いまとめ〉	
導管として取り扱われる Vehicle	導管信託，任意組合（投資事業有限責任組合，有限責任事業組合を含む。以下この章において同じ）
法人として取り扱われる Vehicle	株式会社，合同会社，特定目的会社，投資法人等
法人ではないが，導管としては取り扱われない Vehicle	特定目的信託，投資信託

（注）上記それぞれに類似する海外の投資 Vehicle を含む。

Ⅲ　投資 Vehicle 別租税条約適用可能性

海外投資家が投資 Vehicle を通じて日本の資産に対して投資する場合，（Stage 1）投資 Vehicle からの収益の分配について投資 Vehicle 所在国と海外投資家所在国との間の租税条約適用可能性の検討，および，（Stage 2）投資対象からの収益について投資 Vehicle 所在国と投資対象たる日本との間の租税条約の適用可能性の検討があります。

租税条約の適用にあたっては，日本だけでなく投資家および投資 Vehicle 所在国における税務上の取扱いにも留意する必要があります。投資 Vehicle の位置付け（パススルーとして取り扱うかどうか等）については国により取扱いが異なる可能性がありますが，主として以下においては日本における位置付けと同様であるとの前提で記しています。

（１）　投資 Vehicle がパススルーとして取り扱われる事業体の場合

投資 Vehicle がパススルーとして取り扱われる事業体の場合には，当該事業体の所在地にかかわらず原則として投資 Vehicle は税法上，ないものとして取り扱われることになりますので，原則として投資対象からの収益について投資家所在国と日本との租税条約適用可能性を検討することになります。投資家が当該事業体を通じた投資にともない，日本に恒久的施設を有することになるかに注意を要します。

（２）　パススルーとして取り扱われない日本の投資 Vehicle を使用する場合

パススルーとして取り扱われない日本の投資 Vehicle を使用する場合，投資 Vehicle 所在国が日本であるため，原則として上述（Stage 1）投資 Vehicle からの収益の分配について投資Vehicleの所在国たる日本と投資家所在国との間の租税条約の適用可能性について検討することになります。

この場合，日本の投資Vehicleからの配当，利子等に係る源泉税について日本と投資家の所在国との租税条約による軽減税率が適用されるかが問題となりますが，投資Vehicleからの配当，利子等は国内源泉所得に該当することから，投資家が租税条約締結国に所在し，かつ，当該租税条約上「居住者」，「受益者」として取り扱われる限り，原則として租税条約の軽減税率の適用可能性があるものと考えられます。

なお，日米租税条約，日英租税条約等においては，投資法人や特定目的会社などの課税所得の計算上，支払配当を控除できる法人の配当については，特別の条項が設けられています。具体的には個別の租税条約の内容を検討する必要があります。

(3)　パススルーとして取り扱われない海外の投資Vehicleを使用する場合

パススルーとして取り扱われない海外の投資Vehicleを使用する場合，当該海外の投資Vehicleによる投資として扱われるため，原則として上述（Stage 2）投資対象からの収益について投資Vehicle所在国と投資対象たる日本との間の租税条約の適用可能性について検討することになります（なお，日米租税条約等，いくつかの租税条約では事業体経由の投資の取扱いについて特別条項をおいています。詳細は後述）。

この場合，投資対象からの利子，配当，不動産賃貸料，使用料等について日本と投資Vehicle所在国との租税条約による軽減税率が適用されるかが問題となります。投資Vehicleが租税条約締結国に所在し，かつ，当該租税条約上「居住者」，「受益者」として取り扱われる場合は原則として租税条約の軽減税率の適用があることになりますが，投資Vehicleが現地で課税を受けないEntityである場合や，法人格を有さないEntityである場合等，昨今のBEPSの議論等をふまえて条約の適用可否について検討を要します。

また，海外の投資Vehicleが日本に恒久的施設を有することになるかどうかについても検討が必要です。

〈租税条約適用可能性まとめ〉	
●導管として取り扱われるVehicle	（検討事項）投資対象からの収益について投資家所在国と日本との租税条約適用可能性を検討
●導管として取り扱われない日本の投資Vehicle	（検討事項）投資Vehicleからの配当，利子等について日本と投資家所在国との間の租税条約の適用可能性を検討
	（ポイント）投資家が租税条約締結国に所在するか，投資家が当該租税条約上「居住者」，「受益者」として取り扱われるか
●導管として取り扱われない海外の投資Vehicle	（検討事項）投資対象からの収益について投資Vehicle所在国と投資対象たる日本との間の租税条約の適用可能性を検討
	（ポイント）投資Vehicleが租税条約締結国に所在するか，投資Vehicleが当該租税条約上「居住者」，「受益者」として取り扱われるか

（4）　日米租税条約等およびBEPS防止措置実施条約

日米租税条約においては，リミテッド・ライアビリティー・カンパニー（LLC）やパートナーシップ（LPS）等，両国間で課税上の取扱いが異なる事業体への対応に係る規定が設けられています。

条約では，米国の投資家が米国のLLC，LPS等の事業体を通じて日本において取得する所得については，米国税法上，①LLCやLPSの構成員たる米国投資家の所得として取り扱われる部分については租税条約の特典が与えられ，②米国のLLCやLPSの所得として取り扱われるものについては，当該LLCやLPSが租税条約上の居住者であり，かつ条約に定める要件を満たす場合は租税条約の特典が与えられる，とされています（詳細は第1部第4章　海外投資Vehicle「Ⅲ　パートナーシップ，リミテッド・ライアビリティー・カンパニー」参照）。

なお，日英租税条約，日仏租税条約，日豪租税条約等においても日米租税条約と同様の定めがおかれています。

また，BEPS防止措置実施条約（MLI）適用対象国で第3条（課税上存在しない団体）の適用を選択している国については，MLI発効後は，透明な事業体を通じて取得される所得が投資家所在地国の税法上投資家の所得として取り扱われる場合，投資家の所得として条約適用がなされることとなりました（詳細は第1部第4章Ⅰ　外国投資法人　1（6）参照）。

Ⅳ　投資対象別検討

1　金銭債権

日本の債務者に対する貸付金（資金使途は日本国内での事業目的）に投資している投資 Vehicle に対して海外投資家が投資するケースを想定します。Vehicle は貸付金の利子，元本回収金を受け取るとともに，貸付金の譲渡を行います（100% グループ内の内国法人間の取引により生ずる譲渡損益については，その資産がグループ外に移転等する時まで繰り延べられますが，本書においては譲渡は資本関係のない第三者に対して行われたものとします）。

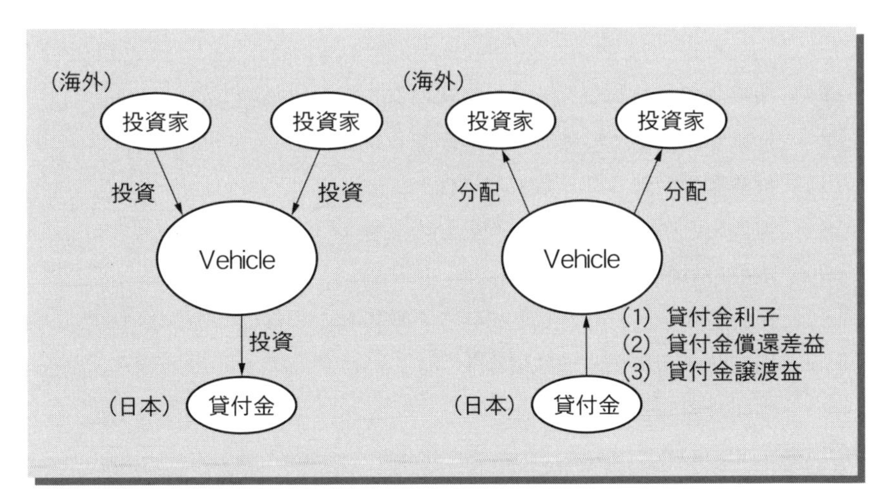

図

（1）　貸付金の利子に係る源泉税

①　日本の税法上の原則的取扱い

内国法人に対して支払う貸付金の利子については源泉税の課税対象とはなりません。国内において業務を行う者が外国法人に対して支払う国内における業務に係る貸付金（これに準ずるものを含む）の利子は原則として源泉税の課税対象となります。

しかしながら，一定の条件を満たす外国法人の日本支店に対して支払う貸付金の利子については，当該日本支店が所轄税務署から所得税法により要求される証明書を入手し，資金の借り手に当該証明書を提示して支払を受ける場合，源泉税が免除されます。なお，源泉免除の規定は国内に組合事業に係るPE以外にPEを有しない外国法人には適用されません。

ここで貸付金に準ずるものとしては，次のようなものが含まれます。

◆所得税基本通達161-30

（1）　預け金のうち同項第8号ハに掲げる預貯金以外のもの
（2）　保証金，敷金その他これらに類する債権
（3）　前渡金その他これに類する債権
（4）　他人のために立替払をした場合の立替金
（5）　取引の対価に係る延払債権
（6）　保証債務を履行したことに伴って取得した求償権
（7）　損害賠償金に係る延払債権
（8）　当座貸越に係る債権

外国法人に支払う貸付金の利子であっても，短期（6か月以内）の商品の輸入代金についてのシッパーズユーザンスに係る債権等の一定の債権等にかかる利子は事業所得として源泉税が課されません。居住者に対する貸付金で当該居住者の行う業務に係るもの以外のものにかかる利子は，国内資産の運用または

保有に係る所得として源泉税が課されませんが，当該利子は法人税法第138条第1項第2号に規定する国内にある資産の運用または保有により生ずる所得として法人税の課税対象となる国内源泉所得となります。

債務者が日本に居住していてもその海外において行う業務に係る貸付金については，当該貸付金から生じる利子は国内源泉所得に該当しないことから，日本の税法の下では日本における課税対象になりません。これは，日本の税法が貸付金の利子につき「使用地主義」により課税することを原則としていることが背景にあります（なお，租税条約についての考慮は必要です）。

国内において業務を行う者との間で行う債券現先取引に係る差益についても貸付金の利子として原則として源泉税の対象となります。

②　Vehicle 別課税一覧

〈日本の Vehicle〉	
Vehicle の種別	貸付金利子に対する源泉税
内国法人（投資法人，特定目的会社含む）	なし
信託（導管信託）	投資家が海外のため投資家に源泉税あり（注）
投資信託	なし
特定目的信託	なし
匿名組合	なし（営業者が日本法人を前提）
任意組合	海外投資家について源泉税あり（注）

（注）投資家が日本にPEを有する場合は一定の要件の下で源泉税免除の可能性あり。ただし，組合事業に係るPE以外にPEを有しない場合は，源泉税免除の適用なし。

〈海外 Vehicle〉（日本におけるPEなしを前提）	
Vehicleの種別	貸付金利子に対する源泉税
外国法人	あり
外国投資信託	あり
パートナーシップ	あり（任意組合等として取り扱われる場合，海外投資家について源泉税あり）

（注1）海外投資 Vehicle（パススルーとして取り扱われるものについては海外投資家）が租税条約所在国にあり，かつ，租税条約上の居住者である場合，租税条約により軽減の可能性あり。

（注2）海外投資 Vehicle または海外投資家が日本に PE を有する場合には一定の条件の下で源泉税免除の可能性あり。ただし，組合事業に係る PE 以外に PE を有しない場合は，源泉税免除の適用なし。

（2）　貸付金の償還差益，譲渡益に係る法人税

①　日本の税法上の原則的取扱い

（ⅰ）　貸付金の償還差益

内国法人に対して支払う金銭債権をその債権金額に満たない価額で取得した場合におけるその満たない金額，すなわち償還差益については源泉税の課税対象とはなりませんが，法人税法上益金に算入されます。

外国法人に支払われる償還差益は，所得税法第161条第1項第2号に規定する国内にある資産の運用または保有により生ずる所得であり，源泉税の課税対象にはなりません。当該償還差益は，法人税法第138条第1項第2号に規定する国内にある資産の運用または保有により生ずる所得として日本国内における恒久的施設（PE）の有無にかかわらず法人税の課税対象となる国内源泉所得となります。

（ⅱ）　貸付金の譲渡益

内国法人が得る貸付金の譲渡益について源泉税は課されませんが，法人税

の課税対象となります。外国法人が得る貸付金の譲渡益についても源泉税は課されません。

日本に恒久的施設を一切有さない外国法人は不動産等一定の資産以外の国内にある資産の譲渡により生ずる所得については原則として法人税の納税義務を負いませんので，貸付金の譲渡益について法人税は課されませんが，日本国内にPEを有する外国法人で貸付金の譲渡益がPEに帰属する場合は法人税が課せられます。

②　Vehicle別課税一覧

(ｉ)　貸付金の償還差益

〈日本のVehicle〉	
Vehicleの種別	償還差益に対する法人税
内国法人（投資法人，特定目的会社を含む）	あり（ただし投資法人，特定目的会社の配当は一定の要件の下，損金算入可）
信託（導管信託）	海外投資家についてあり
投資信託	なし（注）
特定目的信託	あり（ただし，一定の要件の下，収益分配金は損金算入可）
匿名組合	営業者についてあり（ただし匿名組合分配金は損金算入可）
任意組合	海外投資家についてあり

（注）投資信託が法人税法第２条第29号の２に掲げる法人課税信託に該当する場合，法人税課税あり。

〈海外 Vehicle〉（日本における PE なしを前提）	
Vehicle の種別	償還差益に対する法人税
外国法人	あり
外国投資信託	なし（法人課税信託に該当しないため）
パートナーシップ	Vehicle または海外投資家にあり

（注）海外投資 Vehicle（パススルーとして取り扱われるものについては海外投資家）が租税条約所在国にあり，かつ，租税条約上の居住者である場合，租税条約により減免の可能性あり。

（ii） 貸付金の譲渡益

〈日本の Vehicle〉	
Vehicle の種別	譲渡益に対する法人税
内国法人（投資法人，特定目的会社を含む）	あり（ただし投資法人および特定目的会社の場合，一定の要件の下，配当損金算入可）
信託（導管信託）	なし（注2）
投資信託	なし（注1）
特定目的信託	あり（ただし一定の要件の下，収益分配金は損金算入可）
匿名組合	営業者についてあり（ただし匿名組合分配金は損金算入可）
任意組合	海外投資家が日本に PE を有するとみなされる場合には，法人税課税あり。PE なければなし

（注1）投資信託が法人税法第2条第29号の2に掲げる法人課税信託に該当する場合，法人税課税あり。
（注2）海外投資家が日本に PE を有する場合には，法人税課税あり。

〈海外 Vehicle〉（日本における PE なしを前提）	
Vehicle の種別	譲渡益に対する法人税
外国法人	なし
外国投資信託	なし
パートナーシップ	なし

（注）海外投資 Vehicle または投資家が日本に PE を有する場合には法人税課税あり。

（3）投資 Vehicle から海外投資家に対する利子，配当，収益分配金等の支払に係る源泉税，法人税

①　日本の税法上の原則的取扱い

原則として外国法人に対して支払われる内国法人が発行する社債の利子，株式の配当，投資信託や特定目的信託の収益分配，匿名組合の分配金に対しては源泉税が課されます（一定の社債利子には源泉税免除あり）。社債の利子および匿名組合の利益の分配は内国法人の法人税課税所得の算定上，原則として損金に算入されますが，株式の配当は損金算入されません。投資法人や特定目的会社については，一定の要件の下，配当の損金算入が認められています。

一方，海外の事業体が海外で発行する社債や株式等の利子，配当等が外国法人に対して支払われる場合は，一般的には，日本の源泉税の課税対象とはなりません。なお，外国法人の所得に日本の法人税が課される場合，当該所得を得るための経費（社債利子，貸付金利子等）は法人税の課税所得の算定上，損金算入できるものと考えます。

国内において任意組合契約（これに類する契約を含みます）に基づいて行う事業から生ずる利益で当該契約に基づいて配分を受けるもののうち，国内に組合事業に係る PE を有するとみなされる非居住者または外国法人たる組合員が金銭等の交付等を受ける場合に，当該配分をする者を支払をする者とみなし，20% の税率にて所得税が源泉徴収されます。また，2013 年 1 月 1 日から 2037 年 12 月 31 日まで，所得税の 2.1% に相当する復興特別所得税が課されます

（以下，本書において同じ）。しかしながら，組合事業に係るPE以外にPEを有する外国法人については，源泉免除証明書の提示により源泉税が免除されます。

②　Vehicle別課税一覧

〈日本のVehicle〉	
Vehicleの種別	Vehicleからの利子，配当，収益分配等に対する源泉税
内国法人（投資法人，特定目的会社含む）	あり（一定の社債利子には源泉税免除あり）
信託（導管信託）	海外投資家は投資対象からの収益を直接受けるものとして（1），（2）に記載のとおり取り扱われるため，Vehicleからの分配時には新たな源泉税なし
投資信託	あり
特定目的信託	あり
匿名組合	あり
任意組合	日本に組合事業に係るPEを有する海外投資家に対する支払等については源泉課税あり。

（注）海外投資家が租税条約所在国にあり，かつ，租税条約上の居住者である場合，租税条約の影響を検討要

〈海外Vehicle〉（日本におけるPEなしを前提）	
Vehicleの種別	Vehicleからの利子，配当，収益分配等に対する源泉税
外国法人	なし
外国投資信託	なし
パートナーシップ	なし（任意組合等として取り扱われる場合，日本国内に組合事業に係るPEなければ，Vehicleからの分配時には新たな源泉税なし）（注）

（注）日本に組合事業に係るPEを有する場合，海外投資家に対する日本国内における支払等について源泉課税あり。

［考察］

導管信託，任意組合およびパートナーシップ等のパススルーとして取り扱われるVehicleを通じた投資の場合，海外投資家が日本国内にPEを有さない場合には，日本の税法上，海外投資家が直接投資しているのと同様の取扱いになります。投資対象たる貸付金の利子については源泉税（所得税20%）で課税関係は終了しますが，貸付金の償還差益については法人税納税義務が海外投資家自身について生じます。なお，法人税の課税所得の計算上，当該所得を得るために要した経費（社債利子や借入金利子等）は課税所得の算定上，原則として控除できるものと考えます。投資家の所在国によっては，租税条約上，貸付金利子の源泉税が軽減，免除される可能性や貸付金償還差益に係る法人税が免除される可能性があります。

パススルーとして取り扱われるVehicleを通じた投資であっても，当該投資に伴い日本国内に何らかのPEがあるとみられる場合，取扱いは異なります。国内において任意組合契約（これに類する契約を含みます）に基づいて行う事業から生ずる利益で当該契約に基づいて配分を受けるものについて国内に組合事業に係るPEを有するとみなされる非居住者または外国法人組合員が金銭等の交付等を受ける場合に，当該配分をする者を支払をする者とみなし，20%の税率にて源泉徴収が行われます。さらに，組合事業に係るPEのみを有する海外投資家は組合レベルで受け取る所得に係る源泉税も免除されません。海外投資家が組合事業に係るPEを日本に有するものとみなされる場合，組合事業に係る所得が法人税の対象とされますので，法人税の計算上，源泉税は控除または還付されることになります。

パススルーとして取り扱われない日本のVehicleについては，日本のVehicleが利子，配当等の分配の全額を法人税課税所得の計算上，損金算入できる等の措置により法人税課税を受けないという前提の下で，投資ストラクチャーに係る日本の租税コストは投資Vehicleが投資家に対して発行する有価証券等の利子，配当，収益分配金等に係る源泉税のみとなります。実務上，Vehicleに対してどの程度日本の法人税が課されるかの検討（配当損金算入要件を満たすか等）に注意を要します。

パススルーとして取り扱われない海外Vehicleについては，貸付金利子に係る源泉税（所得税20%）および海外Vehicleが外国法人の場合における償還差益に係る法人税（ただし当該所得を得るための経費は課税所得の算定上，原則として控除できるものと考えます）が投資ストラクチャーに係る日本の租税コストとなります。源泉税および法人税は，海外投資Vehicleが租税条約上の居住者である場合には，租税条約により軽減，免除される可能性があります。なお，投資Vehicleが租税条約上の居住者，受益者といえるかどうかの検討が必要です。

パススルーとして取り扱われるストラクチャーは，海外投資家が日本にPEを有さないものとした場合，投資Vehicleに係る追加の租税コストを考慮せずにすむ点や租税条約の適用可能性がより明確になる点において利点があるといえますが，貸付金の償還差益について投資家自身に法人税納税義務が生じ，Vehicleからの分配の有無にかかわらず投資対象からの損益を認識することが必要になります。

パススルーとして取り扱われないVehicleについては，日本のVehicleか海外Vehicleかを決定するにあたって，租税条約の適用の可能性やVehicleに対する日本の法人税課税の可能性を十分に比較検討すべきです。債権ファンド等の場合，海外Vehicleを通じてもファンドの収益は主として貸付金の償還差益になりますので法人税の納税義務が海外Vehicleについて生じる点や，投資対象の貸付金にかかる利子が支払われる際に海外Vehicleを通じる場合には原則として源泉税が課されます。

比較検討にあたっては上記に記した点の他，投資ストラクチャー全体のファンディングストラクチャーや，投資家の構成（国内投資家の割合，投資家のステータス），過少資本税制や過大支払利子税制の適用可能性，海外投資家や海外Vehicleの日本におけるPE認定の可能性等（後述の第2部第3章「Ⅱ　その他考慮すべき点」参照）についても考慮する必要があります。

投資ストラクチャーの決定において日本に海外投資家または海外Vehicleの

PEがあるものとみなされるかどうかは，大変重要な要素です。

独立の地位を有する代理人等（独立代理人）は代理人PEの範囲から除かれますので，日本にいるサービス提供者がファンドから独立した独立代理人であれば，当該日本におけるサービス提供者はファンドのPEを構成しないものと解されます。

金融庁からは“恒久的施設（PE）に係る「参考事例集」・「Q&A」”が公表され，国外ファンド（組合型，会社型）と投資一任契約を締結し，特定の投資活動（有価証券投資が主たる投資活動）を行う国内の投資運用業者に係る独立人の判定について一定の判断基準が示されています。なお，平成30年度税制改正により独立代理人についても，専らまたは主として一または二以上の自己と特殊の関係にある者に代わって行動する者は除かれることとされました。これに伴い，金融庁から示されている独立代理人に関する「参考事例集」も改訂がなされています（詳細は第1部第4章を参照）。

また，日本国内に事務所等を有する投資事業有限責任組合とこれに類する外国の事業体に外国の投資家が投資を行った場合においても，一定の条件（有限責任組合員であること，組合の業務を執行しないこと，組合財産の持分割合が25%未満，無限責任組合員と特殊の関係のある者でないこと等）を満たし，所要の手続を経れば恒久的施設は有するとされるもののPE帰属所得は非課税扱いとされます。

ファンド組成にあたってはこういった特例措置の適用可能性を個別ファンドごとに検討することが重要となります。

2　有価証券

日本の法人が発行する社債，株式に投資している投資Vehicleに対して海外投資家が投資するケースを想定します。Vehicleは社債の利子，株式の配当を受け取るとともに，社債，株式の第三者への譲渡を行います。

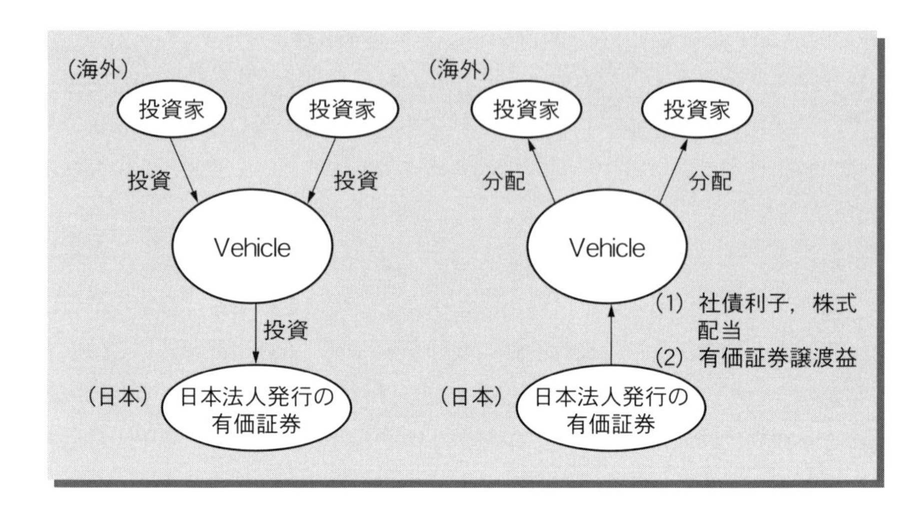

（1）　社債の利子，株式の配当に係る源泉税

①　日本の税法上の原則的取扱い

内国法人が発行する社債の利子，株式の配当は内国法人に対して支払われる場合，原則として源泉税の課税対象となります。

内国法人が受け取る内国法人発行の社債の利子，株式の配当は原則として源泉課税後，法人税法上益金算入されます。株式の配当については受取配当等の益金不算入の適用可能性がありますが，日本の特定目的会社や投資法人等の一定の投資 Vehicle からの配当については，当該投資 Vehicle において支払配当の損金算入が認められていることとの対応上，受取配当等の益金不算入の適用が認められていません。

特定目的会社，投資法人，投資信託，特定目的信託については一定の要件の下で社債の利子，株式の配当に係る源泉税が免除されます。

外国法人が受け取る内国法人発行の社債の利子，株式の配当は源泉税のみで課税関係が終了します。

なお，外国法人および一定の要件を満たす外国投資信託が受け取る内国法人発行の振替社債の利子については，一定の要件の下，源泉税が課されません

（詳細は第1部第1章　I特定目的会社3（4）参照）。

②　Vehicle別課税一覧

〈日本のVehicle〉	
Vehicleの種別	社債利子，株式配当に対する源泉税
内国法人（一般の法人）	あり
（投資法人，特定目的会社）	一定の要件の下，源泉免除
信託（導管信託）	海外投資家が受け取るものとみなされるため海外投資家に源泉課税あり
投資信託	一定の要件の下，源泉免除
特定目的信託	一定の要件の下，源泉免除
匿名組合	あり（営業者が日本法人を前提）
任意組合	海外投資家について源泉課税あり

〈海外Vehicle〉（日本におけるPEなしを前提）	
Vehicleの種別	社債利子，株式配当に対する源泉税
外国法人	あり（一定の社債利子には源泉税免除あり）
外国投資信託	あり（一定の社債利子には源泉税免除あり）
パートナーシップ	任意組合等として取り扱われる場合，海外投資家について原則源泉課税あり

（注）海外投資Vehicle（パススルーとして取り扱われるものについては海外投資家）が租税条約所在国にあり，かつ，租税条約上の居住者である場合，租税条約による減免の可能性あり。

（2）　社債，株式の譲渡益

①　日本の税法上の原則的取扱い

社債，株式の譲渡益に源泉税は課されません。内国法人が受け取る譲渡益には法人税が課されます。

日本に恒久的施設を有しない外国法人による内国法人の発行する社債および

株式その他出資者の持分（株式等）の譲渡には原則として日本の課税は行われません。しかしながら，以下の株式等の譲渡は法人税の課税対象とされています。

① 買い集めた同一銘柄の内国法人の株式等を売却することによる所得

② 内国法人の特殊関係株主等*である外国法人が行うその内国法人の株式等の譲渡による所得で次の要件を満たすもの

イ）株式等の譲渡があった事業年度終了の日以前3年以内のいずれかのときに，特殊関係株主等がその内国法人の発行済株式または出資の総数または総額の25% 以上を所有していたこと

*特殊関係株主等とは，内国法人の株主，およびその株主と一定の関係にある個人（例えば，その株主の親族），その株主が50% 超の資本を有する会社，民法組合等の他の組合員などをいいます。

ロ）株式等の譲渡があった事業年度において，特殊関係株主等がその内国法人の発行済株式または出資の総数または総額の5% 以上を譲渡したこと

③ 国内にある不動産等が50%*以上である法人が発行する一定の株式等（不動産化体株式等）を譲渡した場合の所得（上場株式等については5% 超，非上場株式等については2% 超を特殊関係株主等が保有する場合）

*平成30年度改正後は「譲渡に先立つ365日の期間のいずれかの時点」において判定

④ 株式方式のゴルフ会員権の譲渡による所得

上記②でいう内国法人の特殊関係株主等である外国法人が内国法人の株式等を一定の条件の下で譲渡した場合，その譲渡所得に対して法人税が課されます。この外国法人による譲渡所得を事業譲渡類似株式の譲渡といいますが，このように法人税が課されるのは，当該特定株主等による株式等の譲渡が実質的には事業を譲渡したのと同様と考えることができるためです。

事業譲渡類似株式等の譲渡益課税には，①民法組合等の他の組合員も特殊関係株主等に加えられること，および②資本の払戻し等も株式等の譲渡等に加え

られていることに注意を要します。

なお，事業譲渡類似株式等の譲渡益課税の判定にあたって，一定の要件を満たす投資事業有限責任組合およびこれに類する外国の事業体の外国投資家については組合の他の組合員を含まず投資家単位で保有割合を算定することができます。

②　Vehicle 別課税一覧

〈日本の Vehicle〉

Vehicle の種別	譲渡益に対する法人税
内国法人（投資法人，特定目的会社を含む）	あり（ただし投資法人，特定目的会社の配当は一定の要件の下，損金算入可）
信託（導管信託）	なし（海外投資家は株式譲渡益について事業譲渡類似および不動産化体株式課税の可能性あり）（注2）
投資信託	なし（注）
特定目的信託	あり（ただし，一定の要件の下，収益分配金は損金算入可）
匿名組合	営業者についてあり（ただし匿名組合分配金は損金算入可）
任意組合	日本に PE ありとみなされる場合や，事業譲渡類似等一定の譲渡につき投資家に法人税課税。

（注）投資信託が法人税法第2条第29号の2に掲げる法人課税信託に該当する場合，法人税課税あり。

〈海外 Vehicle〉（日本における PE なしを前提）	
Vehicle の種別	譲渡益に対する法人税
外国法人	なし（株式譲渡益については事業譲渡類似および不動産化体株式課税の可能性あり）
外国投資信託	なし
パートナーシップ	なし（株式譲渡益については海外投資家または Vehicle につき事業譲渡類似および不動産化体株式課税の可能性あり）

（注1）海外投資 Vehicle（パススルーとして取り扱われるものについては海外投資家）が租税条約所在国にあり，かつ，租税条約上の居住者である場合，租税条約により事業譲渡類似および不動産化体株式課税が免除される可能性あり。
（注2）海外投資Vehicleまたは投資家が日本にPEを有する場合には法人税課税あり。

（3）投資 Vehicle から海外投資家に対する利子，配当，収益分配金等の支払に係る源泉税，法人税

① 日本の税法上の原則的取扱い

原則として外国法人に対して支払われる内国法人が発行する社債の利子，株式の配当，投資信託および特定目的信託の収益分配，匿名組合の分配金に対しては源泉税が課されます（一定の社債利子には源泉税免除あり）。社債の利子および匿名組合の利益の分配は内国法人の課税所得の算定上，原則として損金に算入されますが，株式の配当は損金算入されません。投資法人や特定目的会社については，一定の要件の下，配当の損金算入が認められています。

一方，海外の事業体が海外で発行する社債や株式等の利子，配当等が外国法人に対して支払われる場合は，一般的には，日本の源泉税の課税対象とはなりません。なお，外国法人の所得に日本の法人税が課される場合，当該所得を得るための経費（社債利子，借入金利子等）は法人税の課税所得の算定上，損金算入できるものと考えます。

国内において任意組合契約（これに類する契約を含みます）に基づいて行う事業から生ずる利益で当該契約に基づいて配分を受けるもののうち一定のもの

について，国内に組合事業に係るPEを有するとみなされる非居住者または外国法人たる組合員が金銭等の交付等を受ける場合に，当該配分をする者を支払をする者とみなし，所得税20%の税率にて源泉徴収が行われます。しかしながら，組合事業に係るPE以外にPEを有する外国法人については，源泉免除証明書の提示により源泉税が免除されます。

②　Vehicle別課税一覧

〈日本のVehicle〉	
Vehicleの種別	Vehicleからの利子，配当，収益分配等に対する源泉税
内国法人（投資法人，特定目的会社含む）	あり（一定の社債利子には源泉税免除あり）
信託（導管信託）	海外投資家は投資対象からの収益を直接受けるものとして（1），（2）に記載のとおり取り扱われるため，Vehicleからの分配時には新たな源泉税なし
投資信託	あり
特定目的信託	あり
匿名組合	あり
任意組合	日本に組合事業に係るPEを有する海外投資家に対する支払等については源泉課税あり。

（注）海外投資家が租税条約所在国にあり，かつ，租税条約上の居住者である場合，租税条約の影響を検討要

〈海外 Vehicle〉（日本における PE なしを前提）	
Vehicle の種別	Vehicle からの利子，配当，収益分配等に対する源泉税
外国法人	なし
外国投資信託	なし
パートナーシップ	なし（任意組合等として取り扱われる場合，日本国内に組合事業に係る PE なければ Vehicle からの分配時には新たな源泉税なし）（注）

（注）日本に組合事業に係る PE を有する場合，海外投資家に対する日本国内における支払等については源泉課税あり。

［考　察］

導管信託，任意組合およびパートナーシップ等のパススルーとして取り扱われる Vehicle を通じた投資の場合，日本の税法上，海外投資家が日本国内に全く PE を有さない場合には，直接投資しているのと同様の取扱いになります。投資対象たる有価証券の利子／配当については源泉税（投資対象により所得税20%，15%，社債については一定の要件の下で源泉免除）で課税関係は終了しますが，有価証券のうち一定の保有割合以上の株式の譲渡益については，法人税納税義務（ただし当該所得を得るための経費は課税所得の算定上，原則として控除できるものと考えます）が海外投資家自身について生じます（事業譲渡類似課税）。

また，一定保有割合を超える不動産化体株式等の譲渡益については投資家が日本に PE を有さない場合においても法人税の課税対象とされます。任意組合等の他の組合員は事業譲渡類似および不動産化体株式等の譲渡益課税の適用上，特殊関係株主等の範囲に加えられます。すなわち，事業譲渡類似および不動産化体株式等の譲渡益課税は原則として組合レベルの保有割合により判定されます（平成21年度税制改正および令和3年度税制改正により導入された PE 帰属所得免税措置や事業譲渡類似課税の特例を受ける投資事業有限責任組合およびこれに類する外国の事業体に投資する一定の条件を満たす外国投資家を除く）。

法人税の課税所得の計算上，当該所得を得るために要した経費（社債利子や借入金利子等）は原則として控除できるものと考えます。投資家の所在国によっては，租税条約上，有価証券の利子／配当の源泉税が軽減，免除される可能性や事業譲渡類似株式等の譲渡益に係る法人税が免除される可能性があります。

パススルーとして取り扱われるVehicleを通じた投資であっても，当該投資に伴い日本国内に何らかのPEがあると見られる場合，取扱いは異なります。

国内において任意組合契約（これに類する契約を含みます）に基づいて行う事業から生ずる利益で当該契約に基づいて配分を受けるもののうち，国内に組合事業に係るPEを有するとみなされる非居住者または外国法人組合員が金銭等の交付等を受ける場合に，当該配分をする者を支払をする者とみなし，所得税20％の税率にて源泉徴収が行われます。さらに，組合事業に係るPEのみを有する海外投資家は組合レベルで受け取る所得に係る源泉税も免除されません。海外投資家が組合事業に係るPEを日本に有するものとみなされる場合，組合事業に係る所得が法人税の対象とされますので，法人税の計算上，源泉税は控除または還付されることになります。

パススルーとして取り扱われないVehicleについては，日本のVehicleか海外Vehicleかを決定するにあたって，租税条約の適用の可能性やVehicleに対する日本の法人税課税の可能性を十分に比較検討する必要があります。

なお，比較検討にあたっては上記に記した点の他，投資ストラクチャー全体のファンディングストラクチャーや，投資家の構成（国内投資家の割合，投資家のステータス），過少資本税制や過大支払利子税制の適用可能性，海外投資家や海外Vehicleの日本におけるPE認定の可能性等（後述の第2部第3章「Ⅱ　その他考慮すべき点」参照）についても考慮する必要があります。

投資ストラクチャーの決定において日本に海外投資家または海外VehicleのPEがあるものとみなされるかどうかは大変重要な要素です。

代理人PEの範囲から独立の地位を有する代理人等（独立代理人）が除かれるため，日本にいるサービス提供者がファンドから独立した独立代理人であれば，当該日本におけるサービス提供者はファンドのPEを構成しないものと解されます。

金融庁からは“恒久的施設（PE）に係る「参考事例集」・「Q&A」”が公表され，国外ファンド（組合型，会社型）と投資一任契約を締結し，特定の投資活動を行う国内の投資運用業者に係る独立人の判定について一定の判断基準が示されています。

組成対象となる投資活動が国外ファンド（組合型，会社型）による特定の投資活動に該当する場合は，参考事例集やQ&Aに定める一定の要件を満たすことを条件に，日本に投資運用業者がいる場合においても当該者は独立代理人として取り扱われ，ファンドやその投資家についてPE認定はなされません。なお，平成30年度税制改正により独立代理人について，専らまたは主として一または二以上の自己と特殊の関係にある者に代わって行動する者は除かれることとされます。これにあわせて金融庁から示された独立代理人に関する「参考事例集」も改正されています。

また，日本国内に事務所等を有する投資事業有限責任組合とこれに類する外国の事業体に外国の投資家が投資を行った場合においても，一定の条件（有限責任組合員であること，組合の業務を執行しないこと，組合財産の持分割合が25％未満，無限責任組合員と特殊の関係のある者でないこと等）を満たし，所要の手続を経れば日本国内に恒久的施設は有するとされるもののPE帰属所得は非課税扱いとされます（詳細は第3章Ⅲ．投資事業有限責任組合を参照）。

これにより，日本国内に事務所を有する有価証券投資を行う投資事業有限責任組合に外国投資家が出資したとしても，一定の条件・手続を満たす限りPE課税されないことになります。

ファンド組成にあたってはこういった特例措置の適用可能性を個別ファンドごとに検討することが重要となります。

3 不　動　産

日本国内の不動産に投資している投資Vehicleに対して海外投資家が投資す

るケースを想定します。Vehicle は内国法人から不動産の賃貸料を受け取るとともに，内国法人に対して不動産の第三者への譲渡を行います。

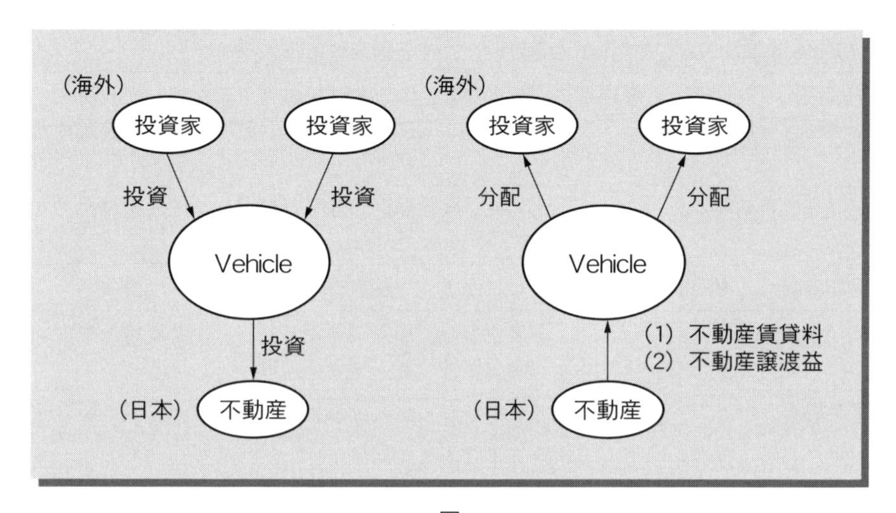

図

（１） Vehicle が受け取る不動産賃貸料に係る源泉税，法人税

① 日本の税法上の原則的取扱い

内国法人に対して支払う不動産賃貸料については源泉税の課税対象とはなりません。外国法人に対して支払う国内にある不動産の賃貸料は源泉税の課税対象となります。

また，国内にある不動産の賃貸による所得については，日本国内に PE がない外国法人についても法人税が課されます。賃貸料に課された源泉税は法人税から控除することができます。

なお，日本国内に PE を有する外国法人の場合，源泉徴収免除証明書を取得し賃借人に提示することにより源泉税は免除されます。

②　Vehicle別課税一覧

〈日本のVehicle〉	
Vehicleの種別	賃貸料に対する源泉税／法人税
内国法人（投資法人，特定目的会社含む）	源泉税なし，法人税課税あり（ただし，投資法人，特定目的会社の配当は一定の要件の下，損金算入可）
信託（導管信託）	海外投資家について源泉課税あり，法人税課税あり（注2）
投資信託	なし（注1）
特定目的信託	源泉税なし，法人税課税あり（ただし収益分配金は一定の要件の下，損金算入可）
匿名組合	源泉税なし，法人税課税あり（ただし，匿名組合分配金は損金算入可）
任意組合	海外投資家について源泉課税あり，法人税課税あり（注2）

（注1）投資信託が法人税法第2条第29号の2に掲げる法人課税信託に該当する場合，法人税課税あり。

（注2）海外投資家が日本にPEを有する場合は，一定の要件の下で源泉税免除の可能性あり。ただし，組合事業に係るPE以外にPEを有しない場合は，源泉税免除の適用なし。

〈海外 Vehicle〉（日本における PE なしを前提）	
Vehicle の種別	賃貸料に対する源泉税／法人税
外国法人	源泉課税あり，法人税課税あり
外国投資信託	源泉課税あり，法人税課税なし
パートナーシップ	源泉課税あり，法人税課税あり（任意組合として取り扱われる場合，海外投資家について源泉課税あり，法人税課税あり）

（注1）海外投資 Vehicle（パススルーとして取り扱われるものについては海外投資家）が租税条約所在国にあり，かつ，租税条約上の居住者である場合，租税条約の影響を検討要。

（注2）海外投資 Vehicle または投資家が日本に PE を有する場合は一定の条件の下で源泉税免除の可能性あり。ただし，組合事業に係る PE 以外に PE を有しない場合は，源泉税免除の適用なし。

（2）　不動産の譲渡に係る源泉税，法人税

①　日本の税法上の原則的取扱い

不動産を内国法人に対して譲渡した場合の譲渡対価は一定のものを除き源泉徴収すべき国内源泉所得に該当しますので，外国法人に国内において源泉徴収の対象となる国内源泉所得の支払をする内国法人は，原則としてその支払の際，これらの国内源泉所得について所得税を源泉徴収し，納付しなければなりません。

なお，先に不動産の賃貸料の場合において述べたように，一定の条件を満たす外国法人の日本支店に対して支払う不動産の賃貸料については，当該日本支店が所轄税務署から所得税法により要求される源泉徴収免除証明書を入手し，不動産の賃借人に当該証明書を提示して賃貸料の支払を受ける場合は，源泉税が免除されますが，不動産の譲渡による所得についてはこの規定が適用されず，必ず源泉課税される点に注意する必要があります。

不動産の譲渡による所得は，日本国内に恒久的施設を有さない外国法人についても法人税課税が行われます。

②　Vehicle 別課税一覧

（ｉ）　投資 Vehicle が内国法人から受け取る不動産の譲渡対価に係る源泉税

〈日本の Vehicle〉	
Vehicle の種別	譲渡対価に係る源泉税
内国法人（投資法人，特定目的会社を含む）	なし
信託（導管信託）	海外投資家についてあり
投資信託	なし
特定目的信託	なし
匿名組合	なし
任意組合	海外投資家についてあり

〈海外 Vehicle〉（日本における PE なしを前提）	
Vehicle の種別	譲渡対価に係る源泉税
外国法人	あり
外国投資信託	あり
パートナーシップ	あり（任意組合等として取り扱われる場合，海外投資家について源泉税あり）

（注）海外投資 Vehicle（パススルーとして取り扱われるものについては海外投資家）が租税条約所在国にあり，かつ，租税条約上の居住者である場合，租税条約の影響を検討要

(ⅱ) 投資 Vehicle の不動産の譲渡所得に係る法人税

〈日本の Vehicle〉	
Vehicle の種別	譲渡所得に係る法人税
内国法人（投資法人，特定目的会社含む）	あり（ただし投資法人，特定目的会社の配当は一定の要件の下，損金算入可）
信託（導管信託）	海外投資家について法人税課税あり
投資信託	なし（注）
特定目的信託	あり（ただし収益分配金は一定の要件の下，損金算入可）
匿名組合	営業者についてあり（ただし匿名組合分配金は損金算入可）
任意組合	海外投資家について法人税課税あり

（注）投資信託が法人税法第2条第29号の2に掲げる法人課税信託に該当する場合，法人税課税あり。

〈海外 Vehicle〉（日本における PE なしを前提）	
Vehicle の種別	譲渡所得に係る法人税
外国法人	あり
外国投資信託	なし
パートナーシップ	あり（任意組合等として取り扱われる場合，海外投資家について法人税課税あり）

（注）海外投資 Vehicle（パススルーとして取り扱われるものについては海外投資家）が租税条約所在国にあり，かつ，租税条約上の居住者である場合，租税条約の影響を検討要

（３）　投資 Vehicle から海外投資家に対する利子，配当，収益分配金等の支払に係る源泉税，法人税

①　日本の税法上の原則的取扱い

原則として外国法人に対して支払われる内国法人が発行する社債の利子，株式の配当，投資信託および特定目的信託の収益分配，匿名組合の分配金に対しては源泉税が課されます（一定の社債利子には源泉税免除あり）。社債の利子および匿名組合の利益の分配は内国法人の課税所得の算定上，原則として損金に算入されますが，株式の配当は損金算入されません。投資法人や特定目的会社については，一定の要件の下，配当の損金算入が認められています。

一方，海外の事業体が海外で発行する社債や株式等の利子，配当等が外国法人に対して支払われる場合は，一般的には，日本の源泉税の課税対象とはなりません。

なお，外国法人の所得に日本の法人税が課される場合，当該所得を得るための経費（社債利子，借入金利子等）は法人税の課税所得の算定上，損金算入できるものと考えます。

国内において任意組合契約（これに類する契約を含みます）に基づいて行う事業から生ずる利益で当該契約に基づいて配分を受けるもののうち，国内に組合事業に係る PE を有するとみなされる非居住者または外国法人組合員が金銭等の交付等を受ける場合に，当該配分をする者を支払をする者とみなし，所得税 20% の税率にて源泉徴収が行われます。しかしながら，組合事業に係る PE 以外に PE を有する外国法人については，源泉免除証明書の提示により源泉税が免除されます。

② Vehicle別源泉税検討

〈日本のVehicle〉	
Vehicleの種別	Vehicleからの利子，配当，収益分配等に対する源泉税
内国法人（投資法人，特定目的会社含む）	あり（一定の社債利子には源泉税免除あり）
信託（導管信託）	海外投資家は投資対象からの収益を直接受けるものとして（1），（2）に記載のとおり取り扱われるため，Vehicleからの分配時には新たな源泉税なし
投資信託	あり
特定目的信託	あり
匿名組合	あり
任意組合	日本に組合事業に係るPEを有する海外投資家に対する支払等については源泉課税あり。

（注）海外投資家が租税条約所在国にあり，かつ，租税条約上の居住者である場合，租税条約の影響を検討要

〈海外Vehicle〉（日本におけるPEなしを前提）	
Vehicleの種別	Vehicleからの利子，配当，収益分配等に対する源泉税
外国法人	なし
外国投資信託	なし
パートナーシップ	なし（任意組合として取り扱われる場合，日本国内に組合事業に係るPEがなければ，Vehicleからの分配時には新たな源泉税なし）（注）

（注）日本に組合事業に係るPEを有する場合，海外投資家に対する日本国内における支払等については源泉課税あり。

[考察]

投資対象が日本の不動産である場合，導管信託，任意組合およびパートナーシップ等のパススルーとして取り扱われるVehicleを通じた投資や海外Vehicle

を通じた投資においても日本国内のPEの有無にかかわらず，賃貸料，譲渡益について海外投資家または海外Vehicleに源泉税や法人税が課されることになります。

したがって，一般的に，特定目的会社や匿名組合等の日本の投資Vehicleを通じたストラクチャーが日本の法人税の算定上配当等の損金算入が認められている点や海外投資家自身の法人税納税義務を避ける点において利点があると考えられます。

比較検討にあたっては上記の点の他，投資ストラクチャー全体のファンディングストラクチャーや，投資家の構成（国内投資家の割合，投資家のステータス），過少資本税制や過大支払利子税制の適用可能性，海外投資家や海外Vehicleの日本におけるPE認定の可能性等（後述の第2部第3章「Ⅱ　その他考慮すべき点」参照）についても考慮する必要があります。

なお，非居住者，外国法人が国内にある不動産等が50%以上である法人（不動産関連法人）が発行する株式等や不動産関連特定投資信託の受益権（以下あわせて不動産化体株式等）を一定割合（上場株式等の場合は5%超，非上場株式等の場合は2%超）譲渡した場合の所得は申告納税の対象となる国内源泉所得になります。

この保有割合の判定にあたっては組合等を通じて投資する場合は組合レベルで判定がなされます。不動産投資ストラクチャーにおいては，不動産化体株式等の譲渡益が生じれば日本国内にPEを有さない外国法人についても課税される可能性のある点に留意が必要です。

また，国内において任意組合契約（これに類する契約を含みます）に基づいて行う事業から生ずる利益で当該契約に基づいて配分を受けるもののうち，国内に組合事業に係るPEを有する組合員である非居住者または外国法人たる組合員が金銭等の交付等を受ける場合に，当該配分をする者を支払をする者とみなし，所得税20%の税率にて源泉徴収が行われます。さらに，組合事業に係るPEのみを有する海外投資家は組合レベルで受け取る所得に係る源泉税も免除されません。海外投資家が組合事業に係るPEを日本に有するものとみなされる場合，組合事業に係る所得が法人税の対象とされますので，法人税の計算上，源泉税は控除または還付されることになります。投資ストラクチャーの決定において日本に海外投資家または海外 Vehicle の PE があるものとみなされるかどうかは大変重要な要素です。

代理人 PE の範囲から独立の地位を有する代理人等（独立代理人）が除かれるため，日本にいるサービス提供者がファンドから独立した独立代理人であれば，当該日本におけるサービス提供者はファンドの PE を構成しないものと解されます。

金融庁からは“恒久的施設（PE）に係る「参考事例集」・「Q&A」”が公表され，国外ファンド（組合型，会社型）と投資一任契約を締結し，特定の投資活動を行う国内の投資運用業者に係る独立人の判定について一定の判断基準が示されています。なお，平成 30 年度税制改正により独立代理人についても，専らまたは主として一または二以上の自己と特殊の関係にある者に代わって行動する者は除かれることとされました。これに伴い，金融庁から示されている独立代理人に関する「参考事例集」も改訂がなされています（詳細は第 1 部第 4 章を参照）。

しかしながら，参考事例集や Q&A が対象とする特定の投資活動，投資事業有限責任組合の事業対象には不動産投資は含まれないものと解されており，これらの投資活動についてはあくまで一般的な PE 概念に基づき判定されることになります。

また，日本国内に事務所等を有する投資事業有限責任組合とこれに類する外国の事業体に外国の投資家が投資を行った場合においても，一定の条件（有限責任組合員であること，組合の業務を執行しないこと，組合財産の持分割合が 25% 未満，無限責任組合員と特殊の関係のある者でないこと等）を満たし，所要の手続を経れば恒久的施設は有するものの PE 帰属所得は非課税扱いとされます。

第２章　アウトバウンド投資ストラクチャー

I　投資 Vehicle の位置付けによる影響

アウトバウンド投資にあたっての国内投資家の日本の税法上の取扱いは，投資 Vehicle がパススルーとして取り扱われるか，法人等のパススルーとしては取り扱われない Vehicle かによって異なります。さらに，パススルーとして取り扱われない Vehicle については，その日本の税法上の取扱いが「法人」「投資信託」「組合」か等によって異なります。

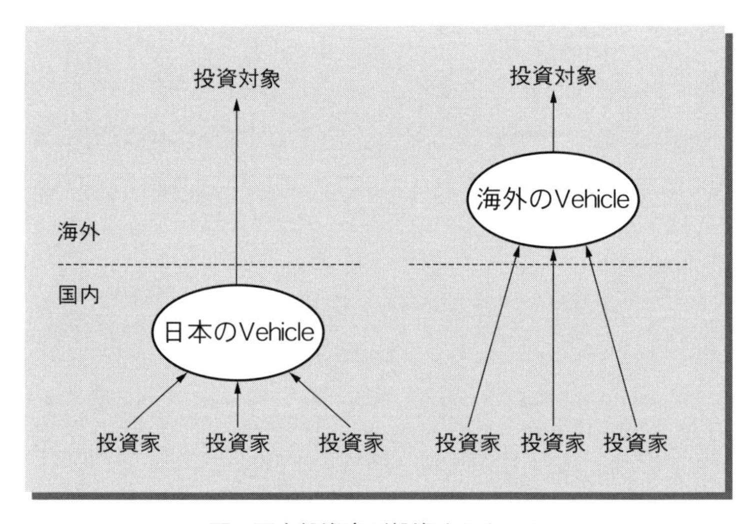

図　国内投資家が投資するケース

外国の投資 Vehicle を通じて海外投資を行う場合は，当該 Vehicle の法的取扱いをまず検討する必要があります。

外国の Vehicle についての日本の税法上の取扱いは個別に定められているわけではなく，Vehicle ごとにその法形態等を検討の上，その取扱いを個別に見極めることになります。過去の通達，Q&A等で示されている見解は以下のとおりです。

法人として取り扱われるもの
米国LLC　（国税庁Q&Aより） ルクセンブルクSICAV，SICAF 英国OEIC フランスSICAV アイルランドVCC，FCC （以上，財務省HP「非課税措置の対象となり得る海外の投資信託（法人形式）」より）

投資信託として取り扱われるもの
ルクセンブルクFCP 英国Unit Trust アイルランドUnit Trust フランスFCP （以上，財務省HP「非課税措置の対象となり得る海外の投資信託（非法人形式）」より）（公募を前提）

特にEU諸国では規制上の取扱いによりUCITS等の様々な区分が定められていますが，基本的には税法の取扱いは各Vehicleの法形態により定められます。各Vehicleが法人格を有する会社型として設立されている場合には法人として取り扱われ，契約型の場合には投資信託か組合（または導管信託）として取り扱われる可能性が高いものと考えられます。

（1）　投資Vehicleの位置付け

日本の税法上，当該投資Vehicleが組合や（導管）信託等パススルーとして取り扱われる場合，原則として国内投資家が直接海外の投資対象に投資するものとして取り扱われます。投資Vehicleが法人や投資信託等のパススルーとして取り扱われないVehicleに投資している場合，国内投資家が受け取る収益は投資対象からの収益ではなく，法人からの配当等として取り扱われることになります。

（2） 所得の認識タイミング

投資対象に利益や損失が生じている場合，投資Vehicleが任意組合等のパススルーとして取り扱われるVehicleであれば，投資対象の利益や損失を原則として当該利益や損失が生じた期において投資家にて認識することになります。しかし，投資Vehicleが法人等のパススルーとして取り扱われないVehicleの場合，投資Vehicleからの収益分配時に収益認識することになります。損失については基本的には法人等から投資家に損失の配当をすることは想定されていないため，一定の例外を除き，投資家は投資Vehicleの株式等の評価損や減損（税務上の要件を満たしていることが必要），または投資最終日における株式の償還損として認識することになります。

国内投資家が組合等（任意組合，匿名組合等）に投資した場合における分配損の認識には一定の制限が設けられています。

（3） CFC税制（タックス・ヘイブン税制）

国内投資家が海外の法人型または外国投資信託（証券投資信託以外）に該当する投資Vehicleを通じて投資を行う場合，当該海外VehicleについてCFC税制（タックス・ヘイブン税制）の適用がないかどうかの検討が必要です。

CFC税制が適用される場合，海外Vehicleの所得について国内投資家の所得に合算課税される可能性があります（詳細は第4章Ⅰ1(7)を参照)。

CFC税制は平成29年度税制改正により，大幅に変更がなされ，外国子会社の個々の活動に着目しつつ一定の事務負担を考慮して合算課税を行う制度に改められました。ここで，ペーパーカンパニー等，一定の法人に該当する場合は租税負担割合が30％未満(注)であれば会社単位の合算課税が行われます。海外Vehicleがペーパーカンパニー等に該当する可能性がある場合，CFC税制が適用されるか否かは，たとえば以下のようなステップで判定することができます。

Step 1：海外 Vehicle に課される税は 30%(注)未満か？

↓該当

Step 2：海外 Vehicle が法人か一定の外国投資信託に該当するか？

↓該当

Step 3：海外 Vehicle に占める日本の投資家（法人，個人）の比率は 5 割を超えるか？

↓該当

Step 4：各投資家の投資割合は 10% 以上か？

↓該当

CFC 税制の適用可能性あり

（注）内国法人の 2024 年 4 月 1 日以後に開始する事業年度については 27% 未満

上記のうち，Step 1 の海外 Vehicle への課税については，投資ファンドである場合は通常は現地での高い税率での課税は想定されていないものと考えられますので，現実的には Step 2 以下の手順で判定することになります。

海外の投資ファンドについては，会社型で組成されているものも多くあり，CFC 税制の検討が必要です。とりわけ海外ファンドへの投資にあたって，日本の投資家向けのフィーダーファンドが設定される場合，フィーダーファンドが日本の CFC 税制にかからないかどうか，上記の検討が必要となります。

令和 2 年度税制改正において，米国など法的位置づけにかかわらずパススルー課税の選択が可能となる税制を有する国に本店を有する外国法人への CFC 税制の適用にあたっては，パススルー課税の適用がないものとして，租税負担割合や基準所得金額（国外所得方式），CFC 外国税額控除上の外国税の算定をすべきものとされました。米国においては LLC など日本では法人として取扱われる事業体についても現地税法上パススルー課税を選択することができるようになっていますが，日本の CFC 税制上は米国 LLC に所得が帰属するものとして計算すべきことになります。すなわち，パススルー課税を選択した米国 LLC に CFC 税制が課される場合には，当該米国 LLC がパススルー課税の適用がなかった場合の所得を取り込み，パススルー課税がなかった場合に課されるべき米国税について負担したものとしてCFC税制上の外国税額控除を行うことになります。米国投資の場面では，投資対象にパススルー課税を選択したLLC等がないか，CFCの課税対象とはならないか，二重課税を回避できるか等について検討する必要があります。

（4）　外国税額控除

海外Vehicleがパススルー扱いの場合には，投資家は海外Vehicleに課された海外の税金（例えば海外Vehicleが投資対象から配当や利子を受け取る際に課された源泉税等）を自身の所得の申告時において外国税額控除の対象とすることができます。

一方，海外Vehicleが法人等，パススルー扱いでない事業体の場合には，海外Vehicleに課された外国税については投資家において外国税額控除の対象とすることはできません。海外Vehicleについて，CFC税制が課される場合においては，CFC税制により投資家が取り込んだ所得に外国の税金が課されている場合，例えば海外投資ファンドが投資対象から受け取る配当や利子に現地の源泉税が課されている場合やキャピタルゲインについて法人税申告をしている場合，当該外国の税金については投資家においてCFC税制適用の過程で控除することができます。なお，米国税法上パススルー課税を選択している米国LLCなどに投資を行う場合，パススルー課税の適用がなかった場合の所得を取り込むとともに，パススルー課税がなかった場合に課されるべき米国税についてCFC税制上負担したものとして外国税額控除を行うことになります。ファンド投資における外国税額控除にあたっては，所得の取り込みと外国税額控除のタイミング等について注意する必要があります。

●外国税額控除とは

内国法人が各事業年度において外国法人税を納付することとなる場合には，一定の方法により算定した控除限度額を限度として，その外国法人税の額（一定の外国法人税の額を除く）を当該事業年度の所得に対する法人税の額から控除することができます。

内国法人が外国法人税について外国税額控除の適用を受ける場合には，当該外国法人税の額はその内国法人の各事業年度の所得の金額の計算上，損金の額に算入されません。

外国法人税額について，損金処理を選択するか外国税額控除を選択するかについては会社の選択によることとされていますが，同一事業年度で複数の外国法人税がある場合において，一部の外国法人税について損金処理をし，他の外国法人税について税額控除を選択することは認められません。

外国税額控除の規定は，確定申告書への書類の添付等の一定の要件を満たす場合に限り適用があります。

なお，外国子会社配当益金不算入制度の適用を受ける剰余金の配当等に係る外国源泉税の額については，外国税額控除の対象となる外国法人税には該当しないこととされており，所得金額の計算上，損金の額にも算入しないこととされています。

（5）　外国子会社配当益金不算入制度

海外 Vehicle が法人形態の事業体の場合で，投資家の海外 Vehicle に対する持分割合が 25% 以上（条約により保有割合が軽減される場合あり／例：日米租税条約）となる場合，海外 Vehicle からの配当について 95% 相当額を益金不算入とすることができます（外国子会社配当益金不算入制度）。この場合，海外 Vehicle からの配当に対して課された外国税については投資家において外国税額控除の対象とすることはできません。

ただし，配当の支払法人において所得の金額の計算上配当等が損金の額に算入される場合は，その部分に対応する金額は益金不算入の対象外とされます。

●外国子会社配当益金不算入制度とは

内国法人が外国子会社から受ける剰余金の配当等の額がある場合には，当該配当等が支払法人において損金算入される場合等を除き当該剰余金の配当等の額の95％に相当する金額はその内国法人の各事業年度の所得の金額の計算上，益金の額に算入されません。

上記の外国子会社配当益金不算入の対象となる外国子会社とは次の2つの要件を満たす外国法人とされています。

①　次に掲げる割合のいずれかが25％以上であること

・　外国法人の発行済株式または出資（その有する自己の株式または出資を除きます）の総数または総額（以下，「発行済株式等」）のうちに内国法人が保有しているその株式または出資の数または金額の占める割合

・　外国法人の発行済株式等のうちの議決権のある株式または出資の数または金額のうちに内国法人が保有している当該株式または出資の数または金額の占める割合

②　上記①の状態が，内国法人が外国法人から受ける剰余金の配当等の額の支払義務が確定する日（当該剰余金の配当等がみなし配当である場合には，同日の前日）以前6月以上（当該外国法人が当該確定する日以前6月以内に設立された法人である場合には，その設立の日から当該確定する日まで）継続していること

なお，租税条約の二重課税排除条項において25％未満の割合が定められている場合には，上記の25％という要件は当該租税条約上の割合によって判定することとされています。

海外投資の留意点まとめ		
	法人型等パススルーでないVehicleへの投資	組合型等パススルー扱いのVehicleへの投資
所得認識のタイミング	原則Vehicleからの分配確定時*	Vehicleでの所得認識時 損失についても原則認識可
CFC税制	法人型，投資信託型（証券投資信託以外）は適用可能性あり	CFC税制の適用なし
外国税額控除	Vehicleに対して課された外国税額は原則控除不可*	Vehicleに対して課された外国税額は原則控除可
外国子会社配当益金不算入	法人型について一定の持分割合以上の場合適用可能性あり	適用なし

＊CFC税制適用時や一定の所得についての例外あり

Ⅱ　投資Vehicle別租税条約適用可能性

国内投資家が投資Vehicleを通じて海外資産に対して投資する場合，（Stage 1）投資Vehicleからの収益の分配について投資Vehicle所在国と投資家所在国たる日本との間の租税条約適用可能性の検討および（Stage 2）投資対象からの収益について投資Vehicle所在国と投資対象資産所在国との間の租税条約の適用可能性の検討の2パターンがあります。

（1）　投資Vehicleがパススルーとして取り扱われる事業体の場合

投資Vehicleがパススルーとして取り扱われる事業体の場合には，投資Vehicleはないものとして取り扱われることになりますので，原則として投資Vehicleの所在国にかかわらず，投資対象からの収益について投資対象資産所在国と日本との租税条約適用可能性を検討することになります。

なお，投資対象からの配当，利子等に係る投資対象所在国の源泉税について投資対象国と日本との間の租税条約に基づく軽減税率が適用されるかどうかは日本における Vehicle の取扱いだけでなく投資対象国における取扱いにもよることとなります。したがって，投資対象国における投資 Vehicle の位置付けを確認するとともに，国内投資家が実際に租税条約を適用する際の手続等についてもあわせて検討しておく必要があります（以下（2），（3）においても同様）。

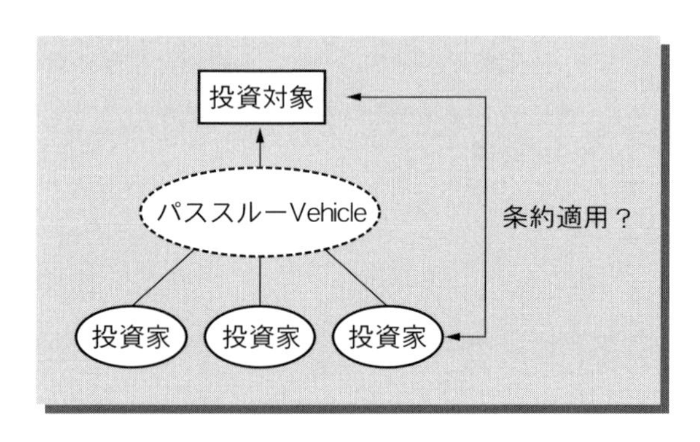

（2）　パススルーとして取り扱われない日本の投資 Vehicle を使用する場合

パススルーとして取り扱われない日本の投資 Vehicle を使用する場合，投資 Vehicle 所在国が日本であるため，原則として上述（Stage 2）投資対象から投資 Vehicle が受け取る収益について検討することになります。

この場合，投資対象からの配当，利子等に係る投資対象所在国の源泉税について投資対象所在国と日本との租税条約による軽減税率が適用されるかが問題となります。

この点については，投資対象所在国における取扱いの検討が必要となりますが，投資 Vehicle が当該租税条約上「居住者」，「受益者」として取り扱われるかどうかについて検討を要します。具体的には，投資信託や投資法人，特定目的会社等の日本の租税上の恩典を受けている Entity についての取扱いがポイントとなります。

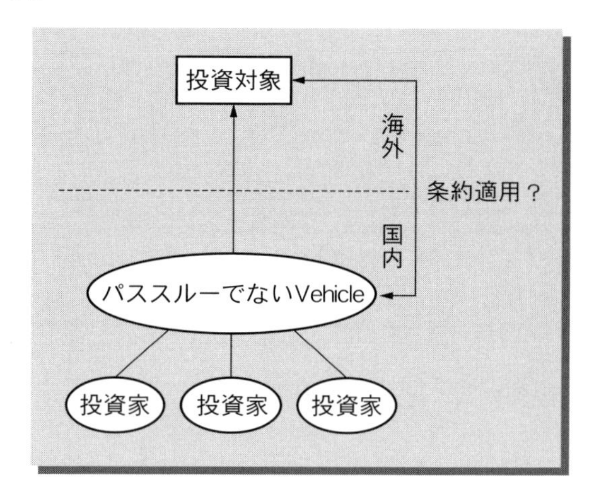

（3） パススルーとして取り扱われない海外の投資 Vehicle を使用する場合

パススルーとして取り扱われない海外の投資 Vehicle を使用する場合，投資 Vehicle 所在国および投資対象所在国が海外であるため，原則として上述（Stage 2）投資対象からの収益について投資 Vehicle と投資対象所在国との間の租税条約の適用可能性については海外の取扱いにゆだねられることになり，日本の税務の観点からは上述（Stage 1）投資 Vehicle からの収益の分配についてのみ検討することになります。

Stage 1 では，投資 Vehicle からの配当，利子等に源泉税等が課される場合には投資 Vehicle 所在国と日本との租税条約による軽減税率が適用されるかが問題となります。

Stage 2 では，海外の投資 Vehicle が別の海外の国の資産に投資を行っている場合，投資対象国と海外投資 Vehicle との間で租税条約が適用できるかどうかも考慮すべき点となります。この点，海外の投資 Vehicle の法形態，現地での課税，投資家の構成などに加えて，最近の OECD での議論などもふまえて検討することになります。

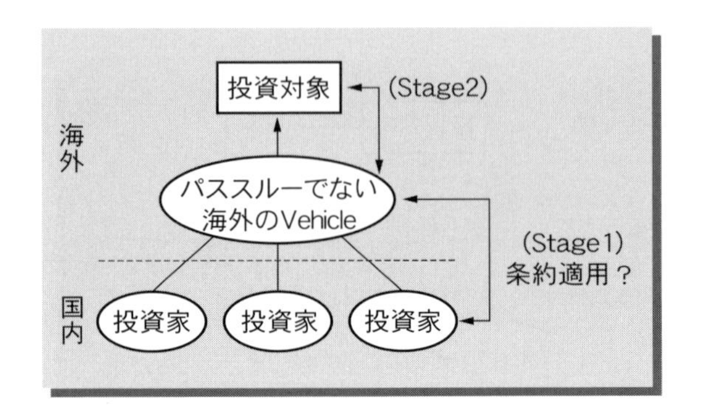

（４）　日米租税条約等

日米租税条約では，日米において課税上の取扱いが異なる事業体についての定めがおかれています。

日米租税条約の第４条をアウトバウンドストラクチャーについて適用すると，日本の投資家が米国以外のLLC，LPS等の事業体を通じて米国において取得する所得については，日本の税法上，①LLCやLPSの構成員たる国内投資家の所得として取り扱われるものについては当該国内投資家の所得として取り扱われる部分については租税条約の特典が与えられ，②LLCやLPSの所得として取り扱われるものについては，租税条約の特典が与えられない，とされます。またLLCやLPSが米国にある場合において，当該米国において取得する所得が日本の税法上，米国のLLCやLPSの所得として取り扱われるものについては租税条約の特典は与えられない，とされています（詳細は第１部第４章　海外投資Vehicle「Ⅲ　パートナーシップ，リミテッド・ライアビリティー・カンパニー」参照）。

日米租税条約型の同様の定めが，日英租税条約，日豪租税条約等にもおかれています。

（５）　BEPS防止措置実施条約

BEPSプロジェクトで示されたBEPS行動のうち，租税条約に関する部分を既存の租税協定に採り入れることを目的としてBEPS防止措置実施条約（MLI）が，2017年６月に日本を含む67か国・地域により署名され，2018年７月１日に発効されました。日本については2019年１月１日に発効しており，2023年11月20日現在で100か国・地域が署名し，うち，83か国・地域が批准書等を寄託しています。

日本がBEPS防止措置実施条約の適用対象として選択している条約相手国（43か国）のうち，2023年11月20日現在で39か国との条約について批准書等が寄託されています（批准書等の寄託した日に開始する３か月の期間が満了する日の属する月の翌月の初日にその国について発効します）。

これにより，双方の国が留保せずに選択した条項については，既存の租税条約に置き換えて適用されることになります。

MLI第３条においては，「課税上存在しない団体」についての定めがあり，以下の通り規定されています。

> ○　課税上存在しない団体
>
> 対象租税条約の適用上，いずれかの当事国の租税に関する法令の下において全面的若しくは部分的に課税上存在しないものとして取り扱われる団体若しくは仕組みによって又はそのような団体若しくは仕組みを通じて取得される所得は，一方の当事国における課税上当該一方の投資国の居住者の所得として取り扱われる限りにおいて，当該一方の当事国の居住者の所得とみなす（MLI第３条第１項）。

MLI第３条には上記のほか既存条約との関係等について規定する様々な規定がおかれていますが，MLI適用対象国で第３条（課税上存在しない団体）の適用を選択している国については，MLI発効後は，LPS等の透明な事業体を通じて取得される所得が投資家居住地国の税法上投資家の所得として取り扱われる場合，投資家の所得とみなして条約適用がなされることになります。

日本との租税条約の関係では，現時点でMLI第３条を以下の国が採択しています。2021年3月25日現在，下線部の国との条約につき批准書等が寄託されています。

> アイルランド，イギリス，イスラエル，スロバキア，トルコ，ニュージーランド，ノルウェー，フィジー，ポーランド，マレーシア，南アフリカ，メキシコ，ルーマニア，ルクセンブルク

上記のうち，既存の条約に透明な事業体を通じて得る所得について規定のなかった国（例：アイルランド，ルクセンブルク）についても，MLI発効後は，投資家居住地国の税法の観点からパススルー扱いされる事業体を通じて投資を行う場合には，投資家居住地国と日本との租税条約の適用があることになりました。

〈租税条約の適用可能性まとめ〉
●パススルーとして取り扱われない日本の投資Vehicleを使用する場合
（検討事項）投資対象からの収益について日本と投資対象所在国との間の租税条約の適用可能性検討
（日本の税務ポイント）日本の投資Vehicleが租税条約上の受益者に該当するか
●上記以外の投資Vehicle（パススルーとして取り扱われる日本の投資Vehicle，海外の投資Vehicle）を使用する場合
（検討事項）投資Vehicleからの配当，利子等（海外投資Vehicleがパススルーとして取り扱われない場合）または投資対象からの収益（投資Vehicleがパススルーとして取り扱われる場合）について日本と投資Vehicle所在国または投資対象国との間の租税条約の適用可能性検討
（日本の税務ポイント）日本の投資家が投資Vehicle所在国または投資対象国との租税条約上「居住者」として取り扱われるか

第3章　混合型ストラクチャー

インバウンド，アウトバウンドどちらにも所属しないものとして，日本の投資家が海外投資 Vehicle を通じて日本国内の資産に投資する場合，海外の投資家が日本の投資 Vehicle を通じて海外資産に投資する場合が考えられます。ここではそのうち日本の投資家が海外投資 Vehicle（例えば外国投資信託，外国パートナーシップ）を通じて日本国内の資産に投資する場合，日本の投資家が直接投資対象に投資する場合と比してどのような差異，影響があるかを検討します。

I　投資Vehicleの位置付けによる影響

日本の投資家が海外投資Vehicleを通じて日本国内の資産に投資する場合，海外投資Vehicleがパススルーとして取り扱われるか否かにより投資家の日本の税法上の取扱いが異なります。

海外投資Vehicleが日本の税務上パススルーとして取り扱われる場合，原則として日本の投資家自身が投資対象の収益を受ける場合と同様の取扱いとなります。

海外投資Vehicleが日本の税務上パススルーとして取り扱われない場合，国内投資家が受け取る収益は投資対象からの収益ではなく，投資Vehicleからの配当等として取り扱われることになります。日本の投資対象から海外投資Vehicleに対して支払われる収益については，非居住者に対する支払として，日本において源泉税等の課税がなされる可能性があります。投資Vehicleが日本の税務上パススルーとして取り扱われない場合，当該日本の源泉税等は，国内投資家において税額控除の対象とならないと考えられることから，二重課税が生じる可能性があります。このように，日本の税務上パススルーとして取り扱われない海外投資Vehicleを通じるストラクチャーの場合，投資対象からの収益について当該海外投資Vehicleに対して課される税額が直接投資または日本の投資Vehicleを通じて投資する場合に比して一般的には追加負担となります。

そのほか，海外vehicle所在地における法人税等の有無や海外Vehicleから国内投資家に支払う際の源泉税の有無等にも考慮が必要です。

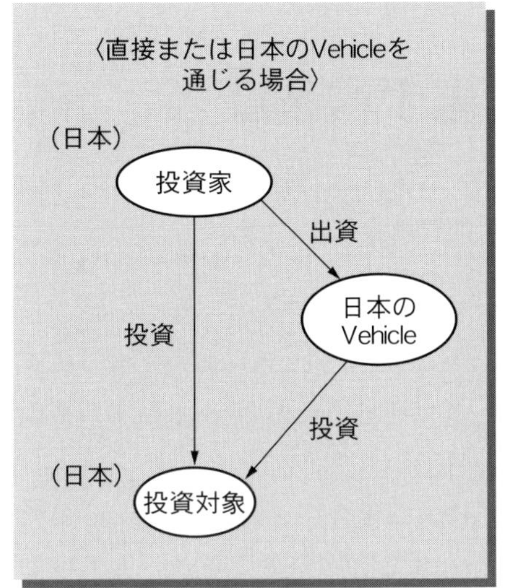
〈直接または日本のVehicleを
通じる場合〉
（日本）
投資家
出資
日本の
Vehicle
投資
投資
（日本）
投資対象

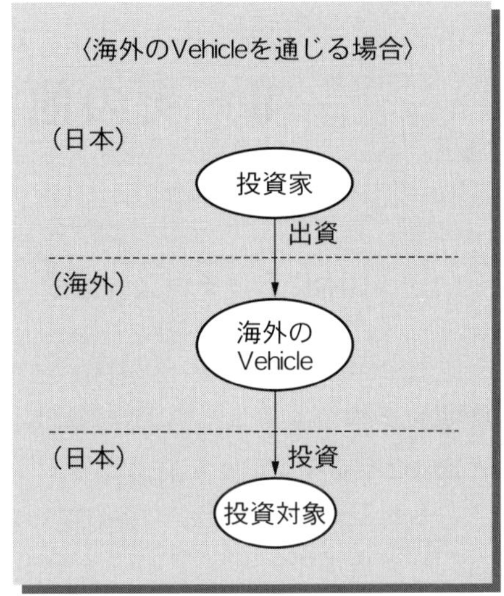
〈海外のVehicleを通じる場合〉
（日本）
投資家
出資
（海外）
海外の
Vehicle
（日本）
投資
投資対象

Ⅱ　その他考慮すべき点

（1）日本における恒久的施設（PE）の有無

日本の投資対象に対して日本の投資家が投資するケースにおいて海外投資Vehicleを用いる場合，以上の検討においては海外投資Vehicleが日本に恒久的施設を有さないことを前提としました。

しかし，投資家および投資対象が国内にある場合，海外投資Vehicleに代わって意思決定を行う者が日本国内に存在することが考えられ，海外投資Vehicleの代理人PEが日本国内に存在しないかどうかについて検討が必要です。

外国法人として取り扱われる投資Vehicleを用いるストラクチャーにおいて，PEが日本国内に存在する場合，外国法人の所得のうち日本のPEに帰属する所得およびその他の一定の国内源泉所得に係るものについては原則として日本の課税が行われることになります（外国法人の課税所得のうちPEを有する場合に課税される所得の範囲については，第1部第4章を参照してください）。

日本の税法上，PEとは次のような者をさします。

平成30年度税制改正により，PEの範囲が拡大されましたが，条約に異なる定めがある場合には，その外国法人については条約の定めによる旨が規定されています。

①　支店ＰＥ

日本国内にある支店，工場その他事業を行う一定の場所で政令で定めるもの（直接PE）をいいます。

支店PEとは支店，出張所その他の事業所もしくは事務所，工場または倉庫等とされていますが，平成30年度税制改正により，支店PEの定義は事業の管理を行う場所，支店，事務所，工場又は作業場と改められます。また，倉庫や情報収集のための場所はこれまではPEの範囲から除外されていましたが，外国法人の事業の遂行にとって準備的又は補助的な性格のものでなければPEに該当することになりました。

平成21年度税制改正により，日本国内に事務所等を有する投資事業有限責任組合とこれに類する外国の事業体に外国投資家が出資を行った場合において，一定の要件を満たし，所要の手続を経た場合には当該外国投資家は日本国内にPEを有さないものとみなされていましたが，平成30年度税制改正により，PEは有するものの，これに帰属する所得は非課税とされることになりました。

②　代理人ＰＥ

平成30年度税制改正前は，日本国内に置く自己のために契約を締結する権限のある者その他これに準ずる者で次に定めるもの（代理人PE）をいいました。

> （a）外国法人のために，その事業に関し契約を締結する権限を有し，かつ，これを継続的にまたは反復して行使する者（従属代理人）
> （b）外国法人のために，顧客の通常の要求に応ずる程度の数量の資産を保管し，かつ，当該資産を顧客の要求に応じて引き渡す者（在庫保有代理人）
> （c）専らまたは主として一の外国法人のために，継続的にまたは反復して，その事業に関し契約を締結するための注文の取得，協議その他の行為のうちの重要な部分をする者（注文取得代理人）

（a）に該当することになる代理人PEには，契約を締結する権限は与えられていないが，契約内容につき実質的に合意する権限を与えられている者が含まれます。

非居住者または外国法人が日本国内に自己のために契約を締結する権限のある者（代理人PE）を有するか否かの判定に際して，独立の地位を有する代理人等については代理人PEの範囲から除外されます。非居住者または外国法人が日本国内に自己のために契約を締結する権限を有する代理人を有していた場合において，当該代理人がその事業に係る業務を非居住者または外国法人に対して独立して行い，かつ，通常の方法により行う場合は，当該代理人は独立代理人として取り扱われ，当該非居住者または外国法人の代理人PEには該当しません。金融庁から公表された“恒久的施設（PE）に係る「参考事例集」・「Q&A」”では，国外ファンド（組合形式または法人形式）と投資一任契約を締結し，特定の投資活動を行う国内の投資運用業者に係る独立代理人の判定に係る要件が明らかにされています。

国内に組合事業に係るPEを有するとみなされる外国法人たる組合員が国内において任意組合契約等に基づいて行う事業から生ずる利益は源泉徴収の対象とされますが，日本法人が受け取る当該組合等の利益については源泉徴収の対象とはされていません。

平成30年度税制改正により，PEの範囲の変更に伴い，代理人PEの定義（上記(a)～(c)）は従属代理人のみとされ，その内容が次のように改められました。

> 国内において外国法人に代わって，その事業に関し，反復して次に掲げる契約を締結し，又は当該外国法人によって重要な修正が行われることなく日常的に締結される次に掲げる契約の締結のために反復して主要な役割を果たす者（なお，その活動が当該外国法人の事業の遂行にとって準備的又は補助的な性格のもののみである場合における当該者は除く，以下「契約締結代理人等」）
>
> (a)　当該外国法人の名において締結される契約
>
> (b)　当該外国法人が所有し，又は使用の権利を有する財産について，所有権を移転し，又は使用の権利を与えるための契約
>
> (c)　当該外国法人による役務の提供のための契約

独立代理人については契約締結代理人等には含まれないとされていますが，独立代理人の範囲から，専らまたは主として一または二以上の自己と特殊の関係にある者に代わって行動する者は除かれることが明記されました。ここでいう特殊の関係とは，直接または間接の支配関係を意味するものとされています。なお，これに伴い，金融庁から示されている独立代理人に関する「参考事例集」も改訂がなされています（詳細は第4章Ⅲ5(１)⑨参照)。

（2） CFC税制（タックス・ヘイブン税制）

国内投資家が海外の法人型または外国投資信託（証券投資信託以外）に該当する投資Vehicleを通じて投資を行う場合，当該海外VehicleについてCFC税制（タックス・ヘイブン税制）の適用がないかどうかの検討が必要です。

CFC税制が適用される場合，海外Vehicleの所得について国内投資家の所得に合算課税される可能性があります。

なお，CFC税制は平成29年度税制改正により大幅に変更され，投資対象の外国子会社等がいわゆるペーパーカンパニーに該当する場合，租税負担割合が30%未満(注)であると適用の可能性があります。詳細については第1部第4章Ⅰ1（7）を参照ください。

（注）内国法人の2024年4月1日以後に開始する事業年度については27%未満

（3） 過少資本税制

過少資本税制は，内国法人の国外支配株主等からの借入金等が，これらの有する当該法人の自己資本持分の3倍を超える場合には，その超える部分の金額に対応する支払利子等は，損金の額に算入することができない制度です（租税特別措置法第66条の5)。

国外支配株主等には，非居住者または外国法人で，内国法人に対して50%以上の持分を有するもの，親会社が同一であるもののほか，下記のような事実が存在することにより，非居住者等が実質的支配を有するものが含まれます。

①　その内国法人がその事業活動の相当部分をその非居住者または外国法人

との取引に依存していること

② その内国法人がその事業活動に必要とされる資金の相当部分をその非居住者または外国法人からの借入れにより，またはこれらのものからの保証を受けて調達していること

③ その内国法人の役員の2分の1以上または代表権を有する役員が，その外国法人の役員もしくは使用人を兼務しているかまたはかつてその外国法人の役員もしくは使用人であったこと

投資家が外国法人として取り扱われるVehicleを通じて投資対象企業の社債や貸付金等に投資する場合，投資対象企業において海外Vehicleに対して支払われる社債や貸付金の利子等が過少資本税制の対象とならないか検討が必要です。

（4） 過大支払利子税制

過大支払利子税制は，所得金額に比して過大な利子を支払うことを通じた租税回避を防止するため，対象純支払利等の額のうち調整対象所得金額の一定割合を超える部分の金額について当期の損金の額に算入しないこととする制度です。

過大支払利子税制は，令和元年度税制改正により大幅に変更され，国外関連者等に対する支払利子のみならず，第三者に対する支払利子も対象とされた（ただし利子の支払いを受ける者において日本の課税対象所得に含まれる利子等を除く）ほか，損金不算入額は調整所得金額の20%（従前は50%）を超えた金額とされました。

$$\frac{\text{対象純支払利子等の額（対象支払利子等の額}^{(*1)}-\text{控除対象受取利子等）}}{\text{調整所得金額}^{(*2)}} > 20\%^{(*3)}$$

（＊1） 従前は関連者支払利子のみが対象であったところ，第三者への支払利子も含む（受領者において日本の課税所得に含まれる利子等は対象外）こととされた

（＊2） 利子，税，減価償却等を考慮前の所得

（＊3）　従前は50％であったが，令和元年税制改正により20％に引き下げ

国内投資家が日本の投資対象企業へ外国Vehicleを通じてローン等を行う場合，投資対象企業が支払う利子等は国内投資家が直接受け取れば過大支払利子税制の対象とされているにもかかわらず，外国Vehicleが受けとることによって過大支払利子税制の対象利子等となりますので，投資対象企業において過大支払利子税制の対象とならないか留意が必要です。

第3部

事業目的別ストラクチャーのケーススタディ

本部では，さまざまなストラクチャーにおいて任意組合，匿名組合および信託を用いる場合における会計上および税務上の取扱いについて検討します。なお，以下においては，特に断りのない限り組合員は法人であることを前提としています。また，以下に示す仕訳はあくまで一般的な処理を示したものであり，特に組合員が法定監査等を受けている場合には，当該組合員の監査人に具体的処理を確認することになります。

第1章　ジョイントベンチャーに任意組合を用いる場合

以下では，一般事業に複数の投資家が事業者として投資する場合を想定しています。

1　想定ストラクチャー

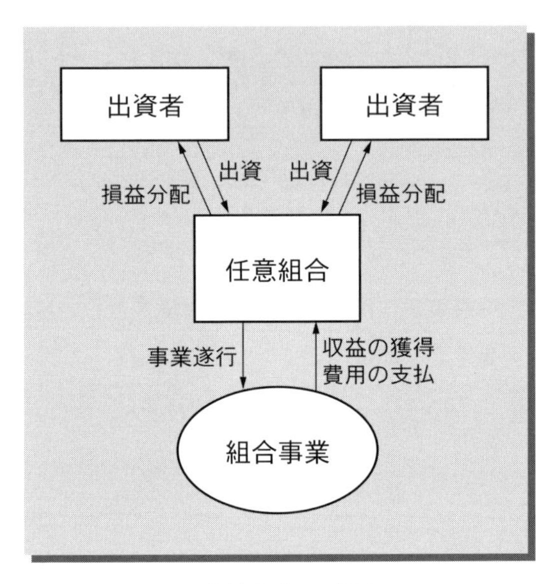

ストラクチャー図1

[ストラクチャー図の説明]

① 任意組合契約に基づき，事業参加者（組合員）は任意組合に金銭出資を行う。

② 任意組合は①の出資金で事業を行う。

③ 任意組合は事業から生じる収益を獲得し，事業遂行のための費用を支払う。

④ 一定期間終了後，組合員は持分割合に応じ損益分配および金銭分配を受ける。

2 想定仕訳

以下の仕訳では，組合員Aの出資，損益分配および金銭分配の割合を組合全体の10%とします。なお，税法上は総額方式によることを原則としますが，中間方式，純額方式も継続適用等を要件として認められます。

① 出 資 時

各組合員が現金1,000を任意組合に出資します。

ケース1：総額方式の場合

任意組合

(借方)		(貸方)	
現　金	10,000	出資金	10,000

組合員A

(借方)		(貸方)	
出資金	1,000	現　金	1,000

ケース2：中間方式の場合

任意組合

(借方)		(貸方)	
現　金	10,000	出資金	10,000

組合員A

(借方)		(貸方)	
出資金	1,000	現　金	1,000

ケース3：純額方式の場合

任意組合

(借方)		(貸方)	
現　金	10,000	出資金	10,000

組合員A

(借方)		(貸方)	
出資金	1,000	現　金	1,000

② 期中の処理

任意組合は営業収入1,000を現金で獲得し，営業費用700を支出します。

ケース1：総額方式の場合

任意組合

（借方）		（貸方）	
現　金	1,000	営業収入	1,000
営業費用	700	現　金	700

組合員A

仕訳なし

ケース2：中間方式の場合

任意組合

（借方）		（貸方）	
現　金	1,000	営業収入	1,000
営業費用	700	現　金	700

組合員A

仕訳なし

ケース3：純額方式の場合

任意組合

（借方）		（貸方）	
現　金	1,000	営業収入	1,000
営業費用	700	現　金	700

組合員A

仕訳なし

③　組合決算時の処理

第×期計算期間末の任意組合の財務諸表は，以下のとおりとします。

任意組合のT/B

現　金	10,300	出 資 金	10,000
営業費用	700	営業収入	1,000
	11,000		11,000

（組合員Aの仕訳）

ケース1：総額方式の場合

（借方）	現　　金	1,030	（貸方）	出 資 金	1,000
	営業費用	70		営業収入	100

ケース2：中間方式の場合

（借方）	営業費用	70	（貸方）	営業収入	100
	出 資 金	30			

ケース3：純額方式の場合

（借方）	出 資 金	30	（貸方）	組合利益	30

3　税務上の取扱い

①　交際費，寄附金の加算

任意組合の会計処理を純額方式による場合において，任意組合事業の支出金額のうちに寄附金または交際費の額があるときは，当該組合事業を資本または出資を有しない法人とみなして法人税法第37条（寄附金の損金不算入）または租税特別措置法第61条の4（交際費等の損金不算入）の規定を適用するものとしたときに計算される利益の額または損失の額を基としてその分配または負担させる金額の計算を行うものとされています（法人税基本通達14-1-2(注)5)。

この場合，組合員自らの寄附金，交際費等の計算とは切り離してその加算を行うことになります。すなわち，各組合員においては，一部資産／負債の裏打ちのない純損益の配分を受けることになりますが，その部分については決算上の受入処理は省略して確定申告にあたり所得に加算するとともに，その処分は「その他社外流出」として処理します（法人税基本通達逐条解説)。

一方，任意組合の会計処理を中間方式または総額方式による場合は，任意組合の収益および費用の内容が組合員の損益計算書に反映されるため，交際費および寄附金の金額について，通常どおり交際費等の損金不算入または寄附金の損金不算入の計算を行うこととなります。

②　受取配当等の益金不算入

任意組合の会計処理を純額方式による場合は，組合の取引の中に受取配当がある場合でも，組合員において受取配当等の益金不算入の適用を受けることはできません。

一方，任意組合の会計処理を中間方式または総額方式による場合は，任意組合の収益および費用の内容が組合員の損益計算書に反映されるため，組合員において受取配当等の益金不算入の規定の適用があります。

③　所得税額控除

任意組合の会計処理を純額方式による場合は，組合の取引の中に利子等の所得税額がある場合でも，組合員において所得税額控除の適用を受けることはできません。

一方，任意組合の会計処理を中間方式または総額方式による場合は，任意組合の収益および費用の内容が組合員の損益計算書に反映されるため，組合員において所得税額控除の規定の適用があります。

④　引当金，準備金の繰入れ等

任意組合の会計処理を純額方式または中間方式による場合は，組合員において，組合の取引につき引当金の繰入れ，準備金の積立て等の規定の適用を受けることはできません。

一方，任意組合の会計処理を総額方式による場合は，組合員において引当金の繰入れ，準備金の積立て等の規定の適用があります。

⑤　償却方法等の選定

任意組合の会計処理を総額方式または中間方式による場合には，減価償却資産の償却方法および棚卸資産の評価方法は，組合事業を組合員の事業所とは別個の事業所として選定することができます。

⑥　源　泉　税

国内において任意組合事業に基づいて行う事業から生ずる利益で国内にPEを有することになる組合員である非居住者または外国法人が配分を受ける一定のものについては，20%の源泉所得税が課されます（別途，所得税の2.1%に相当する復興特別所得税が課される。以下，この部において同じ）。この場合，任意組合のすべての組合員に源泉徴収義務があります。

⑦　損金算入制限

任意組合の法人組合員のうち一定のものについては，組合損失額のうち法人の出資の価額を基礎として計算した金額を超える部分の金額は，損金の額に算入されません（詳細は第１部第３章参照）。

第2章　不動産投資に信託／匿名組合を用いる場合

不動産投資においては，信託勘定で取得された不動産につき，その信託受益権に投資するケース，不動産を有する営業者に匿名組合出資するケースが代表例としてあげられます。実務的には匿名組合営業者や特定目的会社で不動産の信託受益権を取得するケースが多くありますが，ここでは，信託，匿名組合の各ケースについて解説します。

1 信　託　型

(1) 想定ストラクチャー

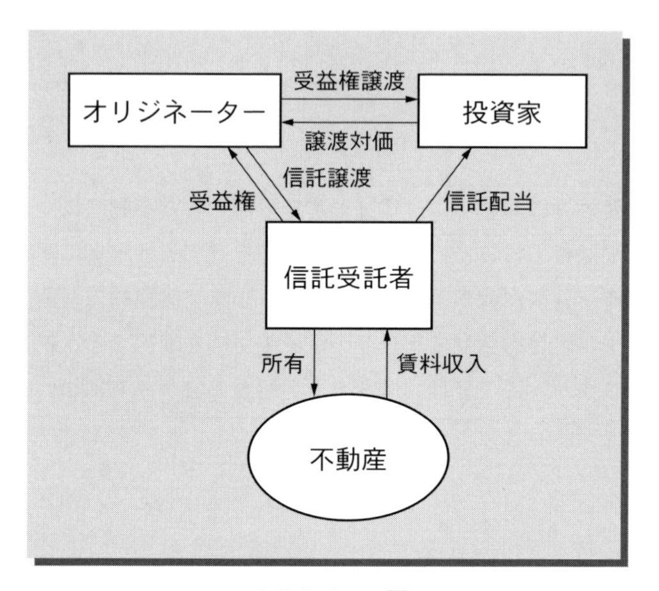

ストラクチャー図2

① オリジネーターが賃貸用不動産（簿価10,000，時価12,000）を信託し，信託受益権を取得する。

② オリジネーターは受益権を投資家に時価12,000で譲渡する。譲渡は法律上，会計上および税務上，譲渡取引として取り扱われるものとする。

③ 信託受託者は不動産からの賃料等を投資家に分配する。

(2) 想定仕訳

① 不動産を信託譲渡した場合

（税務仕訳なし）

※　法人税法上，所得税法上および消費税法上信託が導管として取り扱われるため，信託財産を信託設定する際には，譲渡として取り扱われません。

②　受益権を譲渡した場合

委託者（オリジネーター）

（借方）	現預金	12,000	（貸方）不動産	10,000
			譲渡益	2,000

投資家

（借方）	不動産	12,000	（貸方）現預金	12,000

※　受益者等課税信託（パススルー型）の受益権の譲渡を行った場合，受益権の目的となっている信託財産に属する資産および負債を譲渡したことになります。

③　信託において賃借料の回収（賃借料 500）があった場合

委託者（オリジネーター）

（税務仕訳なし）

※　サービサーを兼任している場合は回収した賃料について預り金処理をすることが考えられます。

投資家

（借方）	現預金	500	（貸方）受取賃借料	500

④　事業年度末の処理

投資家の事業年度末における信託勘定は以下のとおりとします。

信託の T/B

現金	2,000	受益権	12,000
不動産	12,000	賃貸収入	4,000
管理費	2,000		
	16,000		16,000

(投資家の仕訳)

①～③の処理の他，追加の賃料の受取と管理費の支払，減価償却費をまとめて計上したと仮定。信託の計算期間にかかわらず投資家は投資家の事業年度末までの損益を取り込む必要があります。

(借方)	現　　金	2,000	(貸方)	賃貸収入	4,000
	不 動 産	11,000		現　　金	12,000
	管 理 費	2,000			
	減価償却費	1,000			

⑤　不動産売却時

上記④の計算期間終了の直後に，信託は不動産を15,000で売却します。

(投資家の仕訳)

(借方)	現　　　金	15,000	(貸方)	不　動　産	11,000
				不動産売却益	4,000

(３)　税務上の取扱い

①　信託の税務の概要

集団投資信託，退職年金等信託，特定公益信託等または法人課税信託といった但書信託以外の信託は，税法上，信託は導管として取り扱われ，信託財産に係る資産・負債，収益・費用は受益者に帰属するものとして取り扱われることになります。

いわゆるパススルー型の信託（受益者等課税信託）については「受益者が資産および負債を有するものとみなし，かつ，当該信託財産に帰せられる収益および費用は当該受益者の収益および費用とみなす」とされています。

受益権の譲渡または取得を行った場合には，受益権の目的となっている信託財産に属する資産および負債を譲渡または取得したことになる旨が明記され，信託財産が土地である場合，譲渡の態様に応じて，譲渡，交換，収用，買換え等の規定の適用もあります。

委託者と受益者がそれぞれ単一であり，かつ，同一の者である場合，信託設定にあたっての委託者から受託者への資産の移転，信託の終了に伴う残余財産の給付としての受託者から受益者への資産の移転は，資産の譲渡や取得に該当しないことが基本通達において明記されています。

一方，信託損失の取込み規制があり，不動産の信託損失が信託金額を上回る場合には信託損失が法人の場合には損金不算入，個人の場合には信託損失がなかったものとみなされることになります。

さらに，信託損失が生じた場合に法人受益者等に対しこれを補填する契約が締結されていること等により信託期間終了までの間の累積損益が明らかに欠損とならない場合については，法人受益者では信託損失の全額が認識できないことになり，不動産の減価償却費を先行計上するようなことは認められません。通常の不動産の管理信託などにおいては，こういった信託損失の取込み規制に該当する事例は少ないのではないかと思われます。

②　受益権の譲渡の取扱い

パススルー型の信託（受益者等課税信託）の受益権の譲渡は信託財産の譲渡として取り扱われますので，不動産を信託財産とする信託受益権の譲渡は，不動産の譲渡として取り扱われます。

金融資産以外の資産のオフバランスの取扱いについては，税務上，明文の規定はありません。内国法人の各事業年度の所得の金額の計算上，当該事業年度の益金または損金に算入すべき金額は，別段の定めがある場合を除き，一般に公正妥当と認められる会計処理の基準に従って計算されるものとされていますので，不動産の売却についても，一般に公正妥当と認められる会計処理の基準に従い，売却時の損益が計算されると考えられます。

前述のとおり，会計上，不動産流動化実務指針において不動産の譲渡取引は，いわゆるリスク・経済価値アプローチによって判断することが妥当であるとされています。税務上も資産の譲渡の判定において，法形式を前提として，譲渡資産に係る経済的便益とリスクが譲渡人から譲受人に移転しているかどうかが従来から重要視されています。したがって，不動産の譲渡取引が会計上譲渡取引として認められる場合は，税務上も譲渡取引として認められる可能性が高いものと考えられます。

しかしながら，会計上，実務指針等によりオンバランスになる場合に税務もそれに従うかどうかは慎重に検討する必要があります。不動産の譲渡については消費税や不動産流通税も課税されることになるため，法人税以外の税目における取扱いについても考慮が必要です。不動産の譲渡取引が税務上も譲渡として取り扱われるか否かの判断は，法形式が譲渡であることを前提として，経済的便益のリスクの移転，譲渡損益の大小，全体的な取引の意図および課税上の弊害の有無等を考慮に入れて総合的に判断されるものと考えられます。

③　期中の税務処理

信託の場合，投資家の税務処理は総額法で処理すべきこととなります。また，任意組合等への投資の場合と異なり損益の認識についても特例が設けられていないため，信託の計算期間にかかわらず投資家の事業年度末までの損益を取り込むべきこととなります。減価償却についても自身が保有するものとして別途計上する場合に損金として認められます。

2　匿名組合型

（1）　想定ストラクチャー

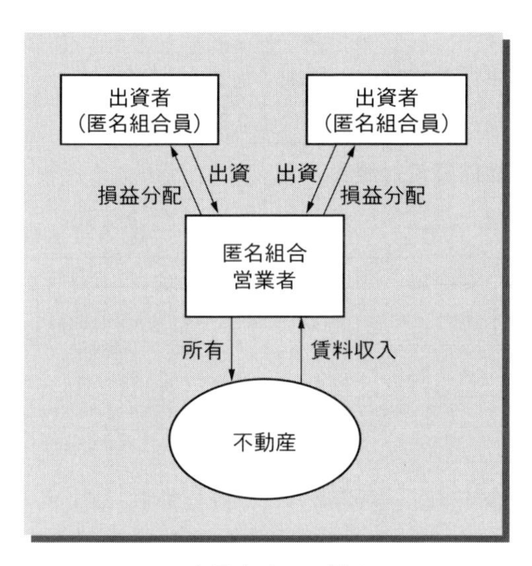

ストラクチャー図３

[ストラクチャー図の説明]

①　匿名組合員は，営業者との間で匿名組合契約を締結する。

②　匿名組合員は，匿名組合契約に基づき，営業者に対し出資金を支払う。

③　営業者は，②の出資金および借入金等を原資として，不動産を取得する。

④　営業者は不動産から得られる賃貸料収入および不動産の売却収入を獲得する。また，不動産事業に関する費用および不動産の減価償却費を負担する。

⑤　匿名組合の計算期間終了後，営業者は匿名組合事業により得た利益または損失を匿名組合員に分配する。

⑥　匿名組合契約終了時には，営業者は不動産を第三者に売却し，匿名組合

員に最終計算期間の利益または損失の分配を行い，出資金を返還する。

（2） 想定仕訳

以下の仕訳では，便宜上，匿名組合員（内国法人）が１社であり，出資，損益分配および金銭分配の割合は100％であることを前提とします。営業者は匿名組合事業以外の事業は行わないものとします。また，匿名組合契約の計算期間と匿名組合員の事業年度は同一であるものとします。

（前提）

匿名組合契約締結前貸借対照表

営業者　B/S

現　金	10,000	資本金	10,000
	10,000		10,000

匿名組合員Ａ　B/S

現　金	5,000	資本金	5,000
	5,000		5,000

①　出　資　時

匿名組合員は現金4,000を匿名組合に出資します。

営業者

（借方）		（貸方）	
現　金	4,000	預り金	4,000

匿名組合員

（借方）		（貸方）	
出資金	4,000	現　金	4,000

②　不動産取得時

営業者は匿名組合出資金4,000および借入金1,000で不動産5,000（時価）を取得します。

営業者

（借方）		（貸方）	
現　金	1,000	借入金	1,000
不動産	5,000	現　金	5,000

匿名組合員

仕訳なし

③　匿名組合事業にかかる収益（賃貸料収入）および費用（管理費）の発生

第×期計算期間中に，営業者は匿名組合事業に関し，収益500を獲得し，費用200を支出します。

営業者

（借方）		（貸方）	
現　金	500	収　益	500
費　用	200	現　金	200

匿名組合員

仕訳なし

④　第×期匿名組合決算時

（ⅰ）　第×期終了時財務諸表（減価償却前）

第×期計算期間終了時（減価償却前）の試算表は下記のとおりとします。

営業者　T/B

現　金	10,300	借入金	1,000
不動産	5,000	預り金	4,000
費　用	200	収　益	500
		資本金	10,000
	15,500		15,500

匿名組合員　T/B

現　金	1,000	資本金	5,000
出資金	4,000		
	5,000		5,000

（ⅱ）　営業者は不動産につき減価償却を行います（不動産の耐用年数を50年，定額法で償却し，毎年の減価償却費を100とします）。なお，本仕訳の便宜上，減価償却額は不動産価額を直接減額するものとします。

営業者		匿名組合員
（借方）	（貸方）	仕訳なし
減価償却費 100	不動産 100	

（ⅲ）　営業者は，匿名組合事業から生じた利益を損益分配割合（100％）に応じて匿名組合員に支払います。

営業者		匿名組合員	
（借方）	（貸方）	（借方）	（貸方）
匿名組合分配損 200	現　金 160	現　金 160	匿名組合分配益 200
	預り源泉税 40	源泉税 40	

※　説明の便宜上，以下において預り源泉税は直ちに納税され，直ちに所得税額控除により還付されたものとします。

（ⅳ）　第×期終了時財務諸表

第×期終了時貸借対照表

営業者　B/S

現　金	10,100	借入金	1,000
不動産	4,900	預り金	4,000
		資本金	10,000
		未処分利　益	0
	15,000		15,000

匿名組合員　B/S

現　金	1,200	資本金	5,000
出資金	4,000	未処分利　益	200
	5,200		5,200

第×期損益計算書

営業者　P/L

費　用	200	収　益	500
減価償却費	100		
匿名組合分配損	200		
当期利益	0		
	500		500

匿名組合員　P/L

当期利益	200	匿名組合分配益	200
	200		200

⑤　匿名組合終了時

一定期間経過後，営業者が不動産を第三者に売却して匿名組合契約が終了します。

（ｉ）　不動産売却前財務諸表

不動産売却前の試算表は下記のとおりとします。

営業者　T/B

現　金	10,200	借入金	1,000
不動産	4,800	預り金	4,000
		資本金	10,000
	15,000		15,000

匿名組合員　T/B

現　金	1,400	資本金	5,000
出資金	4,000	未処分利　益	400
	5,400		5,400

（ⅱ）　営業者は匿名組合事業にかかる資産（不動産）を6,000（時価）で売却します。

営業者

（借方）		（貸方）	
現　金	6,000	不動産	4,800
		不動産売却益	1,200

匿名組合員

仕訳なし

（iii）　営業者は上記（ii）の匿名組合事業から生じた利益を出資割合（100%）に応じて匿名組合員に支払います。

営業者

（借方）		（貸方）	
匿名組合分配損	1,200	現　金	960
		預り源泉税	240

匿名組合員

（借方）		（貸方）	
現　金	960	匿名組合分配益	1,200
源泉税	240		

※　説明の便宜上，以下において預り源泉税は直ちに納税され，直ちに所得税額控除により還付されたものとします。

（iv）　営業者は借入金の返済を行い，匿名組合員に残余財産の分配を行います。

営業者

（借方）		（貸方）	
借入金	1,000	現　金	5,000
預り金	4,000		

匿名組合員

（借方）		（貸方）	
現　金	4,000	出資金	4,000

匿名組合終了後貸借対照表

営業者　B/S

現　金	10,000	資本金	10,000
	10,000		10,000

匿名組合員　B/S

現　金	6,600	資本金	5,000
		未処分利　益	1,600
	6,600		6,600

（3）　税務上の取扱い

①　固定資産の評価損益等の計上

不動産について会計上評価損益の計上を行う場合，税務上は原則として評価損益の計上が認められません。また，固定資産の減価償却費は税務上の限度額までしか損金算入ができません。仮に，営業者が税務上認められない評価損益や限度額を超える減価償却費の計上を行った場合，匿名組合分配損益の計算上，当該評価損益や減価償却超過額をどのように取り扱うのか，すなわち，当該評価損益や減価償却超過額は税務調整項目としてどのように取り扱うのかという点を考慮する必要があります。

②　匿名組合契約終了時の不動産の評価損益の分配

匿名組合契約終了時に不動産が売却されないケースで，営業者が不動産の時価評価を行い，その評価に基づいて匿名組合員の出資金の最終償還金額を確定させる場合，当該最終償還金額と出資金の差額は，営業者および匿名組合員の益金または損金に算入されるものと考えます。

③　土地等の譲渡に対する土地重課の適用

法人を営業者とする匿名組合が土地等の譲渡をした場合の土地重課の規定の適用については，投資家ではなく，匿名組合の営業者である法人に土地等の譲渡利益金額の全額が帰属するものとして計算を行います。この場合において，匿名組合員に対する利益の配当は，土地等の譲渡利益金額の計算上直接または間接に要した費用の額に算入しないものとします（租税特別措置法通達63(6)-2)。

なお，2026年3月31日までの間の土地の譲渡等については，土地重課の規定は適用されません。

④　源泉税の取扱い

非居住者または外国法人たる匿名組合員に対して支払う匿名組合分配利益については，その匿名組合員の人数に関係なく20%の源泉税が課されます。日本の居住者または内国法人たる匿名組合員についても，匿名組合員の数にかかわりなく所得税20%の源泉税が課されます。この場合，営業者は，当該匿名組合分配金の支払の際，匿名組合分配金について源泉徴収を行う必要があります。

⑤　損金算入制限

匿名組合の法人組合員のうち一定のものについては，組合損失額のうち法人の出資の価額を基礎として計算した金額を超える部分の金額は，損金の額に算入されません（詳細は第1部第3章参照）。

第3章　債権投資に信託／投資事業有限責任組合／匿名組合を用いる場合

以下では，債権投資に信託，投資事業有限責任組合または匿名組合を用いる場合について解説します。

1　信　託　型

（1）　想定ストラクチャー

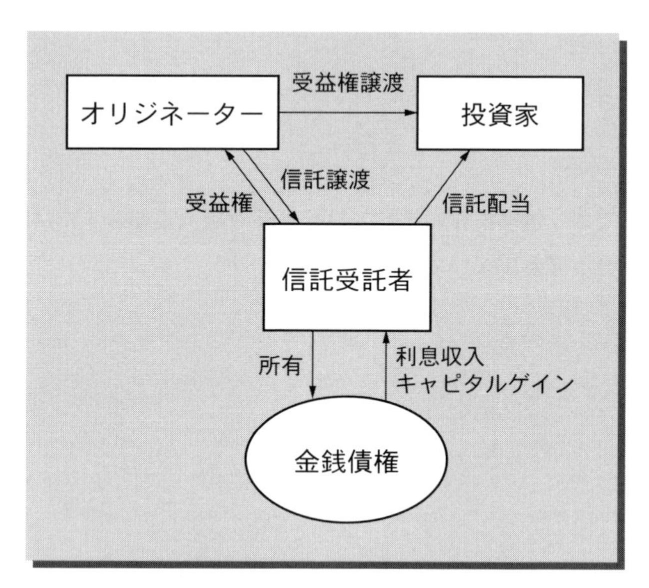

ストラクチャー図4

[ストラクチャー図の説明]

①　オリジネーターが金銭債権（簿価10,000，時価12,000）を信託し，信託受益権を（優先劣後に分割せずに）取得する。

②　オリジネーターは，受益権を投資家に時価12,000で売却する。なお，当該譲渡は法律上，会計上および税務上，譲渡取引として取り扱われるものとする。

③　信託受託者は金銭債権の利息等を投資家に分配する。

（2）想定仕訳

①　信託譲渡時

（税務仕訳なし）

※　法人税法上，所得税法上および消費税法上，信託が導管として取り扱われるため，信託財産を信託設定する際には，譲渡としては取り扱われません。

②　受益権譲渡時

委託者（オリジネーター）

（借方）	現預金	12,000	（貸方）金銭債権	10,000
			譲渡益	2,000

※　受益者等課税信託（パススルー型）の受益権の譲渡を行った場合，受益権の目的となっている信託財産に属する資産および負債を譲渡したことになります。

投資家

（借方）	金銭債権	12,000	（貸方）現預金	12,000

③　信託において金銭債権の利息回収（利息金額 500）があった場合

委託者（オリジネーター）

（税務仕訳なし）

※　オリジネーターがサービサー等として役割を果たす場合，回収金を預り金等として計上することが考えられます。

投資家

（借方）	現預金（又は預り金）	500	（貸方）受取利息	500

④　債権売却時

信託は貸付債権を 14,000 で売却します。

投資家

（借方）現　預　金	14,000	（貸方）金 銭 債 権	12,000
		債 権 譲 渡 益	2,000

（3） 税務上の取扱い

① 信託の税務の概要

集団投資信託，退職年金等信託，特定公益信託等または法人課税信託といった但書信託以外の信託は，税法上，導管として取り扱われ，信託財産に係る資産・負債，収益・費用は受益者に帰属するものとして取り扱われることになります。したがって，受益者は信託から現実に現金等の分配がなされなくても，信託に収益が生じた時点で収益認識をする必要があります。

受益者等が受益権の譲渡または取得を行った場合には，受益権の目的となっている信託財産に属する資産および負債を譲渡または取得したことになります。委託者と受益者がそれぞれ単一であり，かつ，同一の者である場合，信託設定にあたっての委託者から受託者への資産の移転，信託の終了に伴う残余財産の給付としての受託者から受益者への資産の移転は，資産の譲渡や取得に該当しないことが基本通達において明記されています。

② 信託受益権の優先劣後分割にあたっての留意点

税務上は信託受益権が優先受益権と劣後受益権に分割されているケースや受益者が多数になるケースなどについて現時点では特別の規定は置かれていません。

政令において受益者が2以上ある場合について，「信託財産に属する資産および負債，収益および費用の全部がそれぞれの受益者にその有する権利の内容に応じて帰せられるものとする」という規定がなされている点が参考になります。当該規定ぶりから，信託受益権が必ずしも均等に分割なされていないケースや受益者が複数になるケースにおいても，いずれかの受益者において信託収益が認識されるべきこと，それぞれの権利に応じて収益等の認識を行うべきこと，がうかがえます。

この点，会計上は信託が優先・劣後など質的に分割されているケースにおいては信託財産を有するものとはみず，信託において新たな有価証券が発行されたものとの認識をしますので，当該信託が受益者等課税信託に該当する場合，税務と会計ではその取扱いが異なる可能性があります。

③　信託受益権の譲渡

パススルー型の信託受益権の譲渡は信託財産の譲渡として取り扱われます。したがって，金銭債権を信託財産とする信託受益権の譲渡は，金融資産の譲渡として当該資産の権利の支配が他者に移転したときに，譲渡による消滅を認識することになります。法人税法上，金融資産の譲渡取引として売却による消滅の認識をする要件とされる内容は，「金融商品に係る会計基準」に記されている会計上の金融資産のオフバランス基準とほぼ同様です。

優先部分と劣後部分とを別々に売却する場合，優先部分と劣後部分につきそれぞれ別に売却損益の計算をする必要があることから，優先部分と劣後部分との簿価配分が重要となります。

この点，税務上は特別の規定はありませんが，会計上は金融商品に係る会計基準において，「（金融資産の）消滅部分の帳簿価額は，当該金融資産又は金融負債全体の時価に対する消滅部分と残存部分の時価の比率により，当該金融資産又は金融負債全体の帳簿価額を按分して計算する。」と規定されています。

④　期中の税務処理

信託の場合，投資家の税務処理は総額法で処理すべきこととなります。また，任意組合等への投資の場合と異なり損益の認識についても特例が設けられていないため，信託の計算期間にかかわらず投資家の事業年度末までの損益を取り込むべきこととなります。

2　投資事業有限責任組合型

(1)　想定ストラクチャー

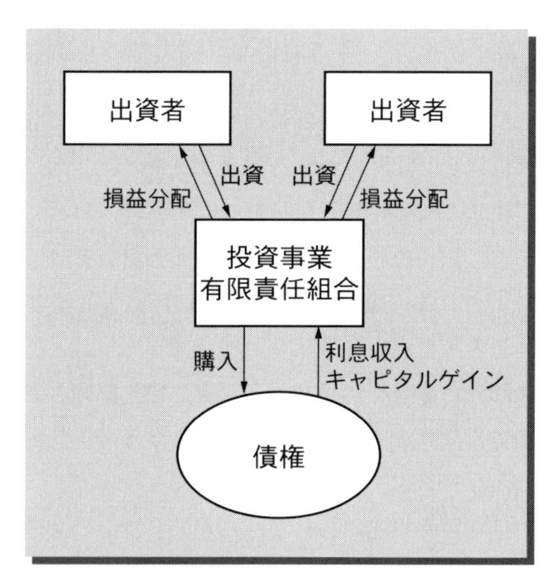

ストラクチャー図５

[ストラクチャー図の説明]

①　投資事業有限責任組合契約に基づき，組合員は投資事業有限責任組合（以下本章において「組合」）に有限責任組合員として金銭出資を行う。

②　組合は①の出資金および借入金（以下金利は考慮していません）等で貸付債権を取得する。

③　組合は貸付債権から得られる利息および貸付債権の第三者への売却収入等を獲得する。

④　組合の計算期間終了後，組合は組合員に損益分配を行う。

⑤　組合契約終了時には，組合は貸付債権を第三者に売却し，組合員に最終

計算期間の損益分配を行う。

(2) 想定仕訳

以下の仕訳では，組合員Aの出資，損益分配および金銭分配の割合を組合全体の10％とします。なお，税務上は総額方式によることを原則としますが，中間方式，純額方式も継続適用等を要件として認められます。

① 出資時

組合員Aが現金1,000を組合に出資します。

ケース1：総額方式の場合

組合

(借方)		(貸方)	
現　金	10,000	出資金	10,000

組合員A

(借方)		(貸方)	
出資金	1,000	現　金	1,000

ケース2：中間方式の場合

組合

(借方)		(貸方)	
現　金	10,000	出資金	10,000

組合員A

(借方)		(貸方)	
出資金	1,000	現　金	1,000

ケース3：純額方式の場合

組合

(借方)		(貸方)	
現　金	10,000	出資金	10,000

組合員A

(借方)		(貸方)	
出資金	1,000	現　金	1,000

② 期中の処理

組合は出資金10,000および借入金2,000で貸付債権（額面金額15,000，時価12,000）（以下，額面金額との取得差額に関する調整（法人税基本通達2-1-

34）については考慮していません）を取得します。

ケース1：総額方式の場合

組合

（借方）		（貸方）	
現　金	2,000	借入金	2,000
貸付債権	12,000	現　金	12,000

組合員A

仕訳なし

ケース2：中間方式の場合

組合

（借方）		（貸方）	
現　金	2,000	借入金	2,000
貸付債権	12,000	現　金	12,000

組合員A

仕訳なし

ケース3：純額方式の場合

組合

（借方）		（貸方）	
現　金	2,000	借入金	2,000
貸付債権	12,000	現　金	12,000

組合員A

仕訳なし

③　組合決算時の処理

組合のT/B

現　　金	2,000	借 入 金	2,000
貸付債権	12,000	出 資 金	10,000
支払手数料	2,000	利息収入	4,000
	16,000		16,000

（組合員Aの仕訳）

ケース1：総額方式の場合

（借方）	現　　金	200	（貸方）	借 入 金	200
	貸付債権	1,200		利息収入	400
	支払手数料	200		出 資 金	1,000

ケース2：中間方式の場合

（借方）	支払手数料	200	（貸方）	利息収入	400
	出 資 金	200			

ケース3：純額方式の場合

（借方）	出 資 金	200	（貸方）	組合利益	200

④　債権売却時の仕訳

上記③の計算期間終了の直後に，組合は貸付債権を14,000で売却し，借入金を返済します。

ケース1：総額方式の場合

組合				組合員A
（借方）		（貸方）		仕訳なし
現　金	14,000	貸付債権	12,000	
		貸付債権売却益	2,000	
借入金	2,000	現　金	2,000	

ケース2：中間方式の場合

組合				組合員A
（借方）		（貸方）		仕訳なし
現　金	14,000	貸付債権	12,000	
		貸付債権売却益	2,000	
借入金	2,000	現　金	2,000	

ケース3：純額方式の場合

組合				組合員A
（借方）		（貸方）		仕訳なし
現　金	14,000	貸付債権	12,000	
		貸付債権売却益	2,000	
借入金	2,000	現　金	2,000	

⑤　組合終了時の処理

④の貸付債権売却の後，組合契約は終了され，各組合員に出資金が返還されます。なお，出資金返還前の組合の財務諸表は以下のとおりです。

組合のT/B

現　金	14,000	出資金	10,000
		貸付債権売却益	2,000
		未処分利益	2,000
	14,000		14,000

（組合員Aの仕訳）

ケース1：総額方式の場合

（借方）	借入金	200	（貸方）	貸付債権	1,200
	現　金	1,400		貸付債権売却益	200

ケース2：中間方式の場合

（借方）	現　金	1,400	（貸方）	貸付債権売却益	200
				出資金	1,200

ケース3：純額方式の場合

（借方）	現　金	1,400	（貸方）	組合利益	200
				出資金	1,200

（3）　税務上の取扱い

①　交際費，寄附金の加算

組合の会計処理を純額方式による場合において，組合事業の支出金額のうちに寄附金または交際費の額があるときは，当該組合事業を資本または出資を有しない法人とみなして法人税法第37条（寄附金の損金不算入）または租税特別措置法第61条の4（交際費等の損金不算入）の規定を適用するものとしたときに計算される利益の額または損失の額を基としてその分配または負担させる金額の計算を行うものとされています（法人税基本通達14-1-2(注)5)。

この場合，組合員自らの寄附金，交際費等の計算とは切り離してその加算を行うことになります。すなわち，各組合員においては，一部資産／負債の裏打ちのない純損益の配分を受けることになりますが，その部分については決算上の受入処理は省略して確定申告にあたり所得に加算するとともに，その処分は「その他社外流出」として処理します（法人税基本通達逐条解説)。一方，組合の会計処理を中間方式または総額方式による場合は，組合の収益および費用の内容が組合員の損益計算書に反映されるため，交際費および寄附金の金額について，通常どおり交際費等の損金不算入または寄附金の損金不算入の計算を行うこととなります。

②　受取配当等の益金不算入

組合の会計処理を純額方式による場合は，組合の取引の中に受取配当がある場合でも，組合員において受取配当等の益金不算入の適用を受けることはできません。一方，組合の会計処理を中間方式または総額方式による場合は，組合の収益および費用の内容が組合員の損益計算書に反映されるため，組合員において受取配当等の益金不算入の規定の適用があります。

③　所得税額控除

組合の会計処理を純額方式による場合は，組合の取引の中に利子等の所得税額がある場合でも，組合員において所得税額控除の適用を受けることはできません。一方，組合の会計処理を中間方式または総額方式による場合は，任意組合の収益および費用の内容が組合員の損益計算書に反映されるため，組合員において所得税額控除の規定の適用があります。

④　引当金，準備金の繰入れ

組合の会計処理を純額方式または中間方式による場合は，組合員において，組合の取引につき引当金の繰入れ，準備金の積立て等の規定の適用を受けることはできません。一方，組合の会計処理を総額方式による場合は，組合員において引当金の繰入れ，準備金の積立て等の規定の適用があります。

⑤　債権の貸倒損失等

貸付債権の売却による損失（想定仕訳④債権売却時の仕訳）は原則として税務上も損金として取り扱われます。しかし，貸倒損失等の評価上の損失については，税務上，一定要件を満たすもの以外は損金の計上が認められませんので注意を要します。

⑥　源　泉　税

国内において組合事業に基づいて行う事業から生ずる利益で国内にPEを有することになる組合員である非居住者または外国法人が配分を受ける一定のものについては，所得税20％の源泉税が課されます（なお，一定の場合PE認定の免除あり）。

この場合，組合の金銭等の配分をする者が源泉徴収を行います。なお，この源泉徴収についてはすべての組合員が連帯して責任を負うことになります。

⑦　損金算入制限

組合の法人組合員のうち一定のものについては，組合損失額のうち法人の出資の価額を基礎として計算した金額を超える部分の金額は，損金の額に算入されません（詳細は第１部第３章参照）。

3　匿名組合型

（1）　想定ストラクチャー

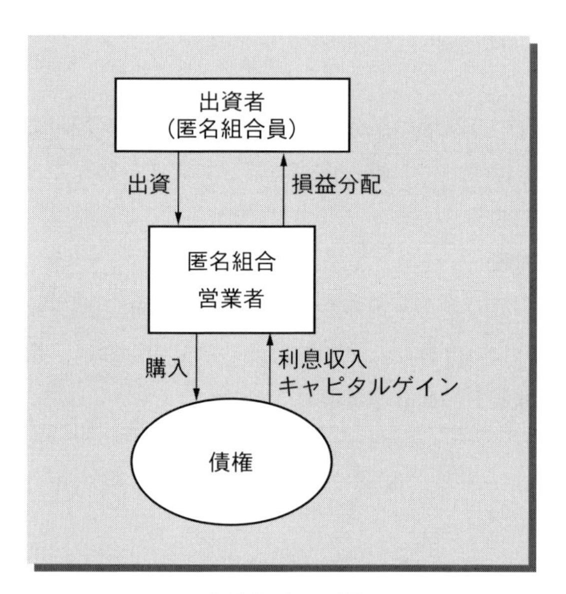

ストラクチャー図6

［ストラクチャー図の説明］

①　匿名組合契約に基づき，匿名組合員は営業者に金銭出資を行う。

②　営業者は①の出資金および借入金等（以下金利は考慮していません）で貸付債権を取得する。

③　営業者は貸付債権から得られる利息および貸付債権の売却収入等を獲得する。

④　匿名組合の計算期間終了後，営業者は匿名組合員に損益分配を行う。

⑤　匿名組合契約終了時には，営業者は貸付債権を第三者に売却し，匿名組合員に最終計算期間の損益分配を行う。

（2） 想定仕訳

以下の仕訳では，便宜上，匿名組合員（内国法人）が1社であり，出資，損益分配および金銭分配割合は100％であることを前提とします。営業者は匿名組合事業以外の事業は行わないものとします。また，匿名組合契約の計算期間と匿名組合員の事業年度は同一であるものとします。

（前提）

匿名組合契約締結前貸借対照表

営業者　B/S

現　金	10,000	資本金	10,000
	10,000		10,000

匿名組合員　B/S

現　金	5,000	資本金	5,000
	5,000		5,000

① 出　資　時

匿名組合員は現金4,000を匿名組合に出資します。

営業者

（借方）		（貸方）	
現　金	4,000	預り金	4,000

匿名組合員

（借方）		（貸方）	
出資金	4,000	現　金	4,000

② 貸付債権取得時

営業者は匿名組合出資金4,000および借入金1,000で貸付債権（額面金額7,000，時価5,000）（以下，額面金額との取得差額の調整は考慮していません）を取得します。

営業者				匿名組合員
（借方）		（貸方）		仕訳なし
現　金	1,000	借入金	1,000	
貸付債権	5,000	現　金	5,000	

③　匿名組合事業にかかる収益（利息収入）および費用（支払手数料）の発生

第×期計算期間中に，営業者は匿名組合事業に関し，収益（利息収入）500を獲得し，費用（管理手数料）200を支出します。

営業者				匿名組合員
（借方）		（貸方）		仕訳なし
現　金	500	収　益	500	
費　用	200	現　金	200	

④　第×期匿名組合決算時

（ⅰ）　第×期終了時財務諸表（債権評価替前）

第×期計算期間終了時（債権評価替前）の試算表は下記のとおりとします。

営業者　T/B			
現　金	10,300	借入金	1,000
貸付債権	5,000	預り金	4,000
費　用	200	収　益	500
		資本金	10,000
	15,500		15,500

匿名組合員　T/B			
現　金	1,000	資本金	5,000
出資金	4,000		
	5,000		5,000

（ⅱ）　営業者は，匿名組合事業から生じた利益を損益分配割合（100%）に応じて匿名組合員に支払います。

営業者

（借方）		（貸方）	
匿名組合分配損	300	現　金	240
		預り源泉税	60

匿名組合員

（借方）		（貸方）	
現　金	240	匿名組合分配益	300
源泉税	60		

※　説明の便宜上，以下において預り源泉税は直ちに納税され，直ちに所得税額控除により還付されたものとします。

（ⅳ）　第×期終了時財務諸表

第×期終了時貸借対照表

営業者　B/S

現　金	10,000	借入金	1,000
貸付債権	5,000	預り金	4,000
		資本金	10,000
		未処分利益	0
	15,000		15,000

匿名組合員　B/S

現　金	1,300	資本金	5,000
出資金	4,000	未処分利益	300
	5,300		5,300

第×期損益計算書

営業者　P/L

費　用	200	収　益	500
匿名組合分配損	300		
当期利益	0		
	500		500

匿名組合員　P/L

当期利益	300	匿名組合分配益	300
	300		300

⑤　匿名組合終了時

一定期間経過後，営業者は貸付債権を売却して匿名組合契約を終了します。

（ⅰ）　貸付債権売却前財務諸表

貸付債権売却前の試算表は下記のとおりとします。

営業者　T/B

現　金	10,000	借入金	1,000
貸付債権	5,000	預り金	4,000
		資本金	10,000
	15,000		15,000

匿名組合員　T/B

現　金	1,300	資本金	5,000
預り金	4,000	未処分利益	300
	5,300		5,300

（ⅱ）　営業者は匿名組合事業にかかる資産（貸付債権）を 6,000（時価）で売却します。

営業者

（借方）		（貸方）	
現　金	6,000	貸付債権	5,000
		資産売却益	1,000

匿名組合員

仕訳なし

（ⅲ）　営業者は上記（ⅱ）の匿名組合事業から生じた損失を損益分配割合（100%）に応じて匿名組合員に分配します。

営業者

（借方）		（貸方）	
匿名組合分配損	1,000	未払金	1,000

匿名組合員

（借方）		（貸方）	
未収金	1,000	匿名組合分配益	1,000

（iv）　営業者は借入金の返済を行い，匿名組合員に残余財産の分配を行います。

営業者

（借方）		（貸方）	
借入金	1,000	現　金	1,000
預り金	4,000	現　金	5,000
未払金	1,000		

匿名組合員

（借方）		（貸方）	
現　金	5,000	出資金	4,000
		未収金	1,000

匿名組合終了後貸借対照表

営業者　B/S

現　金	10,000	資本金	10,000
	10,000		10,000

匿名組合員　B/S

現　金	6,300	資本金	5,000
		未処分利益	1,300
	6,300		6,300

（３）　税務上の取扱い

①　匿名組合契約終了時の貸付債権の評価損益の分配

匿名組合契約終了時に貸付債権が売却されないケースで，営業者が貸付債権の時価評価を行い，その評価に基づいて匿名組合員の出資金の最終償還金額を確定させる場合，当該最終償還金額と出資金の差額は営業者および匿名組合員の益金または損金に算入されるものと考えられます。

②　源　泉　税

匿名組合員に対して支払う匿名組合分配利益については，その匿名組合員の人数および匿名組合員が外国法人か内国法人かに関係なく所得税20％の源泉税が課されます。この場合，営業者は，当該匿名組合分配金の支払の際，匿名組合分配金について源泉徴収を行う必要があります。

③　損金算入制限

匿名組合の法人組合員のうち一定のものについては，組合損失額のうち法人の出資の価額を基礎として計算した金額を超える部分の金額は，損金の額に算入されません（詳細は第1部第3章参照）。

第 4 章　再生可能エネルギー発電設備投資に匿名組合を用いる場合

(1) 想定ストラクチャー

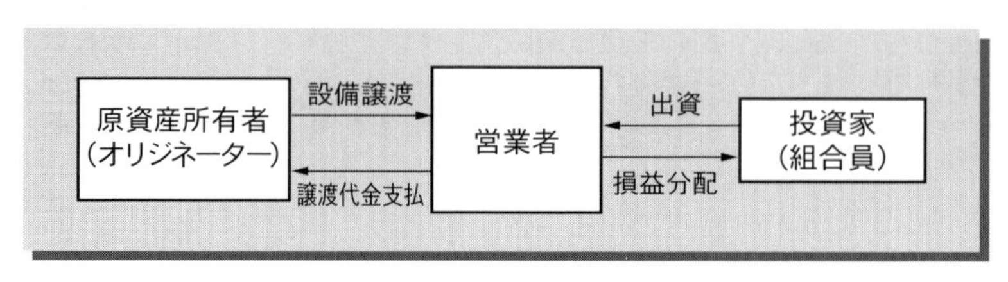

ストラクチャー図7

[ストラクチャー図の説明]

① 投資家（匿名組合員）は，内国法人たる営業者との間で匿名組合契約を締結する。

② 投資家（匿名組合員）は，匿名組合契約に基づき，営業者に対し出資金を支払う。

③ 営業者は，②の出資金を原資として，土地を賃借し，太陽光パネル等の再生可能エネルギー発電設備（以下，「再エネ設備」）を取得して設置する。当該取引は譲渡取引として取り扱われるものとする。

④ 営業者は売電から得られる利益または損失を投資家（匿名組合員）に分配する。

(2) 想定仕訳

以下の仕訳では，便宜的に匿名組合員A（内国法人）の出資，損益分配および金銭分配の割合を組合全体の100％とします。営業者は匿名組合事業以外の事業は行わないものとします。また，匿名組合契約の計算期間と匿名組合員の事業年度は同一であるものとします。

（前提）

匿名組合契約締結前貸借対照表（前提）

営業者　B/S

現　金	10,000	資本金	10,000
	10,000		10,000

匿名組合員A　B/S

現　金	50,000	資本金	50,000
	50,000		50,000

①　出　資　時

匿名組合員Aは現金10,000を匿名組合に出資します。

営業者

（借方）		（貸方）	
現　金	10,000	預り金	10,000

匿名組合員A

（借方）		（貸方）	
出資金	10,000	現　金	10,000

②　再エネ設備取得時

営業者は匿名組合出資金10,000で再エネ設備を取得します。

営業者

（借方）		（貸方）	
再エネ設備	10,000	現　金	10,000

匿名組合員

仕訳なし

③　匿名組合事業にかかる収益（売電収入）および費用（支払手数料）の発生

第×期計算期間中に，営業者は匿名組合事業に関し，収益2,000を獲得し，費用500を支出します。

営業者				匿名組合員
（借方）		（貸方）		仕訳なし
現　金	2,000	収　益	2,000	
費　用	500	現　金	500	

④　第×期匿名組合決算時

（ⅰ）　第×期終了時試算表

第×期計算期間終了時（減価償却前，出資返還前）の試算表は下記のとおりとします。

営業者　T/B

現　金	11,500	預り金	10,000
再エネ設備	10,000	資本金	10,000
費　用	500	収　益	2,000
	22,000		22,000

匿名組合員　T/B

現　金	40,000	資本金	50,000
出資金	10,000		
	50,000		50,000

（ⅱ）　営業者は再エネ設備につき減価償却を行います（法定耐用年数は太陽光パネルの場合，17年ですが，以下では便宜上10年で計算します）。

営業者				匿名組合員
減価償却費	1,000	再エネ設備	1,000	仕訳なし

（ⅲ）　営業者は，匿名組合事業から生じた利益を損益分配割合（100%）に応じて匿名組合員に分配し，金銭で支払います。

営業者

（借方）		（貸方）	
匿名組合分配損	500	現　金	400
		預り源泉税	100

匿名組合員

（借方）		（貸方）	
現　金	400	匿名組合分配益	500
源泉税	100		

※　説明の便宜上，以下において預り源泉税は直ちに納税され，直ちに所得税額控除により還付されたものとします。

（iv）　営業者は手元現金で匿名組合出資の返金を行います。

営業者

預り金	1,000	現　金	1,000

匿名組合員

現　金	1,000	出資金	1,000

（ｖ）　第×期終了時財務諸表

第×期終了時貸借対照表

営業者　B/S

現　金	10,000	預り金	9,000
再エネ設備	9,000	資本金	10,000
		未処分利益	0
	19,000		19,000

匿名組合員　B/S

現　金	41,500	資本金	50,000
出資金	9,000	未処分利益	500
	50,500		50,500

第×期損益計算書

営業者　P/L

費　用	500	収　益	2,000
減価償却費	1,000		
匿名組合分配損	500		
当期利益	0		
	2,000		2,000

匿名組合員　P/L

当期利益	500	匿名組合分配益	500
	500		500

（３）　税務上の取扱い

再エネ設備投資に匿名組合を用いる場合の税務上の取扱いは第３部第２章２の不動産投資に匿名組合を用いる場合と原則として同様になります。匿名組合の利益分配の支払については投資家が内国法人であっても，所得税 20% の源泉税が課されます。

第５章　REITが匿名組合出資により再生可能エネルギー設備に投資する場合／海外投資をする場合

1　REITが匿名組合出資により再生可能エネルギー設備に投資する場合

（１）　想定ストラクチャー

いわゆるJ-REIT（不動産投資法人）が匿名組合出資を通じて再生可能エネルギー発電設備（以下「再エネ設備」）等の特定資産に投資を行うケースです。

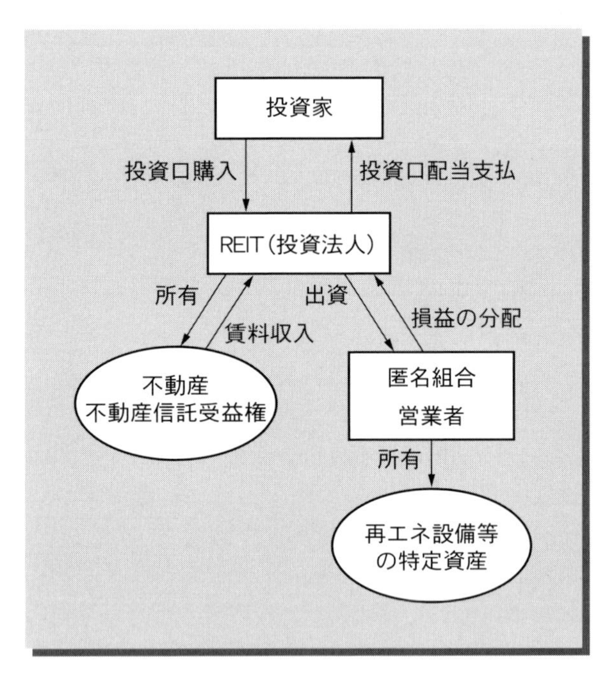

ストラクチャー図８

[ストラクチャー図の説明]

①　投資信託委託業者は投資法人を設立する。

②　投資法人は投資口を発行し一般投資家から資金を調達する。投資法人の投資口は金融商品取引所に上場される。

③　投資法人は②の投資家からの資金および借入金等を基に不動産（不動産の信託受益権）および再エネ設備等の特定資産を主たる資産として保有する法人に対する匿名組合の出資持分を購入し，投資家から集めた資金を運用する。

④　匿名組合員たる投資法人は，営業者との間で匿名組合契約を締結する。

⑤　匿名組合員は，匿名組合契約に基づき，営業者に対し出資金を支払う。

⑥　営業者は，⑤の出資金および借入金等を原資として，再エネ設備等の特定資産を取得する。

⑦　営業者は再エネ設備等の特定資産から得られる売電収入を獲得する。また，売電事業に関する費用および設備の減価償却費を負担する。

⑧　匿名組合の計算期間終了後，営業者は匿名組合事業により得た利益または損失を匿名組合員に分配する。

⑨　計算期間（通常は半年）終了後，投資法人は投資家に配当金の分配を行う。

（2）想定仕訳

以下の仕訳では，便宜上，匿名組合員たるREIT（投資法人）の出資，損益分配および金銭分配割合は10％であることを前提とします。営業者はREIT以外とも匿名組合契約を締結しており（内国法人のみ），A以外の投資家への分配も含めると，投資家全体への分配割合は100％とします。営業者は匿名組合事業以外の事業は行わないものとします。また，匿名組合契約の計算期間と匿名組合員の事業年度は同一であるものとします。

また，営業者が匿名組合出資金および借入金（以下金利は考慮していません）をもとに再エネ設備等の特定資産を外部から取得するケースを想定しています。

なお，会計上は，場合によって開示の観点からあたかも匿名組合員が組合財産を有しているのと同様の総額法的処理が求められる可能性がありますが，以下では税務の取扱いに基づき，純額法的処理を行うものとします。

（前提）

匿名組合契約締結前貸借対照表

営業者　B/S

現　金	1,000	資本金	1,000
	1,000		1,000

匿名組合員　B/S

現　金	5,000	資本金	5,000
	5,000		5,000

① 出　資　時

匿名組合員は現金 4,000 を匿名組合に出資します。

営業者

（借方）		（貸方）	
現　金	4,000	預り金	4,000

匿名組合員

（借方）		（貸方）	
出資金	400	現　金	400

② 特定資産取得時

営業者は匿名組合出資金 4,000 および借入金 1,000 で再エネ設備 5,000（時価）を取得します。

営業者

（借方）		（貸方）	
現　金	1,000	借入金	1,000
設　備	5,000	現　金	5,000

匿名組合員

仕訳なし

③ 匿名組合事業にかかる収益（賃貸料収入）および費用（管理費）の発生

第×期計算期間中に，営業者は匿名組合事業に関し，収益 1,500 を獲得し，費用 500 を支出します。

営業者

(借方)		(貸方)	
現　金	1,500	収　益	1,500
費　用	500	現　金	500

匿名組合員

仕訳なし

④　第×期匿名組合決算時

(ⅰ)　第×期終了時財務諸表（減価償却前）

第×期計算期間終了時（減価償却前）の試算表は下記のとおりとします。

営業者　T/B

現　金	2,000	借入金	1,000
設　備	5,000	預り金	4,000
費　用	500	収　益	1,500
		資本金	1,000
	7,500		7,500

匿名組合員　B/S

現　金	4,600	資本金	5,000
出資金	400		
	5,000		5,000

(ⅱ)　営業者は設備につき減価償却を行います（設備の耐用年数を10年，定額法で償却とし，減価償却費は100とします）。なお，本仕訳の便宜上，減価償却額は不動産価額を直接減額するものとします。

営業者

(借方)		(貸方)	
減価償却費	500	設　備	500

匿名組合員

仕訳なし

（iii）　営業者は，匿名組合事業から生じた利益または損失を損益分配割合（10%）に応じて匿名組合員に分配します。

営業者

(借方)		(貸方)	
匿名組合分配損	500	現　金	400
		預り源泉税	100

匿名組合員

(借方)		(貸方)	
現　金	40	匿名組合分配益	50
源泉税	10		

※　説明の便宜上，以下において預り源泉税は直ちに納税され，直ちに所得税額控除により還付されたものとします。

（iv）　第×期終了時財務諸表

第×期終了時貸借対照表

営業者　B/S

現　金	1,500	借入金	1,000
設　備	4,500	預り金	4,000
		資本金	1,000
		未処分利益	0
	6,000		6,000

匿名組合員　B/S

現　金	4,650	資本金	5,000
出資金	400	未処分利益	50
	5,050		5,050

第×期損益計算書

営業者　P/L

費　用	500	収　益	1,500
減価償却費	500		
匿名組合分配損	500		
当期利益	0		
	1,500		1,500

匿名組合員　P/L

当期利益	50	匿名組合分配益	50
	50		50

(3)　税務上の取扱い

①　投資法人の支払配当の損金算入と匿名組合出資割合

不動産投資法人は，法人税の課税対象となりますが，その運用資産の集合体としての実質的側面を考慮して，一定の要件を満たす投資法人の利益の配当については課税所得の計算上，損金算入が認められています。

従来から，投資法人の要件の一つに，「他の法人の発行済株式または出資の総数または総額の50% 以上の数または金額の株式または出資を有していないこと（他法人株式等50% 以上保有規制)」がありました。令和元年度税制改正により，この要件に以下の見直しが行われました。

・「他の法人の出資」に匿名組合出資を含めることとする。
・匿名組合を通じて間接的に有する株式等を合算（その保有株式等に匿名組合出資割合を乗じて算出する）して判定することとする。

これは，投資法人が匿名組合契約等を締結することによってその営業者を介して実質的に事業経営体となることが可能となり，他法人株式等50% 以上保有規制が有名無実化されることを防止する観点から設けられたものです。

②　投資法人の支払配当の損金算入と再生可能エネルギー発電設備

投資法人の配当損金算入要件の一つに，「事業年度終了の時において有する特定資産のうち有価証券，不動産その他の政令で定める資産の帳簿価額がその時において有する資産の総額の50% を超えていること」があります。ここで，再生可能エネルギー発電設備および公共施設等運営権は，政令で定める資産から除かれていますのでこれらに投資するには投資法人の総資産の50% の範囲内での保有とする必要があります。

ただし，投資法人が2026年3月31日までの期間内に取得した再生可能エネルギー発電設備（再生可能エネルギー発電設備を事業とする匿名組合出資を含む）の取得で賃貸に供する等一定の要件を満たす場合については，20年に限り例外的に50% を超えて保有できる経過措置が設けられています。

また，匿名組合契約等に係る権利は資産要件の判定上，主として有価証券，不動産等に対する投資として約するものに限ることとされます。

令和3年度税制改正により，投資法人に係る課税の特例および特定投資信託に係る受託法人の課税の特例における特定の資産の総資産のうちに占める割合が50%を超えていることとする要件について，ファイナンス・リース取引に係る金銭債権はそのファイナンス・リース取引の目的となっている資産として，その割合を計算することとされます。ファイナンス・リースの対象が再生可能エネルギー発電設備の場合，上述の資産要件を充足すべきことになります。

③　投資法人の支払配当の損金算入と税務調整項目

投資法人で税務調整項目があると，一時差異等調整引当金を計上の上で利益超過配当を行わない限り，投資法人で課税を受けることになります。

したがって，投資法人では，会計上の利益の金額と税務上の課税所得の金額に乖離が生じないよう，税務調整項目が少ない会計処理方法を選択することが重要です。

④　匿名組合契約終了時の設備の評価損益の分配

匿名組合契約終了時に設備が売却されないケースで，営業者が設備の時価評価を行い，その評価に基づいて投資法人を含む匿名組合員の出資金の最終償還金額を確定させる場合，当該最終償還金額と出資金の差額は営業者および匿名組合員の益金または損金に算入されるものと考えられます。

⑤　源　泉　税

匿名組合員に対して支払う匿名組合分配利益については，その匿名組合員の人数および匿名組合員が外国法人か内国法人かに関係なく所得税20%の源泉税が課されます。この場合，営業者は，当該匿名組合分配金の支払の際，匿名組合分配金について源泉徴収を行う必要があります。

⑥　損金算入制限

匿名組合の法人組合員のうち一定のものについては，組合損失額のうち法人の出資の価額を基礎として計算した金額を超える部分の金額は，損金の額に算入されません（詳細は第１部第３章参照）。

2　REITが海外投資を行う場合①

投資法人が海外投資を行う場合には直接海外不動産に投資を行う場合と，海外に不動産保有法人を設立してその法人を通じて海外不動産に投資する場合が考えられます。

（1）　想定ストラクチャー

投資法人が直接海外不動産に投資を行う場合を想定します。

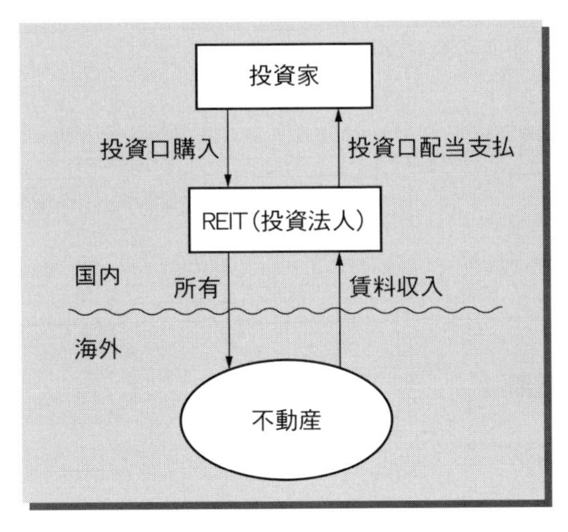

ストラクチャー図９

［ストラクチャー図の説明］

①　投資法人がFY１において海外不動産を１億ドルにて取得します。取得

時の為替レートは120円／ドルとします。

② FY１において投資法人が海外不動産の賃料等５百万ドルを認識します。当該年度末において回収は未済とします。認識時の為替レートは120円／ドルとします。

③ FY１末までの海外不動産からの所得につき，FY２において所在地国の法人税を1.5百万ドル支払うものとします。支払時の為替レートは110円／ドルとします。

④ FY２において賃料債権の回収を行います。回収時の為替レートは110円／ドルとします。

⑤ 対象不動産をFY10において１億ドルで売却します。売却時の為替レートは125円／ドルとします。

（２） 投資法人における想定仕訳

以下は税務上の取扱いを説明するための記載ですので，実際の会計上の仕訳，表示は異なることがある点に留意してください。

① 海外不動産取得時

（単位：百万円）

（借方）	不 動 産	12,000	（貸方）	現　　金	12,000

② 海外賃料認識時

（借方）	未 収 金	600	（貸方）	賃　　料	600

期末時＝収益認識時と仮定します。

*上記所得については，不動産所在地国において源泉税課税等がなされる可能性がありますが，上記仕訳には反映させていません。

③　所在地国法人税支払時

（借方）	租税公課等	165	（貸方）	現　　金	165

④　賃料回収時

（借方）	現　　金	550	（貸方）	未 収 金	600
	為替差損	50			

⑤　海外対象不動産売却時

（借方）	現　　金	12,500	（貸方）	不 動 産	12,000
				売 却 益	500

（3）　税務上の取扱い

外国の法人税は，「法人税等」として計上されると「90％超配当要件」判定の計算上，外国法人税控除前の金額が分母に含まれ，外国法人税の金額によっては90％超配当要件が満たせない可能性がありました。投資法人計算規則の改正（2018年4月2日施行）により，2018年4月1日以後に開始する事業年度以降は営業費用のうちの「租税公課」として表示されることが明確化されました。この結果，外国法人税の額が90％超配当要件の計算上，影響を与えないことが明らかとなりました。

海外不動産を直接保有した場合には，当該投資から生ずる所得につき投資法人は海外の税金を支払う必要が生じますが，当該外国の税金のうち投資家の配当等の額に対応する金額は投資法人が投資家に支払う配当にかかる源泉税の額から控除することができます。ただし，源泉徴収義務者が投資法人ではなく証券会社等に移転している額については，控除の対象とすることができませんでしたが，平成30年度税制改正により，2020年1月1日以後に支払われる配当については，配当が証券会社に源泉徴収義務が移転している額についても，控除の対象とすることができるようになりました。ただし，控除対象とできるのは国税源泉徴収額および復興特別所得税（15.315%）のみであること，控除される外国所得税の額は，配当に係る源泉所得税額に投資法人の外貨建資産の運用割合を乗じた額を限度とすることとされており，これを超える外国税については控除できないことになります。外貨建資産割合とは，投資法人の事業年度終了の時の貸借対照表に計上されている外貨建資産（外国通貨で表示される株式，債券，その他の資産をいう）の帳簿価額の当該投資法人の当該事業年度終了の時の貸借対照表に計上されている総資産の帳簿価額に対する割合をいうとされています。これにより，投資法人が国内外で獲得した所得を源泉とした配当等に対して源泉所得税が課される場合，国内で獲得した所得を源泉とした配当等に対応する所得税からは外国法人税が控除できないこととなりました。また，外貨建資産割合と投資法人の全所得に占める国外所得とは必ずしも連動していない点に留意が必要です。

外国法人税が課されている投資法人において，毎期，貸借対照表に基づき外貨建資産割合の計算および証券会社等の源泉徴収義務者への通知が投資法人において必要とされています。

海外不動産投資においては，賃料や不動産取得・譲渡の対価も外貨建てになるものと予想されますので，為替レートの変動により決済時の他，場合によっては期末評価時にも損益がでることが予想されます。外貨建債権の評価方法については，会計と税務で乖離が出ない方法を選択しておくことが勧められます。

3　REITが海外投資を行う場合②

（1）　想定ストラクチャー

投資法人が海外に不動産保有法人を設立してその法人を通じて海外不動産に投資する場合を想定します。

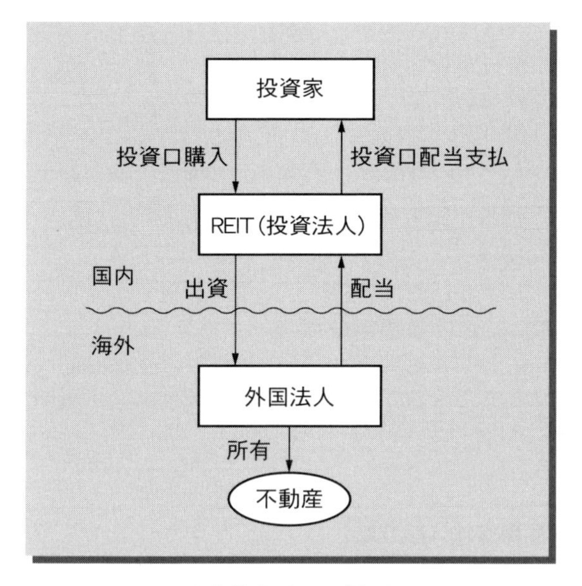

ストラクチャー図10

[ストラクチャー図の説明]

① 投資法人が対象海外不動産の所在地に外国法人（海外不動産保有法人）を資本金1億ドルにて設立し，株式を100％取得します。取得時の為替レートは120円／ドルとします。

② 海外不動産保有法人は対象国において不動産を1億ドルにて取得します。

③ 海外不動産保有法人がFY1において海外不動産の賃料等5百万ドルを認識します。（当該年度末において回収は未済とします。認識時の為替レートは120円／ドルとします）

④ FY2において海外不動産保有法人は賃料債権の回収を行います。回収時の為替レートは110円／ドルとします。

⑤ 海外不動産保有法人はFY2末の決算終了後に5百万ドルにつき所在地国の税額控除後，配当3.5百万ドルを投資法人に対して行います。配当確定時の為替レートは110円／ドルとします。

⑥ 海外不動産保有法人は対象不動産をFY10において海外不動産投資法人

の利益に相当する5,000万ドルで売却します。売却時の為替レートは125円／ドルとします。

⑦　海外不動産保有法人は投資法人に対して海外不動産投資法人の利益に相当する5,000万ドルの分配を行います。分配時の為替レートは125円／ドルとします。海外不動産保有法人で留保される利益はないものとし，会計と税務の不一致はないものとします。

（2）　投資法人における想定仕訳

以下は税務上の取扱いを説明するための記載ですので，実際の会計上の仕訳，表示は異なることがある点に留意してください。

①　海外不動産保有法人設立時

（単位：百万円）

（借方）	株　　式	12,000	（貸方）	現　　金	12,000

②　不動産取得時

仕訳なし

③　海外賃料認識時

仕訳なし

④　賃料回収時

仕訳なし

⑤　配当時（海外不動産保有法人所在地国での源泉税は配当に課されなかったものとします）

（借方）現　　金　　385　　（貸方）受取配当　　385

*海外不動産保有法人が支払う海外不動産所在地国の法人税は投資法人では税法上は原則として認識されません。

⑥　海外対象不動産売却時

仕訳なし

⑦　分　配　時

（借方）現　　金　　6,250　　（貸方）受取配当　　6,250

*海外不動産保有法人が利益を超えて金銭を分配する場合には，外国法人の資本の払戻しとして認識することになります（第4章2（3）参照）。

（3）　税務上の取扱い

内国法人が海外不動産に投資する場合は，現地での規制上の理由や法的リスク回避のため，現地で設立された法人で不動産を取得し，その法人の株式を保有するという形態をとることがあります。投資法人が海外投資するにあたって特段の規制は税法上設けられていませんが，海外不動産を所在地国の法人を通じて保有しようとすると，導管性要件の一つである「他の法人の株式または出資の50％以上を保有しないこと」とする要件（以下「他法人株式等50％以上保有規制」）に抵触する可能性があります。

投信法上，投資法人は他の法人の議決権の過半を保有してはならないとされていますが，投信法改正により一定の海外不動産保有法人についてはこの制限の例外とされることになりました。特定資産が所在する国の法令の規定又は慣行その他やむを得ない理由により，不動産の取得または譲渡，不動産の賃借，不動産の管理の委託のいずれかの取引を投資法人自らはできないが，海外不動産保有法人であればできる場合がその例外とされています。これを受け，平成26年度税制改正において，税法上の投資法人導管性要件についても，財務省令で定める法人の株式および出資については他法人株式等50%以上保有規制の対象外とされました。財務省令では投信法施行規則第221条の2第1項各号の要件すべてを満たす法人（注記表に表示された計算規則第66条の4第2号に掲げる割合が50%を超えるものに限る）とされています。

上記より，税法上，投資法人が海外不動産保有法人の過半を保有しても導管性要件の一つである他法人株式等50%以上保有規制に抵触しないためには，海外不動産保有法人は以下の条件を満たしている必要があります。

① 海外不動産保有法人は外国に所在する法人であって，所在する国において専ら不動産の取得または譲渡，不動産の賃借，不動産の管理取引を行うことをその目的とすること。

② 海外不動産保有法人は，各事業年度（1年を超えることができない）経過後六月以内に，その配当可能な額のうち，投資法人の有する株式の数又は出資の額に応じて按分した額その他の当該法人の所在する国における法令又は慣行により，割り当てることができる額の金銭を投資法人に支払うこと。

③ 投資法人が海外不動産保有法人の株式又は出資を50%を超えて保有していることが投資法人の財務諸表の注記表に表示されていること。

投信法上の制限の例外扱いを受ける国の例示として，アメリカ合衆国，インド，インドネシア，中華人民共和国，ベトナム及びマレーシアが該当するものと考えられるとされています（「投資法人に関するQ&A」 平成26年6月27日　金融庁）。

投資対象国の租税負担割合が30%未満(注)の場合は，海外不動産保有法人がCFC税制上の特定外国子会社に該当しないか注意する必要があります。

（注）内国法人の2024年４月１日以後に開始する事業年度については27％未満

従来は，海外不動産保有法人で所在地国の法人税等の課税がなされる場合，当該外国税額は投資法人に課されたものではないため，投資法人で分配金に課される日本の源泉税からの控除の対象とすることはできませんでした。しかし，令和２年度税制改正によりCFC子会社に課された外国税についても投資法人で二重課税調整の対象とすることができるようになりました。

参考資料

投資組合契約の外国組合員に対する課税の特例に関する（変更）申告書

外国組合員の課税所得の特例の適用に関する届出書

外国組合員課税の特例における「業務執行」の判定について

恒久的施設（PE）に係る「参考事例集」等の一部改定について（令和4年7月8日）

恒久的施設（PE）に係る「参考事例集」等の一部改定について（令和2年7月22日）

キャリード・インタレストの税務上の取扱いについて

キャリード・インタレストの経済的合理性等の判定に係るチェックシート

キャリード・インタレストに係る所得に関する計算書

所得税法施行規則別表七（二）

有限責任事業組合等に係る組合員所得に関する計算書

所得税法

__年分の有限責任事業組合の組合事業に係る所得に関する計算書

所得税法

（付表）組合事業に係る事業所得等の必要経費不算入損失額の計算書

法人税法別表九（二）

組合事業等による組合等損失額の損金不算入又は組合等損失超過合計額の損金算入に関する明細書

中小企業等投資事業有限責任組合に係る税務上の取扱いについて

様式1　租税条約に関する届出書
（配当に対する所得税及び復興特別所得税の軽減・免除）

様式1-2　租税条約に関する特例届出書
（上場株式等の配当等に対する所得税及び復興特例所得税の軽減・免除）

様式 2　　　租税条約に関する届出書
（利子に対する所得税及び復興特別所得税の軽減・免除）
様式 3　　　租税条約に関する届出書
（使用料に対する所得税及び復興特別所得税の軽減・免除）
様式 15　　租税条約に関する届出書
（申告対象国内源泉所得に対する所得税又は法人税の軽減・免除）
様式 16　　外国法人の株主等の名簿　兼　相手国団体の構成員の名簿
様式 17-米　特典条項に関する付表（米）
様式 17-英　特典条項に関する付表（英）
様式 17-仏　特典条項に関する付表（仏）
様式 17-独　特典条項に関する付表（独）
様式 17-豪　特典条項に関する付表（豪）
様式 17-オランダ王国　特典条項に関する付表（オランダ王国）
様式 17-スイス　特典条項に関する付表（スイス）
様式 17-スウェーデン　特典条項に関する付表（スウェーデン）
様式 17-ニュージーランド　特典条項に関する付表(ニュージーランド)
様式 18　　租税条約に基づく認定を受けるための申請書

投資組合契約の外国組合員に対する課税の特例に関する（変更）申告書 兼 更新申告書

APPLICATION FORM (TO MODIFY PREVIOUS APPLICATION) TO APPLY FOR SPECIAL PROVISION FOR FOREIGN MEMBER OF INVESTMENT LIMITED PARTNERSHIP, etc.

この申告書の記載に当たっては、別紙の注意事項を参照して下さい。
See separate instructions.

税務署整理欄 For official use only			
適用：有、無			
番号確認		身元確認	

＿＿＿＿＿税務署長 殿
To the District Director, ＿＿＿＿＿ Tax Office

1．申告者に関する事項
Details of Applicant

氏名又は名称 Name		
個人番号又は法人番号（有する場合のみ記入） Individual Number or Corporate Number (Limited to case of a holder)		
非居住者の場合 Individual	住所等（注５） Domicile, etc. (Note5)	
外国法人の場合 Corporation	本店又は主たる事務所の所在地 Place of Head or Main Office	

※ 該当する方にチェックして下さい。 Please check the box of applicable sentence.

□ 投資組合契約につき、租税特別措置法第 41 条の 21 第 1 項各号に掲げる要件を全て満たしていることから、同条第 1 項及び/又は同法第 67 条の 16 第 1 項の特例の適用を受けたいので、この旨申告します。

I (we) hereby submit an application to apply for the special provision prescribed in Paragraph 1 of Article 41-21 and/or Paragraph 1 of Article 67-16 of the Act, with regard to the Investment Limited Partnership Contract, since I (we) satisfy the conditions listed in each item of Paragraph 1 of Article 41-21 of the Act.

□ 租税特別措置法第 41 条の 21 第 1 項及び/又は同法第 67 条の 16 第 1 項の特例の適用を受けるため提出した「投資組合契約の外国組合員に対する課税の特例に関する（変更）申告書 兼 更新申告書」の記載内容に変更があったので、同法第 41 条の 21 第 9 項第 1 号及び/又は同法第 67 条の 16 第 4 項の規定により申告します。

In accordance with the provisions in Paragraph 9(1) of Article 41-21 and/or Paragraph 4 of Article 67-16 of the Act on Special Measures Concerning Taxation, I (we) hereby submit an application to change item(s) reported in the previous "Application Form (to Modify Previous Application) to Apply for Special Provision for Foreign Member of Investment Limited Partnership, etc." to apply for the special provisions prescribed in Paragraph 1 of Article 41-21 and /or Paragraph 1 of Article 67-16 of the Act.

2．特例適用投資組合契約に関する事項　（注：契約書の写しを添付してください。（注３））
Details of Investment Limited Partnership Contract Applied for Special Provision
Note: Please attach the copy of contract to this form. (Note 3)

投資組合の名称 Name of Partnership			
国内事務所等の所在地（注６） Place of Office in Japan, etc. (Note 6)			
配分の取扱者の氏名又は名称 Name of Distribution Manager			
個人番号又は法人番号（有する場合のみ記入） Individual Number or Corporate Number (Limited to case of a holder)			
投資組合の事業の内容 Detail of Business			
投資組合契約締結年月日 Date of Contract	/ /	投資組合の存続期間 Period of Duration	/ / ～ / /
投資組合財産に対する持分割合（注７） Share of Property (Note 7)	(%) ① %	損益分配割合（注７） Share of Distribution of Profit and Loss(Note 7)	(%) ② %

03・12

3．特殊の関係のある者に関する事項（注８、14）
Details of Special Related Person (Note 8, 14)

氏名又は名称 Name			
投資組合財産に対する持分割合 Share of Property	③ %	損益分配割合 Share of Distribution of Profit and Loss	④ %

4．特例適用投資組合契約に係る特定組合契約による組合に関する事項（注３、９、14）
Details of Partnership with specific partnership contract related to Investment Limited Partnership Contract Applied for Special Provision (Note 3, 9, 14)

(1) 租税特別措置法施行令第 26 条の 30 第 4 項第 1 号イ及びロに該当する特定組合契約による組合に関する事項
Details of Partnership with specific partnership contract that meets the provisions of Paragraph 4(1)(a)and(b) of Article 26-30 of the Cabinet Order of the Act on Special Measures Concerning Taxation

組合の名称 Name			
主たる事務所の所在地 Place of Main Office			
組合の代表者の氏名又は名称 Name of Representative			
2．の組合の投資組合財産に対する申告者の持分割合（注 10） Applicant's Share of Property of Partnership Mentioned in Box 2 (Note 10)	⑤ %	2．の組合に係る申告者の損益分配割合（注 10） Applicant's Share of Distribution of Profit and Loss Mentioned in Box 2 (Note 10)	⑥ %
2．の組合の投資組合財産に対する特殊の関係のある者の持分割合（注 10） Special Related Person's Share of Property of Partnership Mentioned in Box 2 (Note 10)	⑦ %	2．の組合に係る特殊の関係のある者の損益分配割合（注 10） Special Related Person's Share of Distribution of Profit and Loss Mentioned in Box 2 (Note 10)	⑧ %

(2) (1)以外の特定組合契約による組合に関する事項
Details of Partnership with specific partnership contract other than (1)

組合の名称 Name		
主たる事務所の所在地 Place of Main Office		
組合の代表者の氏名又は名称 Name of Representative		
2．の組合の投資組合財産に対する持分割合（注 11） Share of Property of Partnership Mentioned in Box 2 (Note 11)		⑨ %
	このうち申告者の持分割合（注 11） Applicant's Share of Property Mentioned Above (Note 11)	%
	このうち特殊の関係のある者の持分割合（注 11） Special Related Person's Share of Property Mentioned Above (Note 11)	%
2．の組合に係る損益分配割合（注 11） Share of Distribution of Profit and Loss Mentioned in Box 2 (Note 11)		⑩ %
	このうち申告者の損益分配割合（注 11） Applicant's Share of Distribution of Profit and Loss Mentioned Above (Note 11)	%
	このうち特殊の関係のある者の損益分配割合（注 11） Special Related Person's Share of Distribution of Profit and Loss Mentioned Above (Note 11)	%

5．租税特別措置法施行令第 26 条の 30 第 18 項若しくは第 19 項及び/又は同令第 39 条の 33 第２項若しくは第３項の適用に関する事項（注 12、14）

Details Where the Applicant Applies for Paragraph 18 or 19 of Article 26-30 and/or Paragraph 2 or 3 of Article 39-33 of the Cabinet Order of the Act on Special Measures Concerning Taxation (Note 12, 14)

適用条項：
Applicable Provision:

□ 租税特別措置法施行令第 26 条の 30 第 18 項及び/又は同令第 39 条の 33 第２項
Paragraph 18 of Article 26-30 and/or Paragraph 2 of Article 39-33 of the Cabinet Order of the Act on Special Measures Concerning Taxation

□ 租税特別措置法施行令第 26 条の 30 第 19 項及び/又は同令第 39 条の 33 第３項
Paragraph 19 of Article 26-30 and/or Paragraph 3 of Article 39-33 of the Cabinet Order of the Act on Special Measures Concerning Taxation

(1) 直前に有していた他の恒久的施設に関する事項

Details of the Other Permanent Establishment Which Was Held by Applicant Just Before This Application

直前に有していた他の恒久的施設の名称 Name	
恒久的施設の所在地 Place of Permanent Establishment	
第５号要件を満たすこととなる年月日 Date of Qualifying Requirements of Act on Special Measures Concerning Taxation 41-21(1)(v)	/ /

(2) 他の投資組合契約に関する事項（注 13）

Details of the Other Applicable Partnership for Exception (Note 13)

他の投資組合の名称 Name	
国内事務所等の所在地（注６） Place of Office in Japan, etc. (Note 6)	
他の投資組合契約につきこの申告書を提出した場合のその提出年月日 Date of Application for the Other Applicable Investment Limited Partnership if Submit	/ /

6．納税管理人に関する事項（注 15）

Details of Tax Agent (Note 15)

氏名 Name		届出をした税務署名 Name of Tax Office Registered
住所又は居所 Domicile or Residence		税務署 Tax Office

7．その他参考となるべき事項（注 16）

Others (Note 16)

税務署受付印

外国組合員の課税所得の特例の適用に関する届出書

※整理番号	

令和　年　月　日 税務署長殿	本店又は主たる事務所の所在地	〒　－
	(フリガナ) 外国法人の名称	
	法人番号	
	(フリガナ) 代表者の氏名	

租税特別措置法施行令第39条の33の2第1項（外国組合員の課税所得の特例）に規定する特例適用投資組合契約等について同項の規定の適用を受けたいので、下記のとおり届け出ます。

記

特例適用投資組合契約を締結している場合	(フリガナ) 投資組合の名称	
	国内にある事務所等の所在地	
	納税地	
	特例適用申告書及び変更申告書の提出年月日	令和　年　月　日
	内国法人の株式又は出資の譲渡の時において、特例適用投資組合契約について租税特別措置法第67条の16第1項の規定の適用を	受けている・　受けていない
投資組合契約を締結している場合	(フリガナ) 投資組合の名称	
	主たる事務所の所在地	
	租税特別措置法施行令第39条の33の2第1項第1号及び第2号に掲げる要件を	満たしている・　満たしていない

内国法人の発行済株式総数又は出資総額に占める保有割合		譲渡事業年度終了の日	変更前
	内国法人の特殊関係株主等の保有割合	%	%
	内国法人の特殊関係株主等のうち特例適用投資組合契約等に係る法人税法施行令第178条第4項第3号又は平成26年改正前の法人税法施行令第187条第4項第3号に掲げる者に該当する者の保有割合		

譲渡した内国法人の株式又は出資の明細	銘柄	株式数又は出資金額
		内
		内
		内
		内
		内

その他参考となるべき事項	

税理士署名	

※税務署処理欄	部門		決算期		業種番号		番号		整理簿		備考		通信日付印	年 月 日	確認	

03.06改正

（規格A4）

外国組合員課税の特例における「業務執行」の判定について

経済産業省は，平成21年度税制改正により導入された「外国組合員に対する課税の特例」,「恒久的施設を有しない外国組合員の課税所得の特例」に関し，ファンドに関する課税の特例の要件の一つである「業務執行として政令で定める行為を行わないこと」の判定について，下記のとおりとりまとめました。

なお，本件の内容については，国税庁にも確認をいただいております。

記

外国組合員に対する課税の特例，恒久的施設を有しない外国組合員の課税所得の特例における「業務執行として政令で定める行為」について

1．本稿の趣旨

平成21年度税制改正において，投資事業有限責任組合契約に関する法律（以下「LPS法」という。）第2条第2項に規定する投資事業有限責任組合及び外国におけるこれに類するもの（以下「投資組合」という。）を通じた，海外投資家による投資に関し「外国組合員に対する課税の特例（租税特別措置法第41条の21，第67条の16)」及び「恒久的施設を有しない外国組合員の課税所得の特例（租税特別措置法施行令第26条の31，第39条の33の2)」(以下「ファンドに関する課税の特例」という。）が創設されました。

ファンドに関する課税の特例の適用に際しては，当該特例の適用を受けようとする者が租税特別措置法第41条の21第1項第2号に規定する「当該投資組合契約に基づいて行う事業に係る業務の執行として政令で定める行為」(以下「税法上の業務執行」という。）を行わないことが要件の一つとなっております。税法上の業務執行としては，租税特別措置法第41条の21第1項第2号の委任を受け，租税特別措置法施行令第26条の30第1項各号で具体的内容を定めており，①業務執行，②業務執行の決定，③業務執行又は業務執行の決定についての承認，同意その他これに類する行為（以下「業務執行等についての承認等」という。）が税法上の業務執行として定められております。

他方，LPS法上は，無限責任組合員（以下「GP」という。）のみが業務執行を行います(LPS法第7条第1項）が，有限責任組合員（以下「LP」という。）も投資事業有限責任組合（以下「LPS」という。）契約の主体であり，GPや他のLPとともに共同で一定の事業を営む者である（LPS法第3条第1項）ため，契約主体としての権利行使や事業を営む上で必要な権利行使は認められます。このようなLPの権利行使については，LPの業務執行への関わりという切り口からは，①業務執行とは関係のない行為と②業務執行に関係する行為であるが業務執行ではないものに区分することができます。税法上の業務執行には,「業務執行等についての承認等」も含まれますので，②に該当するLPの権利行使であっても，税法上の業務執行に該当する場合があります。

2．行為類型毎の考え方

上記の行為類型毎に，どのような権利行使が税法上の業務執行概念に該当し，また該当

しないかどうかの判定についての基本的考え方は，以下の通りです。

(1) 業務執行とは関係のない行為

投資組合の基礎に係る権利（契約の変更や解散請求権等。GP選任・解任等構成員に関する権利を含む）や，監督権（財務諸表の閲覧権や業務・財産の検査権），自身の利益確保のための権利（持分払戻請求権や利益分配請求権）につきましては，こうした権利は，各組合員が共同で投資事業を営む団体の構成員であることから当然に認められる権利であり，かつ実際LPS法においても各LPに認められている権利です。

このような権利に基づく行為は，組合業務の執行行為や当該執行の意思決定行為ではありませんし，またこうした執行行為やその意思決定について承認等するものでもありませんので，税法上の業務執行として定めるいずれの行為にも該当しません。

(2) 業務執行に関係する行為であるが業務執行ではないもの

業務執行への関わりとしては，LPがGPの行う個別の投資に対して承認等を行う場合や，GPの業務執行権限の範囲の変更について承認等する場合，GPの利益相反取引又はそのおそれのある取引（以下，まとめて「利益相反取引」という。）に対して承認等をする場合，GPの投資業務に対して助言する場合等が考えられます。このようなLPの行為は，組合業務の執行行為や当該執行の意思決定行為ではありませんが，こうした執行行為やその意思決定についての承認等に該当する場合があります。

そこで，こうした具体的なLPの行為が「業務執行等についての承認等」に該当するか否かについて検討すると，以下の通りになると考えます。

① 契約等で定められたGPの業務執行権限の範囲内の投資案件について，その実行前にその適否についてLPが承認等をすること

… GPの執行権限の範囲内の行為にもかかわらず，当該GPの業務執行の前提としてLPの承認等が必要な場合には，LPの承認等の対象はまさに本来GPに委ねられるべき業務の執行でありますので，こうしたLPの承認等は「業務執行等についての承認等」に該当するものと考えられます。

② 契約等で，GPによる一部の投資を原則として制限しつつも，LPの承認等があれば当該投資を行うことができる旨の定めがある場合に，当該定めに基づいてGPの投資についてLPが承認等をすること（例えば，投資ガイドライン等で一定額以上の投資について一定のLPの承認が必要である旨定められている場合の，当該LPの承認等）

… ここでのLPの承認等の対象は，契約等で定められたGPの権限外の投資業務ですが，業務執行の概念自体は組合の事業目的達成に向けた行為全般が含まれると解されますので（法律用語辞典では，「一般に，法人，組合等の団体において，定款変更，解散等の団体の存立，構成にかかわる基本的事項を除き，団体の事業に関する様々な事務を処理すること。法律行為のみならず事実行為を含む」と定義されております。），契約等で定められたGPの権限外の投資業務の執行であっても投資組合の業務執行であると考えられます。従いまして，こうしたGPの投資業務に対するLPの承認等も「業務執行等についての承認等」に該当するものと考えられます。

③ LPがGPの利益相反取引について承認等すること

… 利益相反取引（GP が GP 自身又は第三者のために行う取引等，当事者の利益が相反する取引）は，LP の利益を害するおそれのあるものであるため，こうした取引を行うにあたって LP の承認等を求めることを契約で明記している場合があります。

先述の通り，業務執行の概念は組合の事業目的達成に向けた行為全般が含まれると解されますので，GP が行う利益相反取引も，それが組合の事業目的の達成のために行われる場合には業務執行であると解されます。また，「業務執行等についての承認等」は，業務を執行すること（又はその意思決定をすること）それ自体を承認等することを指すと解されますので，利益相反取引の承認につきましても，「業務執行等についての承認等」に該当することになりますが，LP が GP の利益相反取引について事前に説明・報告を受けることや，これに対して助言すること（この点は⑤参照），異議を申し立てること（異議があった場合には GP は業務執行できないというように，実質的に承認等と変わらない場合は除く）は「業務執行等についての承認等」には該当しません。

なお，GP が行う利益相反取引には，LPS の業務執行権限者としての立場を離れて行われる行為もあります（例えば，GP が他の LPS の GP となろうとする場合や，GP が投資先企業に自己の名義・計算で融資を行う場合等）。こうした取引も，既存の LPS の LP の利益を害するおそれがあるという点で利益相反取引と考えられますが，当該取引は LPS の業務として行われるわけではありませんので，こうした GP の行為は LPS の業務執行ではありません。従って，このような GP の利益相反取引についての承認等は，「業務執行等についての承認等」には該当しません。

④ 投資可能限度額の変更や投資可能資産の変更等，個別の投資判断を離れて事前に行われる GP の業務執行権限の範囲の変更について LP が承認等すること

… こうした LP の承認等の対象は，GP の業務執行そのものではなく，その前提となる業務執行権限であり，こうした承認等は原則として「業務執行等についての承認等」には該当しないものと考えられます。

なお，こうした GP の業務執行権限の変更が頻繁に行われているなど，当該承認等をすることが実質的には GP の業務執行等についての承認等であると考えられる場合には，こうした LP の承認等は「業務執行等についての承認等」に該当するものと考えられます。

⑤ GP の投資業務に対して助言すること

… LP には，上述のように GP の業務執行に対して承認等を行う権利の他に，GP の求めに応じて GP の投資業務に対して助言を行う権利が認められている場合があります。こうした助言に，例えば GP が当該助言に基づいて業務執行しなければいけないというような形での GP の業務執行に対する拘束力が無い場合には，GP は LP の助言の有無に関わらず単独で業務執行を行うことができます。このため，こうした拘束力を持たない助言を行う場合には，LP の助言は「業務執行等についての承認等」には該当しないと考えます。なお，実質的に LP の助言が GP の業務執行に対して拘束力を持ち，承認等と変わらないような場合には，「業務執行等について承認等」に該当するものと考えられます。

(3) 業務執行そのもの

LPS法上，LPには業務執行権限はありませんが，投資先との交渉，投資先の決定，売却等，業務執行そのものに該当する行為をLPが行ってしまった場合には，当然，税法上の業務執行に該当するものと考えられます。

3．アドバイザリーボードに認められている諸権利の行使について

LPを構成員とし，GPの業務執行に対して助言等を行う契約上の機関（「アドバイザリーボード」）が存在する場合には，先述のLPに認められている多くの権利がアドバイザリーボードの権利とされています。

―― なお，当該権利がアドバイザリーボードの権利となっている場合には，その権利行使にはアドバイザリーボードの構成員の一定数以上の承認・同意が必要です。

LPS契約において認めるアドバイザリーボードの権限は，LPにも本来認められる権利をアドバイザリーボードに委譲しているものでありますので，当該権限に基づく行為は，先述の整理で税法上の業務執行と看做されない限り，LP自らの権利の行使と同様，税法上の業務執行に該当しないものと考えられます。

以　上

恒久的施設(PE)に係る「参考事例集」の一部改定について

令和4年7月8日更新
金融庁

金融商品取引法の一部が改正され，投資運用業に関して，移行期間特例業務という新たな届出による参入制度が創設されました。

これを受け，金融庁は，関係当局と協議の上，投資運用業者の定義について，恒久的施設（PE）に係る「参考事例集」を改定しましたので公表します。

「参考事例集」（令和4年7月8日一部改定）
「Q&A」（令和2年7月22日一部改定）
「Independent Agent Exemption」（令和2年7月22日一部改定）

恒久的施設(PE)に係る「参考事例集」等の一部改定について

令和2年7月22日
金融庁

金融商品取引法第2条に規定する定義に関する内閣府令が改正され，海外の投資運用業者が，海外における業務を継続することが困難になった場合に，金融庁長官の承認を得て日本で一時的に業務を継続できることとなりました。

これを受け，金融庁は，当該承認を得て日本で一時的に業務を継続する者の独立代理人の要件等の明確化を図るため，関係当局と協議し，今般，国外ファンドと投資一任契約を締結し特定の投資活動を行う国内の投資運用業者と同様に独立代理人に該当するかどうかの判定を行うこととして，「参考事例集」等を改定しましたので公表します。

「参考事例集」（令和2年7月22日一部改定）
「Q&A」（令和2年7月22日一部改定）

（参考事例集）

金融庁は，平成 20 年度税制改正により導入され，平成 30 年度税制改正により一部改正が行われた「独立代理人」の規定に関し，これらの改正の背景及び趣旨について財務省主税局に確認しつつ，国外ファンドと投資一任契約を締結し特定の投資活動を行う国内の投資運用業者が独立代理人に該当するかどうかの判定について下記のとおりとりまとめた。

なお，本件については，国税庁に照会し，「貴見のとおりで差し支えない。」との回答を得ている。

記

Ⅰ　独立代理人規定の原則的考え方

非居住者又は外国法人に対する課税について，その課税標準を区分する恒久的施設とされる代理人（自己のために契約を締結する権限のある者その他これに準ずる者をいう。）の範囲から独立代理人が除かれることとされている（平成 30 年度税制改正前の所得税法施行令第 1 条の 2 第 3 項，法人税法施行令第 4 条の 4 第 3 項）。

また，平成 30 年度税制改正により，独立代理人の範囲から，専ら又は主として一又は二以上の自己と特殊の関係にある者（①一方の者が他方の法人の発行済株式等の 50% を超える数又は金額の株式等を直接又は間接に保有する関係その他の一方の者が他方の者を直接又は間接に支配する関係，又は②二の法人が同一の者によってそれぞれの発行済株式等の 50% を超える数又は金額の株式等を直接又は間接に保有される場合における当該二の法人の関係その他の二の者が同一の者によって直接又は間接に支配される場合における当該二の者の関係（①の関係を除く。）にある者。以下，「特殊関係者」という。）に代わって行動する者が除かれた（所得税法施行令第 1 条の 2 第 8 項，第 9 項，所得税法施行規則第 1 条の 2，法人税法施行令第 4 条の 4 第 8 項，第 9 項，法人税法施行規則第 3 条の 4）。

上記は，租税条約上では一般的となっている独立代理人の規定に相当する規定を，国内法（所得税法，法人税法）においても導入するものである。この国内法上の独立代理人の規定の適用は，基本的に，租税条約上の独立代理人の規定の解釈指針である OECD モデル租税条約のコンメンタリーの考え方に沿ったものとなる。

OECD モデル租税条約及び同コメンタリーでは，代理人が，非居住者又は外国法人の事業に係る業務を，非居住者又は外国法人に対し独立して行い，かつ，通常の方法により行っている場合，当該代理人は，非居住者又は外国法人の恒久的施設とならないとされている。ただし，代理人が専ら又は主として密接に関連する者に代わって行動する場合は，当該代理人は独立代理人からは除かれるとされる。

Ⅱ　特定の投資活動への「独立代理人」規定適用時の基本的考え方

OECD モデル租税条約のコメンタリーの考え方に照らし，国外ファンドと投資一任契約を締結し特定の投資活動を行う国内の投資運用業者が独立代理人に該当するかどうかの判定について，基本的な考え方は以下の通り。

※　下線を付された用語の定義は後掲

組合契約により組成された国外ファンドの国外業務執行組合員が，当該国外ファンドの他の組合員である非居住者等のために国内の投資運用業者と投資一任契約を締結し（国外業務執行組合員が国外投資運用業者を介し，間接的に国内の投資運用業者と投資一任契約を締結する場合を含む。），当該国内の投資運用業者が当該国外ファンドの組合員又は当該国外投資運用業者を代理して国内で特定の投資活動を行う場合，以下のいずれの事情もない限り，当該国内の投資運用業者は，当該国外ファンドの組合員又は当該国外投資運用業者の独立代理人に該当すると考えられる。
（契約関係と実態は常に一致しているものとする。また，この基本的な考え方は，その他の事例における独立代理人の判定に一般的に適用されるものではない。）

（ア）　国内の投資運用業者が投資一任契約において投資判断を一任されている部分が少なく，実質的に国外ファンドの組合員又は国外投資運用業者が直接投資活動を行っていると認められる

（イ）　国内の投資運用業者の役員の２分の１以上が，国外業務執行組合員又は国外投資運用業者の役員又は使用人を兼任している

（ウ）　国内の投資運用業者が，国外ファンド又は国外投資運用業者から投資一任を受けた運用資産の総額又は運用利益に連動した（当事者の貢献を反映した適切な）報酬を収受していない

（エ）　国内の投資運用業者がその事業活動の全部又は相当部分を国外ファンド又は国外投資運用業者との取引に依存している場合において，当該国内の投資運用業者が事業活動の態様を根本的に変更することなく，また，事業の経済的合理性を損なうことなしに，事業を多角化する能力若しくは他の顧客を獲得する能力を有していない（ただし，当該国内の投資運用業者が業務を開始した当初の期間を除く。）

（オ）　国外ファンドの組合員が国内の投資運用業者の特殊関係者に該当し，かつ，当該国内の投資運用業者が専ら又は主として当該国外ファンドの組合員に代わって行動している

なお，国外ファンドの国外業務執行組合員が国内の投資運用業者（代理人）と投資一任契約を締結した場合，組合契約事業の共同事業性から，当該国外ファンドの

構成員ごとに，国内に恒久的施設（代理人 PE）を持つかどうかの判定を行うことになる。このため，（オ）の要件を検討するにあたっては，国内の投資運用業者と国外ファンドの各構成員との間において，当該国内の投資運用業者が「専ら又は主として」特殊関係者に代わって行動しているといえるかどうか検討するのが適当である。

上記の場合において，国外業務執行組合員又は国外投資運用業者が国内の投資運用業者の租税特別措置法第 66 条の 4 第 1 項又は第 68 条の 88 第 1 項に規定する国外関連者に該当するときは，それらの者から当該国内の投資運用業者が支払を受ける報酬について，別途，移転価格の問題が生じうる。

【用語の定義】

組合契約	所得税法施行令第 281 条第 5 項又は法人税法施行令第 178 条第 5 項に規定する次の契約 ① 民法第 667 条第 1 項に規定する組合契約 ② 投資事業有限責任組合契約に関する法律第 3 条第 1 項に規定する投資事業有限責任組合契約 ③ 有限責任事業組合契約に関する法律第 3 条第 1 項に規定する有限責任事業組合契約 ④ 外国における上記①～③の契約に類する契約
国外業務執行組合員	組合契約の業務執行組合員のうち，非居住者等であるもの
非居住者等	所得税法第 164 条第 1 項第 2 号（国内に恒久的施設を有しない非居住者）に規定する非居住者又は法人税法第 141 条第 2 号（国内に恒久的施設を有しない外国法人）に規定する外国法人
投資運用業者	金融商品取引法第 28 条第 4 項に規定する投資運用業（同法第 2 条第 8 項第 12 号ロ（投資一任契約）に係る部分に限る。）を行うことについて，同法第 29 条の登録を受けた者，同法附則第 3 条の 3 第 1 項（同条第 7 項において準用する場合を含む。）の規定による届出をした者（同条第 1 項ただし書（同条第 7 項において準用する場合を含む。）の規定の適用がある者を除く。）又は金融商品取引法第二条に規定する定義に関する内閣府令第 16 条第 1 項第 17 号の規定に基づき金融庁長官の承認を受けた者
投資一任契約	金融商品取引法第 2 条第 8 項第 12 号ロ（投資一任契約）に規定する投資一任契約（当事者の一方が，相手方から，金融商品の価値等（＊）の分析に基づく投資判断の全部又は一部を一任されるとともに，当該投資判断に基づき当該相手方のため投資を行うのに必要な権限を委任されることを内容とする契約）及びこれに類する契約 ＊**金融商品の価値等**（金融商品取引法第 2 条第 8 項第 11 号ロ）金融商品の価値，オプションの対価の額又は金融指標の動向

投資判断	投資の対象となる有価証券の種類，銘柄，数及び価格並びに売買の別，方法及び時期についての判断又は行うべきデリバティブ取引の内容及び時期についての判断（これらに類するものを含む。）（金融商品取引法第2条第8項第11号ロ）
国外投資運用業者	外国の法令に基づき，金融商品取引法第28条第4項に規定する投資運用業（同法第2条第8項第12号ロ（投資一任契約）に係る部分に限る。）に類する行為を業として行っている非居住者等
特定の投資活動	次の①から③の行為 ① 金融商品の価値等の分析に基づく投資判断に基づいて有価証券（みなし有価証券を含む。）又はデリバティブ取引に係る権利に対する投資として行う金銭その他の財産の運用（その指図を含む。以下同じ。） ② 投資信託及び投資法人に関する法律第2条第1項に規定する特定資産（宅地，建物を除く。）に対する投資として行う金銭その他の財産の運用のうち，①に類するもの ③ ①及び②に付随する業務に係る行為
独立代理人	所得税法施行令第1条の2第8項又は法人税法施行令第4条の4第8項の規定により恒久的施設から除かれる「その事業に係る業務を，非居住者等に対し独立して行い，かつ，通常の方法により行う」者
特殊関係者	代理人と，所得税法施行令第1条の2第9項又は法人税法施行令第4条の4第9項に規定する特殊の関係（①一方の者が他方の法人の発行済株式等の50%を超える数又は金額の株式等を直接又は間接に保有する関係その他の一方の者が他方の者を直接又は間接に支配する関係，又は②二の法人が同一の者によってそれぞれの発行済株式等の50%を超える数又は金額の株式等を直接又は間接に保有される場合における当該二の法人の関係その他の二の者が同一の者によって直接又は間接に支配される場合における当該二の者の関係（①の関係を除く））のある者 （OECDモデル租税条約及び同コメンタリーにおける「密接に関連する者」と同意）

Ⅲ　具体的事例

上記Ⅱの基本的考え方を具体的な仮定的事例に当てはめてみると，以下の通り。

【留意事項】

1. 契約と実態は常に一致しているものとする。
2. 前提とされた事実関係が異なれば，取扱いも異なりうる。
3. 租税条約の適用は考慮していない。
4. 国内の投資運用業者が，その恒久的施設とされる代理人に該当しない場合であっても，

（1） 国外ファンドの組合員（国外業務執行組合員及び非居住者等である他の組

合員）は，所得税法施行令第281条第1項第4号若しくは第5号又は法人税法施行令第178条第1項第4号若しくは第5号（いわゆる事業譲渡類似株式譲渡益や不動産化体株式譲渡益等）に規定する所得等については，所得税又は法人税の申告義務がある。

（2） 国外業務執行組合員又は国外投資運用業者が，国内の投資運用業者の国外関連者（租税特別措置法第66条の4第1項又は第68条の88第1項に規定する国外関連者をいう。）に該当するときは，移転価格の問題が生じうる。

【事例1】

（事実関係）

Aファンドの概要

Aファンドは，全世界の金融資本市場への投資を目的として，A国の投資運用会社A社によってA国において組成されたリミテッド・パートナーシップ（LPS）である。A社は，Aファンドのゼネラル・パートナー（GP）として，Aファンドの業務執行を行っており，Aファンドには，A国内外の多数の投資家がリミテッド・パートナー（LP）として参加している。Aファンドは日本において税法上法人とは取り扱われていない。

A社のAファンドに対する出資割合は約5%である。

運用委託の状況

A社は，日本の投資運用業者であるB社と投資一任契約を締結し，日本の金融資本市場でのAファンドの資金運用をB社に委託している。A社及びA社以外のAファンドの他の構成員は，B社の特殊関係者に該当しない。

投資一任契約の内容

A社は，B社との投資一任契約において，

・債券と株式の投資比率（アセット・アロケーション）を指定し，

・リスク量を制限し，かつ，

・B社に定期的な運用状況の報告を義務付けている

が，それ以外のことに関しては，B社に対して一切の指示を行っていない。

報　酬：

A社は，B社との投資一任契約に基づき，B社に対し，運用業務の対価として，日本での運用資産総額に連動した運用管理手数料（マネジメント・フィー）及び年間運用利益に連動した成功報酬（インセンティブ・フィー/パフォーマンス・フィー）を支払っている。

B社は，A社を主たる顧客としているが，A社以外（B社の特殊関係者でない）とも投資一任契約を締結しており，A社以外からも相当程度の収入を得ている。

上記の事実関係を総合的に勘案すれば，B社はAファンドの構成員の独立代理人と認められる。

A社はB社に対して詳細な指示や包括的な支配を行っておらず，B社は代理人として行動する上で十分な裁量権を有している。事例のような大まかなアセット・アロケーションの指定やリスク量の制限は，B社の代理人としての十分な裁量権を失わせるものでなく，詳細な指示にはあたらない。さらに，運用状況の報告も，業務の遂行方法についてA社から承諾を得ようとする過程で行われるものでない限り，それ自体は，B社の独立性を失わせるものとはならない。

A社はB社に対して運用資産総額及び年間運用利益に連動した対価を支払っており，また，B社がA社以外からも相当程度の収入を得ている。運用業務の対価が運用資産総額及び年間運用利益に連動して支払われるということは，B社が企業家としてのリスクを負担しているということを示している。

以上より，B社はA社から独立しているといえる。

B社は国内の投資運用業者であり，自己の事業である投資運用業の一環として，A社と投資一任契約を締結していることから，その業務を通常の方法により行っているといえる。

【事例2】

（事実関係）

運用委託の状況に関し，A社とB社との間にC国の投資運用業者であるC社が介在していることを除き，事実関係は事例1と基本的に同様である。A社とC社，C社とB社との投資一任契約の内容及び報酬は，それぞれ事例1におけるA社とB社の関係と同様である。

運用委託の状況

A社は，C国の投資運用業者であるC社と投資一任契約を締結し，全世界の金融資本市場でのAファンドの資金運用をC社に委託している。A社はC社の特殊関係者に該当しない。

C社は，日本の投資運用業者であるB社と投資一任契約を締結し，日本の金融資本市場でのAファンドの資金運用をB社に委託している。C社とA社は，B社の特殊関係者に該当しない。

上記の事実関係を総合的に勘案すれば，B社はC社及びAファンドの構成員の独立代理人と認められる。

事例１とは異なり，事例２においては，本人（Ａファンドの構成員）・代理人（Ｃ社）・復代理人（Ｂ社）の三者が存在することから，Ｂ社が，Ｃ社並びにＡファンドの構成員の独立代理人と認められるためには，

・復代理人（Ｂ社）は代理人（Ｃ社）の独立代理人と認められるか
・代理人（Ｃ社）は本人（Ａファンドの構成員）の独立代理人と認められるか

の双方について検討を行う必要がある。

Ｂ社とＣ社，Ｃ社とＡ社との関係について，事実関係は事例１と同様であるため，Ｂ社はＣ社の独立代理人，Ｃ社はＡファンドの構成員の独立代理人と認められ，Ｂ社はＣ社及びＡファンドの構成員の独立代理人と認められる（Ｂ社がＣ社の独立代理人と認められるため，仮にＣ社がＡファンドの構成員の独立代理人と認められない場合でも，Ｂ社はＡファンドの構成員の独立代理人と認められる。）。

なお，仮にＢ社がＣ社の独立代理人と認められない場合，

・　Ｃ社がＡファンドの構成員の独立代理人と認められるときは，Ｂ社はＡファンドの構成員の独立代理人と認められる
・　Ｃ社がＡファンドの構成員の独立代理人と認められないときは，Ｂ社はＡファンドの構成員の独立代理人と認められない

こととなる。

【事例３】

（事実関係）

投資一任契約の内容に関し，Ａ社が投資銘柄の選定，売買時期についても指示できることを除き，事実関係は事例１と同様である。

投資一任契約の内容

Ａ社は，Ｂ社との投資一任契約において，アセット・アロケーションの指定等のほか，投資銘柄の選定，売買時期についても指示ができることとされており，実際に指示を行っている。

上記の事実関係を総合的に勘案すれば，Ｂ社はＡファンドの構成員の独立代理人とは認められない。

投資一任契約では，投資判断（投資の対象となる有価証券の種類，銘柄，数及び価格並びに売買の別，方法及び時期等についての判断をいう（金融商品取引法第２条第８項第11号ロ）。）の全部ではなく，その一部を一任する契約も認められているが，事例のようなＡ社による投資銘柄の選定や売買時期に関する指示は，投資運用業者Ｂ社の代理人と

しての十分な裁量権を失わせるものであり，詳細な指示にあたることから，B 社は A 社から独立しているとはいえない。

【事例 4】

（事実関係）

運用委託の状況に関し，B 社が A 社の 100% 子会社であることを除き，事実関係は事例 1 と同様である。

運用委託の状況

A 社は，日本の投資運用業者である B 社と投資一任契約を締結し，日本の金融資本市場での A ファンドの資金運用を B 社に委託している。B 社は A 社の 100% 子会社である。B 社は，A 社以外（B 社の特殊関係者でない）とも投資一任契約を締結しており，A 社以外に代わって行う活動が B 社の事業の重要な部分を占めている。

上記の事実関係を総合的に勘案すれば，B 社は A ファンドの構成員の独立代理人と認められる。

B 社にとって，親会社である A 社は特殊関係者に該当する。しかし，B 社は A 社以外（B 社の特殊関係者でない）からも相当程度の収入を得ており（事例 1 の事実関係参照），A 社以外に代わって行う活動が B 社の事業の重要な部分を占めていることから，「専ら又は主として」特殊関係者に代わって行動しているとはいえない。

このような場合，独立性の基準に関して，親会社が株主としてその子会社に対して行使する支配は，親会社の代理人としての子会社の独立性の検討にあたっては無関係であり，また，原則として，子会社によって行われる営業又は事業が親会社によって管理されるという事実のみでは，子会社は親会社から独立していないとはされない。

B 社が A 社の子会社であるという事実を除き，事実関係は事例 1 と同様であるため，B 社は A ファンドの構成員の独立代理人と認められる。

【事例 5】

（事実関係）

報酬に関し，B 社がその事業活動の全部（又は相当部分）を A 社との取引に依存して行っていることを除き，事実関係は事例 4 と同様である。

報　酬

A 社は，B 社との投資一任契約に基づき，B 社に対し，運用業務の対価として，日本での運用資産総額に連動した運用管理手数料及び年間運用利益に連動した成功報酬を支払っている。

B 社はその事業活動の全部（又は相当部分）を A 社との取引に依存して行っているが，事業活動の態様を根本的に変更することなく，また，事業の経済的合理性を損なうことなしに，事業を多角化する能力若しくは他の顧客を獲得する能力を有している。

上記の事実関係を総合的に勘案すれば，B 社が，独立性の要件を満たし，かつ，「専ら又は主として」A 社に代わって行動していない場合は，B 社は A ファンドの構成員の独立代理人と認められる。

（1）独立性について

独立性の決定に際しては，代理人が代理する本人の数も考慮されるべき要素の一つとなる。代理人の活動が事業の存続期間にわたりあるいは専ら又は殆ど専らただ一人の本人に代わって行われている場合には，独立的地位というものは想定し難い。しかし，この事実は，それ自体では決定的なものではない。代理人の活動が，（代理人の企業家としての技能と知識の利用を通じて代理人がリスクを負担し，報酬を受領する）代理人によって行われる独立した事業の一部をなしているか否かを決定する際には，すべての事実と状況が考慮されなければならない。

B 社は，その事業活動の全部（又は相当部分）を A 社との取引に依存しているにもかかわらず，A 社及び A ファンドの他の構成員から独立しているというためには，少なくとも B 社が特別な技能や知識を有し，企業家としてのリスクを負担していることが必要とされる。B 社が，その行っている事業活動の態様を根本的に変更することなく，また，事業の経済的合理性を損なうことなしに，事業を多角化する能力若しくは他の顧客を獲得する能力を有していることは，B 社が特別な技能や知識を有していることを示している。A 社が B 社に対して支払う運用業務の対価が，運用資産総額及び年間運用利益に連動して支払われるということは，B 社が企業家としてのリスクを負担していることを示している。また，その対価が十分な金額であること（独立企業間価格を下回っていないこと）も必要である。B 社が代理人として受領する対価が十分な金額であることは，B 社が独立代理人であることを間接的に裏付ける重要な事実となる。

（2）「専ら又は主として」特殊関係者に代わって行動する者について

B 社にとって，親会社である A 社は特殊関係者に該当するため，B 社が「専ら又は主として」A 社に代わって行動する者に該当するかどうか検討する必要がある。

国外ファンドの国外業務執行組合員が国内の投資運用業者（代理人）と投資一任契約を締結した場合，組合契約事業の共同事業性から，当該国外ファンドの構成員ごとに，国内に恒久的施設（代理人 PE）を持つかどうかの判定を行うことになる。このため，独立代理人の要件を検討するにあたっては，B社とAファンドの各構成員との間において，B社が「専ら又は主として」特殊関係者（A社）に代わって行動しているといえるかどうか検討するのが適当である。

B社の取引のうち，A社以外のAファンドの構成員（特殊関係者に該当しない）に係る契約の売上が，B社の代理人としての契約の全売上の10%以上である場合には，B社は「専ら又は主として」特殊関係者に代わって行動していることにはならない[1]。B社は，Aファンドの日本における運用資産総額及び年間運用利益に連動した運用報酬を受取ることから，Aファンドの各構成員は，当該運用報酬を，各構成員のAファンドへの出資割合に応じて負担しているといえる。このため，売上比率の判定にあたっては，各構成員のAファンドへの出資割合を用いることが適当である。

本事例においては，A社以外のAファンドの構成員の出資割合（約95%）が，Aファンドへの全出資割合の10%以上である（事例1の事実関係参照）ため，B社は，「専ら又は主として」特殊関係者（A社）に代わって行動していることにはならない。

【事例6】

（事実関係）

A′ファンドの概要

A′ファンドは，全世界の金融資本市場への投資を目的として，A国において組成されたリミテッド・ライアビリティー・カンパニー（LLC）である。A′ファンドにはA国内外の多数の投資家が株主として参加している。A′ファンドは日本において税法上の法人として取り扱われている。

運用委託の状況

A′ファンドは，日本の投資運用業者であるB社と投資一任契約を締結し，日本の金融資本市場でのA′ファンドの資金運用をB社に委託している。A′ファンドはB社の特殊関係者に該当しない。

投資一任契約の内容

B社は，上記の投資一任契約に基づき，アセット・アロケーションの指定，リスク量の制限，定期的報告の義務づけをされているものの，それ以外の点については広範な裁量権を与えられている。

1　OECDモデル租税条約第5条コメンタリーのパラ112においては，以下のように記載されている。“Where, for example, the sales that an agent concludes for enterprises to which it is not closely related represent less than 10 per cent of all the sales that it concludes as an agent acting for other enterprises, that agent should be viewed as acting “exclusively or almost exclusively” on behalf of closely related enterprises.”

B社は，運用に関する特別な技能・知識を有し，企業家としてのリスクを負担している。

報　酬

B社は，投資一任契約に基づき，運用業務の対価として，運用資産総額に連動した運用管理手数料及び年間運用利益に連動した成功報酬を受領している。

B社は，その事業活動の全部（又は相当部分）をA′ファンドとの取引に依存して行っている。

上記の事実関係を総合的に勘案すれば，B社はA′ファンドの独立代理人と認められる。

A′ファンドは，日本において，税法上の法人として取り扱われていることから，B社がA′ファンドの独立代理人となるか否かについては，B社とA′ファンドとの関係から検討を行うこととなる。

B社は，投資一任契約によって，A′ファンドから運用に関する広範な裁量権を与えられ，特別な技能や知識を有し，企業家としてのリスクを負担しているため，A′ファンドから独立しているといえる。

Q&A

金融庁は，平成20年度税制改正により導入された「独立の地位を有する代理人」（以下「独立代理人」という。）の規定に関し，今般，国外ファンドと投資一任契約を締結し特定の投資活動を行う国内の投資運用業者（※）が独立代理人に該当するかどうかの判定における法的独立性に関する実務上の取扱いの疑問点について，下記のとおりQ&A形式にとりまとめた。

本Q&Aにおけるファンドの概要，運用委託の状況，報酬については，基本的に，別途とりまとめた「国外ファンドと投資一任契約を締結し特定の投資活動を行う国内の投資運用業者が独立代理人に該当するかどうかの判定について」の事例を前提としている。

前提事実が異なる場合や，関係法令が変更されるような場合には，異なる見解が示されることもありうる。

なお，本Q&Aについては，国税庁に照会し，「貴見のとおりで差し支えない。」との回答を得ている。

※　金融商品取引法第二条に規定する定義に関する内閣府令第16条第17号の規定に基づき金融庁長官の承認を受けた者を含む。

記

国内の投資運用業者に係る独立代理人の判定における法的独立性に関する Q&A

（基本的な考え方）
投資一任契約において国内の投資運用業者に全部又は一部を一任される投資判断とは，「投資の対象となる有価証券の種類，銘柄，数及び価格並びに売買の別，方法及び時期についての判断又は行うべきデリバティブ取引の内容及び時期についての判断」であり，独立代理人の判定における法的独立性に関しては，これらの判断について国内の投資運用業者が十分な裁量権を有していることが重要である。

【問 1―リスク管理】

投資一任契約に以下のような定めがあり，実際に委託者（ファンドの国外業務執行組合員又は国外投資運用業者をいう。以下同じ。）がその定めに基づく指示を（頻繁に）行っている場合，その指示は，「詳細な指示」に該当するか。

（例 1）委託者は，リスク量の上限を（数値又は計算式ではなく）市場の状況に応じて適宜指示することができる。委託者は，国内の投資運用業者がリスク量を超える運用を行っている場合には，速やかにポジションを解消するよう指示することができる。

（例 2）委託者は，リスク量の上限を（数値又は計算式ではなく）市場の状況に応じて適宜指示することができる。委託者は，通常と異なるマーケットの状況が生じた時（例えば，今回のサブプライム・ローンのような問題が起きた時）には，特定の運用手段を用いないように指示することができる。

（例 3）委託者は，リスク量の上限を（数値又は計算式ではなく）市場の状況に応じて適宜指示することができる。委託者は，ファンドに含まれる特定の銘柄の株式の流動性が極めて低くなり，その銘柄の保有量がファンド資産の額に比較して多いと認める場合には，速やかにその銘柄のポジションを解消するように指示することができる。

【答】

ファンドを管理運用するにあたって，運用を各地域・各分野の専門家（投資運用業者等）に任せつつ，ファンド全体のリスク管理を特定の者に一元化することはしばしば見られる手法である。このようなリスク管理（リスク量の制限）に関する指示は，投資一任契約において「市場の状況に応じて適宜指示することができる」とされ，仮にその指示が頻繁に行われていたとしても，（例 1）（例 2）のように，通常は，「有価証券の種類，銘柄，数及び価格並びに売買の別，方法及び時期」に関する指示でないため，国内の投資運用業者の投資判断についての十分な裁量権を失わせる「詳細な指示」には当たらない。

ただし，リスク量の制限に関する指示であっても，（例 3）のように，その指示が有価証券の銘柄や売買の時期等に及ぶ場合には，国内の投資運用業者の投資判断についての十分な裁量権を失わせ，「詳細な指示」に該当するおそれがある。

【問 2―資産配分（アセット・アロケーション）】

投資一任契約において，委託者がアセット・アロケーションを（数値又は計算式ではなく）市場の状況に応じて適宜指示することができることとされ，実際に委託者が以下のような指示を行っている場合，その指示は，「詳細な指示」に該当するか。

（例 1）債券と株式の比率に関する指示

（例 2）株式投資における業種毎の比率に関する指示

（例 3）個別銘柄の比率に関する指示

【答】

投資一任契約において，委託者がアセット・アロケーションを指定することはしばしば見られる。このようなアセット・アロケーションに関する指示は，有価証券の種類に関する指示であるが，「有価証券の銘柄，数及び価格並びに売買の別，方法及び時期」に関する指示ではないため，（例 1）や（例 2）のような大まかな指示で，国内の投資運用業者の投資判断についての十分な裁量権を失わせるものでない限り，「詳細な指示」には当たらない。

ただし，アセット・アロケーションに関する指示であっても，（例 3）のように，その指示が有価証券の個別銘柄の比率に及ぶ場合には，国内の投資運用業者の十分な裁量権を失わせ，「詳細な指示」に該当するおそれがある。

【問 3―投資制限（ネガティブ・リスト等）】

投資一任契約において，委託者が特定の業種又は銘柄への投資を制限することができることとされ，実際に委託者がそのような指示を行っている場合，その指示は，「詳細な指示」に該当するか。

【答】

投資一任契約において，委託者が様々な理由から特定の業種又は銘柄への投資を制限することがある。このような投資制限に関する指示は，有価証券の銘柄に関する指示であるが，投資が制限された業種又は銘柄以外の有価証券に関する国内の投資運用業者の投資判断についての十分な裁量権を失わせるものではないため，「詳細な指示」には当たらない。

【問 4―投資方針】

投資一任契約に以下のような定めがあり，実際に委託者がその定めに基づく指示を行っている場合，その指示は，「詳細な指示」に該当するか。

（例 1）委託者と国内の投資運用業者は定期的に投資運営委員会を開催し，国内の投資運用業者はその委員会で決定された投資運営方針に沿って投資を行う。

（例 2）重要な投資方針の変更を行う場合（例えば，従前は上場株式のみに投資することとしていたが，新たに非上場株式にも投資を行うこととする場合）には，委託者がその承認を行う。

【答】

投資一任契約において，委託者が投資対象について上場株式に限る等の投資方針を指示する（又はその変更を承認する）ことはしばしばみられる。このような投資方針に関する指示（又は変更の承認）は，有価証券の種類に関する指示であるが，「有価証券の銘柄，数及び価格並びに売買の別，方法及び時期」に関する指示ではないため，（例 2）のような大まかな指示で，国内の投資運用業者の投資判断についての十分な裁量権を失わせるものでない限り，「詳細な指示」には当たらない。

また，（例 1）のようにその投資方針を委託者と国内の投資運用業者との合同の投資運営委員会で決定している場合でも，その投資方針が大まかなもので，国内の投資運用業者の投資判断についての十分な裁量権を失わせるものでない限り，「詳細な指示」には当たらない。

【問 5―投資承認】

投資一任契約において，一定金額以上を単一の銘柄へ投資する場合には，国内の投資運用業者は委託者の承認を受けなければならないこととされ，実際に委託者がそのような承認を行っている場合，その承認は，「詳細な指示」に該当するか。

【答】

一定金額以上の単一銘柄への投資に関する承認は，有価証券の銘柄に関する指示であり，国内の投資運用業者の投資判断についての十分な裁量権を失わせる「詳細な指示」に該当するおそれがある。

【問6―情報交換】

委託者と国内の投資運用業者が市場の動向について情報交換を行っており，個別銘柄に関する分析・見通しについても意見交換を行っている場合，国内の投資運用業者の法的独立性が失われることになるか。

【答】

国内の投資運用業者が投資一任契約に基づいて実施する投資活動に関連する重要な情報を委託者に提供することは，それが投資活動を行う方法について委託者から承諾を求める過程で行われるものでない限り，それ自体は，代理人が独立していないと決定する十分な基準とはならない。単なる契約の円滑な実施と委託者との良好な関係の維持のための情報の提供は，国内の投資運用業者の法的独立性を失わせるものではない。

ただし，情報交換や意見交換の過程において，委託者から「有価証券の銘柄，数及び価格並びに売買の別，方法及び時期」に関する指示が行われる場合には，国内の投資運用業者の投資判断についての十分な裁量権を失わせる「詳細な指示」に該当するおそれがある。

【問7―代理人としての監督（オーバーサイト）】

代理人である国外投資運用業者が，復代理人である国内の投資運用業者に対して，投資一任契約の条項の順守等について監督（オーバーサイト）を行っている場合，国内の投資運用業者の法的独立性が失われることになるか。

【答】

国外ファンドから資金運用を任された国外投資運用業者が，更に各地域・各分野の専門家（投資運用業者等）にその資金運用の一部を任せることはしばしば見られる。この場合，代理人である国外投資運用業者は，復代理人の選任及び監督について本人（国外ファンド）に対して責任を負うこととなるため，復代理人である国内の投資運用業者に対して，代理人としての監督（オーバーサイト）を行うこととなる。このような監督は，代理人が本人に対して負う善良な管理者としての注意義務に基づいて行われるものであり，契約の条項の順守等についての監督に過ぎないので，それ自体は，国内の投資運用業者の法的独立性を失わせるものではない。

キャリード・インタレストの税務上の取扱いに係る公表文の一部改定について

令和３年４月１日
令和４年７月８日更新
金融庁

金融商品取引法が改正され，投資運用業に関して，海外投資家等特例業務及び移行期間特例業務という新たな届出による参入制度が創設されました。また，金融商品取引法第二条に規定する定義に関する内閣府令が改正され，海外の投資運用業者が，海外における業務を継続することが困難になった場合に，金融庁長官の承認を得て日本で一時的に業務を継続できることとなりました。

これを受け，金融庁は，関係当局と協議の上，投資運用業の定義に関して，キャリード・インタレストの税務上の取扱いに係る公表文（令和３年４月１日公表）を改定しましたので公表します。

・公表文（令和４年７月８日一部改定）
・チェックシート
・計算書

金融庁は，個人であるファンドマネージャーが組合員として運用する組合事業から出資割合を超えて受け取る組合利益の分配（いわゆるキャリード・インタレスト）について定められた組合契約に関し，当該ファンドマネージャーが受け取るキャリード・インタレストが，当該組合契約に定められた分配割合に応じた構成員課税の対象になることの判定について下記のとおりとりまとめた。

本件については，下記Ⅰを踏まえ下記Ⅱについて国税庁に照会し，「貴見のとおりで差し支えない。」との回答を得ている。

なお，下記Ⅲにおいて，下記Ⅱの要件を具備した一般的な事例における考え方の整理を行っており，当該考え方についても国税庁に確認を得ている。

また，キャリード・インタレストを受け取るファンドマネージャーの個人所得税の確定申告の際は，本件の内容を満たしている旨を確認する為，当文書と併せて公表しているチェックシートや計算書を確定申告書に添付することに留意する。

記

Ⅰ　キャリード・インタレストに対する原則的考え方

個人であるファンドマネージャーが投資組合事業[1]に金銭等を出資し，その組合の組合員となり，投資意思決定に関して権限を有する場合には，単に資金のみを提供する有限責任組合員に比し，投資組合事業への貢献度合が高い。このため，その貢献度合いに鑑み，組合契約において当該組合事業から生じる利益が一定の水準（以下「ハードルレート」）を超えることを条件に，出資割合を超えて当該ファンドマネージャーに利益を分配すること（いわゆるキャリード・インタレスト）を定めるケースが多い。

任意組合等の組合員の組合事業に係る課税については，組合事業に係る利益等の帰属について定めた所得税基本通達36・37共−19（以下「本通達」）において，以下のように定められており，組合員の組合事業に係る利益等の額については，任意組合等の利益等の額のうち，分配割合について経済的合理性を有していないと認められる場合を除き，分配割合に応じて利益の分配[2]を受けるべき金額等とすること（分配割合に応じた構成員課税）とされている[3]。

> ○　所得税基本通達
> （任意組合等の組合員の組合事業に係る利益等の帰属）
> 36・37共−19　任意組合等の組合員の当該任意組合等において営まれる事業（以下36・37共−20までにおいて「組合事業」という。）に係る利益の額又は損失の額は，当該任意組合等の利益の額又は損失の額のうち分配割合に応じて利益の分配を受けるべき金額又は損失を負担すべき金額とする。
> 　ただし，当該分配割合が各組合員の出資の状況，組合事業への寄与の状況などからみて経済的合理性を有していないと認められる場合には，この限りではない。
> （注）1　任意組合等とは，民法第667条第1項《組合契約》に規定する組合契約，投資事業有限責任組合契約に関する法律第3条第1項《投資事業有限責任組合契約》に規定する投資事業有限責任組合契約及び有限責任事業組合契約に関する法律第3条第1項《有限責任事業組合契約》に規定する有限責任事業組合契約により成立する組合並びに外国におけるこれらに類するものをいう。以下36・37共−20までにおいて同じ。

1　租税特別措置法第37条の10第2項に規定する株式等の取得及び保有を目的とする組合事業をいう。
2　実現益が課税の対象である。
3　組合事業に係る利益等が株式等の譲渡に基づくものである場合には，株式等の譲渡による所得として分離課税の方法により課税されることとなる。

2　分配割合とは，組合契約に定める損益分配の割合又は民法第674条《組合員の損益分配の割合》，投資事業有限責任組合契約に関する法律第員16条《民法の準用》及び有限責任事業組合契約に関する法律第33条《組合員の損益分配の割合》の規定による損益分配の割合をいう。以下36・37共-20までにおいて同じ。

キャリード・インタレストが，組合員に対する組合利益の分配として組合契約で定められている場合において，当該分配を受けるべき利益が組合契約で定められた分配割合に応じた構成員課税の対象となるためには，組合員が経済的合理性のある分配割合で組合事業から生じる利益の額の分配を受けることが要件とされる。このため，以下において，本通達の適用に関して，「経済的合理性」等の基本的考え方について検討する。

Ⅱ　「経済的合理性」等の基本的考え方

経済的合理性については，本通達にも記載があるとおり，「分配割合が各組合員の出資の状況，組合事業への寄与の状況などからみて」，個々の組合契約について具体的に検討されることとなるが，例えば，次の要件に該当する場合には，本通達の適用に関して，一般的には経済的合理性等を有しているとして，投資組合契約で定められた分配割合に応じた構成員課税の対象になるものと考えられる。

なお，次の要件については，本通達に定める任意組合等に係る組合契約を前提とし，当該組合契約とその運用上の実態に相違はないものとする。

1. 任意組合等に係る「組合契約」について

○　組合契約の締結及び組合財産の運用が各種の法令に基づいて行われていること

組合契約の締結のほか，その契約の内容や組合財産の運用については，法的な合理性が担保されていることが前提となる。このため，㋑組合契約の締結及びその内容などがその組合契約の根拠となる各種法令に基づいて行われていることや茉組合財産の運用に際して無限責任組合員（ゼネラル・パートナー，以下「GP」）が金融商品取引法に基づく投資運用業の届出等をしていることなどが必要である。

○　ファンドマネージャーが金銭等の財産を投資組合に出資していること

構成員課税の対象となるためには，ファンドマネージャーが金銭等の財産を投資組合に出資していることが前提となる。キャリード・インタレストは，投資組合事業への貢献度合に鑑みファンドマネージャーが組合員として受け取る利益の分配であることから，金銭等の財産をその投資組合に出資することにより組合員としての資格を有することが必要である[4]。

2.「利益の分配」について

○ キャリード・インタレストについて，組合契約上，利益の分配を規定する条項に定められていること

キャリード・インタレストが組合事業から生じる利益の分配として受け取るものであるというためには，キャリード・インタレストの性格が組合契約上明らかにされていることが必要である。このため，キャリード・インタレストについては，組合契約において利益の分配（distribution）や配分（allocation）を規定する条項[5]に定められていることが必要であり，キャリード・インタレストが組合員に対する組合利益の分配として配賦される必要がある[6]。

3.「経済的合理性」について

○ 組合契約に定めている分配条件が恣意的でないこと

経済的合理性を有するためには，投資組合契約に定める分配条件が恣意的でないことが必要である。投資組合契約に定める分配条件は，有限責任組合員（リミテッド・パートナー）で資金のみを提供する者（以下「一般 LP」）とキャリード・インタレストを受け取るファンドマネージャーとの間で最も利害が対立する事項の一つと考えられる。このため，恣意的な分配条件でないといえるためには，㋐その組合の組合契約はその組合の組合員全員の合意のもとに締結されたものであり，かつ，㋑その組合の組合員は他の組合員と利害の対立する複数の者により構成されていることが必要である。

ただし，キャリード・インタレストに関する規定について，例えば，ファンドマネージャーとその特殊関係者のみで決定・変更可能であるような場合には，分配条件が恣意的でないとはいえないことに留意が必要である。

○ 組合契約の内容が，一般的な商慣行に基づいていること

経済的合理性を有するためには，投資組合契約の内容が国内外における一般的な商慣行に基づいていることが必要である。例えば，組合利益の分配や配分を規定する条項において，一定のハードルレートに達するまで出資割合に応じた分配を行い，これを超えた場合の利益の分配につき，2割をファンドマネージャーに，残り8割をファンドマネージャー以外の組合員に分配するといった内容[7]が盛り込まれている場合が

---

4 労務出資については，組合契約の準拠法において，認められないものもあることから，今般の照会の対象としていない。

5 「組合財産の分配」という条項で定める場合も考えられる。

6 キャリード・インタレストは，組合利益の分配であり，役務提供の対価として支払われる報酬（fee）とは異なることに留意が必要である。

多い[8]。このような利益の分配や配分に係る事項（当該分配の割合を含む。）が，多くの組合契約に盛り込まれていることは，一般的な商慣行であることを間接的に裏付けることになると考えられる。

○　ファンドマネージャーが投資組合事業に貢献していること

経済的合理性を有するためには，ファンドマネージャーが投資組合事業に貢献していることが必要である。キャリード・インタレストは，投資組合事業への貢献度合に鑑みファンドマネージャーが組合員として受け取る利益の分配であることから，ファンドマネージャーが投資組合事業に貢献しているかどうかが重視される。例えば，ファンドマネージャーが投資組合事業の投資意思決定に重要な影響を及ぼす権限[9]を有し，組合事業に係る利益を生じさせるために実際にその権限を行使している場合には，投資組合事業に貢献していると考えられる。

【用語の定義】

組合契約	所得税法施行令第281条第5項又は法人税法施行令第178条第5項に規定する次の契約 ①　民法第667条第1項に規定する組合契約 ②　投資事業有限責任組合契約に関する法律第3条第1項に規定する投資事業有限責任組合契約 ③　有限責任事業組合契約に関する法律第3条第1項に規定する有限責任事業組合契約 ④　外国における上記①～③の契約に類する契約
投資運用業	次に掲げる運用業 ①　金融商品取引法第34条に規定する金融商品取引業者等の同法第28条第4項に規定する投資運用業 ②　金融商品取引法第63条第5項に規定する特例業務届出者の同条第2項に規定する適格機関投資家等特例業務

7　ハードルレートまでは優先的にファンドマネージャー以外の組合員に分配した後，まずはハードルレートに相当する額までをファンドマネージャーに分配し（いわゆるキャッチアップ），キャッチアップ後の利益の2割をファンドマネージャーに，残り8割をファンドマネージャー以外の組合員に分配するケースも多い。

8　平成30年3月経済産業省「投資事業有限責任組合契約（例）及びその解説」52頁以下参照。なお，キャリード・インタレストの分配については，金融庁において複数の専門家（弁護士・公認会計士・税理士等）にヒアリングを行ったところ，ハードルレートを超えた利益の2割をファンドマネージャーが受け取り，残り8割をファンドマネージャー以外の組合員が受け取るというケースが一般的な商慣行として多くの海外のファンド契約で採用されているという意見であった。

9　例えば，租税特別措置法施行令第26条の30第1項に規定する行為をし得る権限は，投資組合事業の投資意思決定に重要な影響を及ぼす権限の一つといえる。

	③　金融商品取引法第63条の9第4項に規定する海外投資家等特例業務届出者の同法第63条の8第1項に規定する海外投資家等特例業務 ④　金融商品取引法附則第3条の3第1項（同条第7項において準用する場合を含む。）の規定による届出をした者（同条第1項ただし書（同条第7項において準用する場合を含む。）の規定の適用がある者を除く。）の同条第5項に規定する移行期間特例業務（同条第7項に規定する行為を業として行うことを含む。） ⑤　金融商品取引法第二条に規定する定義に関する内閣府令第16条第1項第17号の規定に基づき金融庁長官の承認を受けた者の金融商品取引法第28条第4項に規定する投資運用業
特殊関係者	原則として，組合員の親族など組合員と所得税法施行令第275条各号又は法人税法施行令第4条第1項各号に規定する特殊の関係のある個人若しくは同条第2項各号に規定する特殊の関係のある法人

Ⅲ　具体的事例

上記Ⅱの基本的考え方を基にした具体的な事例は，以下の通り。

【留意事項】

1. 組合契約とその運用上の実態は，常に一致しているものとする。
2. 前提とされた事実関係が異なれば，取扱いも異なりうる。

（事実関係）

Zファンドの概要

Zファンドは，全世界の金融資本市場への投資を目的として，日本の投資運用会社A社（金融商品取引法に基づく投資運用業の登録済み）によって組成されたリミテッド・パートナーシップ（LPS）である。A社は，ZファンドのGPとして，Zファンドの業務執行を行っており，A社の役職員Bがファンドマネージャーとして Zファンドにおける投資先の決定及び投資の実行の実質的な決定権限を有している。Zファンドには，国内外の多数の投資家が単に資金のみを提供し，組合の業務執行に関して権限を有さない者が一般LPとして参加しているほか，A社の役職員BがZファンドのファンドマネージャーとして業務執行に関する権限を有する特別なリミテッド・パートナー（以下「特別LP」）として参加している。Zファンドは本通達の任意組合等に該当する。

GP（A社），特別LP（A社の役職員B），一般LPは，Zファンドに対して，それぞれ5%，5%，90%を金銭により出資している。

組合契約の内容

Zファンドに係る組合契約において，組合利益の分配の条項を以下のとおり定める。

・ ハードルレートを8%と設定し，組合利益がハードルレートに達するまでは，出資割合に応じて組合利益を分配する。
・ ハードルレートを超えた利益につき，ファンドマネージャーの貢献度合いに鑑み，2割を特別LPに，残り8割を特別LP以外の組合員に分配する。
・ キャリード・インタレストに関する規定に関しては，ファンドマネージャーとその特殊関係者のみで決定・変更することはできない。

その他：

・ 組合契約は，一般LP，A社及び役職員Bの組合員全員の合意のもとに締結されている。
・ 一般LPに，役職員Bの特殊関係者に該当する者はいない。
・ A社の役職員Bは，特別LPとしてZファンドから組合利益の分配を受けるほか，A社の役職員としてA社から雇用契約に基づく給与を受ける。

上記の事実関係を総合的に勘案すれば，A社の役職員Bが受ける組合利益の分配は，組合契約で定められた分配割合に応じた構成員課税の対象になると認められる。

1. 任意組合等に係る「組合契約」について

○ Zファンドは，本通達の任意組合等に該当する。

　また，A社は，Zファンドにおける投資運用を行うため，金融商品取引法に基づく投資運用業の登録を行っており，金融商品取引法上の善管注意義務・忠実義務の規制に服する。

○ 役職員Bは，金銭をZファンドに対する出資の目的としており，Zファンドの組合員として参加している。

2. 「利益の分配」について

○ 組合利益の分配の条項でキャリード・インタレスト（ハードルレートを超えた利益のうち2割を特別LPに分配）を規定していることから，組合契約上，ファンドマネージャーが受け取るキャリード・インタレストは，役務提供の対価ではなく，組合利益の分配である。

3. 「経済的合理性」について

○ Zファンドの組合契約の条件交渉には，役職員Bとの間で特殊関係にない多数の一般LPが参加しており，役職員Bと利害が対立する複数の者との間で交渉された結果として，出資割合を超えた特別LPに対する利益の分配を認めている。

また，キャリード・インタレストに関する規定の決定・変更に際しては，一般LPを含む組合員の合意が必要であり，ファンマネージャーとその特殊関係者のみでその条件が決定・変更されることはない。

このため，その分配割合が恣意的とは言えない。

○　ハードルレートを超えた利益につき，特別LPに2割，残り8割を特別LP以外の組合員に分配することは，一般的なキャリード・インタレストの条件であると認められている（脚注8参照）。

○　役職員Bは，Zファンドにおける投資先の決定及び投資の実行の決定権限を有し，それを行使していることから，組合事業に貢献しているといえる。

以上より，A社の役職員Bが受ける組合利益の分配は，本通達における構成員課税の対象として，契約で定められた分配割合に従った分配額が，役職員Bを含む各組合員に帰属する利益の額になるものと考えられる。

（注）特別LPである役職員Bは，A社の役職員としてA社から給与を受けるが，これはA社と役職員Bとの雇用契約に基づくものであり，組合契約に基づく分配とは異なる課税関係となる。

（　　　年分）

キャリード・インタレストの経済的合理性等の判定に係るチェックシート

（はじめにお読みください。）

1　個人であるファンドマネージャーが組合員として運用する組合事業から出資割合を超えて受け取る組合利益の分配（いわゆるキャリード・インタレスト）が組合契約に定められている場合において、当該キャリード・インタレストが分配割合に応じた構成員課税の対象となるためには、経済的合理性のある分配割合に基づき、組合事業から生じる利益の額の分配として受け取るものであることが要件とされています。

2　このチェックシートは、分配割合に応じた構成員課税の要件である「経済的合理性」等の有無の判定にご活用いただくことを目的として作成しております。

「確認事項」欄の要件に該当する場合には、一般的に経済的合理性等を有していると考えられます（組合契約と実態に相違がないことを前提とします）。「確認事項」欄の要件に該当する場合には、「確認結果」欄にレ点を付してください。

3　キャリード・インタレストを申告する年分の確定申告書に、このチェックシートを添付していただきますようお願いいたします。

キャリード・インタレストを
受け取るファンドマネージャーの住所：＿＿＿＿＿＿＿＿　氏名：＿＿＿＿＿＿

組合の名称＿＿＿＿＿＿＿＿

無限責任組合員の住所又は所在地＿＿＿＿＿＿＿＿

＿＿＿＿＿＿＿＿

無限責任組合員の氏名又は名称＿＿＿＿＿＿＿＿

本チェックシートの作成者	住所			
	氏名		電話	

項目	確認事項	確認のポイント	確認結果
任意組合等に係る組合契約について	所得税基本通達36・37共－19に定める任意組合等に係る組合契約ですか。	①民法第667条第１項に規定する組合契約、②投資事業有限責任組合契約に関する法律第３条第１項に規定する投資事業有限責任組合契約、③有限責任事業組合契約に関する法律第３条第１項に規定する有限責任事業組合契約、④外国における上記①～③の契約に類する契約であることが必要です。	□
	組合契約の締結及び組合財産の運用が各種の法令に基づいて行われていますか。	組合契約の締結及びその内容などがその組合契約の根拠となる各種法令に基づいて行われていることや、組合財産の運用に際して無限責任組合員が金融商品取引法に基づく投資運用業の届出等をしていることなどが必要です。	□
	キャリード・インタレストを受け取るファンドマネージャーは、金銭等の財産を組合事業に出資していますか。	キャリード・インタレストは、組合事業への貢献度合に鑑み、ファンドマネージャーが組合員として受け取る利益の分配であることから、その前提として、金銭等の財産をその組合に出資することにより組合員としての資格を有することが必要です。	□
利益の分配について	キャリード・インタレストは、組合契約上、利益の分配を定める条項に規定され、その性格が明らかにされていますか。	キャリード・インタレストについては、組合契約において利益の分配（distribution）や配分（allocation）を規定する条項に定められていることが必要であり、キャリード・インタレストが組合員に対する組合利益の分配として配賦されることが必要です。	□
経済的合理性について	組合契約に定めている分配条件は、恣意的ではないですか。例えば、以下の内容が確認できますか。 ・組合の組合契約はその組合の組合員全員の合意のもとに締結されたものですか。 ・その組合の組合員は他の組合員と利害の対立する複数の者により構成されていますか。 ・キャリード・インタレストに関する規定は、ファンドマネージャーとその特殊関係者のみで決定・変更することができないものですか。	組合契約に定める分配条件は、資金のみを提供する有限責任組合員とキャリード・インタレストを受け取るファンドマネージャーとの間で最も利害が対立する事項の一つと考えられます。 このため、恣意的な分配条件でないといえるためには、その組合の組合契約がその組合の組合員全員の合意のもとに締結されたものであり、かつ、その組合の組合員が他の組合員と利害の対立する複数の者により構成されていることが必要です。 ただし、キャリード・インタレストに関する規定について、例えば、ファンドマネージャーとその特殊関係者（※）のみで決定・変更可能であるような場合には、分配条件が恣意的でないとはいえないことに留意が必要です。 （※）「特殊関係者」とは、原則として、組合員の親族など組合員と所得税法施行令第275条各号又は法人税法施行令第４条第１項各号に規定する特殊の関係のある個人若しくは同条第２項各号に規定する特殊の関係のある法人のことをいいます。	□
	組合契約の内容は国内外の一般的な商慣行に基づいていますか。	例えば、組合利益の分配や配分を規定する条項において、一定のハードルレートに達するまで出資割合に応じた分配を行い、これを超えた場合の利益につき、２割をファンドマネージャーに、残り８割をファンドマネージャー以外の組合員に分配するといった内容が盛り込まれている場合が多いようです。 このような内容が多くの組合契約に盛り込まれていることは、一般的な商慣行であることを間接的に裏付けることになると考えられます。	□
	ファンドマネージャーは、投資組合事業に貢献していますか。	キャリード・インタレストは、組合事業への貢献度合に鑑み、ファンドマネージャーが組合員として受け取る利益の分配であることから、ファンドマネージャーが組合事業に貢献しているかどうかが重視されます。 例えば、ファンドマネージャーが組合事業の投資意思決定に重要な影響を及ぼす権限を有し、組合事業に係る利益を生じさせるために実際にその権限を行使している場合には、組合事業に貢献していると考えられます。	□

金融庁（2021.5）

表面

キャリード・インタレストに係る所得に関する計算書

この計算書は、個人であるファンドマネージャーが組合員として運用する組合事業から出資割合を超えて受け取る組合利益の分配（いわゆるキャリード・インタレスト）について定められた組合契約において、そのファンドマネージャーが分配を受けるキャリード・インタレストに係る所得に関する計算書です。

なお、この計算書は、組合契約ごとに記載（4については組合契約ごとにキャリード・インタレストに関する部分のみ、各項目の合計金額を記載）し、確定申告書に添付して提出していただきますようお願いいたします。

1　キャリード・インタレストを受け取るファンドマネージャーに関する事項等

住所		氏名	
電話番号（連絡先）		課税期間※1（所得税）	・　・　～　・　・

課税期間の期首時点の出資金額（①）※2	課税期間中の損益帰属に伴う出資金額の増減（②－③）※2		課税期間の期末時点の出資金額（①+②－③）※2
円		円	円
	出資等に伴う出資金額の増加額（②）	円	
	分配・払戻等に伴う出資金額の減少額（③）	円	

課税期間の期末時点の出資割合※3	%	キャリード・インタレストに係る分配割合	%
組合契約におけるキャリード・インタレストに関する事項の概要※4			

※1　所得税基本通達36・37共－19の2の任意組合等の組合員の組合事業に係る利益等の帰属の時期について記載してください。
※2　外国通貨により出資が行われている場合には、課税期間の期末時点における対顧客直物電信売相場と対顧客直物電信買相場の仲値により円換算を行ってください。
※3　組合の総出資額に対するファンドマネージャーの出資額の割合を記載してください。
※4　キャリード・インタレストに関する事項の概要には組合契約の条項番号等も併記してください。なお、組合契約書（和訳したもの）を添付する場合は、この欄の記載は要しません。

2　任意組合等に関する事項等

組合の名称		組合の計算期間	・　・　～　・　・
総組合員数※	人(社)（内　人(社)）	課税期間の期末時点の総出資金額	円
本計算書の作成日	年　月　日	本計算書の作成者（連絡先）	（　　）

※　内書には、キャリード・インタレストを受け取ることができるファンドマネージャーの人数を記載してください。

3　任意組合等がファンドマネージャーに交付する利益の分配に関する書類

書　類　の　名　称	備考※

※　上記書類における利益の分配にキャリード・インタレストが含まれる場合は「備考」欄に「○」を記載してください。

（裏面に続く）

金融庁（2021.5）

裏面

4　組合事業から生じた各種所得のうちキャリード・インタレストに係るもの

所得の内訳	収入金額(A)	必要経費等(B)	差引金額(A-B)	特例適用条文※
株式等の譲渡に関する所得	円	円	円	
上場株式等(注 1)の譲渡所得等	内 円	内 円	内 円	
一般株式等(注 2)の譲渡所得等	内 円	内 円	内 円	
配当等に関する所得	円	円	円	
上場株式等の配当等(注 3)に係る所得 (特定公社債等の利子等に該当するものを除く)	内 円	内 円	内 円	
上記(注 3)に該当しない配当等に係る所得	内 円	内 円	内 円	
利子等に関する所得	円	円	円	
特定公社債等の利子等(注 4)に係る所得	内 円	内 円	内 円	
一般利子等(注 5)に係る所得	内 円	内 円	内 円	
外国口座の預金利子など総合課税の対象となる利子所得 [詳細：　]	内 円	内 円	内 円	
金銭の貸付けの利子など雑所得の対象となる利子 [詳細：　]	内 円	内 円	内 円	
先物取引に関する所得	円	円	円	
先物取引に係る所得(課税の特例該当分)(注 6)	内 円	内 円	内 円	
上記(注 6)に該当しない先物取引に係る所得	内 円	内 円	内 円	
	円	円	円	
	内 円	内 円	内 円	
	内 円	内 円	内 円	
	内 円	内 円	内 円	
	円	円	円	
	内 円	内 円	内 円	
	内 円	内 円	内 円	
	内 円	内 円	内 円	

※　記載した所得の金額の計算において、課税の特例の適用を受ける場合は、適用する特例の条文番号を記載してください。
(注 1)租税特別措置法第 37 条の 11 第 2 項に規定する上場株式等
(注 2)租税特別措置法第 37 条の 10 第 1 項に規定する一般株式等
(注 3)租税特別措置法第 8 条の 4 第 1 項に規定する上場株式等の配当等
(注 4)租税特別措置法第 3 条第 1 項第 1 号から第 3 号に掲げる利子等
(注 5)租税特別措置法第 3 条第 1 項に規定する一般利子等(源泉分離課税の対象となる利子等)
(注 6)租税特別措置法第 41 条の 14 第 1 項各号における分離課税の対象となる先物取引

有限責任事業組合等に係る組合員所得に関する計算書

（自　年　月　日至　年　月　日）

組合員	住所(居所)又は所在地			
	氏名又は名称		個人番号又は法人番号	
組合	主たる事務所の所在地			
	名称	（電話）		

有限責任事業組合の会計帳簿を作成した組合員又は投資事業有限責任組合の業務を執行する無限責任組合員	氏名又は名称		年　月　日作成
	個人番号又は法人番号		

				交付年月日	分配額	備考
組合事業の内容			当該計算期間における分配額	・　・	千　円	
出資の価額の合計額	当該組合員分	千　円		・　・		
	全組合員分			・　・		
出資の目的			各計算期間における分配額の合計額		千　円	
損益分配割合		%				

収益及び費用の明細			資産及び負債の明細		
	収益及び費用の内訳	収益の額及び費用の額		資産及び負債の内訳	資産の額及び負債の額
収益		千　円	資産		千　円
				合計	
費用			負債		
				合計	
			資産の合計－負債の合計		
			（摘要）		

整理欄	①	②

○「個人番号又は法人番号」欄に個人番号（12桁）を記載する場合には、右詰で記載します。

354

税務署受付印

＿年分の有限責任事業組合の組合事業に係る所得に関する計算書

（書き方については、控用の裏面を読んでください。）

＿＿＿＿税務署長

＿＿年＿＿月＿＿日提出

提出用　一面

1　住所及び氏名等

住所（又は居所）	※（〒　　－　　）	フリガナ 氏名	
		個人番号（この計算書を申告書に添付して提出する場合は記入不要です。）	※
（納税地）	※（〒　　－　　）	電話番号	※

2　組合に関する事項

組合の名称		組合事業の内容	
組合の主たる事務所の所在地		組合の計算期間	自：　年　月　日 至：　年　月　日

3　組合事業から生じた各種所得の内訳

所得の種類		収入金額（Ⓐ）	必要経費（Ⓑ）	差引（Ⓐ－Ⓑ）	
事業	営業等	円	円	①（Ⓐ－Ⓑ）円	③（①＋②）円
	農業			②	
不動産				④ 円	
山林				⑤	
				⑥	
				⑦	
合計（③＋④＋⑤＋⑥＋⑦）				⑧	
事業所得、不動産所得、山林所得の合計（③＋④＋⑤） ◉ ③、④及び⑤の金額の合計額が赤字の場合にのみ、その赤字の金額を書きます。				⑨（△を付けないで書いてください。）	

4　調整出資金額の計算

	前年以前に終了した計算期間の終了の時までの合計額	本年中に終了した終了期間の合計額	合計等
出資の価額の合計額	⑩（前年の⑯）円	⑬ 円	⑯（⑩＋⑬）円
各種所得金額の合計額	⑪（前年の⑰）	⑭（上の⑧）	⑰（⑪＋⑭）
組合からの分配額の合計額	⑫（前年の⑱）	⑮	⑱（⑫＋⑮）
調整出資金額（⑯＋⑪－⑱）			⑲（赤字のときは0）

5　調整出資金額超過損失額の計算

調整出資金額超過損失額（⑨－⑲） ◉ この「調整出資金額超過損失額」は組合事業から生じた事業所得、不動産所得又は山林所得の金額の計算上、必要経費に算入できません。「調整出資金額超過損失額」がある方は、「（付表）組合事業に係る事業所得等の必要経費不算入損失額の計算書」で事業所得、不動産所得又は山林所得の金額の計算上、必要経費に算入されない損失額を計算します。	⑳（赤字のときは0）円

税理士署名（電話番号）

税務署整理欄	通信日付印の年月日	確認	番号確認	身元確認	確認書類	一連番号
	年　月　日			□済 □未済	個人番号カード ／ 通知カード・運転免許証 その他（　　）	

（付表）組合事業に係る事業所得等の必要経費不算入損失額の計算書

提出用　　二面

この計算書は、組合契約を締結している組合員である方が、「____年分の有限責任事業組合の組合事業に係る所得に関する計算書」で計算した調整出資金額超過損失額（一面の5の⑳の金額）のあるときに、組合事業から生じた事業所得、不動産所得又は山林所得の金額の計算上、必要経費に算入されない損失額（以下「必要経費不算入損失額」といいます。）を計算する場合に使用します。

1 調整出資金額超過損失額

調整出資金額超過損失額（一面の5の⑳）	①	円

2 必要経費不算入損失額の計算

事業所得の損失額（一面の3の③）（黒字の時は0）		②	（△を付けないで書いてください。）円
	うち事業所得(営業等)の損失額(一面の3の①)(黒字の時は0)	③	（△を付けないで書いてください。）
	うち事業所得(農業)の損失額(一面の3の②)(黒字の時は0)	④	（△を付けないで書いてください。）
	(③+④)	⑤	
不動産所得の損失額（一面の3の④）（黒字の時は0）		⑥	（△を付けないで書いてください。）
山林所得の損失額（一面の3の⑤）（黒字の時は0）		⑦	（△を付けないで書いてください。）
事業所得、不動産所得、山林所得の損失額の合計（②+⑥+⑦）		⑧	

区分		項目	番号	金額	記載方法
事業所得	営業等	事業所得（営業等）に係る必要経費不算入損失額 $\left(① \times \frac{②}{⑧} \times \frac{③}{⑤}\right)$	⑨		組合事業に係る青色申告決算書（一般用）（収支内訳書（一般用））の下部余白に「必要経費不算入損失額○○○円」と記載してください。
事業所得	営業等	（組合事業に係る青色申告決算書（一般用）の㊸（収支内訳書（一般用）の㉑）の金額）＋ ⑨	⑩		組合事業に係る青色申告決算書（一般用）の㊸（収支内訳書（一般用）は㉑）の金額を（　）で囲むとともに、⑩の金額を上段に転記してください。
事業所得	農業	事業所得（農業）に係る必要経費不算入損失額 $\left(① \times \frac{②}{⑧} \times \frac{④}{⑤}\right)$	⑪		組合事業に係る青色申告決算書（農業所得用）（収支内訳書（農業所得用））の下部余白に「必要経費不算入損失額○○○円」と記載してください。
事業所得	農業	（組合事業に係る青色申告決算書（農業所得用）の㊻（収支内訳書（農業所得用）の⑰）の金額）＋ ⑪	⑫		組合事業に係る青色申告決算書（農業所得用）の㊻（収支内訳書（農業所得用）は⑰）の金額を（　）で囲むとともに、⑫の金額を上段に転記してください。
不動産所得		不動産所得に係る必要経費不算入損失額 $\left(① \times \frac{⑥}{⑧}\right)$	⑬		組合事業に係る青色申告決算書（不動産所得用）（収支内訳書（不動産所得用））の下部余白に「必要経費不算入損失額○○○円」と記載してください。
不動産所得		（組合事業に係る青色申告決算書(不動産所得用)の㉑(収支内訳書(不動産所得用）の⑮）の金額）＋ ⑬	⑭		組合事業に係る青色申告決算書（不動産所得用）の㉑（収支内訳書（不動産所得用）は⑮）の金額を（　）で囲むとともに、⑭の金額を上段に転記してください。
山林所得		山林所得に係る必要経費不算入損失額 $\left(① \times \frac{⑦}{⑧}\right)$	⑮		組合事業に係る山林所得収支内訳書（山林所得収支内訳書(課税事業者用)）の下部余白に「必要経費不算入損失額○○○円」と記載してください。
山林所得		（組合事業に係る山林所得収支内訳書の⑰（山林所得収支内訳書（課税事業者用）の㉑）の金額）＋ ⑮	⑯		組合事業に係る山林所得収支内訳書の⑰（山林所得収支内訳書（課税事業者用）は㉑）の金額を（　）で囲むとともに、⑯の金額を上段に転記してください。

◉ いわゆる現金主義によって青色申告をしている方は、税務署にお尋ねください。

02.12

組合事業等による組合等損失額の損金不算入又は組合等損失超過合計額の損金算入に関する明細書

別表九(二) 令四・四・一以後終了事業年度又は連結事業年度分

事業年度又は連結事業年度	・・ ・・	法人名	( )

組合等の区分	組合等の名称	1	
	組合損益計算期間又は組合計算期間	2	・・ ・・
	特定組合員若しくは特定受益者に該当することとなった日又は有限責任事業組合員となった日	3	・・
組合等損失額若しくは連結組合等損失額の損金不算入額又は組合等損失超過合計額若しくは連結組合等損失超過合計額の損金算入額の計算	損金不算入額　当期の組合等損失額又は連結組合等損失額 (31の①) − (18の①) − (25の①) (マイナスの場合は0)	4	円
	損金不算入額　調整出資等金額 (38の①＋②) ＋ (45の①) − (50の①＋②)	5	
	損金不算入額　損金不算入額 ((4) − (5)) 又は (4) (マイナスの場合は0)	6	
	損金算入額　当期の組合等利益額又は連結組合等利益額 (18の①) ＋ (25の①) − (31の①) (マイナスの場合は0)	7	
	損金算入額　改定組合等損失超過合計額又は改定連結組合等損失超過合計額 (13)	8	
	損金算入額　損金算入額 ((7) と (8) のうち少ない金額)	9	
	組合等損失額若しくは連結組合等損失額の損金不算入額又は組合等損失超過合計額若しくは連結組合等損失超過合計額の損金算入額 (6) − (9)	10	
翌期繰越組合等損失超過合計額又は翌期繰越連結組合等損失超過合計額の計算	前期繰越組合等損失超過合計額又は前期繰越連結組合等損失超過合計額 (前期の(17))	11	
	みなし組合等損失超過合計額の当期加算額	12	
	改定組合等損失超過合計額又は改定連結組合等損失超過合計額 (11) ＋ (12)	13	
	当期の組合等損失額又は連結組合等損失額の損金不算入額 (6)	14	
	当期損金算入額 (9)	15	
	みなし組合等損失超過合計額の翌期加算額	16	
	翌期繰越組合等損失超過合計額又は翌期繰越連結組合等損失超過合計額 (13) ＋ (14) − (15) ＋ (16)	17	

当期の組合等所得の金額又は組合等欠損の金額の計算

区分			総額 ①	①のうち留保した金額 ②
組合事業又は信託による当期利益又は当期欠損の額		18	円	円
加算	減価償却の償却超過額	19		
	交際費等の損金不算入額	20		
		21		
		22		
		23		
		24		
	小計	25		
減算	減価償却超過額の当期認容額	26		
	受取配当等の益金不算入額	27		
		28		
		29		
		30		
	小計	31		
当期の組合等利益額若しくは連結組合等利益額又は組合等損失額若しくは連結組合等損失額 (18) ＋ (25) − (31)		32		
組合等損失額若しくは連結組合等損失額の損金不算入額又は組合等損失超過合計額若しくは連結組合等損失超過合計額の損金算入額 (10)		33		
当期の組合等所得の金額又は組合等欠損の金額 (32) ＋ (33)		34		

調整出資等金額の計算の基礎となる金額の明細

区分		番号	前期繰越額 ①	当期中に出資又は信託をした額　最終損益計算期間終了の時までの額 ②	当期中に出資又は信託をした額　最終損益計算期間終了の時後の額 ③	翌期繰越額 ①＋②＋③ ④
出資又は信託をした額	金銭の額及び現物資産の価額又は調整価額等	35	円	円	円	円
	組合員持分担保債務の額に相当する金額	36				
	負債の額	37				
	差引出資又は信託をした額 (35) − (36) − (37)	38				

区分		番号	前期繰越額 ①	当期中の増減　減 ②	当期中の増減　増 ③	翌期繰越額 ①−②＋③ ④
組合利益積立金額等		39	円	円	円	円
		40				
		41				
		42				
	組合損失超過合計額等累計額	43		(9)	(6)	
	組合事業又は信託による当期利益又は当期欠損の額の累計額	44			(18の②)	
	組合事業又は信託に係る利益積立金額 ((39)から(44)までの計)	45				
	投資勘定差額	46				

区分		番号	前期繰越額 ①	当期中に分配を受けた額　最終損益計算期間終了の時までの額 ②	当期中に分配を受けた額　最終損益計算期間終了の時後の額 ③	翌期繰越額 ①＋②＋③ ④
分配額	金銭の額及び現物資産の価額又は調整価額	47	円	円	円	円
	組合員持分担保債務の額に相当する金額	48				
	負債の額	49				
	差引分配額 (47) − (48) − (49)	50				
組合事業又は信託に係る簿価純資産価額 (38) ＋ (45) ＋ (46) − (50)		51				

別紙1

課審4—19

課審3—40

平成10年10月21日

中小企業庁計画部長

高　橋　　晴　樹　　殿

国　税　庁　課　税　部　長

森　田　好　則

中小企業等投資事業有限責任組合に係る税務上の取扱いについて（平成10年9月17日付平成10･09･14企庁第2号照会に対する回答）

標題のことについては，貴見のとおり取り扱うこととします。

別紙2

通　商　産　業　省

平成10年9月17日

平成10・09・14企庁第2号

国税庁課税部長　森田　好則殿

中小企業庁計画部長　高橋　晴樹

中小企業等投資事業有限責任組合に係る税務の取扱いについて

円滑な資金供給を通じた中小企業等の自己資本の充実を促進し，その健全な成長発展を図り，もって我が国の経済活力の向上に資することを目的としました中小企業等投資事業有限責任組合契約に関する法律（平成10年法律第90号）は，先般来の多大な御協力により成立致しました。

つきましては，中小企業等投資事業有限責任組合契約に関する法律に基づく中小企業等投資事業有限責任組合の税務上の取扱いに関しまして，それぞれ下記のとおり解して差し支えないか，貴見を伺いたく照会申し上げます。

記

1. 中小企業等投資事業有限責任組合から受ける利益等の帰属の時期及び額の計算について

中小企業等投資事業有限責任組合契約に関する法律（以下，「本法」という）に基づく中小企業等投資事業有限責任組合（以下，「本組合」という）は，組合の業務を執行する無限責任組合員と出資の価額を限度として組合の債務を弁済する責任を負う有限責任組合員から構成される法人格のない組合（第2条第2項，第7条第1項，第9条第2項）であり，中小企業等投資事業有限責任組合契約の登記を対抗要件としていることが特徴である（第4条第1項）。

一方本組合の基本的性格については，民法上の任意組合と同様（民法第667条第1項），組合の事業は組合員の共同事業であることが法律上明記される（第3条第1項）とともに，第16条（民法の準用）において，民法第2章（契約）第12節（組合）より，第668条（組合財産の共有），第671条（委任の規定の準用），第672条（業務執行者の辞任又は解任），第673条（組合員の業務及び財産の状況の検査権），第683条（組合員の解散請求）等の規定が準用されている。

したがって本組合は，全組合員が相互の信頼関係に基づき共有財産を運用しながら共同事業を行うという基本的な性格を民法上の任意組合と同じくしており，税務上も民法上の任意組合と同様の取扱い（法人税基本通達14-1-1，14-1-2及び所得税基本通達36・37共-19，36・37共-20）が適用される。

なお，民法上の任意組合においても 民法第674条において損益分配の割合を組合契約で定めることが認められており，一部の組合員が出資額の範囲内でのみ責任を負う旨契約することは可能であるが，このような契約は善意の第三者に対抗することはできないとされている。このため，本法は本組合の一部の組合員（有限責任組合員）が出資の額を超えて責任を負わないことを善意の第三者にも対抗できるよう法律上明確化したものである（第9条第2項）。

2. 中小企業等投資事業有限責任組合における会計処理について

本組合から分配を受ける利益の額（出資総額の範囲内の損失の額を含む。）については，分配割合に応じた会計処理を行うこととなるが，出資総額を超える損失の額については，次のとおり計算することとなる。（別紙参考）

① 法人税基本通達14-1-2（1），同旨所得税基本通達36・37共-20（3）

「当該組合について計算される利益の額又は損失の額をその分配割合に応じて各組合員に分配又は負担させることとする方法」の場合

（1） 有限責任組合員に係る計算方法

当該有限責任組合員の出資の額を限度として損失の額を計上する。ただし，当該有限責任組合員の持分に相当する額が設立当初の出資の額よりも減少しているときは，当該持分に相当する額を限度とする。

（２） 無限責任組合員に係る計算方法

組合の損失のうち有限責任組合員負担した額を控除した額を無限責任組合員の損失の額として計上する。

② 法人税基本通達 14-1-2（２），同旨所得税基本通達 36・37 共-20（２）

「当該組合の収入金額，その収入金額に係る原価の額及び費用の額並びに損失の額をその分配割合に応じて各組合員のこれらの金額として計算する方法」の場合

（１） 有限責任組合員に係る計算方法

組合の損失額に対する当該有限責任組合員が負担する損失の額の割合を組合の収入金額，その収入金額に係る原価の額及び費用の額並びに損失の額に乗じて，当該有限責任組合員のこれらの金額として計上する。

（２） 無限責任組合員に係る計算方法

組合の収入金額，その収入金額に係る原価の額及び費用の額並びに損失の額のうち有限責任組合員のこれらの金額として計上した額を控除した額を無限責任組合員の収入金額，その収入金額に係る原価の額及び費用の額並びに損失の額として計上する。

③ 法人税基本通達 14-1-2（３），同旨所得税基本通達 36・37 共-20（１）

「当該組合の収入金額，支出金額，資産，負債等をその分配割合に応じて各組合員のこれらの金額として計算する方法」の場合

（１） 有限責任組合員に係る計算方法

組合の損失額に対する当該有限責任組合員が負担する損失の額の割合を組合の収入金額，支出金額に乗じて，当該有限責任組合員のこれらの金額として計上する。資産については分配割合に応じて計上し，負債については分配割合に応じた額から有限責任組合員が負担しない部分（出資の額を超えた損失分）を控除した額を計上する。

（２） 無限責任組合員に係る計算方法

組合の収入金額，支出金額，資産，負債のうち有限責任組合員の収入金額，支出金額，資産，負債として計上した額を控除した額を無限責任組合員の収入金額，支出金額，資産，負債として計上する。

（別紙）

中小企業等投資事業有限責任組合の会計処理について

1.　問題意識

組合の出資金がマイナスの際に，組合が収益を上げたときの会計処理の仕方をどのように考えるか。

2.　設例

下記のとおり組合の出資金が▲400となっている状態で，

LPS	
資　産	負　債
7600	8000
	出資金
	▲400

GP	
資　産	負　債
760	1160
	出資金
	▲400

LP	
資　産	負　債
760	760
	出資金
	0

（注）LPS……中小企業等投資事業有限責任組合
　　GP　……無限責任組合員
　　LP　……有限責任組合員

下記の収益があがった場合について検討。

①　収益が600のとき（組合出資金がプラスに転じる）

②　収益が200のとき（組合出資金はマイナスのまま）

3.　考え方

組合財産は組合員全員の共有であることから，まず，収益を踏まえ組合全体の貸借対照表を考えた後，それをGP，LP個々の貸借対照表それぞれ取り込むこととすべき。

4. 会計処理

（1） 収益が 600 のとき

（初期状態）

ＬＰＳ	
資　産	負　債
7600	8000
	出資金
	▲400

ＧＰ	
資　産	負　債
760	1160
	出資金
	▲400

ＬＰ	
資　産	負　債
760	760
	出資金
	0

↓
収益 600
↓

ＬＰＳ	
資　産	負　債
8200	8000
	出資金
	200

ＧＰ	
資　産	負　債
820	800
	出資金
	20

ＬＰ	
資　産	負　債
820	800
	出資金
	20

GP，LP とも 1/10 ずつ認識

（2） 収益が 200 のとき

（初期状態）

LPS	
資　産	負　債
7600	8000
	出資金
	▲400

GP	
資　産	負　債
760	1160
	出資金
	▲400

LP	
資　産	負　債
760	760
	出資金
	0

↓
収益 200
↓

LPS	
資　産	負　債
7800	8000
	出資金
	▲200

GP	
資　産	負　債
780	980
	出資金
	▲200

LP	
資　産	負　債
780	780
	出資金
	0

基本的には GP，LP とも 1/10 ずつ認識するが，LP の出資金がゼロを下回ることはないので，負債を資産の範囲でしか認識しない。

様式1
FORM

租税条約に関する届出書
APPLICATION FORM FOR INCOME TAX CONVENTION

（税務署整理欄 For official use only）

適用；有、無
番号確認

税務署受付印

配当に対する所得税及び復興特別所得税の軽減・免除
Relief from Japanese Income Tax and Special Income Tax for Reconstruction on Dividends

この届出書の記載に当たっては、別紙の注意事項を参照してください。
See separate instructions.

＿＿＿＿税務署長殿
To the District Director, ＿＿＿＿Tax Office

1 適用を受ける租税条約に関する事項；
Applicable Income Tax Convention
日本国と＿＿＿＿との間の租税条約第＿＿条第＿＿項＿＿
The Income Tax Convention between Japan and＿＿＿＿, Article＿＿, para.＿＿

□ 限度税率＿＿％ Applicable Tax Rate
□ 免税 Exemption

2 配当の支払を受ける者に関する事項；
Details of Recipient of Dividends

氏名又は名称 Full name		
個人番号又は法人番号（有する場合のみ記入） Individual Number or Corporate Number (Limited to case of a holder)		
個人の場合 Individual	住所又は居所 Domicile or residence	（電話番号 Telephone Number）
	国籍 Nationality	
法人その他の団体の場合 Corporation or other entity	本店又は主たる事務所の所在地 Place of head office or main office	（電話番号 Telephone Number）
	設立又は組織された場所 Place where the Corporation was established or organized	
	事業が管理・支配されている場所 Place where the business is managed and controlled	（電話番号 Telephone Number）
下記「4」の配当につき居住者として課税される国及び納税地（注8） Country where the recipient is taxable as resident on Dividends mentioned in 4 below and the place where he is to pay tax (Note 8)		（納税者番号 Taxpayer Identification Number）
日本国内の恒久的施設の状況 Permanent establishment in Japan □有(Yes)，□無(No) If "Yes", explain:	名称 Name	
	所在地 Address	（電話番号 Telephone Number）
	事業の内容 Details of Business	

3 配当の支払者に関する事項；
Details of Payer of Dividends

(1) 名称 Full name	
(2) 本店の所在地 Place of head office	（電話番号 Telephone Number）
(3) 法人番号 Corporate Number	
(4) 発行済株式のうち議決権のある株式の数（注9） Number of voting shares issued (Note 9)	

4 上記「3」の支払者から支払を受ける配当で「1」の租税条約の規定の適用を受けるものに関する事項（注10）；
Details of Dividends received from the Payer to which the Convention mentioned in 1 above is applicable (Note 10)

元本の種類 Kind of Principal	銘柄又は名称 Description	名義人の氏名又は名称（注11） Name of Nominee of Principal (Note 11)
□出資・株式・基金 Shares (Stocks) □株式投資信託 Stock investment trust		

元本の数量 Quantity of Principal	左のうち議決権のある株式数 Of which Quantity of Voting Shares	元本の取得年月日 Date of Acquisition of Principal

5 その他参考となるべき事項（注12）；
Others (Note 12)

【裏面に続きます (Continue on the reverse)】

6　日本の税法上、届出書の「2」の外国法人が納税義務者とされるが、租税条約の規定によりその株主等である者（相手国居住者に限ります。）の所得として取り扱われる部分に対して租税条約の適用を受けることとされている場合の租税条約の適用を受ける割合に関する事項等(注4)；
Details of proportion of income to which the convention mentioned in 1 above is applicable, if the foreign company mentioned in 2 above is taxable as a company under Japanese tax law, and the convention is applicable to income that is treated as income of the member (limited to a resident of the other contracting country) of the foreign company in accordance with the provisions of the convention (Note 4)

届出書の「2」の外国法人の株主等で租税条約の適用を受ける者の氏名又は名称 Name of member of the foreign company mentioned in 2 above, to whom the Convention is applicable	間接保有 Indirect Ownership	持分の割合 Ratio of Ownership	受益の割合＝ 租税条約の適用を受ける割合 Proportion of benefit = Proportion for Application of Convention
	□	%	%
	□	%	%
	□	%	%
	□	%	%
	□	%	%
合計 Total		%	%

届出書の「2」の外国法人が支払を受ける「4」の配当について、「1」の租税条約の相手国の法令に基づきその株主等である者の所得として取り扱われる場合には、その根拠法令及びその効力を生じる日を記載してください。
If dividends mentioned in 4 above that a foreign company mentioned in 2 above receives are treated as income of those who are its members under the law in the other contracting country of the convention mentioned in 1 above, enter the law that provides the legal basis to the above treatment and the date on which it will become effective.

根拠法令
Applicable law________________　効力を生じる日　年　月　日
Effective date________________

7　日本の税法上、届出書の「2」の団体の構成員が納税義務者とされるが、租税条約の規定によりその団体の所得として取り扱われるものに対して租税条約の適用を受けることとされている場合の記載事項等(注5)；
Details if, while the partner of the entity mentioned in 2 above is taxable under Japanese tax law, and the convention is applicable to income that is treated as income of the entity in accordance with the provisions of the convention (Note 5)
他の全ての構成員から通知を受けこの届出書を提出する構成員の氏名又は名称________________
Full name of the partner of the entity who has been notified by all other partners and is to submit this form

届出書の「2」の団体が支払を受ける「4」の配当について、「1」の租税条約の相手国の法令に基づきその団体の所得として取り扱われる場合には、その根拠法令及びその効力を生じる日を記載してください。
If dividends mentioned in 4 above that an entity at mentioned in 2 above receives are treated as income of the entity under the law in the other contracting country of the convention mentioned in 1 above, enter the law that provides the legal basis to the above treatment and the date on which it will become effective.

根拠法令
Applicable law________________　効力を生じる日　年　月　日
Effective date________________

8　権限ある当局の証明 (注13)
Certification of competent authority (Note 13)

私は、届出者が、日本国と________________との間の租税条約第____条第____項____に規定する居住者であることを証明します。
I hereby certify that the applicant is a resident under the provisions of the Income Tax Convention between Japan and ________________, Article________, para.________.
年　月　日
Date________________　Certifier________________

○　代理人に関する事項　；　この届出書を代理人によって提出する場合には、次の欄に記載してください。
Details of the Agent　;　If this form is prepared and submitted by the Agent, fill out the following Columns.

代理人の資格 Capacity of Agent in Japan	氏名（名称） Full name		納税管理人の届出をした税務署名 Name of the Tax Office where the Tax Agent is registered
□ 納税管理人 ※ Tax Agent □ その他の代理人 Other Agent	住所（居所・所在地） Domicile (Residence or location)	(電話番号 Telephone Number)	税務署 Tax Office

※　「納税管理人」とは、日本国の国税に関する申告、申請、請求、届出、納付等の事項を処理させるため、国税通則法の規定により選任し、かつ、日本国における納税地の所轄税務署長に届出をした代理人をいいます。

※　"Tax Agent" means a person who is appointed by the taxpayer and is registered at the District Director of Tax Office for the place where the taxpayer is to pay his tax, in order to have such agent take necessary procedures concerning the Japanese national taxes, such as filing a return, applications, claims, payment of taxes, etc., under the provisions of Act on General Rules for National Taxes.

○　適用を受ける租税条約が特典条項を有する租税条約である場合；
If the applicable convention has article of limitation on benefits
特典条項に関する付表の添付　□有Yes
"Attachment Form for Limitation on Benefits Article" attached
□添付省略 Attachment not required
(特典条項に関する付表を添付して提出した租税条約に関する届出書の提出日　年　月　日)
Date of previous submission of the application for income tax convention with the "Attachment Form for Limitation on Benefits Article"________________

様式 1－2
FORM

租税条約に関する特例届出書
SPECIAL APPLICATION FORM FOR INCOME TAX CONVENTION

（税務署整理欄 For official use only）

適用；有、無
番号確認

（上場株式等の配当等に対する所得税及び復興特別所得税の軽減・免除
Relief from Japanese Income Tax and Special Income Tax for Reconstruction on Dividends of Listed Stocks）

この届出書の記載に当たっては、別紙の注意事項を参照してください。
See separate instructions.

＿＿＿＿＿＿税務署長殿
To the District Director, ＿＿＿＿＿＿Tax Office

1 適用を受ける租税条約に関する事項；
Applicable Income Tax Convention
日本国と＿＿＿＿＿＿との間の租税条約
The Income Tax Convention between Japan and＿＿＿＿＿＿

2 上場株式等の配当等の支払を受ける者に関する事項；
Details of Recipient of Dividends of Listed Stocks

氏名又は名称 Full name		
個人番号又は法人番号（有する場合のみ記入） Individual Number or Corporate Number (Limited to case of a holder)		
個人の場合 Individual	住所又は居所 Domicile or residence	（電話番号 Telephone Number）
	国籍 Nationality	
法人その他の団体の場合 Corporation or other entity	本店又は主たる事務所の所在地 Place of head office or main office	（電話番号 Telephone Number）
	設立又は組織された場所 Place where the Corporation was established or organized	
	事業が管理・支配されている場所 Place where the business is managed and controlled	（電話番号 Telephone Number）
上場株式等の配当等につき居住者として課税される国及び納税地（注8） Country where the recipient is taxable as resident on Dividends of Listed Stocks and the place where he is to pay tax (Note 8)		（納税者番号 Taxpayer Identification Number）
日本国内の恒久的施設の状況 Permanent establishment in Japan □有(Yes) , □無(No) If "Yes", explain:	名称 Name	
	所在地 Address	（電話番号 Telephone Number）
	事業の内容 Details of Business	

3 上場株式等の配当等の支払の取扱者に関する事項；
Details of Person in charge of handling payment of Dividends of Listed Stocks

(1) 名称 Full name	
(2) 本店の所在地 Place of head office	（電話番号 Telephone Number）
(3) 法人番号 Corporate Number	

4 その他参考となるべき事項；
Others

【裏面に続きます（Continue on the reverse）】

5　日本の税法上、届出書の「２」の外国法人が納税義務者とされるが、租税条約の規定によりその株主等である者（相手国居住者に限ります。）の所得として取り扱われる部分に対して租税条約の適用を受けることとされている場合の租税条約の適用を受ける割合に関する事項等(注４)；
Details of proportion of income to which the convention mentioned in 1 above is applicable, if the foreign company mentioned in 2 above is taxable as a company under Japanese tax law, and the convention is applicable to income that is treated as income of the member (limited to a resident of the other contracting country) of the foreign company in accordance with the provisions of the convention (Note 4)

届出書の「２」の外国法人の株主等で租税条約の適用を受ける者の氏名又は名称 Name of member of the foreign company mentioned in 2 above, to whom the Convention is applicable	間接保有 Indirect Ownership	持分の割合 Ratio of Ownership	受益の割合＝ 租税条約の適用を受ける割合 Proportion of benefit = Proportion for Application of Convention
	□	%	%
	□	%	%
	□	%	%
	□	%	%
	□	%	%
合計 Total		%	%

届出書の「２」の外国法人が「３」の支払の取扱者から交付を受ける上場株式等の配当等について、「１」の租税条約の相手国の法令に基づきその株主等である者の所得として取り扱われる場合には、その根拠法令及びその効力を生じる日を記載してください。
If dividends of Listed Stocks that a foreign company mentioned in 2 above receives by the person in charge of handling payment mentioned in 3 above are treated as income of those who are its members under the law in the other contracting country of the convention mentioned in 1 above, enter the law that provides the legal basis to the above treatment and the date on which it will become effective.

根拠法令
Applicable law＿＿＿＿＿＿＿＿　効力を生じる日　年　月　日
Effective date＿＿＿＿＿＿＿＿

6　日本の税法上、届出書の「２」の団体の構成員が納税義務者とされるが、租税条約の規定によりその団体の所得として取り扱われるものに対して租税条約の適用を受けることとされている場合の記載事項等(注５)；
Details if, while the partner of the entity mentioned in 2 above is taxable under Japanese tax law, and the convention is applicable to income that is treated as income of the entity in accordance with the provisions of the convention (Note 5)

他の全ての構成員から通知を受けこの届出書を提出する構成員の氏名又は名称＿＿＿＿＿＿＿＿
Full name of the partner of the entity who has been notified by all other partners and is to submit this form

届出書の「２」の団体が「３」の支払の取扱者から交付を受ける上場株式等の配当等について、「１」の欄の租税条約の相手国の法令に基づきその団体の所得として取り扱われる場合には、その根拠法令及びその効力を生じる日を記載してください。
If dividends of Listed Stocks that an entity at mentioned in 2 above receives by the person in charge of handling payment mentioned in 3 above are treated as income of the entity under the law in the other contracting country of the convention mentioned in 1 above, enter the law that provides the legal basis to the above treatment and the date on which it will become effective.

根拠法令
Applicable law＿＿＿＿＿＿＿＿　効力を生じる日　年　月　日
Effective date＿＿＿＿＿＿＿＿

○　代理人に関する事項　；　この届出書を代理人によって提出する場合には、次の欄に記載してください。
Details of the Agent　;　If this form is prepared and submitted by the Agent, fill out the following Columns.

代理人の資格 Capacity of Agent in Japan	氏名（名称） Full name		納税管理人の届出をした税務署名 Name of the Tax Office where the Tax Agent is registered
□　納税管理人　※ Tax Agent □　その他の代理人 Other Agent	住所（居所・所在地） Domicile (Residence or location)	(電話番号 Telephone Number)	税務署 Tax Office

※　「納税管理人」とは、日本国の国税に関する申告、申請、請求、届出、納付等の事項を処理させるため、国税通則法の規定により選任し、かつ、日本国における納税地の所轄税務署長に届出をした代理人をいいます。

※ "Tax Agent" means a person who is appointed by the taxpayer and is registered at the District Director of Tax Office for the place where the taxpayer is to pay his tax, in order to have such agent take necessary procedures concerning the Japanese national taxes, such as filing a return, applications, claims, payment of taxes, etc., under the provisions of Act on General rules for National Taxes.

○　適用を受ける租税条約が特典条項を有する租税条約である場合；
If the applicable convention has article of limitation on benefits

特典条項に関する付表の添付　□有Yes
"Attachment Form for Limitation on Benefits Article" attached　□添付省略　Attachment not required
(特典条項に関する付表を添付して提出した租税条約に関する届出書の提出日　年　月　日)
Date of previous submission of the application for income tax convention with the "Attachment Form for Limitation on Benefits Article"

様式 2
FORM

税務署受付印

租税条約に関する届出書
APPLICATION FORM FOR INCOME TAX CONVENTION

利子に対する所得税及び復興特別所得税の軽減・免除
Relief from Japanese Income Tax and Special Income Tax for Reconstruction on Interest

この届出書の記載に当たっては、別紙の注意事項を参照してください。
See separate instructions.

(税務署整理欄 For official use only)

適用；有、無

番号確認		身元確認	

☐ 限度税率＿＿％ Applicable Tax Rate
☐ 免税 Exemption

＿＿＿＿税務署長殿
To the District Director, ＿＿＿＿＿＿Tax Office

1 適用を受ける租税条約に関する事項；
Applicable Income Tax Convention
日本国と＿＿＿＿＿＿＿＿との間の租税条約第＿＿条第＿＿項＿＿
The Income Tax Convention between Japan and＿＿＿＿＿＿＿＿, Article＿＿, para.＿＿

2 利子の支払を受ける者に関する事項；Details of Recipient of Interest

氏名又は名称 Full name		
個人番号又は法人番号（有する場合のみ記入） Individual Number or Corporate Number (Limited to case of a holder)		
個人の場合 Individual	住所又は居所 Domicile or residence	（電話番号 Telephone Number）
	国籍 Nationality	
法人その他の団体の場合 Corporation or other entity	本店又は主たる事務所の所在地 Place of head office or main office	（電話番号 Telephone Number）
	設立又は組織された場所 Place where the Corporation was established or organized	
	事業が管理・支配されている場所 Place where the business is managed and controlled	（電話番号 Telephone Number）
下記「4」の利子につき居住者として課税される国及び納税地（注8） Country where the recipient is taxable as resident on Interest mentioned in 4 below and the place where he is to pay tax (Note 8)		（納税者番号 Taxpayer Identification Number）
日本国内の恒久的施設の状況 Permanent establishment in Japan ☐有(Yes)，☐無(No) If "Yes", explain:	名称 Name	
	所在地 Address	（電話番号 Telephone Number）
	事業の内容 Details of business	

3 利子の支払者に関する事項；Details of Payer of Interest

氏名又は名称 Full name		
住所（居所）又は本店（主たる事務所）の所在地 Domicile (residence) or Place of head office (main office)		（電話番号 Telephone Number）
個人番号又は法人番号（有する場合のみ記入） Individual Number or Corporate Number (Limited to case of a holder)		
日本国内にある事務所等 Office, etc. located in Japan	名称 Name	（事業の内容 Details of Business）
	所在地 Address	（電話番号 Telephone Number）

4 上記「3」の支払者から支払を受ける利子で「1」の租税条約の規定の適用を受けるものに関する事項（注9）；
Details of Interest received from the Payer to which the Convention mentioned in 1 above is applicable (Note 9)
○ 元本の種類： ☐ 公社債 ☐ 公社債投資信託 ☐ 預貯金、合同運用信託 ☐ 貸付金 ☐ その他
Kind of principal: Bonds and debentures / Bond investment trust / Deposits or Joint operation trust / Loans / Others

(1) 債券に係る利子の場合；In case of Interest derived from securities

債券の銘柄 Description of Securities	名義人の氏名又は名称（注10） Name of Nominee of Securities (Note 10)	債券の取得年月 Date of Acquisition of Securities

額面金額 Face Value of Securities	債券の数量 Quantity of Securities	利子の支払期日 Due Date for Payment	利子の金額 Amount of Interest

(2) 債券以外のものに係る利子の場合：In case of other Interest

支払の基因となった契約の内容 Content of Contract under Which Interest is paid	契約の締結年月日 Date of Contract	契約期間 Period of Contract	元本の金額 Amount of Principal	利子の支払期日 Due Date for Payment	利子の金額 Amount of Interest

【裏面に続きます (Continue on the reverse) 】

5　その他参考となるべき事項（注11）；
Others (Note 11)

6　日本の税法上、届出書の「2」の外国法人が納税義務者とされるが、租税条約の規定によりその株主等である者（相手国居住者に限ります。）の所得として取り扱われる部分に対して租税条約の適用を受けることとされている場合の租税条約の適用を受ける割合に関する事項等（注4）；
Details of proportion of income to which the convention mentioned in 1 above is applicable, if the foreign company mentioned in 2 above is taxable as a company under Japanese tax law, and the convention is applicable to income that is treated as income of the member (limited to a resident of the other contracting country) of the foreign company in accordance with the provisions of the convention (Note 4)

届出書の「2」の外国法人の株主等で租税条約の適用を受ける者の氏名又は名称 Name of member of the foreign company mentioned in 2 above, to whom the Convention is applicable	間接保有 Indirect Ownership	持分の割合 Ratio of Ownership	受益の割合＝ 租税条約の適用を受ける割合 Proportion of benefit = Proportion for Application of Convention
	□	%	%
	□	%	%
	□	%	%
	□	%	%
	□	%	%
合計 Total		%	%

届出書の「2」の外国法人が支払を受ける「4」の利子について、「1」の租税条約の相手国の法令に基づきその株主等である者の所得として取り扱われる場合には、その根拠法令及びその効力を生じる日を記載してください。
If interest mentioned in 4 above that a foreign company mentioned in 2 above receives are treated as income of those who are its members under the law in the other contracting country of the convention mentioned in 1 above, enter the law that provides the legal basis to the above treatment and the date on which it will become effective.

根拠法令
Applicable law＿＿＿＿＿＿＿＿＿＿＿＿　　効力を生じる日　　年　　月　　日
Effective date＿＿＿＿＿＿＿＿

7　日本の税法上、届出書の「2」の団体の構成員が納税義務者とされるが、租税条約の規定によりその団体の所得として取り扱われるものに対して租税条約の適用を受けることとされている場合の記載事項等（注5）；
Details if, while the partner of the entity mentioned in 2 above is taxable under Japanese tax law, and the convention is applicable to income that is treated as income of the entity in accordance with the provisions of the convention (Note 5)

他の全ての構成員から通知を受けこの届出書を提出する構成員の氏名又は名称＿＿＿＿＿＿＿＿
Full name of the partner of the entity who has been notified by all other partners and is to submit this form

届出書の「2」の団体が支払を受ける「4」の利子について、「1」の租税条約の相手国の法令に基づきその団体の所得として取り扱われる場合には、その根拠法令及びその効力を生じる日を記載してください。
If interest mentioned in 4 above that an entity at mentioned in 2 above receives are treated as income of the entity under the law in the other contracting country of the convention mentioned in 1 above, enter the law that provides the legal basis to the above treatment and the date on which it will become effective.

根拠法令
Applicable law＿＿＿＿＿＿＿＿＿＿＿＿　　効力を生じる日　　年　　月　　日
Effective date＿＿＿＿＿＿＿＿

8　権限ある当局の証明（注12）
Certification of competent authority (Note 12)

私は、届出者が、日本国と＿＿＿＿＿＿＿＿との間の租税条約第＿＿条第＿＿項＿＿に規定する居住者であることを証明します。
I hereby certify that the applicant is a resident under the provisions of the Income Tax Convention between Japan and ＿＿＿＿＿＿＿＿, Article＿＿＿＿, para.＿＿＿＿.

年　月　日
Date＿＿＿＿＿＿＿＿　　Certifier＿＿＿＿＿＿＿＿

○　代理人に関する事項　；　この届出書を代理人によって提出する場合には、次の欄に記載してください。
Details of the Agent　; If this form is prepared and submitted by the Agent, fill out the following columns.

代理人の資格 Capacity of Agent in Japan	氏名（名称） Full name		納税管理人の届出をした税務署名 Name of the Tax Office where the Tax Agent is registered
□ 納税管理人 ※ Tax Agent □ その他の代理人 Other Agent	住所（居所・所在地） Domicile (Residence or location)	（電話番号 Telephone Number）	税務署 Tax Office

※　「納税管理人」とは、日本国の国税に関する申告、申請、請求、届出、納付等の事項を処理させるため、国税通則法の規定により選任し、かつ、日本国における納税地の所轄税務署長に届出をした代理人をいいます。

※ "Tax Agent" means a person who is appointed by the taxpayer and is registered at the District Director of Tax Office for the place where the taxpayer is to pay his tax, in order to have such agent take necessary procedures concerning the Japanese national taxes, such as filing a return, applications, claims, payment of taxes, etc., under the provisions of Act on General Rules for National Taxes.

○　適用を受ける租税条約が特典条項を有する租税条約である場合；
If the applicable convention has article of limitation on benefits

特典条項に関する付表の添付　　□有Yes
"Attachment Form for Limitation on Benefits Article" attached
□添付省略 Attachment not required
（特典条項に関する付表を添付して提出した租税条約に関する届出書の提出日　　年　　月　　日）
Date of previous submission of the application for income tax convention with the "Attachment Form for Limitation on Benefit Article"＿＿＿＿＿＿＿＿

様式3
FORM

租税条約に関する届出書
APPLICATION FORM FOR INCOME TAX CONVENTION

使用料に対する所得税及び復興特別所得税の軽減・免除
Relief from Japanese Income Tax and Special Income Tax for Reconstruction on Royalties

この届出書の記載に当たっては、別紙の注意事項を参照してください。
See separate instructions.

税務署受付印

（税務署整理欄 For official use only）
適用；有、無
番号確認 | 身元確認
□ 限度税率____% Applicable Tax Rate
□ 免税（注11） Exemption (Note 11)

______税務署長殿
To the District Director, ______Tax Office

1 適用を受ける租税条約に関する事項；
Applicable Income Tax Convention
日本国と______との間の租税条約第___条第___項___
The Income Tax Convention between Japan and______, Article___, para.___

2 使用料の支払を受ける者に関する事項；
Details of Recipient of Royalties

氏名又は名称 Full name		
個人番号又は法人番号（有する場合のみ記入） Individual Number or Corporate Number (Limited to case of a holder)		
個人の場合 Individual	住所又は居所 Domicile or residence	（電話番号 Telephone Number）
	国籍 Nationality	
法人その他の団体の場合 Corporation or other entity	本店又は主たる事務所の所在地 Place of head office or main office	（電話番号 Telephone Number）
	設立又は組織された場所 Place where the Corporation was established or organized	
	事業が管理・支配されている場所 Place where the business is managed and controlled	（電話番号 Telephone Number）
下記「4」の使用料につき居住者として課税される国及び納税地（注8） Country where the recipient is taxable as resident on Royalties mentioned in 4 below and the place where he is to pay tax (Note 8)		（納税者番号 Taxpayer Identification Number）
日本国内の恒久的施設の状況 Permanent establishment in Japan □有(Yes), □無(No) If "Yes", explain:	名称 Name	
	所在地 Address	（電話番号 Telephone Number）
	事業の内容 Details of Business	

3 使用料の支払者に関する事項；
Details of Payer of Royalties

氏名又は名称 Full name		
住所（居所）又は本店（主たる事務所）の所在地 Domicile (residence) or Place of head office (main office)		（電話番号 Telephone Number）
個人番号又は法人番号（有する場合のみ記入） Individual Number or Corporate Number (Limited to case of a holder)		
日本国内にある事務所等 Office, etc. located in Japan	名称 Name	（事業の内容 Details of Business）
	所在地 Address	（電話番号 Telephone Number）

4 上記「3」の支払者から支払を受ける使用料で「1」の租税条約の規定の適用を受けるものに関する事項（注9）；
Details of Royalties received from the Payer to which the Convention mentioned in 1 above is applicable (Note 9)

使用料の内容 Description of Royalties	契約の締結年月日 Date of Contract	契約期間 Period of Contract	使用料の計算方法 Method of Computation for Royalties	使用料の支払期日 Due Date for Payment	使用料の金額 Amount of Royalties

5 その他参考となるべき事項（注10）；
Others (Note 10)

【裏面に続きます（Continue on the reverse）】

6　日本の税法上、届出書の「2」の外国法人が納税義務者とされるが、租税条約の規定によりその株主等である者（相手国居住者に限ります。）の所得として取り扱われる部分に対して租税条約の適用を受けることとされている場合の租税条約の適用を受ける割合に関する事項等（注4）；
Details of proportion of income to which the convention mentioned in 1 above is applicable, if the foreign company mentioned in 2 above is taxable as a company under Japanese tax law, and the convention is applicable to income that is treated as income of the member (limited to a resident of the other contracting country) of the foreign company in accordance with the provisions of the convention (Note 4)

届出書の「2」の外国法人の株主等で租税条約の適用を受ける者の氏名又は名称 Name of member of the foreign company mentioned in 2 above, to whom the Convention is applicable	間接保有 Indirect Ownership	持分の割合 Ratio of Ownership	受益の割合＝租税条約の適用を受ける割合 Proportion of benefit = Proportion for Application of Convention
	□	%	%
	□	%	%
	□	%	%
	□	%	%
	□	%	%
合計 Total		%	%

届出書の「2」の欄に記載した外国法人が支払を受ける「4」の使用料について、「1」の租税条約の相手国の法令に基づきその株主等である者の所得として取り扱われる場合には、その根拠法令及びその効力を生じる日を記載してください。
If royalties mentioned in 4 above that a foreign company mentioned in 2 above receives are treated as income of those who are its members under the law in the other contracting country of the convention mentioned in 1 above, enter the law that provides the legal basis to the above treatment and the date on which it will become effective.

根拠法令
Applicable law＿＿＿＿＿＿＿＿＿＿　効力を生じる日　年　月　日
Effective date＿＿＿＿＿＿

7　日本の税法上、届出書の「2」の団体の構成員が納税義務者とされるが、租税条約の規定によりその団体の所得として取り扱われるものに対して租税条約の適用を受けることとされている場合の記載事項等（注5）；
Details if, while the partner of the entity mentioned in 2 above is taxable under Japanese tax law, and the convention is applicable to income that is treated as income of the entity in accordance with the provisions of the convention (Note 5)

他の全ての構成員から通知を受けこの届出書を提出する構成員の氏名又は名称＿＿＿＿＿＿＿＿＿＿
Full name of the partner of the entity who has been notified by all other partners and is to submit this form

届出書の「2」に記載した団体が支払を受ける「4」の使用料について、「1」の租税条約の相手国の法令に基づきその団体の所得として取り扱われる場合には、その根拠法令及びその効力を生じる日を記載してください。
If royalties mentioned in 4 above that an entity at mentioned in 2 above receives are treated as income of the entity under the law in the other contracting country of the convention mentioned in 1 above, enter the law that provides the legal basis to the above treatment and the date on which it will become effective.

根拠法令
Applicable law＿＿＿＿＿＿＿＿＿＿　効力を生じる日　年　月　日
Effective date＿＿＿＿＿＿

○　代理人に関する事項　；　この届出書を代理人によって提出する場合には、次の欄に記載してください。
Details of the Agent　；　If this form is prepared and submitted by the Agent, fill out the following columns.

代理人の資格 Capacity of Agent in Japan	氏名（名称） Full name		納税管理人の届出をした税務署名 Name of the Tax Office where the Tax Agent is registered
□ 納税管理人 ※ Tax Agent □ その他の代理人 Other Agent	住所（居所・所在地） Domicile (Residence or location)	（電話番号 Telephone Number）	税務署 Tax Office

※「納税管理人」とは、日本国の国税に関する申告、申請、請求、届出、納付等の事項を処理させるため、国税通則法の規定により選任し、かつ、日本国における納税地の所轄税務署長に届出をした代理人をいいます。

※"Tax Agent" means a person who is appointed by the taxpayer and is registered at the District Director of Tax Office for the place where the taxpayer is to pay his tax, in order to have such agent take necessary procedures concerning the Japanese national taxes, such as filing a return, applications, claims, payment of taxes, etc., under the provisions of Act on General Rules for National Taxes.

○　適用を受ける租税条約が特典条項を有する租税条約である場合；
If the applicable convention has article of limitation on benefits
特典条項に関する付表の添付　□有Yes
"Attachment Form for Limitation on Benefits Article" attached　□添付省略Attachment not required
（特典条項に関する付表を添付して提出した租税条約に関する届出書の提出日　年　月　日）
Date of previous submission of the application for income tax convention with the "Attachment Form for Limitation on Benefits Article"

様式 15
FORM

租税条約に関する届出書

APPLICATION FORM FOR INCOME TAX CONVENTION

税務署受付印

税務署整理欄
For official use only

適用；有、無

申告対象国内源泉所得に対する所得税又は法人税の軽減・免除
Relief from Japanese Income Tax or Corporation Tax
for Japanese Source Income to report

この届出書の記載に当たっては、別紙の注意事項を参照してください。
See separate instructions.

前回提出年月日：（注６）　年　月　日
Date of Previous Submission（Note６）______

______税務署長殿
To the District Director of ______ Tax Office

1 適用を受ける租税条約に関する事項；
Applicable Income Tax Convention
日本国と______との間の租税条約第____条第____項____
The Income Tax Convention between Japan and ______, Article ____, para.____

□ 限度税率____%
Applicable Tax Rate
□ 免除
Exemption

2 申告対象国内源泉所得を有する者に関する事項；
Details of Recipient of Japanese Source Income to Report

氏名又は名称 Full name		
個人の場合 Individual	住所又は居所 Domicile or residence	（電話番号 Telephone Number）
	国籍 Nationality	
法人その他の団体の場合（注４） Corporation or other entity（Note４）	本店又は主たる事務所の所在地 Place of head office or main office	（電話番号 Telephone Number）
	設立又は組織された場所 Place where the Corporation was established or organized	
	事業が管理・支配されている場所 Place where the business is managed or controlled	（電話番号 Telephone Number）
居住者として課税される国及び納税地（注９） Country where the recipient is taxable as resident on the income, and the place where he is to pay tax (Note 9)		（納税者番号 Taxpayer Identification Number）
日本において事業を行っている場合、その事業の概要 Description of business in Japan, if any		
日本において所得税又は法人税の申告書を提出している場合、その納税地 Place where he is to pay tax in Japan, if tax return is filed in Japan		（電話番号 Telephone Number）

3 申告対象国内源泉所得のうち「１」の租税条約の規定の適用を受けるもの（条約適用所得）に関する事項（注 10）;
Details of Japanese Source Income to report to which the Convention mentioned in 1 above is applicable(Applicable Income) (Note10)

条約適用所得の種類及びその概要 Type and Description of applicable Income	____税法第____条第____号に規定する国内源泉所得 Japanese Source Income prescribed in Subparagraph____of Article____of______Tax Law ( )
	____税法第____条第____号に規定する国内源泉所得 Japanese Source Income prescribed in Subparagraph____of Article____of______Tax Law ( )
	____税法第____条第____号に規定する国内源泉所得 Japanese Source Income prescribed in Subparagraph____of Article____of______Tax Law ( )

4 「１」の租税条約の規定の適用を受ける条約適用所得の支払者に関する事項（注 11）;
Details of Payer of Applicable Income to which the Convention mentioned in 1 above is applicable (Note11)

所得の種類 Type of Income	氏名又は名称 Full name	住所（居所）又は本店（主たる事務所）の所在地 Domicile（residence）or place of head office（main office）
		（電話番号 Telephone Number）
		（電話番号 Telephone Number）
		（電話番号 Telephone Number）

5 その他参考となるべき事項（注 12）；
Others（Note12）

6　「2」の外国法人の株主等である者の所得として取り扱われる部分に対して「1」の租税条約の規定が適用される場合の記載事項（注13）；
Details of Members of Foreign Company etc. If the Convention mentioned in 1 above is applicable to Part of Income treated as Income of Members of Foreign Company mentioned in 2 above (Note 13)

(1)　「1」の租税条約の相手国の法令に関する事項（注14）；
Law in the other contracting country of the convention mentioned in 1 above (Note 14)
(＿＿＿＿＿＿＿＿ : ＿＿＿＿＿＿第＿＿条第＿＿項)
(＿＿＿＿＿＿＿＿ : ＿＿＿＿＿＿, Article ＿＿＿, para.＿＿)

(2)　外国法人の株主等である者の各人別の申告対象株主等所得の金額に関する事項（注15）；
Amount of Japanese Source Income to report of respective Members (Note 15)

外国法人の株主等の氏名又は名称 Full Name of Member of Foreign Company	申告対象株主等所得の金額 (a) Amount of Japanese Source Income to report	軽減又は免除を受ける金額 (b) Amount applicable to the Relief of Convention	差引金額 (a)−(b) Balance
	(　%)		――
	(　%)		――
	(　%)		――
「1」の租税条約の規定の適用を受けない申告対象株主等所得に係る外国法人の株主等 Amount not applicable to the Relief of Convention mentioned in 1 above	(　%)	――	
合　計 Total	(100.0%)		

7　「2」の非居住者又は外国法人が構成員となっている相手国団体の所得として取り扱われる部分に対して「1」の租税条約の規定が適用される場合の記載事項（注16）；
Details of Entity etc., if the Convention mentioned in 1 above is applicable to Part of Income treated as Income of the Entity of which Non-resident or Foreign Corporation mentioned in 2 above is a Member (Note 16)

(1)　「1」の租税条約の相手国の法令に関する事項（注17）；
Law in the other contracting country of the convention mentioned in 1 above (Note 17)
(＿＿＿＿＿＿＿＿ : ＿＿＿＿＿＿第＿＿条第＿＿項)
(＿＿＿＿＿＿＿＿ : ＿＿＿＿＿＿, Article ＿＿＿, para.＿＿)

(2)　相手国団体に関する事項；
Entity in the other contracting country

団体の名称 Name of entity	
本店又は主たる事務所の所在地 Place of head office or main office	(電話番号 Telephone Number)
設立又は組織された場所 Place where entity was established or organized	
事業が管理・支配されている場所 Place where business is managed or controlled	(電話番号 Telephone Number)
申告対象相手国団体所得の金額 Amount of income of the entity to report	

私は、この届出書の「3」に記載した申告対象国内源泉所得（「6」の(2)に記載した申告対象株主等所得又は「7」の(2)に記載した申告対象相手国団体所得）が「1」に掲げる租税条約の規定の適用を受けるものであることを、「租税条約の実施に伴う所得税法、法人税法及び地方税法の特例等に関する法律の施行に関する省令」の規定により届け出るとともに、この届出書及び付表の記載事項が正確かつ完全であることを宣言します。

年　月　日
Date＿＿＿＿＿＿＿＿

In accordance with the provisions of the Ministerial Ordinance for the Implementation of the Law concerning the Special Measures of the Income Tax Law, the Corporation Tax Law and the Local Tax Law for the Enforcement of Income Tax Conventions, I hereby submit this application form under the belief that the provisions of the Income Tax Convention mentioned in 1 above are applicable to the Japanese source income to report mentioned in 3 above (Japanese source income of members to report in 6(2) above or Japanese source income of entity to report in 7(2) above). I also hereby declare that the above statement is correct and complete to the best of my knowledge and belief.

申告対象国内源泉所得を有する者の署名
Signature of the Recipient of Japanese Source Income to report ＿＿＿＿＿＿＿＿

○　代理人に関する事項；この届出書を代理人によって提出する場合には、次の欄に記載してください。
Details of Agent ; If this form is prepared and submitted by the Agent, fill out the following columns

代理人の資格 Capacity of Agent in Japan	氏名（名称） Full name		納税管理人の届出をした税務署名 Name of the Tax Office where the Tax Agent is registered
□ 納税管理人 ※ Tax Agent □ その他の代理人 Other Agent	住所（居所・所在地） Domicile (Residence or location)	(電話番号 Telephone Number)	税務署 Tax Office

※　「納税管理人」とは、日本国の国税に関する申告、申請、請求、届出、納付等の事項を処理させるため、国税通則法の規定により選任し、かつ、日本国における納税地の所轄税務署長に届出をした代理人をいいます。

※　"Tax Agent" means a person who is appointed by the taxpayer and is registered at the District Director of Tax Office for the place where the taxpayer is to pay his tax, in order to have such agent take necessary procedures concerning the Japanese national taxes, such as filing a return, applications, claims, payment of taxes, etc., under the provisions of the General Law for National Taxes.

様式 16
FORM

外国法人の株主等の名簿　兼　相手国団体の構成員の名簿

LIST OF THE MEMBERS OF FOREIGN COMPANY OR LIST OF THE PARTNERS OF ENTITY

この届出書の記載に当たっては、末尾注意事項を参照してください。
See instructions at the end.

氏名又は名称 Full name		
個人の場合 Individual	住所又は居所 Domicile or residence	(電話番号 Telephone Number)
	国籍 Nationality	
法人その他の団体の場合 Corporation or other entity	本店又は主たる事務所の所在地 Place of head office or main office	(電話番号 Telephone Number)
	設立又は組織された場所 Place where the Corporation was established or organized	
	事業が管理・支配されている場所 Place where the business is managed or controlled	(電話番号 Telephone Number)
居住者として課税される国、納税地(注) Country where the recipient is taxable as resident and the place where he is to pay tax (Note)		(納税者番号 Taxpayer Identification Number)
氏名又は名称 Full name		
個人の場合 Individual	住所又は居所 Domicile or residence	(電話番号 Telephone Number)
	国籍 Nationality	
法人その他の団体の場合 Corporation or other entity	本店又は主たる事務所の所在地 Place of head office or main office	(電話番号 Telephone Number)
	設立又は組織された場所 Place where the Corporation was established or organized	
	事業が管理・支配されている場所 Place where the business is managed or controlled	(電話番号 Telephone Number)
居住者として課税される国、納税地(注) Country where the recipient is taxable as resident and the place where he is to pay tax (Note)		(納税者番号 Taxpayer Identification Number)
氏名又は名称 Full name		
個人の場合 Individual	住所又は居所 Domicile or residence	(電話番号 Telephone Number)
	国籍 Nationality	
法人その他の団体の場合 Corporation or other entity	本店又は主たる事務所の所在地 Place of head office or main office	(電話番号 Telephone Number)
	設立又は組織された場所 Place where the Corporation was established or organized	
	事業が管理・支配されている場所 Place where the business is managed or controlled	(電話番号 Telephone Number)
居住者として課税される国、納税地(注) Country where the recipient is taxable as resident and the place where he is to pay tax (Note)		(納税者番号 Taxpayer Identification Number)

注意事項

名簿の記載について

納税者番号とは、租税の申告、納付その他の手続を行うために用いる番号、記号その他の符号でその手続をすべき者を特定することができるものをいいます。支払を受ける者が納税者番号を有しない場合や支払を受ける者の居住地である国に納税者番号に関する制度が存在しない場合には納税者番号を記載する必要はありません。

INSTRUCTIONS

Completion of the LIST

The Taxpayer Identification Number is a number, code or symbol which is used for filing of return and payment of due amount and other procedures regarding tax, and which identifies a person who must take such procedures. If a system of Taxpayer Identification Number does not exist in the country where the recipient resides, or if the recipient of the payment does not have a Taxpayer Identification Number, it is not necessary to enter the Taxpayer Identification Number.

様式 17-米
FORM

特典条項に関する付表(米)

ATTACHMENT FORM FOR LIMITATION ON BENEFITS ARTICLE (US)

記載に当たっては、別紙の注意事項を参照してください。
See separate instructions.

1 適用を受ける租税条約の特典条項に関する事項;
Limitation on Benefits Article of applicable Income Tax Convention
日本国とアメリカ合衆国との間の租税条約第22条
The Income Tax Convention between Japan and The United States of America, Article 22

2 この付表に記載される者の氏名又は名称;
Full name of Resident regarding this attachment Form

	居住地国の権限ある当局が発行した居住者証明書を添付してください Attach Residency Certification issued by Competent Authority of Country of residence.

3 租税条約の特典条項の要件に関する事項;
AからCの順番に各項目の「□該当」又は「□非該当」の該当する項目に✓印を付してください。いずれかの項目に「該当」する場合には、それ以降の項目に記入する必要はありません。なお、該当する項目については、各項目ごとの要件に関する事項を記入の上、必要な書類を添付してください。
In order of sections A, B and C , check applicable box "Yes" or "No" in each line. If you check any box of "Yes", in section A to C, you need not fill the lines that follow. Applicable lines must be filled and necessary document must be attached.

A

(1) 個人 Individual □該当 Yes , □非該当 No

(2) 国、地方政府若しくは地方公共団体、中央銀行 □該当 Yes , □非該当 No
Contracting Country, any Political Subdivision or Local Authority, Central Bank

(3) 公開会社(注6) Publicly Traded Company (Note 6) □該当 Yes , □非該当 No
(公開会社には、下表のC欄が6%未満である会社を含みません。)(注7)
("Publicly traded Company" does not include a Company for which the Figure in Column C below is less than 6%.)(Note 7)

株式の種類 Kind of Share	公認の有価証券市場の名称 Recognized Stock Exchange	シンボル又は証券コード Ticker Symbol or Security Code	発行済株式の総数の平均 Average Number of Shares outstanding	有価証券市場で取引された株式の数 Number of Shares traded on Recognized Stock Exchange	B/A(%)
			A	B	C %

(4) 公開会社の関連会社 Subsidiary of Publicly Traded Company □該当 Yes , □非該当 No
(発行済株式の総数(______株)の 50%以上が上記(3)の公開会社に該当する5以下の法人により直接又は間接に所有されているものに限ります。)(注8)。
("Subsidiary of Publicly Traded Company" is limited to a company at least 50% of whose shares outstanding (______shares) are owned directly or indirectly by 5 or fewer "Publicly Traded Companies" as defined in (3) above.)(Note 8)
___年___月___日現在の株主の状況 State of Shareholders as of (date)___/___/___

株主の名称 Name of Shareholder	居住地国における納税地 Place where Shareholder is taxable in Country of residence	公認の有価証券市場 Recognized Stock Exchange	シンボル又は証券コード Ticker Symbol or Security Code	間接保有 Indirect Ownership	所有株式数 Number of Shares owned
1				□	
2				□	
3				□	
4				□	
5				□	
合計 Total (持株割合 Ratio (%) of Shares owned)					(%)

(5) 公益団体(注9) Public Service Organization (Note 9) □該当 Yes , □非該当 No
設立の根拠法令 Law for Establishment ______ 設立の目的 Purpose of Establishment ______

(6) 年金基金(注10) Pension Fund (Note 10) □該当 Yes , □非該当 No
(直前の課税年度の終了の日においてその受益者、構成員又は参加者の 50%を超える者が日本又は「1」の租税条約の相手国の居住者である個人であるものに限ります。受益者等の50%以上が、両締約国の居住者である事情を記入してください。)
"Pension Fund" is limited to one more than 50% of whose beneficiaries, members, or participants were individual residents of Japan or the other contracting country of the convention mentioned in 1 above as of the end of the prior taxable year. Provide below details showing that more than 50% of beneficiaries etc. are individual residents of either contracting country.

設立等の根拠法令 Law for Establishment ______ 非課税の根拠法令 Law for Tax Exemption ______

Aのいずれにも該当しない場合は、Bに進んでください。If none of the lines in A applies, proceed to B.

B

次の(a)及び(b)の要件のいずれも満たす個人以外の者 Person other than an Individual, and satisfying both (a) and (b) below　□該当 Yes，□非該当 No

(a) 株式や受益に関する持分(　　　　　)の 50%以上が、Aの(1)、(2)、(3)、(5)及び(6)に該当する日本又は「1」の租税条約の相手国の居住者により直接又は間接に所有されていること(注 11)
Residents of Japan or the other contracting Country of the Convention mentioned in 1 above who fall under (1),(2),(3),(5) or (6) of A own directly or indirectly at least 50% of Shares or other beneficial Interests (　　　　　) in the Person. (Note 11)
　年　月　日現在の株主の状況 State of Shareholders as of (date)　　/　　/

株主等の氏名又は名称 Name of Shareholders	居住地国における納税地 Place where Shareholders is taxable in Country of residence	Aの番号 Number of applicable Line in A	間接所有 Indirect Ownership	株主等の持分 Number of Shares owned
			□	
			□	
			□	
合　計 Total (持分割合 Ratio(%) of Shares owned)				(　%)

(b) 総所得のうち、課税所得の計算上控除される支出により、日本又は「1」の租税条約の相手国の居住者に該当しない者（以下「第三国居住者」といいます。）に対し直接又は間接に支払われる金額が、50%未満であること(注 12)
Less than 50% of the person's gross income is paid or accrued directly or indirectly to persons who are not residents of Japan or the other contracting country of the convention mentioned in 1 above ("third country residents") in the form of payments that are deductible in computing taxable income in country of residence (Note 12)
第三国居住者に対する支払割合　Ratio of Payment to Third Country Residents　(通貨 Currency:　　　　)

	申告 Tax Return	源泉所得税 Withholding Tax		
	当該課税年度 Taxable Year	前々々課税年度 Taxable Year three Years prior	前々課税年度 Taxable Year two Years prior	前課税年度 Prior taxable Year
第三国居住者に対する支払 Payment to third Country Residents	A			
総所得 Gross Income	B			
A/B (%)	C　%	%	%	%

Bに該当しない場合は、Cに進んでください。If B does not apply, proceed to C.

C

次の(a)から(c)の要件をすべて満たす者 Resident satisfying all of the following Conditions from (a) through (c)　□該当 Yes，□非該当 No
居住地国において従事している営業又は事業の活動の概要(注 13)；Description of trade or business in residence country (Note 13)

(a) 居住地国において従事している営業又は事業の活動が、自己の勘定のために投資を行い又は管理する活動（商業銀行、保険会社又は登録を受けた証券会社が行う銀行業、保険業又は証券業の活動を除きます。）ではないこと(注 14)：　□はい Yes，□いいえ No
Trade or business in country of residence is other than that of making or managing investments for the resident's own account (unless these activities are banking, insurance or securities activities carried on by a commercial bank, insurance company or registered securities dealer) (Note 14)　□はい Yes，□いいえ No

(b) 所得が居住地国において従事している営業又は事業の活動に関連又は付随して取得されるものであること(注 15)：
Income is derived in connection with or is incidental to that trade or business in country of residence (Note 15)

(c) （日本国内において営業又は事業の活動から所得を取得する場合）居住地国において行う営業又は事業の活動が日本国内において行う営業又は事業の活動との関係で実質的なものであること(注 16)：　□はい Yes，□いいえ No
(If you derive income from a trade or business activity in Japan) Trade or business activity conducted in the country of residence is substantial in relation to the trade or business activity conducted in Japan. (Note 16)

日本国内において従事している営業又は事業の活動の概要；Description of Trade or Business in Japan.

D　国税庁長官の認定；
Determination by the NTA Commissioner
国税庁長官の認定を受けている場合は、以下にその内容を記載してください。その認定の範囲内で租税条約の特典を受けることができます。なお、上記AからCまでのいずれかに該当する場合には、権限ある当局の認定は不要です。
If you have been a determination by the NTA Commissioner, describe below the determination. Convention benefits will be granted to the extent of the determination. If any of A through C above applies, determination by the NTA Commissioner is not necessary.

・認定を受けた日　Date of determination　＿＿年＿＿月＿＿日

・認定を受けた所得の種類
Type of income for which determination was given＿＿＿＿＿＿＿＿＿＿

様 式 17-英
FORM

特典条項に関する付表（英）

ATTACHMENT FORM FOR LIMITATION ON BENEFITS ARTICLE (UK)

記載に当たっては、別紙の注意事項を参照してください。
See separate instructions.

1 適用を受ける租税条約の特典条項に関する事項；
Limitation on Benefits Article of applicable Income Tax Convention
日本国とグレートブリテン及び北アイルランド連合王国との間の租税条約第 22 条
The Income Tax Convention between Japan and The United Kingdom of Great Britain and Northern Ireland, Article 22

2 この付表に記載される者の氏名又は名称；
Full name of Resident

	居住地国の権限ある当局が発行した居住者証明書を添付してください（注５）。 Please Attach Residency Certification issued by Competent Authority of Country of residence. (Note5)

3 租税条約の特典条項の要件に関する事項；
AからCの順番に各項目の「□該当」又は「□非該当」の該当する項目に✓印を付してください。いずれかの項目に「該当」する場合には、それ以降の項目に記入する必要はありません。なお、該当する項目については、各項目ごとの要件に関する事項を記入の上、必要な書類を添付してください。
In order of sections A, B and C, check the applicable box in each line as "Yes" or "No". If you check any box as "Yes" in sections A to C, you need not fill in the lines that follow. Only the applicable lines need to be filled in and any necessary documents must be attached.

A

(1) 個人 Individual □該当 Yes , □非該当 No

(2) 適格政府機関（注７） Qualified Governmental Entity (Note7) □該当 Yes , □非該当 No

(3) 公開会社又は公開信託財産（注８） Publicly Traded Company, Publicly Traded Trust (Note8) □該当 Yes , □非該当 No

主たる種類の株式又は持分証券の別 Principal class of Shares/Units	公認の有価証券市場の名称 Recognized Stock Exchange	シンボル又は証券コード Ticker Symbol or Security Code
□株式 Shares　□持分証券 Units		

(4) 年金基金又は年金計画（注９） Pension Fund, Pension Scheme (Note9) □該当 Yes , □非該当 No

直前の課税年度又は賦課年度の終了の日においてその受益者、構成員又は参加者の 50%超が日本又はグレートブリテン及び北アイルランド連合王国（以下「英国」といいます。）の居住者である個人であるものに限ります。受益者等の 50%超がいずれかの締約国の居住者である事情を記入してください。
The "Pension Fund" or "Pension Scheme" is limited to those where more than 50% of beneficiaries, members or participants were individual residents of Japan or the United Kingdom as of the end of the prior taxable year or chargeable period. Please provide details below showing that more than 50% of beneficiaries et al. are individual residents of either Japan or the United Kingdom.

設立等の根拠法令 Law for Establishment　　非課税の根拠法令 Law for Tax Exemption

(5) 公益団体（注 10） Public Service Organization (Note10) □該当 Yes , □非該当 No
設立等の根拠法令 Law for Establishment　設立の目的 Purpose of Establishment　非課税の根拠法令 Law for Tax Exemption

Aのいずれにも該当しない場合は、Bに進んでください。If none of the lines in A are applicable, please proceed to B.

B

(1) 個人以外の者又は信託財産若しくは信託財産の受託者
Person other than an Individual, Trust or Trustee of a Trust □該当 Yes , □非該当 No
「個人以外の者」の場合、Aの(1)から(5)までの者である日本又は英国の居住者が、議決権の 50%以上に相当する株式その他の受益持分を直接又は間接に所有するものに限ります。また、「信託財産若しくは信託財産の受託者」の場合、日本若しくは英国の居住者であるAの(1)から(5)までの者又はB(2)(a)の「同等受益者」が、その信託財産の受益持分の 50%以上を直接又は間接に所有するものに限ります。（注 11）
The "Person other than an Individual" is limited to the person, where residents of Japan or the United Kingdom who fall under (1),(2),(3),(4) or (5) of A own, either directly or indirectly, shares or other beneficial interests representing at least 50% of the voting power of the person. The "Trust or Trustee of a Trust" is limited to the person, where residents of Japan or the United Kingdom who fall under (1),(2),(3),(4) or (5) of A or "equivalent beneficiaries" of B(2)(a) own, either directly or indirectly, at least 50% of the beneficial interest.(Note11)
年 月 日現在の株主等の状況 State of Shareholders, etc. as of (date) / /

株主等の氏名又は名称 Name of Shareholder(s)	居住地国における納税地 Place where Shareholder(s) is taxable in Country of residence	Aの番号又は同等受益者 Number in A, or equivalent beneficiaries	間接保有 Indirect Ownership	株主等の持分 Number of Shares owned
			□	
			□	
			□	
合 計 Total (持分割合 Ratio (%) of Shares owned)				(%)

B

(2) 英国の居住者である法人 □該当 Yes，□非該当 No
Company that is a resident of the United Kingdom
次の(a)又は(b)の要件を満たす7以下の者（「同等受益者」といいます。）が、その法人の議決権の 75%以上に相当する株式を直接又は間接に保有する場合に限ります。「同等受益者」に関する事情を記入してください。（注 12）
(a) 日本との間に租税条約を有している国の居住者であって、次の(aa)から(cc)までの要件を満たすもの
(aa) その租税条約が実効的な情報交換に関する規定を有すること
(bb) その租税条約において、その居住者が特典条項における適格者に該当すること（その租税条約が特典条項を有しない場合には、その条約に日本国とグレートブリテン及び北アイルランド連合王国との間の租税条約（以下「日英租税条約」といいます。）の特典条項が含まれているとしたならばその居住者が適格者に該当するであろうとみられること）
(cc) 日英租税条約第 10 条 3、第 11 条 1、第 12 条、第 13 条又は第 21 条に定める所得、利得又は収益に関し、その居住者が日英租税条約の特典が要求されるこれらの規定に定める種類の所得、利得又は収益についてその租税条約の適用を受けたとしたならば、日英租税条約に規定する税率以下の税率の適用を受けるであろうとみられること
(b) Aの(1)から(5)までの者
The company is limited to those where shares representing at least 75% of the voting power of the company are owned, either directly or indirectly, by seven or fewer persons who meet requirement (a) or (b) (“equivalent beneficiaries”). Please provide details below regarding equivalent beneficiaries. (Note12)
(a) The resident of a country that has a convention for avoidance of double taxation between that country and Japan, and meets the following requirements from (aa) through to (cc)
(aa) that convention contains provisions for effective exchange of information
(bb) that resident is a qualified person under the limitation on benefits provisions in that convention (where there are no such provisions in that convention, would be a qualified person when that convention is read as including provisions corresponding to the limitation on the benefits provisions of the Japan-UK Income Tax Convention)
(cc) with respect to an item of income, profit or gain referred to in paragraph 3 of Article 10 or paragraph 1 of Article 11; or in Article 12, 13 or 21 of the Japan-UK Income Tax Convention that resident would be entitled under that convention to a rate of tax with respect to the particular class of income, profit or gain for which the benefits are being claimed under the Japan-UK Income Tax Convention that is at least as low as the rate applicable under the Japan-UK Income Tax Convention
(b) Person who falls under (1), (2), (3), (4), or (5) of A

株主の氏名又は名称 Name of Shareholders	居住地国における納税地 Place where Shareholder is taxable in Country of residence	(a)の場合 (a)			(b)の場合 (b)	株主等の持分 Number of Shares owned
		(aa)を満たすか Requirement (aa)	(bb)を満たすか Requirement (bb)	(cc)を満たすか Requirement (cc)	Aの番号 Number in A	
		□はい Yes，□いいえ No	□はい Yes，□いいえ No	□はい Yes，□いいえ No		
		□はい Yes，□いいえ No	□はい Yes，□いいえ No	□はい Yes，□いいえ No		
		□はい Yes，□いいえ No	□はい Yes，□いいえ No	□はい Yes，□いいえ No		
		□はい Yes，□いいえ No	□はい Yes，□いいえ No	□はい Yes，□いいえ No		
		□はい Yes，□いいえ No	□はい Yes，□いいえ No	□はい Yes，□いいえ No		
		□はい Yes，□いいえ No	□はい Yes，□いいえ No	□はい Yes，□いいえ No		
		□はい Yes，□いいえ No	□はい Yes，□いいえ No	□はい Yes，□いいえ No		
合計 Total (持分割合 Ratio(%) of Shares owned)						(%)

Bに該当しない場合は、Cに進んでください。If B does not apply, proceed to C.

C

次の(a)から(c)の要件をすべて満たす者 Resident satisfying all of the following Conditions from (a) through to (c) □該当 Yes，□非該当 No
居住地国において行う事業の概要(注 13)；Description of business in the country of residence (Note13)

(a) 居住地国において行う事業が、自己の勘定のために投資を行い又は管理するもの（銀行、保険会社又は証券会社が行う銀行業、保険業又は証券業を除きます。）ではないこと（注 14）： □はい Yes，□いいえ No
The business in the country of residence is other than that of making or managing investments for the resident’s own account (unless the business is banking, insurance or a securities business carried on by a bank, insurance company or securities dealer) (Note14)
(b) 所得等が居住地国において行う事業に関連又は付随して取得されるものであること（注 15）： □はい Yes，□いいえ No
An item of income, profit or gain is derived in connection with or is incidental to that business in the country of residence (Note15)
(c) （日本国内において行う事業から所得等を取得する場合）居住地国において行う事業が日本国内において行う事業との関係で実質的なものであること（注 16）： □はい Yes，□いいえ No
(If you derive an item of income, profit or gain from a business in Japan) The business conducted in the country of residence is substantial in relation to the business conducted in Japan. (Note 16)

日本国内において行う事業の概要；Description of Business in Japan.

D　国税庁長官の認定；
Determination by the NTA Commissioner

国税庁長官の認定を受けている場合は、以下にその内容を記載してください。その認定の範囲内で租税条約の特典を受けることができます。なお、上記AからCまでのいずれかに該当する場合には、国税庁長官の認定は不要です。

If you have received authorization from the NTA Commissioner, please describe below the nature of the authorization. The convention benefits will be granted within the range of the authorization. If any of A through to C above is applicable, then authorization from the NTA Commissioner is not necessary.

・認定を受けた日　Date of authorization ＿＿＿＿年＿＿＿＿月＿＿＿＿日

・認定を受けた所得の種類
Type of income for which the authorization was received＿＿＿＿＿＿＿＿＿＿＿＿＿＿＿＿

様式 17-仏
FORM

特典条項に関する付表（仏）

ATTACHMENT FORM FOR LIMITATION ON BENEFITS ARTICLE (FRANCE)

記載に当たっては、別紙の注意事項を参照してください。
See separate instructions.

1 適用を受ける租税条約の特典条項に関する事項；
Limitation on Benefits Article of applicable Income Tax Convention
日本国政府とフランス共和国政府との間の租税条約（該当する条項に✓印を付してください。）
The Income Tax Convention between the Government of Japan and the Government of the French Republic,
(Check the applicable box)
□第22条のA または、 Article 22A, or
□議定書6A(年金基金が租税の免除を受ける場合) Paragraph 6A of protocol (Where a pension fund is exempt from tax)

2 この付表に記載される者の氏名又は名称；
Full name of Resident

	居住地国の権限ある当局が発行した居住者証明書を添付してください（注5）。 Please Attach Residency Certification issued by Competent Authority of Country of residence. (Note5)

3 租税条約の特典条項の要件に関する事項；
AからCの順番に（年金基金の場合はDに）、各項目の「□該当」又は「□非該当」の該当する項目に✓印を付してください。いずれかの項目に「該当」する場合には、それ以降の項目に記入する必要はありません。なお、該当する項目については、各項目ごとの要件に関する事項を記入の上、必要な書類を添付して下さい。
In order of sections A, B and C (in D for a pension fund), check the applicable box in each line as "Yes" or "No". If you check any box as "Yes" in sections A to C, you need not fill in the lines that follow. Only the applicable lines need to be filled in and any necessary documents must be attached.

A

(1) 個人 Individual □該当 Yes, □非該当 No

(2) 適格政府機関（注7） Qualified Governmental Entity (Note7) □該当 Yes, □非該当 No

(3) 公開会社（注8） Publicly Traded Company (Note8) □該当 Yes, □非該当 No

公認の有価証券市場の名称 Recognized Stock Exchange	シンボル又は証券コード Ticker Symbol or Security Code

Aのいずれにも該当しない場合は、Bに進んでください。If none of the lines in A are applicable, please proceed to B.

B

(1) 個人以外の者
Person other than an Individual □該当 Yes, □非該当 No
「個人以外の者」の場合、日本又は「1」の租税条約の相手国の居住者であるAの(1)から(3)までの者が、発行済株式その他の受益に関する持分の50%以上に相当する株式その他の受益に関する持分又は議決権の50%以上に相当する株式その他の受益に関する持分を直接又は間接に所有するものに限ります。
The "Person other than an Individual" refers to residents of Japan or other contracting countries of the convention mentioned in 1 above who fall under (1),(2) or (3) of A and own either directly or indirectly shares or other beneficial interests representing at least 50% of the capital or of the voting power of the person.
年 月 日現在の株主等の状況 State of Shareholders, etc. as of (date) ____/____/____

株主等の氏名又は名称 Name of Shareholder(s)	居住地国における納税地 Place where Shareholder(s) is taxable in Country of residence	Aの番号 Line A number	間接保有 Indirect Ownership	株主等の持分 Number of Shares owned
			□	
			□	
			□	
			□	
			□	
合計 Total（持分割合 Ratio (%) of Shares owned)				(%)

B

(2) 「１」の租税条約の相手国の居住者である法人 □該当 Yes，□非該当 No

Company that is a resident of the other contracting country of the convention mentioned in 1

次の(a)又は(b)の要件を満たす７以下の者（「同等受益者」といいます。）が、その法人の発行済株式又は議決権の75％以上に相当する株式を直接又は間接に保有する場合に限ります。「同等受益者」に関する事情を記入してください。（注10）

(a) 日本との間に租税条約を有している国の居住者であって、次の(aa)から(cc)までの要件を満たすもの

(aa) その租税条約が実効的な情報交換に関する規定を有すること

(bb) その租税条約において、その居住者が特典条項における適格者に該当すること（その租税条約が特典条項を有しない場合には、その条約に「１」の租税条約の特典条項が含まれているとしたならばその居住者が適格者に該当するであろうとみられること）

(cc) その租税条約に規定する税率その他の要件が、「１」の租税条約の税率その他の要件よりも制限的でないこと（注11）

(b) Aの(1)から(3)までの者

The company is limited to those whose shares representing at least 75% of the capital or of the voting power of the company are owned, either directly or indirectly, by seven or fewer persons who meet requirement (a) or (b) ("equivalent beneficiaries"). Please provide details below regarding equivalent beneficiaries. (Note10)

(a) The resident of a country that has a convention for avoidance of double taxation between that country and Japan, and meets the following requirements from (aa) through to (cc)

(aa) that convention contains provisions for effective exchange of information

(bb) that resident is a qualified person under the limitation on benefits provisions in that convention (where there are no such provisions in that convention, would be a qualified person when that convention is read as including provisions corresponding to the limitation on the benefits provisions of the convention mentioned in 1)

(cc) The rate or other conditions under that convention are no less restrictive than those in the convention mentioned in 1 (Note11)

(b) Person listed in (1) through to (3) in Line A

株主の氏名又は名称 Name of Shareholders	居住地国における納税地 Place where Shareholder is taxable in Country of residence	(a)の場合 (a)			(b)の場合 (b)	株主等の持分 Number of Shares owned
		(aa)を満たすか Requirement (aa)	(bb)を満たすか Requirement (bb)	(cc)を満たすか Requirement (cc)	Aの番号 Line A number	
		□はい Yes，□いいえ No	□はい Yes，□いいえ No	□はい Yes，□いいえ No		
		□はい Yes，□いいえ No	□はい Yes，□いいえ No	□はい Yes，□いいえ No		
		□はい Yes，□いいえ No	□はい Yes，□いいえ No	□はい Yes，□いいえ No		
		□はい Yes，□いいえ No	□はい Yes，□いいえ No	□はい Yes，□いいえ No		
		□はい Yes，□いいえ No	□はい Yes，□いいえ No	□はい Yes，□いいえ No		
		□はい Yes，□いいえ No	□はい Yes，□いいえ No	□はい Yes，□いいえ No		
		□はい Yes，□いいえ No	□はい Yes，□いいえ No	□はい Yes，□いいえ No		
合計 Total（持分割合 Ratio(%) of Shares owned）					(%)	

Bに該当しない場合は、Cに進んでください。If B does not apply, proceed to C.

C

次の(a)から(c)の要件をすべて満たす者 Resident satisfying all of the following Conditions from (a) through (c) □該当 Yes，□非該当 No

居住地国において従事している事業の概要（注12）; Description of business in residence country (Note12)

(a) 居住地国において従事している事業が、自己の勘定のために投資を行い又は管理するもの（銀行、保険会社又は証券会社が行う銀行業、保険業又は証券業を除きます。）ではないこと（注13）： □はい Yes，□いいえ No

The business in the country of residence is other than that of making or managing investments for the resident's own account (unless the business is banking, insurance or a securities business carried on by a bank, insurance company or securities dealer) (Note13)

(b) 所得等が居住地国において従事している事業に関連し又は付随して取得されるものであること（注14）： □はい Yes，□いいえ No

An item of income, profit or gain is derived in connection with or is incidental to that business in the country of residence (Note14)

(c) （日本国内において行う事業から所得を取得する場合）居住地国において行う事業が日本国内において行う事業との関係で実質的なものであること（注15）： □はい Yes，□いいえ No

(If you derive an item of income from a business in Japan) The business conducted in the country of residence is substantial in relation to the business conducted in Japan. (Note15)

日本国内において従事している事業の概要；Description of Business in Japan.

D

年金基金
Pension Fund

□該当 Yes，□非該当 No

直前の課税年度又は賦課年度の終了の日においてその受益者、構成員又は参加者の50%を超えるものが日本又は「1」の租税条約の相手国の居住者である個人であるものに限ります。受益者等の50%以上が、両締約国の居住者である事情を記入してください。
The "Pension Fund" is limited to those where over 50% of beneficiaries, members or participants were individual residents of Japan or the other contracting country of the convention mentioned in 1 above as of the end of the prior taxable year or chargeable period. Please provide details below showing that more than 50% of beneficiaries etc. are individual residents of either contracting countries.

設立等の根拠法令 Law for Establishment

非課税の根拠法令 Law for Tax Exemption

E 国税庁長官の認定；
Determination by the NTA Commissioner

国税庁長官の認定を受けている場合は、以下にその内容を記載してください。その認定の範囲内で租税条約の特典を受けることができます。なお、上記AからDまでのいずれかに該当する場合には、国税庁長官の認定は不要です。
If you have received authorization from the NTA Commissioner, please describe below the nature of the authorization. The convention benefits will be granted within the range of the authorization. If any of the above mentioned Lines A through to D above are applicable, then authorization from the NTA Commissioner is not necessary.

・認定を受けた日 Date of authorization ____年____月____日

・認定を受けた所得の種類
Type of income for which the authorization was received ____________

様 式 17-独
FORM

特典条項に関する付表(独)

ATTACHMENT FORM FOR LIMITATION ON BENEFITS (ENTITLEMENT TO BENEFITS) ARTICLE (FRG)

記載に当たっては、別紙の注意事項を参照してください。
See separate instructions.

1 適用を受ける租税協定の特典条項に関する事項；
Limitation on Benefits Article of applicable Income Tax Agreement
日本国とドイツ連邦共和国との間の租税協定第21条第1項から第7項
The Income Tax Agreement between Japan and Federal Republic of Germany, paragraph 1 to paragraph 7 of Article 21

2 この付表に記載される者の氏名又は名称；
Full name of Resident

	居住地国の権限ある当局が発行した居住者証明書を添付してください(注5)。 Please Attach Residency Certification issued by Competent Authority of Country of residence. (Note5)

3 租税協定の特典条項の要件に関する事項；
AからCの順番に各項目の「□該当」又は「□非該当」の該当する項目に✓印を付してください。いずれかの項目に「該当」する場合には、それ以降の項目に記入する必要はありません。なお、該当する項目については、各項目ごとの要件に関する事項を記入の上、必要な書類を添付してください。
In order of sections A, B and C , check the applicable box in each line as "Yes" or "No". If you check any box as "Yes" in sections A to C, you need not fill in the lines that follow. Only the applicable lines need to be filled in and any necessary documents must be attached.

A

(1) 個人 Individual □該当 Yes , □非該当 No

(2) 適格政府機関(注7) Qualified Governmental Entity (Note7) □該当 Yes , □非該当 No

(3) 公開会社(注8) Publicly Traded Company (Note8) □該当 Yes , □非該当 No

公認の有価証券市場の名称 Recognised Stock Exchange	シンボル又は証券コード Ticker Symbol or Security Code

(4) 年金基金又は年金計画(注9) Pension Fund, Pension Scheme (Note9) □該当 Yes , □非該当 No

(直前の課税年度の終了の日においてその受益者、構成員又は参加者の 50%超が日本又はドイツ連邦共和国の居住者である個人であるものに限ります。受益者等の50%超が、いずれかの締約国の居住者である事情を記入してください。
The "Pension Fund" or "Pension Scheme" is limited to those where more than 50% of beneficiaries, members or participants were individual residents of Japan or Federal Republic of Germany as of the end of the prior taxable year. Please provide details below showing that more than 50% of beneficiaries et al. are individual residents of either Japan or Federal Republic of Germany.

(5) 公益団体(注10) Public Service Organization (Note10) □該当 Yes , □非該当 No
設立等の根拠法令 Law for Establishment 設立の目的 Purpose of Establishment 非課税の根拠法令 Law for Tax Exemption

Aのいずれにも該当しない場合は、Bに進んでください。If none of the lines in A are applicable, please proceed to B.

B

(1) 個人以外の者
Person other than an Individual □該当 Yes , □非該当 No
(「個人以外の者」の場合、Aの(1)から(5)までの者であるドイツ連邦共和国の居住者が、議決権の 65%以上に相当する株式その他の受益に関する持分を直接又は間接に所有するものに限ります。(注11))
The "Person other than an Individual" is limited to the person, where residents of Federal Republic of Germany who fall under (1),(2),(3),(4) or(5) of A own, either directly or indirectly, shares or other beneficial interests representing at least 65% of the voting shares or other beneficial interests of the person. (Note11)

年 月 日現在の株主等の状況 State of Shareholders, etc. as of (date) / /

株主等の氏名又は名称 Name of Shareholder(s)	居住地国における納税地 Place where Shareholder(s) is taxable in Country of residence	Aの番号 Number in A	間接保有 Indirect Ownership	株主等の持分 Number of Shares owned
			□	
			□	
			□	
			□	
			□	
合 計 Total (持分割合 Ratio (%) of Shares owned)				(%)

B

(2) ドイツ連邦共和国の居住者 □該当 Yes，□非該当 No
Resident of Federal Republic of Germany

次の(a)又は(b)の要件を満たす者に関する事情を記入してください。
Please provide details following Conditions (a) or (b).

(a) その居住者の議決権のある株式その他の受益に関する持分の 65％以上が、次の(aa)の者に直接又は間接に所有されていること。（注 12）
at least 65 per cent of the voting shares or other beneficial interests of the person are owned, directly or indirectly, by persons who meet requirement (aa) (Note12)

(aa) その居住者が日本において取得する所得を直接に取得した場合に日独租税協定に基づいて同等の又は有利な特典を受けることができる者
if they had derived the item of income in Japan directly, they would, under the Japan – FRG Income Tax Agreement, be entitled to equivalent or more favourable benefits

(b) その居住者の議決権のある株式その他の受益に関する持分の 90％以上が、次の(bb)の者に直接又は間接に所有されていること。（注 12）
at least 90 per cent of the voting shares or other beneficial interests of the person are owned, directly or indirectly, by persons who meet requirement (bb) (Note12)

(bb) その居住者が日本において取得する所得を直接に取得した場合に日独租税協定又は日本が他の国との間で締結した租税条約に基づいて同等の又は有利な特典を受けることができる者
if they had derived the item of income in Japan directly, they would, under the Japan – FRG Income Tax Agreement or an income tax agreement between Japan and another State, be entitled to equivalent or more favourable benefits.

株主等の氏名又は名称 Name of Shareholders	株主等の居住地国における納税地 Place where Shareholder(s) is taxable in Country of residence	株主等 Shareholders (a)の場合 (a) (aa)を満たすか Requirement (aa)	株主等 Shareholders (b)の場合 (b) (bb)を満たすか Requirement (bb)	間接保有 Indirect Ownership	株主等の持分 Number of Shares owned
		□はい Yes，□いいえ No	□はい Yes，□いいえ No	□	
				□	
				□	
				□	
				□	
				□	
				□	
				□	
				□	
				□	
合計 Total（持分割合 Ratio(%) of Shares owned）					(%)

Bに該当しない場合は、Cに進んでください。If B does not apply, proceed to C.

C

次の(a)から(c)の要件をすべて満たす者 Resident satisfying all of the following Conditions from (a) through (c) □該当 Yes，□非該当 No

居住地国において従事している事業の概要（注 13）；Description of business in residence country (Note13)

(a) 居住地国において従事している事業が、自己の勘定のために投資を行い又は管理するもの（銀行、保険会社又は証券会社が行う銀行業、保険業又は証券業を除きます。）ではないこと（注 14）： □はい Yes，□いいえ No
The business in the country of residence is other than that of making or managing investments for the resident's own account (unless the business is banking, insurance or a securities business carried on by a bank, insurance company or securities dealer) (Note14)

(b) 所得が居住地国において従事している事業に関連又は付随して取得されるものであること（注 15）： □はい Yes，□いいえ No
An item of income is derived in connection with or is incidental to that business in the country of residence (Note15)

(c) （日本国内において行う事業から所得を取得する場合）居住地国において行う事業が日本国内において行う事業との関係で実質的なものであること（注 16）： □はい Yes，□いいえ No
(If you derive an item of income from a business in Japan) The business conducted in the country of residence is substantial in relation to the business conducted in Japan. (Note 16)

日本国内において従事している事業の概要；Description of Business in Japan.

D 国税庁長官の認定；
Determination by the NTA Commissioner

国税庁長官の認定を受けている場合は、以下にその内容を記載してください。その認定の範囲内で租税協定の特典を受けることができます。なお、上記AからCまでのいずれかに該当する場合には、国税庁長官の認定は不要です。
If you have received authorization from the NTA Commissioner, please describe below the nature of the authorization. The agreement benefits will be granted within the range of the authorization. If any of the above mentioned Lines A through to C above are applicable, then authorization from the NTA Commissioner is not necessary.

・認定を受けた日 Date of authorization ＿＿＿年＿＿＿月＿＿＿日

・認定を受けた所得の種類
Type of income for which the authorization was received ＿＿＿＿＿＿＿＿

様 式 17-豪
FORM 17-Australia

特典条項に関する付表(豪)

ATTACHMENT FORM FOR LIMITATION ON BENEFITS ARTICLE (Australia)

記載に当たっては、別紙の注意事項を参照してください。
See separate instructions.

1 適用を受ける租税条約の特典条項に関する事項；
Limitation on Benefits Article of Applicable Income Tax Convention
日本国とオーストラリアとの間の租税条約第23条
The Income Tax Convention between Japan and Australia, Article 23

2 この付表に記載される者の氏名又は名称；
Full name of Resident

	居住地国の権限ある当局が発行した居住者証明書を添付してください(注5)。 Please Attach Residency Certification Issued by Competent Authority of Country of Residence. (Note5)

3 租税条約の特典条項の要件に関する事項；
AからCの順番に各項目の「□該当」又は「□非該当」の該当する項目に✓印を付してください。いずれかの項目に「該当」する場合には、それ以降の項目に記入する必要はありません。なお、該当する項目については、各項目ごとの要件に関する事項を記入の上、必要な書類を添付してください。
In order of sections A, B and C , check the applicable box in each line as "Yes" or "No." If you check any box as "Yes" in sections A to C, you need not fill in the lines that follow. Only the applicable lines need to be filled in and any necessary documents must be attached.

A

(1) 個人 Individual □該当 Yes , □非該当 No

(2) 適格政府機関(注7) Qualified Governmental Entity (Note7) □該当 Yes , □非該当 No

(3) 公開会社又は個人若しくは法人以外の者(注8) □該当 Yes , □非該当 No
Publicly Traded Company, Publicly Traded Person other than an Individual or a Company (Note8)

主たる種類の株式又は持分証券の別 Principal Class of Shares/Units	公認の有価証券市場の名称 Recognized Stock Exchange	シンボル又は証券コード Ticker Symbol or Security Code
□株式 Shares □持分証券 Units		

(4) 年金基金(注9) Pension Fund (Note9) □該当 Yes , □非該当 No
直前の課税年度の終了の日においてその受益者、構成員又は参加者の 50%を超えるものが日本又は「1」の租税条約の相手国の居住者である個人であるものに限ります。受益者等の50%超が、両締約国の居住者である事情を記入してください。
The "Pension Fund" is limited to those where over 50% of beneficiaries, members or participants were individual residents of Japan or the other contracting country of the convention mentioned in 1 above as of the end of the prior taxable year. Please provide details below showing that more than 50% of beneficiaries et al. are individual residents of either contracting countries.

設立等の根拠法令 Law for Establishment

(5) 公益団体(注10) Public Service Organization (Note10) □該当 Yes , □非該当 No
設立等の根拠法令 Law for Establishment　設立の目的 Purpose of Establishment　非課税の根拠法令 Law for Tax Exemption

Aのいずれにも該当しない場合は、Bに進んでください。If none of the lines in A are applicable, please proceed to B.

B

個人以外の者
Person other than an Individual □該当 Yes , □非該当 No
株式の議決権及び価値の 50%以上又は受益に関する持分の 50%以上を日本又は「1」の租税条約の相手国の居住者であるAの(1)から(5)までの者が直接又は間接に所有するものに限ります。(注11)
The "Person other than an Individual" is limited to the person, where residents of Japan or the other contracting countries of the convention mentioned in 1 above who fall under (1),(2),(3),(4) or (5) of A own, either directly or indirectly, at least 50% of the aggregate vote and value of the shares of that person or at least 50% of the beneficial interests in that person. (Note11)

年 月 日現在の株主等の状況 State of Shareholders, etc. as of (date) / /

株主等の氏名又は名称 Name of Shareholder	居住地国における納税地 Place Where Shareholder is Taxable in Country of Residence	Aの番号 Number of Line A	間接保有 Indirect Ownership	株主等の持分 Number of Shares Owned
			□	
			□	
			□	
合計 Total (持分割合 Ratio (%) of Shares owned)				(%)

Bに該当しない場合は、Cに進んでください。If B does not apply, proceed to C.

C

次の(a)から(c)の要件をすべて満たす者 Resident satisfying all of the following conditions from (a) through (c) □該当 Yes，□非該当 No

居住地国において従事している事業の概要(注 12)；Description of business in residence country (Note12)

(a) 居住地国において従事している事業が、自己の勘定のために投資を行い又は管理するもの（銀行、保険会社又は証券会社が行う銀行業、保険業又は証券業を除きます。）ではないこと(注 13)： □はい Yes，□いいえ No

The business in the country of residence is other than that of making or managing investments for the resident's own account (unless the business is banking, insurance or a securities business carried on by a bank, insurance company or securities dealer) (Note13)

(b) 所得等が居住地国において従事している事業に関連又は付随して取得されるものであること(注 14)： □はい Yes，□いいえ No

An item of income, profit or gain is derived in connection with or is incidental to that business in the country of residence (Note14)

(c) （日本国内において行う事業から所得等を取得する場合）居住地国において行う事業が日本国内において行う事業との関係で実質的なものであること(注 15)： □はい Yes，□いいえ No

(If you derive an item of income, profit or gain from a business in Japan) The business conducted in the country of residence is substantial in relation to the business conducted in Japan. (Note 15)

日本国内において従事している事業の概要；Description of Business in Japan.

D 国税庁長官の認定；
Determination by the NTA Commissioner

国税庁長官の認定を受けている場合は、以下にその内容を記載してください。その認定の範囲内で租税条約の特典を受けることができます。なお、上記AからCまでのいずれかに該当する場合には、国税庁長官の認定は不要です。

If you have received determination from the NTA Commissioner, please describe below the nature of the determination. The convention benefits will be granted within the range of the determination. If any of the above mentioned Lines A through to C above are applicable, then determination from the NTA Commissioner is not necessary.

・認定を受けた日 Date of determination ＿＿＿年＿＿月＿＿日

・認定を受けた所得の種類
Type of income for which the determination was received＿＿＿＿＿＿＿＿＿＿

様　式　17-オランダ王国
FORM　17-Kingdom of the Netherlands

特典条項に関する付表（オランダ王国）

ATTACHMENT FORM FOR LIMITATION ON BENEFITS ARTICLE (Kingdom of the Netherlands)

記載に当たっては、別紙の注意事項を参照してください。
See separate instructions.

1　適用を受ける租税条約の特典条項に関する事項；
Limitation on Benefits Article of applicable Income Tax Convention
日本国とオランダ王国との間の租税条約第21条
The Income Tax Convention between Japan and Kingdom of the Netherlands, Article 21

2　この付表に記載される者の氏名又は名称；
Full name of Resident

	居住地国の権限ある当局が発行した居住者証明書を添付してください（注5）。 Please Attach Residency Certification issued by Competent Authority of Country of residence. (Note5)

3　租税条約の特典条項の要件に関する事項；
AからCの順番に各項目の「□該当」又は「□非該当」の該当する項目に✓印を付してください。いずれかの項目に「該当」する場合には、それ以降の項目に記入する必要はありません。なお、該当する項目については、各項目ごとの要件に関する事項を記入の上、必要な書類を添付してください。（注6）
In order of sections A, B and C, check the applicable box in each line as "Yes" or "No". If you check any box as "Yes" in sections A to C, you need not fill in the lines that follow. Only the applicable lines need to be filled in and any necessary documents must be attached.(Note 6)

A

(1)　個人 Individual　□該当 Yes，□非該当 No

(2)　①政府、地方政府又は地方公共団体、②オランダ中央銀行、③①のいずれかが直接又は間接に所有する者　□該当 Yes，□非該当 No
①the government , any political subdivision or local authority thereof,②the Central Bank of the Netherlands or ③a person that is owned, either directly or indirectly, by any entities mentioned in ①.

(3)　公開会社（注7）　Publicly Traded Company (Note 7)　□該当 Yes，□非該当 No

公認の有価証券市場の名称 Recognized Stock Exchange	シンボル又は証券コード Ticker Symbol or Security Code

(4)　銀行、保険会社又は証券会社 Bank, insurance company or securities dealer　□該当 Yes，□非該当 No
設立の根拠法令 Law for Establishment　　規制の根拠法令 Law for Regulation

(5)　年金基金（注8） Pension Fund (Note 8)　□該当 Yes，□非該当 No
（直前の課税年度の終了の日においてその受益者、構成員又は参加者の50%を超えるものが日本又は「1」の租税条約の相手国の居住者である個人であるもの又はその基金の75%を超えるものが、適格者である日本又は「1」の租税条約の相手国の居住者が拠出した基金である年金基金に限ります。受益者等の50%を超えるものが、両締約国の居住者である事情又はその基金の75%を超えるものが、適格者である両締約国の居住者が拠出した基金である年金基金である事情を記入してください。）
The "Pension Fund" is limited to those where more than 50% of beneficiaries, members or participants were individual residents of Japan or the other contracting country of the convention mentioned in 1 above as of the end of the prior taxable year, or more than 75% of the contributions made to the person is derived from residents of Japan or the other contracting country of the convention mentioned in 1 above which are qualified persons. Please provide details below showing that more than 50% of beneficiaries et al. are individual residents of either contracting country, or more than 75% of the contributions are made to the person is derived from residents of either contracting countries which are qualified persons.)

設立等の根拠法令 Law for Establishment　　非課税の根拠法令 Law for Tax Exemption

(6)　公益団体（注9） Public Service Organization (Note 9)　□該当 Yes，□非該当 No
設立等の根拠法令 Law for Establishment　　設立の目的 Purpose of Establishment　　非課税の根拠法令 Law for Tax Exemption

Aのいずれにも該当しない場合は、Bに進んでください。If none of the lines in A are applicable, please proceed to B.

B

(1) 個人以外の者 □該当 Yes，□非該当 No

Person other than an Individual

「個人以外の者」の場合、日本又は「1」の租税条約の相手国の居住者であるAの(1)から(6)までの者が、議決権の50%以上に相当する株式その他の受益に関する持分を直接又は間接に所有するものに限ります。（注10）

The "Person other than an Individual" refers to residents of Japan or the contracting country of the convention mentioned in 1 above who fall under (1),(2),(3),(4) ,(5) or (6) of A and own either directly or indirectly shares or other beneficial interests representing at least 50% of the voting power of the person.(Note10)

年 月 日現在の株主等の状況 State of Shareholders, etc. as of (date) ____/____/____

株主等の氏名又は名称 Name of Shareholder(s)	居住地国における納税地 Place where Shareholder(s) is taxable in Country of residence	Aの番号 Number of applicable Line in A	間接保有 Indirect Ownership	株主等の持分 Number of Shares owned
			□	
			□	
			□	
合　計 Total（持分割合 Ratio (%) of Shares owned）				(%)

(2) 「1」の租税条約の相手国の居住者である法人 □該当 Yes，□非該当 No

Company that is a resident of the other contracting country of the convention mentioned in 1

次の(a)又は(b)の要件を満たす7以下の者（「同等受益者」といいます。）が、その法人の議決権の75%以上に相当する株式を直接又は間接に保有する場合に限ります。「同等受益者」に関する事情を記入してください。（注11）

(a) 日本との間に租税条約を有している国の居住者であって、次の(aa)から(cc)までの要件を満たすもの

(aa) その租税条約が実効的な情報の交換に関する規定を有すること

(bb) その租税条約において、その居住者が特典条項における適格者に該当すること（その租税条約が特典条項を有しない場合には、その条約に「1」の租税条約の特典条項が含まれているとしたならばその居住者が適格者に該当するであろうとみられること）

(cc) その居住者が、「1」の租税条約の特典が要求される「1」の租税条約の第10条3、第11条3、第12、第13条又は第20条に定める所得についてその租税条約の適用を受けようとしたならば、「1」の租税条約に規定する税率以下の税率の適用を受けるであろうとみられること

(b) Aの(1)から(6)までの者

The company is limited to those whose shares representing at least 75% of the voting power of the company are owned, either directly or indirectly, by seven or fewer persons who meet requirement (a) or (b) ("equivalent beneficiaries"). Please provide details below regarding equivalent beneficiaries. (Note11)

(a) The resident of a country that has a convention for avoidance of double taxation between that country and Japan, and meets the following requirements from (aa) through to (cc)

(aa) that convention contains provisions for effective exchange of information

(bb) that resident is a qualified person under the limitation on benefits provisions in that convention (where there are no such provisions in that convention, would be a qualified person when that convention is read as including provisions corresponding to the limitation on benefits provisions of the convention mentioned in 1)

(cc) that resident would be entitled under that convention to a rate of tax with respect to an item of income referred to in paragraph 3 of Article 10, paragraph 3 of Article 11 or Article 12, 13 or 20 of the convention mentioned in 1 for which the benefits are being claimed under the convention mentioned in 1 that is at least as low as the rate applicable under the convention mentioned in 1

(b) Person listed in (1) through to (6) in A

株主の氏名又は名称 Name of Shareholders	居住地国における納税地 Place where Shareholder is taxable in Country of residence	(a)の場合 (a) (aa)を満たすか Requirement (aa)	(bb)を満たすか Requirement (bb)	(cc)を満たすか Requirement (cc)	(b)の場合 (b) Aの番号 Number of applicable Line in A	株主等の持分 Number of Shares owned
		□はい Yes，□いいえ No	□はい Yes，□いいえ No	□はい Yes，□いいえ No		
		□はい Yes，□いいえ No	□はい Yes，□いいえ No	□はい Yes，□いいえ No		
		□はい Yes，□いいえ No	□はい Yes，□いいえ No	□はい Yes，□いいえ No		
		□はい Yes，□いいえ No	□はい Yes，□いいえ No	□はい Yes，□いいえ No		
		□はい Yes，□いいえ No	□はい Yes，□いいえ No	□はい Yes，□いいえ No		
		□はい Yes，□いいえ No	□はい Yes，□いいえ No	□はい Yes，□いいえ No		
		□はい Yes，□いいえ No	□はい Yes，□いいえ No	□はい Yes，□いいえ No		
合　計 Total（持分割合 Ratio (%) of Shares owned）						(%)

Bに該当しない場合は、Cに進んでください。If B does not apply, proceed to C.

C

(1) (a)の要件を満たす「1」の租税条約の相手国の居住者　□該当 Yes，□非該当 No
Resident of the other contracting country of the convention mentioned in 1 satisfying all of the following conditions of (a)

(a) 次の(ⅰ)から(ⅲ)の要件を全て満たす「1」の租税条約の相手国の居住者
Resident of the other contracting country of the convention mentioned in 1 satisfying all of the following conditions from (ⅰ) through (ⅲ)

(ⅰ) (b)に規定する多国籍企業集団の本拠である法人として機能すること
The resident functions as a headquarters company for a multinational corporate group mentioned in(b)

(ⅱ) 特典条項の適用がある租税条約の規定に基づき、租税の軽減又は免除を受けようとする所得が(b)(ⅱ)に規定する事業に関連し、又は付随して取得されるものであること
The item of income which is granted application of benefits of the convention with Limitation on Benefits Article derived from that other Contracting State is derived in connection with, or is incidental to, the business referred to in (ⅱ) of (b)

(ⅲ) 特典条項の適用がある租税条約の規定に規定する要件を満たすこと
The resident satisfies any other specified conditions in the paragraphs or Articles which grant application of benefits of the convention with Limitation on Benefits Article.

(b) 「1」の租税条約の相手国の居住者が、次の(ⅰ)から(ⅵ)までの要件を全て満たす限り、(a)の規定の適用上多国籍企業集団の本拠である法人とされます。
The resident of the other contracting country of the convention mentioned in 1 shall be considered a headquarters company for a multinational corporate group for the purpose of (a) only if all of the following conditions from (ⅰ) through (ⅵ) are satisfied

(ⅰ) 「1」の租税条約の相手国の居住者が、その多国籍企業集団の全体の監督及び運営の実質的な部分を行うこと又はその多国籍企業集団の資金供給を行うこと
The resident mentioned in 1 provides a substantial portion of overall supervision and administration of the group or provides financing for the group

(ⅱ) その多国籍企業集団が、5以上の国の法人により構成され、これらの法人のそれぞれが居住者とされる国において事業を行うこと。ただし、これらの国のうちいずれかの5の国内においてその多国籍企業集団が行う事業が、それぞれその多国籍企業集団の総所得の 5%以上を生み出す場合に限ります。(注 12)
The group consists of companies which are resident in and are carrying on business in at least five countries, and the business carried on in each of the five countries generates at least 5% of the gross income of the group(Note12)

(ⅲ) 「1」の租税条約の相手国以外のそれぞれの国内において多国籍企業集団が行う事業が、いずれもその多国籍企業集団の総所得の50%未満しか生み出さないこと(注 12)
The business carried on in any one country other than the other contracting country of the convention mentioned in 1 generate less than 50 % of the gross income of the group(Note12)

(ⅳ) 「1」の租税条約の相手国の居住者の総所得のうち、日本国内から「1」の租税条約の相手国の居住者が取得するものの占める割合が 50%以下であること(注 12)
No more than 50% of the resident's gross income is derived from the other contracting country of the convention mentioned in 1(Note12)

(ⅴ) (ⅰ)に規定する機能を果たすために、「1」の租税条約の相手国の居住者が独立した裁量的な権限を有し、かつ、行使すること
The resident has, and exercises, independent discretionary authority to carry out the functions referred to in clause (ⅰ)

(ⅵ) 「1」の租税条約の相手国の居住者が、「1」の租税条約の相手国において、所得に対する課税上の規則であって(2)に規定する者が従うものと同様のものに従うこと
The resident is subject to the same income taxation rules in the other contracting country of the convention mentioned in 1 as persons described in (2)

(2) 次の(a)から(c)の要件を全て満たす者 Person satisfying all of the following conditions from (a) through (c)　□該当 Yes，□非該当 No
居住地国において従事している事業の概要(注 13)；Description of business in residence country (Note13)

(a) 居住地国において従事している事業が、自己の勘定のために投資を行い又は管理するもの（銀行、保険会社又は証券会社が行う銀行業、保険業又は証券業を除きます。）ではないこと(注 14)：　□はい Yes，□いいえ No
The business in the country of residence is other than that of making or managing investments for the resident's own account (unless the business is banking, insurance or securities business carried on by a bank, insurance company or securities dealer) (Note14)

(b) 所得が居住地国において従事している事業に関連又は付随して取得されるものであること(注 15)：　□はい Yes，□いいえ No
An item of income is derived in connection with or is incidental to that business in the country of residence (Note15)

(c) (日本国内において行う事業から所得を取得する場合)居住地国において行う事業が日本国内において行う事業との関係で実質的なものであること(注 16)：　□はい Yes，□いいえ No
(If you derive an item of income from a business in Japan) The business conducted in the country of residence is substantial in relation to the business conducted in Japan. (Note 16)

日本国内において従事している事業の概要；Description of Business in Japan.

D 国税庁長官の認定；
Determination by the NTA Commissioner
国税庁長官の認定を受けている場合は、以下にその内容を記載してください。その認定の範囲内で租税条約の特典を受けることができます。なお、上記AからCまでのいずれかに該当する場合には、国税庁長官の認定は不要です。
If you have received authorization from the NTA Commissioner, please describe below the nature of the authorization. The convention benefits will be granted within the range of the authorization. If any of the above mentioned Lines A through to C above are applicable, then authorization from the NTA Commissioner is not necessary.

・認定を受けた日 Date of authorization ＿＿＿年＿＿月＿＿日

・認定を受けた所得の種類
Type of income for which the authorization was received＿＿＿＿＿＿＿＿

様 式 17-スイス
FORM 17-Switzerland

特典条項に関する付表(スイス)

ATTACHMENT FORM FOR LIMITATION ON BENEFITS ARTICLE (Switzerland)

記載に当たっては、別紙の注意事項を参照してください。
See separate instructions.

1 適用を受ける租税条約の特典条項に関する事項;
Limitation on Benefits Article of applicable Income Tax Convention
日本国とスイスとの間の租税条約第22条のA
The Income Tax Convention between Japan and Switzerland, Article 22A

2 この付表に記載される者の氏名又は名称;
Full name of Resident

	居住地国の権限ある当局が発行した居住者証明書を添付してください(注5)。Please Attach Residency Certification issued by Competent Authority of Country of residence. (Note5)

3 租税条約の特典条項の要件に関する事項;
AからCの順番に各項目の「□該当」又は「□非該当」の該当する項目に✓印を付してください。いずれかの項目に「該当」する場合には、それ以降の項目に記入する必要はありません。なお、該当する項目については、各項目ごとの要件に関する事項を記入の上、必要な書類を添付してください。(注6)
In order of sections A, B and C, check the applicable box in each line as "Yes" or "No". If you check any box as "Yes" in sections A to C, you need not fill in the lines that follow. Only the applicable lines need to be filled in and any necessary documents must be attached. (Note 6)

A

(1) 個人 Individual □該当 Yes, □非該当 No

(2) 適格政府機関(注7) Qualified Governmental Entity (Note7) □該当 Yes, □非該当 No

(3) 公開会社(注8) Publicly Traded Company (Note8) □該当 Yes, □非該当 No

公認の有価証券市場の名称 Recognized Stock Exchange	シンボル又は証券コード Ticker Symbol or Security Code

(4) 銀行、保険会社又は証券会社 Bank, insurance company or securities dealer
設立の根拠法令 Law for Establishment ______
規制の根拠法令 Law for Regulation ______

(5) 年金基金又は年金計画(注9) Pension Fund or Pension Scheme (Note9) □該当 Yes, □非該当 No
(直前の課税年度の終了の日においてその受益者、構成員又は参加者の50%を超えるものが日本又は「1」の租税条約の相手国の居住者である個人であるものに限ります。受益者等の50%を超えるものが、両締約国の居住者である事情を記入してください。)
The "Pension Fund" or "Pension Scheme" is limited to those where more than 50% of beneficiaries, members or participants were individual residents of Japan or the other contracting country of the convention mentioned in 1 above as of the end of the prior taxable year. Please provide details below showing that more than 50% of beneficiaries et al. are individual residents of either contracting countries.

設立等の根拠法令 Law for Establishment ______
非課税の根拠法令 Law for Tax Exemption ______

(6) 公益団体(注10) Public Service Organization (Note10) □該当 Yes, □非該当 No
設立等の根拠法令 Law for Establishment ______
設立の目的 Purpose of Establishment ______
非課税の根拠法令 Law for Tax Exemption ______

Aのいずれにも該当しない場合は、Bに進んでください。If none of the lines in A are applicable, please proceed to B.

B

(1) 個人以外の者　　□該当 Yes，□非該当 No

Person other than an Individual

「個人以外の者」の場合、日本又は「1」の租税条約の相手国の居住者であるAの(1)から(6)までの者が、発行済株式その他の受益に関する持分又は議決権の50%以上に相当する株式その他の受益に関する持分を直接又は間接に所有するものに限ります。(注11)

The "Person other than an Individual" refers to residents of Japan or the other contracting country of the convention mentioned in 1 above who fall under (1),(2),(3),(4) ,(5) or (6) of A and own either directly or indirectly shares or other beneficial interests representing at least 50% of the capital or of the voting power of the person.(Note11)

年　月　日現在の株主等の状況 State of Shareholders, etc. as of (date)　　/　　/

株主等の氏名又は名称 Name of Shareholder(s)	居住地国における納税地 Place where Shareholder(s) is taxable in Country of residence	Aの番号 Number of applicable Line in A	間接保有 Indirect Ownership	株主等の持分 Number of Shares owned
			□	
			□	
			□	
合　計 Total（持分割合 Ratio (%) of Shares owned）				(　%)

(2) 「1」の租税条約の相手国の居住者である法人　　□該当 Yes，□非該当 No

Company that is a resident of the other contracting country of the convention mentioned in 1

次の(a)又は(b)の要件を満たす7以下の者（「同等受益者」といいます。）が、その法人の発行済株式又は議決権の75%以上に相当する株式を直接又は間接に保有する場合に限ります。「同等受益者」に関する事情を記入してください。(注12)

(a) 日本との間に租税条約を有している国の居住者であって、次の(aa)から(cc)までの要件を満たすもの

(aa) その租税条約が実効的な情報の交換に関する規定を有すること

(bb) その租税条約において、その居住者が特典条項における適格者に該当すること（その租税条約が特典条項を有しない場合には、その条約に「1」の租税条約の特典条項が含まれているとしたならばその居住者が適格者に該当するであろうとみられること）

(cc) その居住者が、「1」の租税条約の特典が要求される「1」の租税条約の第10条3、第11条3(c)、(d)若しくは(e)、第12、第13条6又は第22条に定める所得についてその租税条約の適用を受けようとしたならば、「1」の租税条約に規定する税率以下の税率の適用を受けるであろうとみられること

(b) Aの(1)から(6)までの者

The company is limited to those whose shares representing at least 75% of the capital or of the voting power of the company are owned, either directly or indirectly, by seven or fewer persons who meet requirement (a) or (b) ("equivalent beneficiaries"). Please provide details below regarding equivalent beneficiaries. (Note12)

(a) The resident of a country that has a convention for avoidance of double taxation between that country and Japan, and meets the following requirements from (aa) through to (cc)

(aa) that convention contains provisions for effective exchange of information

(bb) that resident is a qualified person under the limitation on benefits provisions in that convention (where there are no such provisions in that convention, would be a qualified person when that convention is read as including provisions corresponding to the limitation on benefits provisions of the convention mentioned in 1)

(cc) that resident would be entitled under that convention to a rate of tax with respect to an item of income referred to in paragraph 3 of Article 10, subparagraph (c), (d) or (e) of paragraph 3 of Article 11, Article 12, paragraph 6 of Article 13 or Article 22 of the convention mentioned in 1 for which the benefits are being claimed under the convention mentioned in 1 that is at least as low as the rate applicable under the convention mentioned in 1.

(b) Person listed in (1) through to (6) in A

株主の氏名又は名称 Name of Shareholders	居住地国における納税地 Place where Shareholder is taxable in Country of residence	(a)の場合 (a)			(b)の場合 (b)	株主等の持分 Number of Shares owned
		(aa)を満たすか Requirement (aa)	(bb)を満たすか Requirement (bb)	(cc)を満たすか Requirement (cc)	Aの番号 Number of applicable Line in A	
		□はい Yes，□いいえ No	□はい Yes，□いいえ No	□はい Yes，□いいえ No		
		□はい Yes，□いいえ No	□はい Yes，□いいえ No	□はい Yes，□いいえ No		
		□はい Yes，□いいえ No	□はい Yes，□いいえ No	□はい Yes，□いいえ No		
		□はい Yes，□いいえ No	□はい Yes，□いいえ No	□はい Yes，□いいえ No		
		□はい Yes，□いいえ No	□はい Yes，□いいえ No	□はい Yes，□いいえ No		
		□はい Yes，□いいえ No	□はい Yes，□いいえ No	□はい Yes，□いいえ No		
		□はい Yes，□いいえ No	□はい Yes，□いいえ No	□はい Yes，□いいえ No		
合　計 Total（持分割合 Ratio (%) of Shares owned）						(　%)

Bに該当しない場合は、Cに進んでください。If B does not apply, proceed to C.

C

(1) (a)の要件を満たす「1」の租税条約の相手国の居住者 □該当 Yes, □非該当 No
Resident of the other contracting country of the convention mentioned in 1 satisfying all of the following conditions of (a)

(a) 次の(ⅰ)から(ⅲ)までの要件を全て満たす「1」の租税条約の相手国の居住者
Resident of the other contracting country of the convention mentioned in 1 satisfying all of the following conditions from (ⅰ) through (ⅲ)

(ⅰ) (b)に規定する多国籍企業集団の本拠である法人として機能すること
The resident functions as a headquarters company for a multinational corporate group mentioned in (b)

(ⅱ) 特典条項の適用がある租税条約の規定に基づき、租税の軽減又は免除を受けようとする所得が(b)(ⅱ)に規定する営業又は事業の活動に関連し、又は付随して取得されるものであること
The item of income which is granted application of benefits of the convention with Limitation on Benefits Article derived from that other Contracting State is derived in connection with, or is incidental to, the trade or business activity referred to in (ⅱ) of (b).

(ⅲ) 特典条項の適用がある租税条約の規定に規定する要件を満たすこと
The resident satisfies any other specified conditions in the subparagraphs, paragraphs or Articles which grant application of benefits of the convention with Limitation on Benefits Article.

(b) 「1」の租税条約の相手国の居住者が、次の(ⅰ)から(ⅵ)までの要件を全て満たす限り、(a)の規定の適用上多国籍企業集団の本拠である法人とされます。
The resident of the other contracting country of the convention mentioned in 1 shall be considered a headquarters company for a multinational corporate group for the purpose of (a) only if all of the following conditions from (ⅰ) through (ⅵ) are satisfied.

(ⅰ) 「1」の租税条約の相手国の居住者が、その多国籍企業集団の全体の監督及び運営の実質的な部分を行うこと又はその多国籍企業集団の資金供給を行うこと
The resident mentioned in 1 provides a substantial portion of overall supervision and administration of the group or provides financing for the group

(ⅱ) その多国籍企業集団が、5以上の国の法人により構成され、これらの法人のそれぞれが居住者とされる国において営業又は事業の活動を行うこと。ただし、これらの国のうちいずれかの5の国内においてその多国籍企業集団が行う営業又は事業の活動が、それぞれその多国籍企業集団の総所得の5%以上を生み出す場合に限ります。(注13)
The group consists of companies which are resident in and are engaged in an active trade or business in at least five countries, and the trade or business activities carried on in each of the five countries generate at least 5 % of the gross income of the group (Note13)

(ⅲ) 「1」の租税条約の相手国以外のそれぞれの国内においてその多国籍企業集団が行う営業又は事業の活動が、いずれもその多国籍企業集団の総所得の50%未満しか生み出さないこと(注13)
The trade or business activities carried on in any one country other than the other contracting country of the convention mentioned in 1 generate less than 50% of the gross income of the group (Note13)

(ⅳ) 「1」の租税条約の相手国の居住者の総所得のうち、日本国内から「1」の租税条約の相手国の居住者が取得するものの占める割合が 50%以下であること(注13)
No more than 50% of the resident's gross income is derived from the other contracting country of the convention mentioned in 1 (Note13)

(ⅴ) (ⅰ)に規定する機能を果たすために、「1」の租税条約の相手国の居住者が独立した裁量的な権限を有し、かつ、行使すること
The resident has, and exercises, independent discretionary authority to carry out the functions referred to in (ⅰ)

(ⅵ) 「1」の租税条約の相手国の居住者が、「1」の租税条約の相手国において、所得に対する課税上の規則であって(2)に規定する者が従うものと同様のものに従うこと
The resident is subject to the same income taxation rules in the other contracting country of the convention mentioned in 1 as persons described in (2)

(2) 次の(a)から(c)の要件を全て満たす者 Person satisfying all of the following conditions from (a) through (c) □該当 Yes, □非該当 No
居住地国において従事している事業の概要(注14); Description of business in residence country (Note14)

(a) 居住地国において従事している事業が、自己の勘定のために投資を行い又は管理するもの(銀行、保険会社又は証券会社が行う銀行業、保険業又は証券業を除きます。)ではないこと(注15): □はい Yes, □いいえ No
The business in the country of residence is other than that of making or managing investments for the resident's own account (unless the business is banking, insurance or a securities business carried on by a bank, insurance company or securities dealer) (Note15)

(b) 所得が居住地国において従事している事業に関連又は付随して取得されるものであること(注16): □はい Yes, □いいえ No
An item of income is derived in connection with or is incidental to that business in the country of residence (Note16)

(c) (日本国内において行う事業から所得を取得する場合)居住地国において行う事業が日本国内において行う事業との関係で実質的なものであること(注17): □はい Yes, □いいえ No
(If you derive an item of income from a business in Japan) The business conducted in the country of residence is substantial in relation to the business conducted in Japan. (Note 17)

日本国内において従事している事業の概要; Description of Business in Japan.

D 国税庁長官の認定;
Determination by the NTA Commissioner
国税庁長官の認定を受けている場合は、以下にその内容を記載してください。その認定の範囲内で租税条約の特典を受けることができます。なお、上記AからCまでのいずれかに該当する場合には、国税庁長官の認定は不要です。
If you have received authorization from the NTA Commissioner, please describe below the nature of the authorization. The convention benefits will be granted within the range of the authorization. If any of the above mentioned Lines A through to C above are applicable, then authorization from the NTA Commissioner is not necessary.

・認定を受けた日 Date of authorization ＿＿＿年＿＿＿月＿＿＿日

・認定を受けた所得の種類
Type of income for which the authorization was received＿＿＿＿＿＿＿＿＿＿

様 式 17-スウェーデン
FORM

特典条項に関する付表（スウェーデン）

ATTACHMENT FORM FOR LIMITATION ON BENEFITS ARTICLE (Sweden)

記載に当たっては、別紙の注意事項を参照してください。
See separate instructions.

1 適用を受ける租税条約の特典条項に関する事項；
Limitation on Benefits Article of applicable Income Tax Convention
日本国とスウェーデンとの間の租税条約第21条のA
The Income Tax Convention between Japan and Sweden, Article 21A

2 この付表に記載される者の氏名又は名称；
Full name of Resident

	居住地国の権限ある当局が発行した居住者証明書を添付してください（注5）。 Please Attach Residency Certification issued by Competent Authority of Country of residence. (Note5)

3 租税条約の特典条項の要件に関する事項；
AからCの順番に各項目の「□該当」又は「□非該当」の該当する項目に✓印を付してください。いずれかの項目に「該当」する場合には、それ以降の項目に記入する必要はありません。なお、該当する項目については、各項目ごとの要件に関する事項を記入の上、必要な書類を添付してください。
In order of sections A, B and C, check the applicable box in each line as "Yes" or "No". If you check any box as "Yes" in sections A to C, you need not fill in the lines that follow. Only the applicable lines need to be filled in and any necessary documents must be attached.

A

(1) 個人 Individual □該当 Yes，□非該当 No

(2) 適格政府機関（注7） Qualified Governmental Entity (Note7) □該当 Yes，□非該当 No

(3) 公開会社（注8） Publicly Traded Company (Note8) □該当 Yes，□非該当 No

公認の有価証券市場の名称 Recognized Stock Exchange	シンボル又は証券コード Ticker Symbol or Security Code

(4) 年金基金（注9） Pension Fund (Note9) □該当 Yes，□非該当 No
直前の課税年度の終了の日においてその受益者、構成員又は参加者の50%超が日本又はスウェーデンの居住者である個人であるものに限ります。受益者等の50%超がいずれかの締約国の居住者である事情を記入してください。
The "Pension Fund" is limited to those where more than 50% of beneficiaries, members or participants were individual residents of Japan or Sweden as of the end of the prior taxable year. Please provide details below showing that more than 50% of beneficiaries et al. are individual residents of either Japan or Sweden.

設立等の根拠法令 Law for Establishment ________ 非課税の根拠法令 Law for Tax Exemption ________

(5) 公益団体（注10） Public Service Organization (Note10) □該当 Yes，□非該当 No
設立等の根拠法令 Law for Establishment ________ 設立の目的 Purpose of Establishment ________ 非課税の根拠法令 Law for Tax Exemption ________

Aのいずれにも該当しない場合は、Bに進んでください。If none of the lines in A are applicable, please proceed to B.

B

(1) 個人以外の者
Person other than an Individual □該当 Yes，□非該当 No
「個人以外の者」の場合、Aの(1)から(5)までの者である日本又はスウェーデンの居住者が、議決権その他の受益に関する持分の50%以上を直接又は間接に所有する場合に限ります。（注11）
The "Person other than an Individual" is limited to the person, where residents of Japan or Sweden who fall under (1),(2),(3),(4) or (5) of A hold, either directly or indirectly, at least 50% of the voting power or other beneficial interests of the person.(Note11)

　年　月　日現在の株主等の状況 State of Shareholders, etc. as of (date)　/　/

株主等の氏名又は名称 Name of Shareholder(s)	居住地国における納税地 Place where Shareholder(s) is taxable in Country of residence	Aの番号 Number in A	間接保有 Indirect Ownership	株主等の議決権 Voting Power held
			□	
			□	
			□	
合　計 Total（議決権割合 Ratio (%) of Voting Power held）				（ %）

B

(2) スウェーデンの居住者である法人 □該当 Yes，□非該当 No
Company that is a resident of Sweden
次の(a)又は(b)の要件を満たす７以下の者（「同等受益者」といいます。）が、その法人の議決権の75%以上を直接又は間接に保有する場合に限ります。「同等受益者」に関する事情を記入してください。（注12）

(a) 日本との間に租税条約を有している国の居住者であって、次の(aa)から(cc)までの要件を満たすもの
(aa) その租税条約が実効的な情報交換に関する規定を有すること
(bb) その租税条約において、その居住者が特典条項における適格者に該当すること（その租税条約が特典条項を有しない場合には、その条約に日本国とスウェーデンとの間の租税条約（以下「日スウェーデン租税条約」といいます。）の特典条項が含まれているとしたならばその居住者が適格者に該当するであろうとみられること）
(cc) 日スウェーデン租税条約第10条3、第11条又は第12条に定める所得に関し、その居住者が日スウェーデン租税条約の特典が要求されるこれらの規定に定める所得についてその租税条約の適用を受けたとしたならば、日スウェーデン租税条約に規定する税率以下の税率の適用を受けるであろうとみられること

(b) Aの(1)から(5)までの者

The company is limited to those where at least 75% of the voting power of the company are held, either directly or indirectly, by seven or fewer persons who meet requirement (a) or (b) (“equivalent beneficiaries”). Please provide details below regarding equivalent beneficiaries. (Note12)

(a) The resident of a country that has a convention for avoidance of double taxation between that country and Japan, and meets the following requirements from (aa) through to (cc)
(aa) that convention contains provisions for effective exchange of information
(bb) that resident is a qualified person under the limitation on benefits provisions in that convention (where there are no such provisions in that convention, would be a qualified person when that convention is read as including provisions corresponding to the limitation on the benefits provisions of the Japan-Sweden Income Tax Convention)
(cc) with respect to an item of income referred to in paragraph 3 of Article 10 or in Article 11 or 12 of the Japan-Sweden Income Tax Convention that resident would be entitled under that convention to a rate of tax with respect to the particular class of income for which the benefits are being claimed under the Japan-Sweden Income Tax Convention that is at least as low as the rate applicable under the Japan-Sweden Income Tax Convention

(b) Person who falls under (1), (2), (3), (4), or (5) of A

株主の氏名又は名称 Name of Shareholders	居住地国における納税地 Place where Shareholder is taxable in Country of residence	(a)の場合 (a) (aa)を満たすか Requirement (aa)	(bb)を満たすか Requirement (bb)	(cc)を満たすか Requirement (cc)	(b)の場合 (b) Aの番号 Number in A	株主等の議決権 Voting Power held
		□はい Yes，□いいえ No	□はい Yes，□いいえ No	□はい Yes，□いいえ No		
		□はい Yes，□いいえ No	□はい Yes，□いいえ No	□はい Yes，□いいえ No		
		□はい Yes，□いいえ No	□はい Yes，□いいえ No	□はい Yes，□いいえ No		
		□はい Yes，□いいえ No	□はい Yes，□いいえ No	□はい Yes，□いいえ No		
		□はい Yes，□いいえ No	□はい Yes，□いいえ No	□はい Yes，□いいえ No		
		□はい Yes，□いいえ No	□はい Yes，□いいえ No	□はい Yes，□いいえ No		
		□はい Yes，□いいえ No	□はい Yes，□いいえ No	□はい Yes，□いいえ No		
合計 Total（議決権割合 Ratio(%) of Voting Power held）						（　%）

Bに該当しない場合は、Cに進んでください。If B does not apply, proceed to C.

C

次の(a)から(c)の要件を全て満たす者 Resident satisfying all of the following Conditions from (a) through to (c) □該当 Yes，□非該当 No
居住地国において行う事業の概要（注13）; Description of business in the country of residence (Note13)

(a) 居住地国において行う事業が、自己の勘定のために投資を行い又は管理するもの（銀行、保険会社又は証券会社が行う銀行業、保険業又は証券業を除きます。）ではないこと（注14）： □はい Yes，□いいえ No
The business in the country of residence is other than that of making or managing investments for the resident’s own account (unless the business is banking, insurance or a securities business carried on by a bank, insurance company or securities dealer) (Note14)

(b) 所得が居住地国において行う事業に関連又は付随して取得されるものであること（注15）： □はい Yes，□いいえ No
An item of income is derived in connection with or is incidental to that business in the country of residence (Note15)

(c) （日本国内において行う事業から所得を取得する場合）居住地国において行う事業が日本国内において行う事業との関係で実質的なものであること（注16）： □はい Yes，□いいえ No
(If you derive an item of income from a business in Japan) The business conducted in the country of residence is substantial in relation to the business conducted in Japan. (Note 16)

日本国内において行う事業の概要 ; Description of Business in Japan.

D　国税庁長官の認定；
Determination by the NTA Commissioner
国税庁長官の認定を受けている場合は、以下にその内容を記載してください。その認定の範囲内で租税条約の特典を受けることができます。なお、上記AからCまでのいずれかに該当する場合には、国税庁長官の認定は不要です。
If you have received authorization from the NTA Commissioner, please describe below the nature of the authorization. The convention benefits will be granted within the range of the authorization. If any of A through to C above is applicable, then authorization from the NTA Commissioner is not necessary.

・認定を受けた日　Date of authorization ＿＿＿年＿＿＿月＿＿＿日

・認定を受けた所得の種類
Type of income for which the authorization was received＿＿＿＿＿＿＿＿＿＿＿＿＿＿

様 式 17-ニュージーランド
FORM 17-New Zealand

特典条項に関する付表(ニュージーランド)

ATTACHMENT FORM FOR LIMITATION ON BENEFITS ARTICLE (New Zealand)

記載に当たっては、別紙の注意事項を参照してください。
See separate instructions.

1 適用を受ける租税条約の特典条項に関する事項;
Limitation on Benefits Article of Applicable Income Tax Convention
日本国とニュージーランドとの間の租税条約(該当する条項に✓印を付してください。)
The Income Tax Convention between Japan and New Zealand (Check the applicable box)
□第10条第3項 または、 paragraph 3 of Article10, or
□第22条 Article 22

2 この付表に記載される者の氏名又は名称;
Full name of Resident

	居住地国の権限ある当局が発行した居住者証明書を添付してください(注5)。 Please Attach Residency Certification Issued by Competent Authority of Country of Residence. (Note5)

3 租税条約の特典条項の要件に関する事項;
AからCの順番に各項目の「□該当」又は「□非該当」の該当する項目に✓印を付してください。いずれかの項目に「該当」する場合には、それ以降の項目に記入する必要はありません。なお、該当する項目については、各項目ごとの要件に関する事項を記入の上、必要な書類を添付してください。
In order of sections A, B and C , check the applicable box in each line as "Yes" or "No." If you check any box as "Yes" in sections A to C, you need not fill in the lines that follow. Only the applicable lines need to be filled in and any necessary documents must be attached.

A
(1) 第10条第3項の規定の適用を受ける場合
In the case where paragraph 3 of Article 10 of the Act is applicable.

公開会社(注7) Publicly Traded Company (Note7) □該当 Yes , □非該当 No

公認の有価証券市場の名称 Recognized Stock Exchange	シンボル又は証券コード Ticker Symbol or Security Code

(2) 第22条の規定の適用を受ける場合
In the case where Article 22 of the Act is applicable.

① 個人 Individual □該当 Yes , □非該当 No

② 適格政府機関(注8) Qualified Governmental Entity (Note8) □該当 Yes , □非該当 No

③ 公開会社(注7) Publicly Traded Company (Note7) □該当 Yes , □非該当 No

公認の有価証券市場の名称 Recognized Stock Exchange	シンボル又は証券コード Ticker Symbol or Security Code

④ 年金基金(注9) Pension Fund (Note9)
直前の課税年度の終了の日においてその受益者、構成員又は参加者の50%を超えるものが日本又はニュージーランドの居住者である個人であるものに限ります。受益者等の50%超が、両締約国の居住者である事情を記入してください。
The "Pension Fund" is limited to those where over 50% of beneficiaries, members or participants were individual residents of Japan or New Zealand as of the end of the prior taxable year. Please provide details below showing that more than 50% of beneficiaries et al. are individual residents of either contracting countries.

設立等の根拠法令 Law for Establishment

⑤ 公益団体(注10) Public Service Organization (Note10) □該当 Yes , □非該当 No
設立等の根拠法令 Law for Establishment 設立の目的 Purpose of Establishment 非課税の根拠法令 Law for Tax Exemption

Aのいずれにも該当しない場合は、Bに進んでください。If none of the lines in A are applicable, please proceed to B.

B

(1) 第10条第3項の規定の適用を受ける場合
In the case where paragraph 3 of Article 10 of the Act is applicable.

5以下のA(1)の公開会社に該当する法人によりその議決権の50%以上を直接又は間接に所有されている法人 □該当 Yes，□非該当 No
The company has at least 50 per cent of its voting power in the aggregate owned directly or indirectly by five or fewer companies referred to A(1).

株主等の氏名又は名称 Name of Shareholder	公認の有価証券市場の名称 Recognized Stock Exchange	シンボル又は証券コード Ticker Symbol or Security Code	間接保有 Indirect Ownership	株主等の持分 Number of Voting Power Owned
			□	
			□	
			□	
			□	
			□	
合　計 Total（持分割合 Ratio (%) of Voting Power owned）				(%)

(2) 第22条の規定の適用を受ける場合
In the case where Article 22 of the Act is applicable.

個人以外の者
Person other than an Individual □該当 Yes，□非該当 No
A(2)の①から⑤までの者である日本又はニュージーランドの居住者が、議決権その他の受益に関する持分の50%以上を直接又は間接に所有する場合に限ります。(注11)
The "Person other than an Individual" is limited to the person, where residents of Japan or New Zealand who fall under ①,②,③,④ or ⑤ of A(2) own, either directly or indirectly, at least 50% of the voting power or other beneficial interests of the person. (Note11)

＿年＿月＿日現在の株主等の状況 State of Shareholders, etc. as of (date) ＿＿/＿＿/＿＿

株主等の氏名又は名称 Name of Shareholder	居住地国における納税地 Place Where Shareholder is Taxable in Country of Residence	Aの番号 Number of Line A	間接保有 Indirect Ownership	株主等の持分 Number of Voting Power Owned
			□	
			□	
			□	
合　計 Total（持分割合 Ratio (%) of Voting Power owned）				(%)

第22条の規定の適用を受ける場合であって、Bに該当しないときは、Cに進んでください。
In the case where Article 22 of the Act is applicable, if B does not apply, proceed to C.

C

次の(a)から(c)の要件を全て満たす者 Resident satisfying all of the following conditions from (a) through (c) □該当 Yes，□非該当 No

居住地国において従事している事業の概要(注12)；Description of business in residence country (Note12)

(a) 居住地国において従事している事業が、自己の勘定のために投資を行い又は管理するもの（銀行、保険会社又は証券会社が行う銀行業、保険業又は証券業を除きます。）ではないこと(注13)： □はい Yes，□いいえ No
The business in the country of residence is other than that of making or managing investments for the resident's own account (unless the business is banking, insurance or a securities business carried on by a bank, insurance company or securities dealer) (Note13)

(b) 所得等が居住地国において従事している事業に関連又は付随して取得されるものであること(注14)： □はい Yes，□いいえ No
An item of income, profit or gain is derived in connection with or is incidental to that business in the country of residence (Note14)

(c) （日本国内において行う事業から所得等を取得する場合）居住地国において行う事業が日本国内において行う事業との関係で実質的なものであること(注15)： □はい Yes，□いいえ No
(If you derive an item of income, profit or gain from a business in Japan) The business conducted in the country of residence is substantial in relation to the business conducted in Japan. (Note 15)

日本国内において従事している事業の概要；Description of Business in Japan.

D　国税庁長官の認定；
Determination by the NTA Commissioner

国税庁長官の認定を受けている場合は､以下にその内容を記載してください。その認定の範囲内で租税条約の特典を受けることができます。なお、上記ＡからＣまでのいずれかに該当する場合には､国税庁長官の認定は不要です。

If you have received determination from the NTA Commissioner, please describe below the nature of the determination. The convention benefits will be granted within the range of the determination. If any of the above mentioned Lines A through to C above are applicable, then determination from the NTA Commissioner is not necessary.

・認定を受けた日　Date of determination ______年______月______日

・認定を受けた所得の種類
Type of income for which the determination was received______________________

様　式18
FORM

租税条約に基づく認定を受けるための申請書（認定省令第一条第一号関係）

APPLICATION FORM FOR COMPETENT AUTHORITY DETERMINATION (Under the convention as listed in Item 1 of Article 1 of the Ministerial Ordinance for Determination under Convention)

この申請書の記載に当たっては、別紙の注意事項を参照してください。
See separate instructions.

税務署受付印

整理番号	

令和　年　月　日 麹町税務署長経由 国税庁長官殿 To the Commissioner, National Tax Agency via the District Director, Kojimachi Tax Office	（フリガナ） 申請者の名称 Full name	
	本店又は主たる事務所の所在地 Place of head office or main office	（電話番号 Telephone Number）
	個人番号又は法人番号（有する場合のみ記入） Individual Number or Corporate Number (If applicable)	
	事業が管理・支配されている場所 Place where the business is managed and controlled	（電話番号 Telephone Number）
	居住者として課税される国及び納税地（注8） Country where you are taxable as resident and place where you are to pay tax (Note 8)	（納税者番号 Taxpayer Identification Number）

日本において法人税の納税義務がある場合には、その納税地 Place where you file a tax return to pay the corporation tax in Japan, if any	（電話番号 Telephone Number）
認定を受けようとする国内源泉所得の種類及びその概要（注9） Type and Brief description of Japanese source income for which a determination is sought (Note 9) ☑所得税及び復興特別所得税 Income Tax and Special Income Tax for Reconstruction ☐法人税 Corporation Tax	____税法第____条第____項第____号に規定する国内源泉所得 Japanese Source Income prescribed in Subparagraph___of Paragraph___of Article___of____Tax Act （　　）
適用を受けようとする租税条約に関する事項 Applicable Income Tax Convention ☑限度税率 Applicable Tax Rate____% ☐免　税 Exemption	日本国と________との間の租税条約第____条第____項 The Income Tax Convention between Japan and ________, Article ____, paragraph, ____
その他の必要な記載事項及び添付書類 Other required Information and Attachments	（法令により必要とされるその他の記載事項及び添付書類については、別紙を参照してください。） See instructions for information and attachments required by the relevant law and ordinances.

当社は、日本国と________との間の租税条約第____条第____項____に掲げる者のいずれにも該当せず、かつ、この申請書に記載する国内源泉所得について、同条第____項の規定に基づき当該租税条約の特典を受ける権利を有する者にも該当しませんが、当該国内源泉所得について、同条第____項に規定する日本国の権限ある当局の認定を受けることによって第____条第____項____の特典を享受するために、租税条約等の実施に伴う所得税法、法人税法及び地方税法の特例等に関する法律第６条の２に基づき申請します。
なお、当社の設立、取得若しくは維持又は業務の遂行は日本国と当該特典を受けることをその主たる目的の一つとするものではありません。
当社は、日本、居住地国及びその他の国の法令に従って適正に納税を行っており、これからも適正な納税を行います。

We submit this application form in accordance with Article 6-2 of the Law concerning Special Measures of the Income Tax Act, Corporation Tax Act and Local Tax Act for the Enforcement of Tax Conventions in order to be granted benefits of the Convention between Japan and ____ by the Competent Authority Determination pursuant to paragraph ____ of Article ____ of the Income Tax Convention, although we are not the resident prescribed in subparagraphs from ____ of paragraph___of Article____of the Convention and further are not entitled to benefits with respect to an item of income in accordance with paragraph___of Article____of the Convention.
We hereby declare that the establishment, acquisition, maintenance of us, or the conduct of our operations, do not have as one of their principal purpose the obtaining of benefits under the convention.
We have been paying taxes properly under the relevant laws of Japan, country of our residence and other countries, and we will continue to pay taxes properly.

○　代理人に関する事項；この申請書を代理人によって提出する場合には、次の欄に記載してください。
Details of Agent ; If this form is prepared and submitted by the agent, fill out the following Columns.

代理人の資格 Capacity of Agent in Japan	氏名（名称） Full name		納税管理人の届出をした税務署名 Name of the Tax Office where the Tax Agent is registered
☐ 納税管理人 Tax Agent ☐ その他の代理人 Other Agent	住所（居所又は所在地） Domicile (Residence or location)	（電話番号 Telephone Number）	税務署 Tax Office

※「納税管理人」とは、日本国の国税に関する申告、申請、請求、届出及び納付等の事項を処理させるため、国税通則法の規定により選任し、かつ、日本国における納税地の所轄税務署長に届出をした代理人をいいます。

※ "Tax Agent" means a person who acts on behalf of a taxpayer, as appointed by the taxpayer and registered at the District Director of Tax Office that has jurisdiction over the taxpayer pursuant to the provisions of Act on General Rules for National Taxes, to take necessary procedures concerning the Japanese national taxes, such as filing a return, applications and claims, payment of taxes and so forth.

〈主要参考文献〉

・「令和５年度税制改正の解説」財務省

・「グローバル・ミニマム課税への対応に関する改正のあらまし（令和５年４月）」国税庁

・『令和５年版（Web 版）　租税条約関係法規集』（財）納税協会連合会

・『法人税基本通達逐条解説〔十一訂版〕』松尾公二編著　税務研究会出版局

・『改正税法のすべて』日本税務協会

・「日米租税条約のポイント」財務省

・『租税条約の実務〔三訂版〕』小沢　進著　財経詳報社（1995 年）

・政府税制調査会資料

・Department of the Treasury Technical Explanation of the Convention between the Government of the United States of America and the Government of Japan for the avoidance of double taxation and the prevention of fiscal evasion with respect to taxes and on capital gains, signed at Washington on November 6, 2003

・Explanation of Proposed Income Tax Treaty between the United States and Japan, Prepared by the staff of the Joint Committee on Taxation

〈著者紹介〉

鬼頭　朱実（きとう　あけみ）

京都大学法学部卒業。2023年6月までPwC税理士法人　パートナー，2023年7月より同法人マネージング・ディレクター。公認会計士・税理士。
主な共著書に『基礎解説　証券化の税務』(中央経済社)，『不動産投信の実務』(中央経済社)，『知的財産ビジネスハンドブック』（日経BP社)，『信託の税務』（税務経理協会）等がある。

箱田　晶子（はこだ　あきこ）

慶応大学経済学部卒業。PwC税理士法人　パートナー。税理士。
主な共著書に『信託の税務』(税務経理協会）がある。

藤本　幸彦（ふじもと　さちひこ）

京都大学法学部卒業。2014年6月まで税理士法人プライスウォーターハウスクーパース　パートナー公認会計士・税理士。
主な共著書に『デリバティブの会計と税務』（日本経済新聞社)，『基礎解説　証券化の税務』(中央経済社)，『不動産投信の会計と税務』（中央経済社)，『信託の税務』（税務経理協会）等がある。

投資ストラクチャーの税務
クロスボーダー投資と匿名組合／任意組合〔十一訂版〕

2004年７月10日　初版発行
2024年３月10日　十一訂版発行

著　者　鬼頭朱実
　　　　箱田晶子
　　　　藤本幸彦

発行者　大坪克行

発行所　株式会社 税務経理協会
〒161-0033東京都新宿区下落合1丁目1番3号
http://www.zeikei.co.jp
03-6304-0505

印　刷　美研プリンティング株式会社

製　本　牧製本印刷株式会社

本書についての
ご意見・ご感想はコチラ

http://www.zeikei.co.jp/contact/

ISBN 978-4-419-06974-2　C3032